短編ミステリの二百年5

グリーン、ヤッフェ他

短編ミステリの歴史をたどりなおすアンソロジーの評論は、いよいよ1960年代に突入。当時第一線で活躍した作家たちの代表的な短編を瞥見《べつけん》し、彼らの個性を見極め論じていく。さらには同時代の英国の状況や、007の大ヒットから発生したスパイ小説ブームを分析し、SFが隣接ジャンルとしてミステリに及ぼした影響をも考察する。小説はイーリイやトゥーイなどの短編巧者、グリーンやフレムリンなど英国の大物に加え、謎解きミステリの分野で輝きを放った作家——ケメルマン、ヤッフェ、ポーター、ギャレットの傑作など、多彩な全12編を収録。

短編ミステリの二百年５

グリーン、ヤッフェ他
小　森　収　編

創元推理文庫

THE LONG HISTORY OF MYSTERY SHORT STORIES

volume 5

edited by

Osamu Komori

2021

目次

短編ミステリの二百年5

ある囚人の回想

スティーヴン・バー

「The Procurator of Justice」一九五〇年

スティーヴン・バー Stephen Barr（一九〇四―八九）。アメリカの作家。イギリス生まれで、十代でアメリカに移住する。一九二〇年代から創作をしていたが、作家活動が本格化したのは四八年に「ある囚人の回想」で第四回ＥＱＭＭコンテストに応募し、処女作特別賞を受賞してからとなる。その後は〈エラリイ・クイーンズ・ミステリ・マガジン〉*Ellery Queen's Mystery Magazine* と〈マガジン・オブ・ファンタジー・アンド・サイエンス・フィクション〉*The Magazine of Fantasy and Science Fiction* の二誌を中心に、幅広い雑誌に七〇年代まで短編を発表した。代表作に「最後で最高の密室」がある。本編の初出はＥＱＭＭ一九五〇年二月号。

そのとき私は、ローストビーフが有名で、ヘラルド・トリビューンの記者たちが常連であることで知られる西四十丁目のレストラン〈ブレイクス〉で、新聞の特集担当記者であるジョニー・カーターと昼食をとっていた。マティーニを三杯飲んだせいで、知らぬ間に気がゆるんでいたらしい。そうでなければたぶん彼の誘いには応じなかっただろうし、結果として貴重な機会を逃していたはずだ。「三時四十分発の列車でオシニングに行くんだ」ジョニーはいきなり言った。「あそこにいる知り合いの医者の紹介で、年をとった服役囚にインタビューできることになった。きみも一緒にくるといい」

「どうしてぼくが?」私はたずねた。

「それがね、きみと同じようにその男もイギリス人なんだ。とても面白そうな老人だぜ。かつては名の知れた宝石泥棒で詐欺師だった。シンシン刑務所の囚人のなかでは飛び抜けて高齢で、もう長くはないようだ。医者によれば、百歳近いらしいのでね」ジョニーは一人旅が苦手で、けっきょく私がついていくことになった。

刑務所というのは陰気な場所だが、付設されている病院の狭い個室は思いがけず心地よく、窓辺の花が鉄格子の印象を和らげていた。ジョニーの友人である医師が、前もって事情を説明してくれていた。「個室は本来、感染症の患者に使う決まりなんだ。それなのに彼をここに入れたのは、とても高齢なせいだけでなく、特別な人物であることも考慮されたんじゃないかな」

ベッドで体を起こしている男は、たしかにとても年をとっていたが、身なりはこぎれいで、白髪がうっすら残り、小さな目は生き生きしていた。

「こちらが〝ロンドン〟だ」医師はそう言って、私たちを紹介した。「私は今から回診があるので失礼するが、あとでまたのぞいてみるよ。疲れないようにな、〝ロンドン〟！」

医師がいなくなると、老人は私を見て言った。「イギリスのかたでいらっしゃいますね？」彼のしゃべりかたは古い時代の優秀な従僕を思わせた。きちんとしすぎているせいでよそよそしく感じられる口調で、下町訛りはかけらもなかった。

「私はここでは〝ロンドン〟と呼ばれています。そのこと自体はかまわないのですが、本当の名前はフィリップ・ジェームズと申します。年のせいで遠い昔のことばかり話しているうちに、そんなあだ名がついてしまいました。自分の仕事として思い返すのは、たいていロンドンでのことばかりなもので」彼は皮肉めいた笑みを浮かべてジョニーを見た。「それにしても、新聞の取材とは、まことに光栄ですよ！」

ジョニーはにやりと笑い返して切り出した。「ありきたりな質問になってしまうが、自分の一番の大仕事は何だと思うね」

「ああ！」老人は言った。「それは、何をもって一番とするかによりましょうな。一番稼ぎが大きかったものもあれば、一番世間を騒がせたものもあります。そしてそれとは別に、私自身が一番と思っているものも」

ジョニーは即座に答えた。「もちろん、最後のやつだ」

フィリップ・ジェームズは窓辺の花を見た。

そう、私の一番の大仕事は（以下は彼が語った話である）遠い昔——あれは、ロンドンでの記念祭《ジュビリー》の週のことだった。八七年の在位五十年ではなく、その十年後の大がかりな在位六十年《ダイヤモンド・》記念祭のときだ。その時期を選んだのには理由があった。そのあいだは宝石や現金を手元においている富豪たちが、そろって式典のため市内に滞在していたからで、つまりは最高の宝石があちこちの銀行の金庫から取り出されるわけだった。

仕事にあたっては、三つの地域のうちどこを選ぶかで迷った。極めつけ富裕な人々が住んでいるメイフェア、当時は最も由緒ある家柄の人々が集まっていたベルグレイヴィア、それにベイズウォーターだ。ご存じと思うが（これは私の方を向いて）、ハイド・パークのすぐ北のあたりだ。住むには申し分ないのに、なぜか本当の上流階級は嫌って避ける風潮があったせいで、新興成金がやたら目についた。まさしく執事さながら、そうしたいささか鼻につく階級意識も考慮にいれなければならなかった。ともあれ、最終的にはベルグレイヴィアを選んだ。あそこの方がパブが多かったからだ。

さて、どうしてパブがこの話に関わってくるのか不思議に思われるだろうが、それはこれから説明しよう。私の計画では、夏のあいだ家を一軒借りて、自分の召使になるつもりだった。身のまわりのことは自分でするという意味ではなく、二人の人間がいるように見せかけることにしたのだ。以前から得意だった変装の力を借りて、従僕であるジョナサン・ギブズと、ギブズの雇い主で家の借り手であるジェームズ・フィリモア氏を一人二役で演じようというわけだ。ベルグレイヴィアの中心にあるイートン・スクウェアのすぐ南、イートン・テラスの家を選んであった。

ところで、ベルグレイヴィアの隣のピムリコは、品のよい界隈とはいいがたく、たくさんのパブがある。パブがあることを望んだ理由は、従僕であるギブズとしてそれらの店を訪ね、近くの豪邸の使用人や執事たちと顔見知りになりたいがためだった。家政婦として雇ったミセス・ギルピンはひどい近視な上に耳もかなり遠く、計画にはうってつけの女性だった。彼女に家にはほかに二人いると思わせるのは難しくなかった。もちろん、実際に一緒にいるところは見せられないが、たとえば彼女が階段を掃除しているあいだにギブズとして主人の寝室に入り、そこで声を出して話し、それからフィリモアとして廊下に出るといった芝居を何度か繰り返せば、法廷でも主人と従僕の二人がいたと証言するだろう。

イートン・テラスは高級な通りではなく、家はこぢんまりしていたが、まさに計画にうってつけだった。家の裏手には厩《うまや》があって、そちらからも外に出られるようになっていた——それがどれほど幸運であったか、あとで身をもって知ることになる。

その家に落ち着いたあと、私は使用人や執事たちが行きつけにしているパブを探しに出かけ、ピムリコ・ロードの角にある〈旅人亭《ウエイフエアラーズ》〉という店を見つけた。もちろん、そのときはギブズとして出かけていた。濃い色の上着、ウィングカラー、山高帽、それに頰髯をつけて。素早くつけはずしができる付け髭だ。とてもよくできた小道具だったが、クラークソンにはかなりの代金をふっかけられた。一方でフィリモアを演じるときは、その頰髯をはずし、鼻眼鏡をかけ、たいていはシルクハットをかぶればよかった。それだけで、びっくりするくらい印象が変わるのだ。

店内に足を踏み入れるとすぐに、このパブこそ探していた場所だとわかった。そこにいるのは従僕たちだと、一目で見分けがついた。彼らがいることで、少し堅苦しいが落ち着いた雰囲気が漂っていた。私はビールを半パイント注文し、狙いをつけようとそこにいる者たちの品定めをはじめた。しかし、話しかけやすそうな相手など一人もいない。それから近くに立っている男と目があった。背が高く痩せていて、鋭くとがった鷲鼻、そして私と同じような頰髯、まさしく召使の典型だ。彼が目をそらしかけたところに、私は笑みを浮かべて歩み寄った。

「お邪魔してよろしいですか」私は呼びかけた。「この店は初めてでして、私はギブズと申します」そこで相手のグラスが空なのに気づいた。「よろしければ一杯おごらせていただけませんか?」

「おそれいります」男はかすかに会釈して答えた。「私はフィールディングと申します。あなたもお屋敷にお勤めとお見受けしますが」

「ええ、そう、そうです」私は変装の効果に満足して答えた。「イートン・テラスの四二Aにあるお屋敷で働いております。小さい家ですが、フィリモアさまはこの季節しかロンドンにはいらっしゃいませんので」

「でしたら、この店には私より近い」彼は言った。「私はライアル・ストリートから足をはこんでおりますので。この店は――そう――静かなのが私の好みに合っているのです」メイドが彼にはシェリーの小さなグラスを、そして私にはビールのおかわりを持ってきた。私たちはグラスを合わせ乾杯した。

「ご健康を祈って」彼は言った。「あちこちを旅していらっしゃるあなたのような方には、六十年祭のあいだのロンドンはさぞや鬱陶しいでしょう」私が驚きの表情を浮かべたのを見て、彼はつづけた。「六月なのに日焼けした顔は、ロンドンっ子らしくありません。こうした推理が私は好きでして――単なる習慣、趣味のようなものですが、仕事にも役だっています」

その夜は暖かかったので、私は酒を飲み終えると彼を散歩に誘った。寝酒でもと家に招き入れ、さらに親しくなろうという算段だった。私たちはガス灯に照らされ、静かに堂々とそびえるレン（クリストファー・レン 一六三二―一七二三）設計のチェルシー王立病院に向かって歩きはじめた。フィールディングはこれまでに勤めた立派な主人たちのことを話してくれた。しばらくして道を戻りはじめたところで、私はさりげなくイートン・テラスへと足を向け、やがて家の前まで来ると言った。「寝酒に寄っていきませんか、フィールディングさん」

彼が応じてくれたので、私たちは半地下の勝手口から台所に入った。家のなかは真っ暗で、ミセス・ギルピンのいびきが上の方から聞こえてきた。本来は長い時間をそこで過ごしているはずなので、従僕用の部屋をしかるべく整えてあった。グラスを脇において肘掛け椅子に落ち着いたところで、私はフィールディング自身と雇い主について探りを入れはじめた。フィールディングは無口なわけではなく、質問すべてに答えてくれたが、つかみどころのない返事ばかりで、宝石の話題を持ち出すのには苦労させられた。

彼の主人であるサー・ウィリアムとレディ・コスグレイヴはどちらも市内にいるようで、その夜は夕食のために出かけていた。

「おふたりはよく出かけるのですか?」私はたずねた。

「ええ、今週は何度もお出かけでしたので、夜のあいだはとても自由に過ごせました」

「ああ!」私は言った。「奥さまは、さぞや着飾ってパーティにお出かけになるのでしょうね?」

「まさしく」彼はそう言ってパイプに火をつけた。かなりきつい匂いの煙がたちのぼった。「批判めいたことは口にしたくありませんが、過ぎたるは及ばざるがごとしとだけ申しておきましょう。アメリカ流というやつです」

「なるほど」私は答えた。「宝石が主役になっているわけですね」けれどもフィールディングはそれ以上何も言わず、つんとする煙の雲を吐き出すだけだった。

「あなたがお勤めのお屋敷を拝見したいものです」私は宝石についてはそれ以上きかないことにして話題を変えた。「住所はどちらとおっしゃいました——」

「しまった! もう帰らなければ」彼は自分の時計を見てやおら立ち上がり、私をさえぎった。

「すっかり長居をしてしまいました」そしてお礼と挨拶をつぶやいて出ていった。こちらの撒いた餌には食いつかず、お返しの誘いもしてくれなかった。正直に言えば、手札を見せすぎたような印象だけが残った。

次の夜、私はまた〈旅人亭〉に足をはこんだが、フィールディングの姿はなかった。代わりにブラウンという名前の男と話をすることができた。ブラウンはおしゃべりだった。イートン・スクウェアの大富豪の屋敷で働いているそうで、ジン・アンド・ビターズを飲むほどに主人の悪口が止まらなくなった。イートン・スクウェアは、私が住んでいるイートン・テラスにほど近い。フィールディングでは埒があかないときは、ブラウンを使う手もある。

この新しい知り合いは、主人の着替えを手伝わなければならないそうで、寝酒の誘いには乗ってこなかったが、翌日の六十年祭のパレードを一緒に見に行こうと誘ってきた。彼がクローブを嚙みながら歩み去ったとき、通りの角に背の高い痩身の男の姿がちらりと見えたような気がしたが、思い違いかもしれなかった。

六月二十二日の朝は明るく晴れていた。ロンドンという町全体が一つの目的に向かっていた。ブラウンとは十時にイートン・スクウェアの彼が勤める屋敷の前で待ち合わせ、ストランドで眺めのきく場所を探し歩いた。すでにかなりの人出だったが、私たちはセント・クレメント・デーンズ教会の近くで何とか場所を確保した。通りには警備の兵隊が並んでいて、群衆のくすんだ茶色のなか、その緋色の上着が鮮やかに目立っていた。ふと目をやると、驚いたことにさほど遠くないところにフィールディングの陰気な顔が見えた。もしや変装を見破られたのではと一瞬不安にかられたが、彼は私と目が合うと微笑んだ。

　やがて歓声があがり、パレードが見えてきた。陸軍で一番背が高いエイムズ隊長が先頭に立っている。つづいて大英帝国のあらゆる地域から参集した兵隊たちの長い列。政治家、諸外国より訪れた高官たちがつづき、特命大使のホワイトロー・リード、そして最後に白いパラソルに隠れるようにして、小柄な女王陛下その人の姿が見えた。

　女王陛下が通り過ぎると、すぐにあたりの雰囲気がゆるみ、このあと一杯やらないかという私の誘いにブラウンは乗ってきた。人混みをかき分けるようにして脇道に入ると、ほどなくパブが見つかった。カウンターにたどり着いてすぐ、誰かに後ろから肩をたたかれたが、振り向いてフィールディングが立っているのを見ても私はもう驚かなかった。「またお会いしましたね」彼は微笑んで言った。

　私はいささか戸惑っていた。計画を進めるにあたり、第三者の存在は間違いなく足かせになる。けれども、フィールディングはどこ吹く風で、思いがけないことを言い出した。「それにしても興味深い眺めでした。何より、通りの向こう側にいた人たちのなかに、少なくとも十六人の掏摸《すり》がいたのは面白かった」

　そのひとことに私は驚き、この男はただの召使ではないという疑念がふくらんでいった。彼は私の表情に気づいて言葉をついだ。「種を明かせば簡単なことですよ、ギブズさん。離れたところからでも、パレードには目もくれず、きょろきょろと周囲の様子をうかがいながら動きまわる連中がいるのがわかりました。それでいて女王陛下が通り過ぎると、とたんにまわりへの関心を失ったんです。それで間違いなく掏摸だとわかったというわけです」

暑さと人いきれにやられ、ジン・アンド・ビターズをがぶがぶ飲んだせいで、ブラウンは様子がおかしくなりかけていた。「別の店に行きましょう」彼はもごもごとつぶやいた。「もっと涼しいところで飲み直しましょうよ」

うつむいたブラウンの頭越しに、私とフィールディングの目があった。「こちらのかたは、もうできあがっているようですね」彼が言った。

「ええ、そのようです」私は答えた。「私が家まで送りましょう」そしてふらついているブラウンを店の外に連れ出したが、しゃくなことにフィールディングが先まわりして、奇跡的にも客を乗せずに目の前を通りかかった二輪馬車に声をかけていた。

イートン・スクウェアの屋敷に着いたものの、ブラウンは外の空気を吸って正気づくどころか、すっかりへべれけになっていた。半地下の勝手口まで階段を降りていく際に目立たないようにするためには、手を貸すというフィールディングの申し出を受けるしかなかった。

家政婦用の居間で——どうやら家には誰もいないようだった——フィールディングが手早くコーヒーを入れ、アンモニアの小瓶を見つけてきて、ブラウンはようやく立てるようになった。けれども、フィールディングさえいなくなればすぐにまた酔いつぶせる、と私は心のなかでほくそ笑んでいた。というのも、食器棚の上にポートワインらしきデキャンタがあるのをこっそり確かめてあったのだ。しかしフィールディングは、いっこうに立ち去る気配がなかった。意図的にその場を離れないようにしているのは明らかだったが、私の狙いを知っているはずがない。それでもフィールディングは、ブラウンに何か食べるよう念押ししたあと、自分たちは失礼すると勝手に告げてしまった。

ブラウンはふらつきながら礼を口にし、私には明日また来ないかと誘いかけてきた。フィールディングが意を決したような、皮肉な表情をちらりと浮かべたのに気づき、私の疑念は確信となった。それにしても、どうして彼は守護天使の役割を演じたがるのだろう。それがわからない。

外の歩道に出ると、フィールディングが言った。「よろしければ、しばらく一緒に歩きませんか。こうして人混みを離れると、とても気持ちのいい日だ」拒めるはずもなく、私たちは緑濃い木々や夏草の匂いをかぎながら、公園に面した通りを黙々と歩いていった。「フィリモアさんはいつ戻るんでしたっけ?」不意に彼がたずねた。

「ああ、次の……」私はうかつにもそう言いかけてから、あわてて言葉を切った。主人は市内の家にいると言ったことを思い出し、自分の脇の甘さをいましめる。「つまり今日の午後遅く、夕食の少し前かと」私は落ち着いてつづけた。

「そうですか。なるほど」フィールディングが言った。「でしたら、今夜また〈旅人亭〉で会えますね?」

「たぶん」もちろん会うつもりなどなかったが、私はそう答えた。

かくしてその夜、私は年代もののブランデーを飲み、部屋を煙草の煙で満たしながら、遅くまで眠らずに絨毯の上を歩きまわっていた。けれども打開策は思い浮かばなかった。翌朝目が覚めたときも、フィリモアとしてフィールディングを見張ろうと決めたこと以外には、何一つはっきりした計画はなかった。

それで、とりあえず鼻眼鏡にシルクハット、それにフロックコートをまとって、貫禄ある雇い主の姿になった。「さて、フィールディングさん。もっとも、それが本当の名前かどうか怪しいものだが」私はひとりごちた。「そろそろこのゲームから降りてもらおうか！」そして厩に通じる裏口から外に出た。

昨日と同じように天気はよく、警戒しつつイートン・テラスの角に近づいたときには正午近かった。やはりというか、二十歩も離れていないところにフィールディングの姿があった。彼はこちらに背を向け、ぼんやり新聞を読んでいるように見えたが、その目は間違いなく私の家の玄関に向けられているはずだった。「どうぞごゆっくり！」私はそう心のなかでつぶやくと、回れ右をして自分も新聞を買うためにスローン・スクウェアへと足を向けた。もしギブズを尾行しようと待ちかまえているのなら、こちらもそのあいだ待たせてもらうだけだ。そして逆にあんたをつけてやる！

数分後にゆっくり戻ってみると、フィールディングがちょうど振り向こうとしているところでぎくりとさせられたが、彼は時計に目をやり、顔をしかめて首を振っただけだった。そしてこちらをちらりとも見ずに、すぐ脇を通り過ぎていった。おかげで私は苦もなくスローン・スクウェアまであとをつけていくことができた。彼は地下鉄の駅の階段を降りていった。私もすぐ後ろにつづき、彼がどこで降りるのかわからないので路線の終点までの切符を買った。それから彼が乗った車両の隣の喫煙車に乗り込んだ。そこからは、彼の長い足だけが見えた。けっきょくフィールディングはリージェント・パーク駅で降り、私はさほど離れずに後ろをついていった。ともに地上に出たところで彼は不意に向きを変え、古い銀行の建物に入っていった。私もすぐあとから入ると、彼がカウンターに歩み寄り小切手の換金を求めているのが見えた。

その刹那、妙案がひらめいた――それは実のところ、生涯で二番目に冴えた思いつきだった。ちなみに、最高のひらめきはこのあと訪れることになる。私は金貨を八ポンドほど――新たな思いつきを実行するには十分なだけ――持っていることを思い出した。そしてフィールディングが小切手を現金にする様子を見つめ、誰も彼の後ろに並んでいないことにほっとした。順番が彼の次になることが必須なのだ。彼がその場を離れると、私はすかさず同じ窓口に行き、金貨五枚を出して五ポンド紙幣と交換してほしいと出納係に頼んだ。ご存じのように、イギリスの銀行は一度でも使われた紙幣は窓口では出さない。使われた紙幣はすぐに市中から回収され、新しい紙幣が渡される――そしてその際、紙幣は必ず番号順に出されていく。

出納係が素早く紙幣を数え、そのあとフィールディングが枚数をゆっくり確かめるところも、私はしっかりと見ていた。これで、彼のポケットには確実に番号がつづいている六枚の五ポンド札があることになる。そして彼のすぐあとに銀行を出たとき、私のポケットには五ポンド札が一枚――次の番号の一枚があることも、同じようにたしかだった！

地下鉄の駅に戻る途中、フィールディングがベイカー・ストリートの方に歩いていくのが見えたが、もはや尾行する必要はなかった。あとは、彼が夕方までにあの金のあらかたを使ってしまわないことを祈るばかりだった——さもないと、せっかくの計画が水泡に帰してしまう！

私は家に戻り、コールドチキンと上質のモーゼルワインのハーフボトルで贅沢な遅めの昼食をとった。暑い日には、適度に冷やしたワインに勝るものはない。最後にブランデーと煙草で食事をしめ、肘掛け椅子で五時まで眠った。そして目が覚めると念入りに変装をしてジョナサン・ギブズになり、五ポンド紙幣を出して（ギブズとして）自分の名前と住所をその隅にとても小さな字で書き込んだ。それから家を出て通りを歩きはじめると、しばらくして予想通りまたしてもあとをついてくる者がいるのに気づいた。

私はテムズ・エンバンクメントまで歩いて、川沿いのバタシー・パークの緑を眺めながら、ゆっくりチェルシーに向かった。そしてオークリー・ストリートで曲がり、次の角に近づいたところで屈んで靴紐を結びなおすふりをした。そうしたとき、ポケットからものを落としてしまうことがよくあるものだ。私は印のついたあの紙幣をわざと脇に落とした。尾行者がそれを拾うはずだとわかっていたし、ゲームのこの段階ではまだそれを私に渡すために急いで追いかけてはこないだろうと踏んだのだ。

それから私は体を起こして足早に歩きはじめ、キングスロードまで着いたところでちらりと後ろに目をやり、彼がその紙幣をポケットにおさめるのを確かめた。通りに人がたくさんいて、どこかに警官が立っていることを期待していた。人が多ければ尾行者は距離をつめようとするだろうし、警官は……そう、ここからが種明かしになるのだが、ほどなくして警官の青い制服と縞模様の腕飾りが目に入ると、私は店のウィンドウで何度も立ち止まってフィールディングが近づいてくるのを待った。そして警官のすぐそばまで来たところでいきなり叫び、尾行者を指さした。

「おまわりさん！」私が大声をあげると、何人もが振り向き、人が集まりはじめた。「あの男を捕まえてください！　掏摸です！」フィールディングは法の執行者が近づいてくるあいだも逃げようとせず、根を生やしたようにその場から動かなかった。

「おい！　どういうことだ？」警官が声をあげた。

「この男が私のポケットから五ポンド札を盗んだんです！」私はここぞとばかり訴えた。

「でたらめだ！」フィールディングが言い返した。「この人が五ポンド札を一枚落としたのを拾って、追いかけてきたところなんだ！」彼は例の紙幣を取り出し、警官はそれをじっと見つめた。

「ふたりとも、署までご同行願います」警官は言った。「さあ、さっさと行った行った！」彼は野次馬たちに呼びかけた。フィールディングは肩をすくめ、これしか言わなかった。「馬鹿げた間違いだ。いいだろう、すぐに説明がつく！」

けれども警察署で、彼はその見通しが甘かったことを思い知らされた。

「この男が出した五ポンド札には」私は言った。「私の名前と住所が書いてあります。調べれば、きっと残りの紙幣も見つかるはずです。ただ、今夜は一枚しか使わないつもりだったので、ほかには印をつけていませんが」念のため説明しておくと、当時はそんなふうに自分の紙幣に印をつけるのは珍しいことではなかった。「他の紙幣に印がついていないのは、私のものだからだ。それがあんたの金だという証拠はどこにある？　よくそんなでたらめが言えたものだ」

「それがあるんですよ」私は勝ち誇ったように言った。「番号を見れば、印のついた一枚とつづいているのがわかるはずです。今朝、自分の銀行で受け取ったばかりだから！」

警官は私の名前を控え、明日の朝になったら治安判事の前での手続きのためにもう一度来るよう求めた。フィールディングは怒りを爆発させていた。「いいか」彼は叫んだ。「必ず思い知らせてやるぞ！」それから彼は、私が悪名高い宝石泥棒で、自分は有名な探偵であると訴えはじめた。けれども、従僕としての変装が完璧すぎたのがあだになった。それに他の身分証明書を持っていなかった。私が出ていくとき、彼はスコットランドヤードのラ・リュー警部とかレストレード警部といった名前をあげて連絡するよう求めていたが、相手にされていなかった。

私は時計に目をやり、約束の時間にまだ間に合うことを確かめた。イートン・スクウェアの屋敷に着くと、幸先よいことに上階の明かりは消えていて、ブラウンは私を待たずにジンを飲みはじめていた。それもあって、あっという間に彼をひどく涙もろく、そして口を軽くさせることができた。実のところ、手強いフィールディングを相手にしていたときとは大違いだった。ブラウンは完全につぶれてしまう前に（彼の飲み物に阿片を少し混ぜたことを告白しておこう）、書斎にある金庫のことを話してくれた。南アフリカの百万長者夫妻が帰るまでにはまだ時間があったが、名高いダイヤモンドのコレクションを今まさにどっさり身につけているに違いないので、じっくり待つことに決めた。それまでのあいだにまず上にあがって金庫を調べ、開けるのが難しくないことを確かめた。その場で実際に開けてみて、のちほど素早く退却できるよう数字の組み合わせもしっかり頭に入れた。金庫のなかにあったビロード張りのケースは空で、大きさも質も最高のダイヤモンドがメイフェアのどこかのパーティをきらびやかに飾りたてていることは明らかだった。それで私は金庫を閉め、いびきをかいているブラウンのところに戻った。

やがてついに馬車が屋敷に戻り、南アフリカの富豪夫妻が寝室にあがった。ほどなくすべての明かりが消え、家のなかは静まりかえった。もう一度金庫を開けて戦利品をポケットにおさめてその場を去るまで、さしたる時間はかからなかった。私はすっかり舞い上がっていた。何しろ、アムステルダムの安い相場でも十万ポンドはくだらない価値がある宝飾品を手にしたのだから。ただ危ぶむべきは想定外に時間を要したことで、フェリーに接続する次の列車は朝の九時までなかった。

もちろん、だからといって家に帰るべきではなかったし、ましてやそこで一晩過ごすなんて、いまにして思えばあり得なかった。けれども、フィールディングは少なくとも翌朝までは留置されると信じていたし、朝早いうちに家を出るつもりだったのだ。それで私はサウス・ケンジントン駅に行き、用心のため貴重な宝石を鍵のかかるロッカーに隠し、それから最後にもう一度だけイートン・テラス四二Aに戻った。荷物をまとめる必要があったし、フィリモアに変装しなおしたくもあった。持っていくものを選んで荷造りをし、コーヒーをいれてサンドイッチを食べ、それから途切れ途切れに眠り、六時に目覚まし時計の音で目覚めた。

陰気な朝で、空には雲が垂れ込め、蒸し暑かった。私は窓から外を見てショックを受けた。家の向かいに警官が立っている！　通りにはほかにもさらに何人かいた！

急いで二階に上がって、裏手の寝室の窓から外を確かめた。厩にも警官が数人、そして真下の裏庭に一人いることがわかり、私は凍りついた。警察はフィールディングの話を信じて、イートン・スクウェアの屋敷を訪ね、その主人を起こして金庫を開けさせ、私を捕まえに来たのだろうか？　最後の最後で油断するなんて、あまりに愚かだった！　のちに新聞の記事で、フィールディングは警察を説きふせ、午前五時になってついにスコットランドヤードの知人に連絡させたことを知った。にわかには信じがたい成り行きだが、彼は警察のあれこれについて事細かに語ったらしく、そのなかにただの掏摸には知り得ない事実も含まれていたことが決め手となったようだった。

さて、かくして私は追いつめられた。絶体絶命とはこのことだが、しかしそれから考えた。警察は、ジェームズ・フィリモアがジョナサン・ギブズであることを知らない。警官たちが入ってきたら、ギブズは昨夜は帰ってこなかったと答えればいい。ミセス・ギルピンが裏づけてくれるだろう。あるいは、もし警官たちがずっと外にいつづけたら、そのときはしかるべき時刻まで待って覚悟を決め、大胆に出ていくこともできる。

それで私は髭を剃って髪をととのえ、ウィスキーの助けも借りて少しだけ朝食も口にした。

ただ、それはこれまでに経験したことがないほど落ち着かない一時間半だった。そもそもどうして警察が外で待ちつづけているのか、さっぱりわからなかった。

そのときには知るよしもなかったが、警察は物証がないまま南アフリカの富豪を早朝にたたき起こすことをためらっていたようだ。そのため、さしあたりは私の家のまわりに非常線を張るにとどめ、富豪宅の台所に警官を待機させていたのだ。奇妙に思えるかもしれないが、それがイギリスの警察のやりかたで、このときは理にかなってもいた。これものちにわかったことで、家に帰った際には気づかなかったのだが、目の利く警官が午前二時に山高帽をかぶった男が私の家に勝手口から入るのを見ていたのだから。

私は忙しく頭をはたらかせた。別の変装をすることも考えたが、冷静になってみればやはりフィリモアとして振る舞うのが最善だと気づいた。七時半になると、もはや我慢できなくなり、丈の短い上着を羽織り鼻眼鏡をかけて玄関に向かった。

ドアを開けるなり、二つのことがわかった。第一に、雨が降りはじめていた。第二に、フィールディングが階段の下に立っていて、そのそばにはフィリモアとしての私を知っている地区の警官と、赤ら顔で口髭をたくわえた軍人らしき紳士がいた。その瞬間、私はきわめて重要なことを忘れていたのに気づいた。フィールディングは、声で私が誰かわかってしまう。

「フィリモアさん！」警官が呼びかけてきた。「おたくの従僕ですが、あの男は……？」けれども彼がそれ以上何か言う前に、私は手を差し出して空を見上げた。

「傘がいるな」私はくぐもった声でつぶやくと振り向いて家のなかに戻り、そっとドアを閉めた。けれどもドアが完全に閉まる前に警官の呼び子が聞こえ、角にいた警官が手を振るのが見えた。ずっと待たれていた合図に違いない。南アフリカの富豪が早起きしたのだろう。階段をのぼってくる足音と、フィールディングの声が聞こえた。「こい、ジェンクス！　きみはここで待つんだ、ヒギンス、あいつがこっちから出てきたら捕まえろ！」玄関のベルがしつこく鳴りはじめ、「フィリモアさん！」と呼ぶ声が響いたが、しばらくのあいだミセス・ギルピンには何も聞こえないことはわかっていた。

そこで次なる妙案が――これまでで最高の思いつきが――ひらめいた。何をすべきかわかった。暴力は好まないので、考えただけで落ち着かない気分になったが。

私は裏口にまわり、いきなりドアを開けた。それ以上望みようがないタイミングだった。まわりの家の屋根越しに響く呼び子の音につられ、裏口にいた警官は顔を上げた。誰しも、音がした方に目を向けるものだ。私はその警官の鳩尾《みぞおち》を思い切り殴った。彼は魚のように口を開けて私を見つめ、あえぎながらがっくりと膝をついた。つづけて首筋を殴ると、うつ伏せに倒れ込んだ。

私は急いでカラーと鼻眼鏡をはずしてポケットに突っ込んだ。シルクハットは乱暴につぶした。そんなふうにしてよいのはオペラハットだけで、紳士にあるまじき振る舞いではあった。そして警官のヘルメットをかぶり、防水ケープをうばって羽織り、その下につぶしたシルクハットを隠して、厩にいた警官たちに向かって叫びながら走った。

「玄関からこっちに抜けてきた。あいつはこっちに来なかったか？」

不意をつかれて泡を食い、警官たちはその言葉を鵜呑みにして私が別の分署から来た警官だと思い込んでくれた。彼らは首を振り、私はその場を離れる言い訳をひねり出そうとした。それから裏口が乱暴に開けられる音が響いたのに乗じて、すかさず走った。

私は厩の隅にあったごみ箱に警官のヘルメットとケープを投げ捨て、スローン・ストリートの角でシルクハットを建物の勝手口に放り投げた。どうしてそこまで持っていたのか、自分でもわからなかった。たぶん、証拠を残したくないという思いがどこかではたらいたのだろう。とはいえ、他の持ち物はすべて家のなかに残したままなのだから、支離滅裂な行動ではあった。おまけに、やはり無意識のうちに私は頰髯をつけていた。目立つのを避けたいという一心だった。帽子をかぶっていないので、どこかの使用人に見せかけようと考えたのだ。のちにわかったことだが、とっさのその変装と、カラーをつけていなかったことが大騒ぎをもたらすことになった。

幸いにもサウス・ケンジントンで男ものの衣料品店があいていたので、その店で帽子と新しいカラー、レインコート、それに傘を買った。店員は、私が一晩どたばた騒いだあとの朝帰りだと思っているような顔をしていた。まさにその通りではある。私は駅のロッカーからダイヤモンドを取り出し、二日後にはアムステルダムにいた。

さらに一週間後、私はリビエラの陽射しを浴びて、海岸でイギリスの新聞を読み、事件の顚末を伝える記事を確かめていた。そう、宝石の盗難もかなりの話題になっていたが、一番の大ニュースは「ジェームズ・フィリモア氏の不可思議な失踪」と呼ばれる事件だった。フィリモアは傘をとりに家のなかに戻ったあと、そのまま忽然と消えていたのだ！

　フィールディングの怒りはおさまらなかった。彼を含め誰ひとりとして、あの家に二人の人物がいたことを疑っていなかったし、高齢のミセス・ギルピンの証言がだめ押しとなっていた。フィリモア氏は夜のあいだずっと屋敷にいたが、従僕のギブズは自分がベッドに入ったあとに戻ってきたと証言したのだ。裏口のドア近くにいた運の悪い警官は、意識を取り戻したあと私の人相をまったくの別人のように説明したが、あのときの状況からすればしかたのないことだった。のちに私の姿かたちに関する店員の証言を聞くと、自分も頬髯を見たと言い出す始末だった。

　けれども、フィリモアが家のなかに戻ったのはたしかな事実なのだ。そして厩にいた警官たちは、警官に変装したギブズが裏口から出てきたことも、そのほかには誰も出てこなかったことも、同じようにたしかだと口をそろえた。

　警察は家を解体しかねないほど徹底的に調べてフィリモアを見つけようとした。あの朝は屋根も警官に見張らせていたので、フィリモアがそちらから出ていけなかったことはわかっていた。そして床下のどこにも、何も埋められていなかった。

　私はそののちカンヌに行き、ヨットを買った。そして何年か素晴らしい日々を過ごしたが、やがてまた金がつきた。そして今はここでこうして……

　老人は言葉を切り、口元にかすかに笑みを浮かべてまた窓を見つめた。「ああ、古き良き日日は……」彼はまた話しはじめたが、ジョニー・カーターと私は同時に身を乗り出していた。

「フィールディングの本当の名前をおぼえていないか?」私たちはたずねた。

フィリップ・ジェームズは眉をひそめ、記憶の奥底を探るように額に手をあてた。

「フィールディングの本名?」彼はつぶやいた。「さて、おかしなものですな。どういうわけか、それは思い出せないのです」


(門野集訳)

隣人たち

デイヴィッド・イーリイ

Neighbors　一九六八年

デイヴィッド・イーリイ David Ely（一九二七―）。アメリカの作家。ハーヴァード大学を卒業して新聞記者となったのち、一九六一年に作家デビュー。翌六二年に発表した「ヨットクラブ」でアメリカ探偵作家クラブ（ＭＷＡ）最優秀短編賞を受賞する。六七年、イタリアのフィレンツェへの移住をきっかけに専業作家となった。長編の代表作に『憲兵トロットの汚名』『蒸発』『観光旅行』。本編は第一短編集『タイムアウト』（一九六八）に書き下ろされた作品である。

その新しい住人はごくひっそりとサッター館に引っ越してきたので、町の人々が気づいたときには、ほぼ新居に落ち着いていた。古い家はこれまで十年近くずっと空き家で、鎧戸は閉ざされ、庭には雑草がはびこっていた。それが突然、まるで魔女が呪文を唱えたかのように、窓にあかあかと灯がともり、女が台所で立ち働きだした。朽ちかけた玄関ポーチには背の高い男が立ち、目を細めてあたりを見まわしながら、庭をどうしたものかと思案していた。

最初に挨拶にいったのは、通りの先に住むグラント夫人だった。日は暮れかけていたが、とにかく大急ぎで出かけた。夫の夕食にするつもりでいたパイを、秋のほこりとうるさい羽虫から守るためにエプロンでくるんで手土産にする。夫には「あしたの朝にしたらどうだ」とぶつくさ文句を言われたが、グラント夫人にはもっと分別があった。あしたの朝になれば、何人もの女たちが新しい隣人に挨拶しに駆けつけてくるだろう。そうよ、とグラント夫人は生い茂る雑草をかき分けて進みながら、自分に言い聞かせた。すぐに――きょうのうちに――訪ねなければいけない。歓迎の意を伝えなければ。

「こんばんは」彼女は背の高い男に声をかけた。男はあいかわらずポーチに立っていたが、いまでは、苦労して進んでくる彼女のほうに注意を向けていた。

男は頭に手を伸ばしたが、帽子をかぶっていなかったので、白髪交じりの髪をなでつけてごまかした。

「どうも、こんばんは」彼はていねいに返事をした。

グラント夫人はようやく雑草の茂みを通り抜けた。丈の高いブタクサをよけようとして首をひねると、しわの寄った両の頬が揺れた。男は階段をおりてきて彼女を迎えた。長い両手をうやうやしげにさしだそうとして途中でやめたが、そのしぐさはまるで馬車から降りる彼女に手を貸そうとしたかのようだった。

「ネッティ・グラントと申します、ついこの先に住んでる者なんですけど」彼女は言った。よく動いたので、少々息を切らしていた。パイを包んでいたエプロンを取りのける。「お忙しいところ失礼とは思ったんですけど、ばたばたしていろいろと大変なのは存じてますから、奥さまに、と思ってパイを持ってきたんですよ。いえね、たくさんできちゃったもんですから」

「いや、それは恐縮です」男は顔の表情を変えぬまま彼女を見返した。「テイラーと申します」ちらりと家のほうをふり返る。床板が踏まれて、きしむ音がした。「よろしかったら、おはいりになりませんか？　家内もあなたに会えたら喜ぶでしょうし」

「いえいえ、ご迷惑でしょう。でもじゃあ、ちょっとだけ」

「とても喜びますよ」男はくり返し、かすかに相好を崩した。「足元にお気をつけて。このポーチはがたがきていますので」ふたたび上品に両手を広げる。ためらいがちな歓迎のしぐさで、あいまいさを残しているところがグラント夫人の虚栄心をいよいよくすぐった。足を止めてドアを支えている男の顔を、夫人はちらりと見上げた。まじめそうで、深いしわが刻まれているが、とがったあごにはやや皮肉っぽい印象を受ける。内気だが、親切そうな人だ、と彼女は判断し、せっかくの好意を無にしないように長居はするまいと決めた。

「母さん、近所のかたが訪ねてこられたよ」テイラーは大声を出した。

台所のほうから、手際よく髪をなでつけながら、彼の妻が急ぎ足でやってきた。夫より若く、派手さはないにしても端整な顔立ち。落ち着いているが、ほかのことに気をとられている様子なのが、経験豊かで有能な母親らしさをうかがわせる。彼女もまた折り目正しく、打ち解けなかったが、それなりの敬意は払ってもらえたので、グラント夫人は充分に満足した。実用的な手土産を持参した年上の女性という自分の立場が意識された。

「あら、お子さんがいらっしゃるのね」グラント夫人はようやく言葉を発した。部屋のいっぽうの隅に、荷ほどきの済んでいない箱に囲まれてベビーサークルが広げてあるのに気づいたのだ。マットの上にはゴムのおもちゃや積み木が散らばっている。

テイラー夫人がにっこりした。「はい、男の子です」天井をちらりと見上げる。「もう寝《やす》んでますけど。くたびれちゃったみたいで」

「引っ越しは大事《おおごと》ですものねえ、ええ、わかりますわ」グラント夫人は相槌を打った。だがじつのところ、長い結婚生活のあいだに引っ越しは一度もしたことがなかった。つかの間、信頼の証《あかし》に、テイラー夫人が二階で眠っている愛児をそっとのぞかせてくれるのではないかとの思いが脳裏をよぎったが、そういう誘いはなかった。

「おいくつ？」彼女はたずねた。

「一歳半です」答えたのは夫のほうだった。太い声がうつろに響く。まるでその薄暗い部屋が、久々の居住者をまだ完全には受け入れられず、空き家だったころのままに音を響かせているかのようだった。

「一歳半」グラント夫人は言った。「それはよろしいわ。この町には同じ年ごろのお子さんが何人かいますから。お友だちがたくさんできますよ」

返事はなかった。テイラー夫人は微笑したままで、夫は陰気な顔を礼儀正しくうなずかせている。グラント夫人は居心地の悪さを覚えた。部屋の明かりはついておらず、外が暗くなってきたので、周囲ではもののかたちがぼやけ、部屋そのものも闇に溶けこんで、あたかも家の一部でなくなってしまったかのように思われる。対照的に、玄関ホールの奥の、台所のほうから漏れてくる柔らかな光はますます輝きを増し、夫婦を夕食のテーブルへと無言で招いていた。

グラント夫人はいとまを告げた。

テイラーは道路まで見送りにきた。彼の古ぼけたピックアップのそばで立ち止まると、夫人は失礼を顧みず、彼の袖にそっと手を触れた。「サッター館にまた人が住むようになってうれしいですわ。活気がもどりますもの。お子さんがいらっしゃるとなれば、なおさら」

「恐れ入ります」

風が冷たかった。庭一面を覆う雑草のあいだを、ねぐらを探す臆病な動物のようにゆっくりと、ざわざわ音を立てながら吹き抜けていく。グラント夫人はもう一度男の袖に触れた。

「ここはいい町ですよ。きっと気に入ってくださるわ」

「もちろんですとも」

彼女はふと、さらに触れるか、話しかけるかしたら、この人は先刻両手をあいまいに動かしたときのような、妙に愁いを帯びた優雅なしぐさをもう一度見せてくれるかもしれないと思った。だが、結局実行は思いとどまり、男は後ろへ下がった。彼はいまでは黒い影となって腰の高さまで雑草に埋もれ、いっさいの動きは急速に濃さを増す夕闇に呑まれた。

「ごきげんよう」彼女は言った。

「わざわざありがとうございました」

夫人は家路を急いだ。もう一度ふり返ってみると、サッター館は片側だけ明るく、反対側は真っ暗だった。まだ生気は取りもどしていないにしても、じょじょに目覚めつつあるようだった。


一週間が過ぎた。ほかの女たちもみなサッター館を訪ね、手料理を持っていったり、家の片付けの手伝いを申しでたりした。男たちの大半は金物店でテイラーと顔をあわせた。テイラーはその店に店員兼経理係として雇われたのだ。夕方、庭で作業に精を出す姿もよく見かけられ、男たちもまた手伝おうかと声をかけた。

だが、テイラー夫妻は丁重に、きっぱりと断わった。妻は自信に満ちた母親のような笑みを浮かべ、夫はにこりともせず、皮肉っぽい雰囲気を漂わせて。

「でも、奥さんを責める気にはあまりなれないの」ゲイロード夫人はグラント夫人に言った。「たぶん家具の配置が決まらないとか、なんかそういうことなのよ」

「家のなかがきちんと片付くまでは、お客を呼びたくないのかもね」スペンス夫人が口をはさんだ。

女たちはグラント邸の台所で、午前なかばのコーヒーを飲んでいた。窓からサッター館が見晴らせた。とがった屋根にはところどころ新しい屋根板が葺《ふ》かれ、庭の草刈りは半分ほど終わっている。裏庭の奥では洗濯ものが一列になって日に輝き、風にはためいていた。

「それに、ご近所づきあいは苦手って人もいるし」ゲイロード夫人が言った。彼女はもつれた綿毛のような髪をした小柄な女で、人形を思わせるが、早々と老けこんで容色は見る影もない。いまのひと言を口にしたときには、わざと目を見開き、しぼんだくちびるをとがらせて、内心ではあまり感心しないと思っているらしいことをほのめかした。

「きれいな人よね」スペンス夫人が心からうらやましそうに言った。なぜなら彼女の体重は大理石並みで、肌には静脈が大理石模様を作っていたからだ。「お子さんもかわいいのかしら?」

「会ったことがないのよ」ゲイロード夫人が言った。「あなたはどう、ネッティ?」

「わたしもまだ」グラント夫人は言った。彼女はずっと遠くで、風の音楽に乗って厳《おごそ》かにワルツを踊る、一列に並んだ洗濯ものに目を凝らしていた。もの悲しげな優雅さをたたえつつ、各パターンを踊りきらずにゆっくりとくり返すさまは、家の主《あるじ》のあやふやな身ぶりとどこか似ていた。

「でも、わたしたちにもひとつ、できることがあるわ」スペンス夫人が不意に言った。「どうしていいままで思いつかなかったのかしら？　お子さんの面倒を見てやって、奥さんを片付けに専念させてあげるのよ」

「それは名案だわ」ゲイロード夫人が応じた。「交代でやれば楽よね。放課後、うちの娘を行かせたっていいし」

グラント夫人はコーヒーポットを取りにコンロのほうへ行ったが、視線は遠くではためく衣類に注いだままだった。ここからだと子どもの服のように見える——小さなシャツとズボン、小さなスカートとタオルにシーツ。彼女は漠然とした不安を覚えて眉根を寄せた。そしてポットを手に取り、窓に背を向けた。テイラーさんの奥さんはとてもきれい好きらしい。この一週間、ほとんど毎日洗濯している——でも、それのどこが悪いというのか？

「……すればいいのよ」ゲイロード夫人が話をしていた。ひと言ひと言発する合間に、無言で小さな口を動かし、言葉を慎重に選んでいるかのようだ。「こういうお手伝いなら、あの人だって断われっこないわ」

「そうよね」スペンス夫人が答えた。

ゲイロード夫人はまぶたをぴくぴくさせた。「内気な人っているわよね。それとか、プライドの高い人って」

「でも、隣人のよしみでお手伝いしようってだけなんだから」スペンス夫人が言った。

「そうですとも」ゲイロード夫人が答え、縮れ毛の小さな頭をうなずかせた。「お手伝いするの、そのために隣人はいるんだから。それに、こういう小さな町では、みんなが隣人だわ」

彼女はグラント夫人にまっすぐ笑顔を向けて、返答をうながした。グラント夫人は何も答えず、部屋のなかを不安そうに見まわした。視界が急に傾いてしまったかのようだった。台所のおなじみの品々が目にはいるとほっとした——コンロ、シンク、ポンプ、そして、向かいの壁にかかる、簡素な額に収められたリンカーンの肖像写真。何年も前に教会のバザーで購入したものだ。「ええ、そうね」彼女はようやく返事をしたが、ほとんど崇拝に近い尊敬の気持ちを抱いている偉人の、陰鬱に沈みこんだ顔から視線をはずすことができず、暖かい部屋のなかにいるのにかすかに身震いした。というのも、あの背の高い男が玄関ポーチに静かにたたずんでいるのを最初に目にしたとき、どうしてたちまち彼に引きつけられたのか、その理由に思い当たったからだ。生身の人間に、写真に見られるのと同じ、心をざらつかせる暗い影を感じとって、自分の心中の悲しみの泉に触れられた気がしたのだ。

「お昼を食べたら、すぐに行ってくるわ」ゲイロード夫人が言った。「いっしょに来ない？もともとあなたの思いつきなんだし」スペンス夫人に声をかける。

「もちろん」スペンス夫人は答え、巨体をかすかに動かし、いまにも腰を上げようとした。

「ネッティは？」ゲイロード夫人がたずねた。「これじゃまるで——」口をすぼめて苦笑いする。「なんかの委員会みたいだけど」

「いいえ、きょうはだめ」グラント夫人は立ちあがり、これといった用もないのに、ふたたびコンロのほうへ向かった。「お手伝いしたいのはやまやまだけど。でも、きょうはだめ。繕《つくろ》いものがあるの。繕いものやらなんやらが」

彼女は赤茶けた野原の向こうの、一列に並んで日に照らされている洗濯ものに目をやった。自分の記憶力に自信はなかったが、あの家の洗濯ものには幾度となく注意を向け、新しい隣人の持ちものについて思いめぐらしていた。記憶力にはたしかに自信がない。だが、直感は容赦なく告げていた——シャツ、シャツはあった。男もののグレーの厚い作業シャツ。それから、オーバーオールと靴下。女ものの衣類も——ひとそろい。だが一度も、そう、一度だって、子どもの服は一枚たりとも干されたことはなかった。


金物店の主人、ジョン・ホランダーはテイラーを雇ったとき、履歴書をいくぶん慎重に検討した。というのも、彼がひんぱんに職を変えていたからだ——四年間に十回、しかも、その都度土地が違う。だが、どこでも黒星はつけられていなかったし、人物証明書も立派なものだ。そこでホランダーは、こういう熟年の男を店に置くのも目先が変わっていいかもしれないと決を下した。

こうして二週間たってみると、雇ったのは正解だったと彼は思った。テイラーはこれまでのどの経理係よりも計算が速く、店員としても物腰がとても穏やかで、来店者に好印象を与えている。実際、客のなかには、単にテイラー自身、テイラーの骨折りに報いたいがために、予定外のものまで買っていく者がいた。それにホランダーも好感を持ちはじめていた。

そこである日、閉店まぎわに、彼はごく自然な親しみの情を表わしたくて、テイラーの背中を軽くたたき、奥さんともども夕食に招待した。

「正装なんかいらない、普段着でかまわないから」テイラーがためらっている理由をそう判断して、彼はつけ加えた。

「せっかくですが」テイラーはゆっくりと言った。陰気な顔がゆがんで、ほとんど笑っているような、奇妙な表情が浮かんでいる。「ちょっとうかがえそうにありません、はい。ほんとうに申しわけないんですが」

「奥さんが体調を崩してるんじゃあるまいね」ホランダーは言った。

「いえ、そんなことは」

「だったら、お子さんか？」

「違います。そういうことではないんです」

「そうか」ホランダーはあいまいに答えた。何か立ち入った質問をしてしまったかのような、理屈にあわないとまどいを感じた。

「わたしたちはあまり出歩かないものですから」テイラーは答えた。

「そうか。まあいい。じゃあ、またの機会に」

「どうもすみません」

ホランダーにしてみれば、むしろいらだちを感じてもいいはずだった。寛大なところを見せたのに、満足のいく理由も聞かされないまま、はねつけられたのだから。だが、家路を急ぎながら感じたのは、自分がさしでがましいことをしてしまった——そして、こうなるのは前からわかっていたという思いだけだった。どうしてこんなふうに感じなければならないのか？　彼はぶつぶつひとり言を言ったが、それ以上は考えこまず、全部忘れることにした。面倒なことが起きたときは、いつもそうする習慣だった。

招待を断わられた旨を妻に告げたときも、気の進まない話題に触れるときの常で、そっけない口調を心がけた。

「へんね」妻が言った。「とてもへんよ」

「来られないっていうんだから、それなりの理由があるんだろう。悪い男じゃないし」

「わたしの聞いた話、知ってる？」

ホランダーは顔をそむけた。

「ミセス・ゲイロードから聞いたんだけど」妻は話しつづけた。「ミセス・テイラーって、お子さんを誰にも見せようとしないんですって。実際、まだ誰も見たことがないのよ、ひとりも」

「病気なのかも」

「どこか具合が悪いのかもしれない。でも、お医者さまを呼んでる感じはないし。診察を受けさせるべきだわ」

「宗教的な理由かもな」

「ううん、普通のメソジストだもの、それはないわ」

「医者の手には負えないのかもしれん」

「お医者さまはいつだってなんとかしてくださるものよ、たとえお金に余裕がなくても。あなたも思うでしょ、せめてお医者さまに――」

「たしかなことは何ひとつわからないんだぞ！」ホランダーは怒った顔を妻に向けた。「誰かが何かすべきよ。たとえば、お子さんに障害があるのなら――」

「おれたちの知ったことじゃない！」

「わたしたちならお手伝いできる。やる気のある人はたくさんいるわ。でも、プライドがじゃまをして――」

「おれたちの知ったことじゃない」ホランダーはくり返し、そのまま話を聞いていたい誘惑を断ち切るために部屋を出た。

彼は最後に目にしたときの男のイメージをぬぐい消すかのように、片手で目をこすった。あれは店の戸口から、ちらりとふり返ったときのことだった。夕暮れのくすんだ光が空気中のほこりをきらめかせ、店の中央で黙想にふけるようにたたずむ背の高い男は、無数の光の粒子からできているかのように見えた。黄昏《たそがれ》どき、舞うほこりがたまたま渦を巻いて、奥行きのない平べったい像を結んだかのように。

「おれたちの知ったことじゃないんだ」ホランダーは低い声でもう一度、誰にともなく言った。

その年は霜の降りるのが早かった。霜は道路や小径を固くし、灌木《かんぼく》の根元や、木立の長く伸びる影の下に音もなく集まり、凍てつく夜のあいだに、町じゅうの空き地で雑草の赤茶けた穂を白くした。

「この冬は寒くなりそう」スペンス夫人が言った。丸々とした頰は冷たい外気にさらされて、真っ赤になっていた。

「もっと火のそばにいらっしゃいよ」ゲイロード夫人が勧めた。そこはゲイロード邸の客間で、彼女はお茶会の女主人役《ホステス》をつとめていた。もともと三、四人が気まぐれに顔をあわせるだけだったのが、この数週間のあいだに、週に必ず二回、八人から十人ほどが出席する定期的な会合に変わっていた。彼女はほかの女たちを満足そうに見やった。この集まりはクラブのようなものなので、彼女はその会長だった。

「ミセス・テイラーはいらっしゃるの？」ラム夫人がカップのなかをのぞきこみながら、厚かましいのを承知でたずねた。

「せっかくですがご遠慮します、ですって」ゲイロード夫人が強い口調で言った。数人の女が「ご遠慮します、ですって」とオウム返しにくり返す。

「お子さんの世話が大変なのよ、たぶん」ラム夫人が低い声で言った。

部屋のいっぽうの隅で、グラント夫人は目を閉じて、何かべつのことを考えようとした。だが、なんの考えも、言葉も浮かんでこなかった。

かわりに、ゲイロード夫人が自分の名前を呼ぶのが聞こえた。「ネッティ、あなたはどう思う、テイラーさんたちのことだけど？」

グラント夫人は目を開いた。どうしよう、なんと答えたらいいのか？

「あなたのお宅がいちばん近いでしょ」ゲイロード夫人は小さな顔にしわを寄せて言った。

「ほら、窓から見えるじゃない」

女たちの視線がグラント夫人に集まった。

「べつに見張ってるわけじゃないから」声がかすれ、嘘だとばれてしまった。

「とにかく、このままにしておいてはいけないわ」スペンス夫人がぶつぶつ言った。

「いくらなんでもあんまりよね」ラム夫人がきっぱり言った。

「ひとつうかがってもいい？」フィールド夫人が言った。小柄な女で、しゃべるたびに鼻が震える。「どなたか、お子さんを実際に見たかたはいらっしゃる？」

グラント夫人は身を震わせながらも、強い口調で訊いた。「どういう意味？」

「わたしも何度か訪ねたけど」ゲイロード夫人が言った。「いつ行っても、お昼寝中なのよね」

「小さい子はよく眠るものよ」グラント夫人は言った。

「どなたかいらっしゃる」フィールド夫人がしつこく続けた。「お子さんを見かけたかたは？」

「せめて声を聞いたことのあるかたは？」ラム夫人が言い添えた。みないっせいにグラント夫人を見た。嘘が喉元までせりあがってきたが、口にすることはできなかった。

「お子さんが病気だとしたら――」ラム夫人が言いかけた。

「それはあの人たちの問題でしょう？」グラント夫人は反論した。

「もうそんなことを言ってる場合じゃないのよ、ネッティ」ゲイロード夫人が言った。「わたしたちの問題として考えなきゃならないの」言葉を切り、歯がぐらついているかのようにくちびるを動かす。「伝染病の可能性だってあるんだから」

これには全員が顔を上げた。

「ちょっと考えてみて」ラム夫人が小声で言った。

「お節介を焼こうっていうんじゃないの」ゲイロード夫人が続けた。「ただ知りたいだけ、不安解消のために。お子さんは病気なのか否か。ただそれだけ。ひと目確認できればいいの」

「それはお医者さまの仕事よね」スペンス夫人が口をはさんだ。

「それもそうだわ。お医者さまにもいっしょに来ていただきましょう」

「公衆衛生の問題ね」フィールド夫人が言った。

「ひと目確認するだけ」

「それならどこからも異論は出ないわ」

「わたしたちは仲よくしたいだけ――」

「プライドが高いんでしょ、それだけよ。でも、ひょっとしたら何か隠してるのかも」

「わたしたちには権利があるわ、みんな、子どもがいるんだから――」

グラント夫人は身を固くして座ったまま、カップを強く握りしめて言葉を発せずにいた。部屋のなかは暖炉の熱と女たちの体臭がこもってむせかえるようだった。めまいがするので、席を立って部屋を出ていくこともできない。思いきってあの人に警告してみようか？　彼女は身震いした。どう伝えればいいというのだろう？　それに、警告しなくてもわかるはずだ、あの人なら。前にも似たようなめにあっているだろうから、たぶん幾度も、あまたの町で。彼が気にかけていることはただひとつ――ここではいつまで平穏無事でいられるだろうか？

ぐるりを取り巻く熱気にのぼせた女たちから顔をそむけると、家の奥に通じるドアが少し開いているのが見えた。ひとりの子ども――十歳くらいの少女――がそこに立って、盗み聞きしている。

子どもにこんな話を聞かせてはいけない、絶対にいけないと思いながら、グラント夫人はおずおずと片手を上げた。だがそのとき誰かが、もっとも恐れていた話題を口にした。

「メアリー、ちょっと考えたんだけど、ひょっとして――」

「何？」

「むちゃだし――その、どう言ったらいいのかもわからないんだけど」

「いいから話してみて」

「だから、その子を見た人はいないし、声すら誰も聞いていないのよね。そうでしょ？　だったら、そもそも子どもはいないとは考えられない？」

「子どもはいない⁉」

「とほうもない話に聞こえるかもしれないけど――」

「そういう例は聞いたことがあるけど――」

「子どもはいないって⁉」

ゲイロード夫人がほかの声を圧する鋭い声をあげた。「何がどうあれ、わたしたちの任務に変わりはない。わたしたちは知らなきゃならないし、知る権利があるの！」

帰宅すると、グラント夫人は台所のコンロのそばにある、古ぼけた揺り椅子に沈みこんだ。年齢と疲労のせいで体が重かった。目を閉じて、気なぐさみのために椅子を揺らす。だが、彼女の体重に耐えて椅子が立てるきしみ音は、なんとはなしに痛々しく聞こえた。彼女は椅子を揺らすのをやめて、おそるおそる表に目をやった。

正午だったが、身を切る寒風が空一面に薄い雲を広げ、太陽はかすんで小さく見えた。サッター館に洗濯ものは出ていない。古い家は縮こまって内にこもり、防備を固めているかのようだ……。

子どもたちがいた。グラント夫人は背筋を伸ばし、よく見ようと目をこすった。たしかに子どもたちだ。信じがたいほど残酷な状況になってしまった。子どもたちが早々と、矢のように放たれた。彼女はうめき声をあげて椅子を揺らし、両手を握りしめた。三、四人の子どもたちが家のまわりをうろうろして、ふたりが大胆にも、忍び足で玄関ポーチにあがろうとしていた。

窓辺から、風に乗ってかすかに聞こえてくる声が彼女をなぶる。いまあそこで、あの気の毒な人に向かってくり返し投げられる、かん高い声——

〝子どもはどこ？　あんたの子どもはどこ？〟

いや、距離がありすぎて聞こえるはずはない。だが、その声は彼女の頭のなかに間違いなく響いていたし、聞こえはしなくても風に乗って運ばれていた。フルートの音色のような高く澄んだ声が、あの少女を通じて子どもたちのあいだに瞬く間に広まった女たちの言葉を、オウム返しにくり返す。あの女たちの言葉のこだま。だがそれは、彼女が胸のうちで絶えずつぶやいていた言葉のこだまでもあった。こだまは彼女をあざけり、さげすんだ。彼女は椅子に押しつけられたような気分で、いくらあそこまで走っていって、ほうきで子どもたちを追い散らしたいと思っても、とてもそんな元気は出なかった。

彼女とて同罪なのだ。もはや泣き言を並べることしかできない愚かな老女。彼女はからかうような風の音に耳をふさいだ。

ホランダーの朝のコーヒーはミルクなしで、猛烈に熱かった。

「あの人、みんなを入れようとしなかったんですって」妻がくり返した。

彼は返事をせず、カップから目を離さなかった。妻の顔を見たくなかったし、話も聞きたくなかったが、制止はしなかった。制止できるものではなかったし、彼自身、無関心ではいられなかった。

「六人で行ったの」妻は続けた。「お医者さまを連れて。みんな、礼儀をわきまえた人たちよ。フィリップス先生は知ってるでしょ。虫も殺さないような優しいおじいさん。あの先生を怖がる人なんていないわ」ため息をついて、鼻を軽くこする。「それで、あの家に着くと、先生とミセス・ゲイロードがポーチにあがって、ほかの奥さまがたは子どもたちに家へ帰るように注意して――何人か、庭で遊んでたもんだから――で、ふたりが玄関のドアをノックしたの」

彼女はひと息ついたが、ホランダーは質問して話の先をうながすようなことはしなかった。

「それでね」彼女は続けた。「しばらくしてドアが開いて、応対に出てきたのは奥さん、まあ、当然よね。で、ふたり――というか、先生――が、優しく用件を伝えたの。お子さんの様子を確かめさせてもらえないだろうか。元気だとわかれば、ほかのお母さんがたの不安も解消するだろうからって。奥さんは首をうなずかせながら聞いていて、先生を招き入れる気になったみたいだったんだけど、いざ口を開いたら、こう言うだけなの――いまは眠っていて、いくら診察のためでも起こしたくない。それに、あの子はどこも悪くありませんって。それがね、反感持ってるような感じは全然なかったそうなのよ。だから、よけい厄介なんだけど。で、あの人、とてもていねいにおわびを言って、道路のほうで待ってた奥さまがたにも頭を下げて、そっと玄関ドアを閉めたんですって」

ホランダーは目を閉じた。無駄だった。黙っていたために、妻はかえって勢いづいた。

「まあ、ざっとこんな感じ。まさか強引に上がりこむわけにもいかなくて――フィリップス老先生はそんなかたじゃないし――引き下がるしかなかったの。でもここへ来て、令状だかなんだか、よく知らないけど、そういうのを取ろうって話になってるの。とにかく法律やら公衆衛生やらが関係してるから、いまミセス・ゲイロードがご主人に調べてもらってて、ご夫婦で判事さんのところへ相談にいくかもしれないんですって。やれやれ、とんだ大騒ぎになっちゃったわ。ただ、わたしはかかわる気はないけど、あの人たちの主張にも一理あると思うのよね。だって、あの夫婦がほんの少し心を開いて、問題はないとみんなを納得させてくれさえすれば、けりはつくわけじゃない」

どうしてだ？　ホランダーは怒りに震えた――それに、誰のために？　彼にはわからなかった。

ここで、妻の口調が媚《こ》びるような、用心深いものに変わった。「ジョン、あなたも噂は聞いてるでしょ――そもそも子どもなんかいないんじゃないかっていうんだけど？」彼は答えなかった。「それでね」ほとんどささやくような声になる。「ふと思ったのよ。あなた、あの人の納税書だか、源泉徴収票だか、どう呼ぶんだか知らないけど、その内容を見てない？　扶養家族はふたりだった、それとも、ひとり？」

彼は妻にちらりと怒りに満ちた視線を向けた。「さあな」彼は嘘をついた。わきの下に汗がにじみ出てくるのが感じられた。

「まあいいけど。ふと思っただけだから」

彼はカップのなかをまっすぐに見おろした。波立つ黒い液体の表面に自分の顔が映っている。ゆがみ、黒ずんだしかめ面は、どこかずるそうな、抜けめのない顔つきに一変している……。

「きのう、ひとりの男の子が、窓越しに見たって言いだしてね」妻が言った。「ほら、例の子どもを。奥さんが毛布にくるんで抱っこして、部屋のなかを歩きまわってたっていうの。みんながほんとうに見たのかって問い詰めたら、とうとうその子、実際には見てないって白状したわ。見たのはただ――」言い渋り、ため息をつく。「何か毛布にくるまれたものだったって」

ホランダーは椅子を後ろに押しやって立ちあがった。

「仕事にいく」

外は骨身にこたえる寒さで、彼は霜を帯びた雑草に唾を吐き、枯れ葉を蹴飛ばしながら大またで歩いた。どいつもこいつも最低だ、と彼は思った。だが、車のところに着いたときには、拳で金属のドアを強打していた。まさにあの最初の日、彼の心のなかにも疑惑の種は生まれたのだ——履歴書の扶養家族の欄に記入されている数字が〝1〟であることに気づいたときに。そう、まさしくあの最初の日に。隠れていた種はいまや無視できないほどに育っている。彼自身の心のなかでも。その種はほかの誰かに植えつけられたものではなかった。ほかの誰かに責任を転嫁できる筋合いのものではなかった。

子どもたちは翌日もこそこそとやってきた。さらに、その翌日にも。

グラント夫人は窓から様子をうかがい、すき間から吹きこむ冷たい風に身震いした。子どもたちは前より大きくなっているように見えた、まるで成長したかのように。だがそれは、単に人数が増えて、ずっと年上の子どもたちも加わるようになったからにすぎなかった。この距離では顔の見分けはつかない。身を乗りだして目を凝らしたが、吐く息でガラスがくもり、かえって何も見えなくなってしまった。

片手でガラスをぬぐった。子どもたちは家を取り囲み、もはや隠れるふりすらしていない。雪が降りだしていた。白い雪片が容赦なく舞い落ちる。ときおり突風にあおられ、レースのカーテンのようにわきへ押しやられるが、すぐまたもとどおりになって、同じことが無限にくり返され、止めるすべもない。

もう見ていられなかった。彼女は片手を左胸に当てて、大切にしている、悲しげな男の肖像写真のほうへとゆっくりと顔を向けた。写真が変わるはずはない。だが、いま改めて見ると、どこか違っていた。老いた頬を震わせ、涙で濡らしながら、壁にかかる四角い写真を見つめる。彼女の目には白黒でプリントされた、ただの飾りとしか映らなかった。心のうちにそれにかなう美徳がなければ、真価は味わえないのだ。

あの家に明かりがついているのに最初に気づいた夕刻、彼女の夫はこう言った――〝あしたの朝にしたらどうだ？〟ああ、あのとき自分は分別があるつもりでいた。もしも言われたとおりにしていたら、あの痛ましい自家製のベビーサークルは、朝までには二階の目につかないところに片付けられていただろう。そうなれば、いまなお頭から離れないあのひと言を口にすることはなかっただろう――〝あら、お子さんがいらっしゃるのね〟

そしてひょっとしたら、いま起きているようなことは何ひとつ起きなかったかもしれない。朝まで待ってさえいたら。

しかし、招じ入れてくれたのはあの人のほうだった。ああ、なんということか、彼はあのときすでに、その先どうなろうと甘んじて受け入れるしかないと覚悟していたのだ。

玄関ドアが激しくたたかれた。グラント夫人ははっと身を起こし、椅子から立ちあがって応対に出た。

吹きこむ雪を背に受けて、ひとりの少年が立っていた。頬は真っ赤で、目をぎらつかせ、口ごもりながら言う。「あの人たち――あの人たち、出てく――出ていくよ！」

少年はくるりと向きを変えて走り去った。いまではほかの子どもたちも駆け足で、まっすぐ町のほうへ向かっている。

「あの人たち、出ていくよ！」ひとりの少女がかん高い声をあげる。カモメの鳴き声のようによく通るその声は、少女が遠ざかるにつれて小さくなっていった。さらに多くの声が、肌を刺すような、ぼたん雪のなかを渡り、町じゅうにニュースを広めていく。出ていくよ。

彼女はゆっくりと台所へもどった。部屋を通り抜けるたびに、いちいちそこの壁に両手で触れたのは、支えがほしかったからではなく、単に安らぎがほしかったからだ。空気がとても冷たく感じられ、寒さに体が震えたので、自分が安全なわが家にいて、吹きすさぶ雪のなかにほうりだされたのではないことに、放逐されるのは自分ではないことにほとんど確信が持てなくなっていた。

ちっぽけな光の雲が古ぼけたピックアップトラックを取り巻いていた。風に吹き集められた雪片が泡のようにひとまとまりになり、日に照らされて明るく輝いているのだ。雪のかたまりは上向きの風に吹き散らされて、道路を越えたあたりでふたたびまとまり、やがては暗い森のなかへ煙のように吸いこまれていった。

雪にまみれた背の高い男が、家とトラックのあいだを苦労して行ったり来たりしていた。帽子はかぶっておらず、降りかかる雪で髪はごわつき、手袋をしていない両手は運んでいる荷物の重さにふくれて見え、いよいよ赤みを帯びて、あたかも霜のむちで血のにじむまで打ちすえたかのようだ。それでも彼は、痛みも寒さも荷物の重さも気にせず、落ち着いて作業を続けていた。庭の境界線のすぐ外で、遊んでいるふりをしつつ、なおひそかに監視を続ける数人の子どもたちのことも意に介さなかった。

一度、家にもどる途中で、彼は足を止め、凍ってつるつるになったウールのジャケットで両手をこすり、つかの間、道路のグラント邸の方向に目をやった。子どもたちがひるんで、ばつが悪そうに数歩下がったが、彼の視線が向けられたのは子どもたちの頭上、ひょっとしたらグラント邸の屋根の上ですらあったかもしれない。男の手の動きが止まった。何かずっと以前から予期していた出来事を待ち受けるかのように、ただそこに立っている。あらゆる方向から吹きつける雪がたちまち彼を取り巻いて、きらめく覆いとなり、それは彼がようやくふたたび動きはじめたときにもなお残っていた。

いまでは遠くに、ずっと大きな人影が見えるようになっていた。ときおり雪風《ゆきかぜ》にまぎれ、ふたたび姿を現わしたときにはずっと近づいていて、まるで一群の小像が目に見えぬ手によってこっそり前に進められているかのようだ。グラント邸のそばまで来たとき、先頭を行く人々が足を止めた。彼らの重いコートとスカーフは雪で白くまだらになっている。やがてなかの数人がふたたび前進を始め、ほかの者は間隔を置いて、二、三人ずつ組になってあとに続いた。ふぞろいな行列を作る町の人々、大半が女だ。縦隊の先頭がサッター館の庭のすぐそばに達すると、子どもたちは任務交代を喜ぶ忠実な歩哨のように、早足で彼らのところへもどった。

先頭集団は近づくにつれておずおずした歩調をゆるめ、その結果、後続の人々が追いついて、隊列はかたちを変えた。暖を求めて足踏みしながら、それでもほんの少しずつ進んでいく。ひとりの男が後ろのほうから急ぎ足でやってきた。ホランダーだった。滑り止めのついたブーツで雪混じりの泥を踏みしめ、実用本位の赤い狩猟帽を目深にかぶっている。彼は人混みをかき分けて進んだ。列の先頭近くまで来たとき、ひとりの子どもが得意げに声を震わせるのが聞こえた。「あれはまだ出てきてないよ、絶対に。ずっと見張ってたんだから!」

ホランダーはさっとふり返り、気がつくと、ゲイロード夫人の、寒さに紅潮したしわだらけの顔を見おろしていた。

彼女に向かって大声をあげる。「何しに来た? さっさと家に帰ったらどうだ?」

彼女はあとずさり、声が出ないまま口をぱくぱく動かしていたが、背後にいたべつの女が答えた。

「お手伝いしようかと——」

ホランダーはぷいとその場を離れ、大またでサッター館の庭にはいっていった。足を止めて、後ろを見やる。彼の動きに勇気づけられたかのように、人々がすり足で前進していた。こうして彼は、その集団と背の高い男のあいだに立つ恰好になった。背の高い男は頭のてっぺんから足のつま先まで真っ白になりながらも、わき目もふらず作業に専念していた。

ホランダーは数歩進み、男の目の前で足を止めた。「テイラー」と声をかけ、ポケットから一通の封筒を取りだして相手にさしだした。

男は立ち止まり、かじかんだ指でぎこちなく封筒を受けとった。

「町で聞いてね」ホランダーは言った。風にさらされて荒れたくちびるをなめる。「とにかく、給料を持ってきた。クリスマスのボーナスも入れてある。それだけの働きはしてくれたから」

彼はさらに何か言おうとした。頭を絞って適当な言葉を探す。だが、思い浮かんだのは、先刻、ほかの連中が口実に使った〝手伝い〟というひと言だけだった。何が手伝いなものか――

男の顔は寒さにこわばっていた。口が開く。

「どうもありがとうございます」

意見が一致したかのように、ふたりは別れ、ホランダーは来た道をもどり、もうひとりの男はぎこちなく家のほうへ向かった。

風はいっこうに収まる気配がなく、人々はみな強風に負けまいと前かがみになって、吹きつける雪に目を開けられずにいた。ホランダーは足を滑らせ、あやうく転びそうになった。なんとか体勢を立てなおし、うつむいて雪をよけようとしている人々と向きあってみると、彼の怒りは凍りついて、喉元につかえてしまった。どなって追い散らすのは不可能だ。いくら大声を張りあげたところで、風の音にかき消されてしまうだろう。彼はよろよろと集団の真ん中に分け入った。感覚のなくなった両腕をふって抗議の意を示したが、その意図は誰にも伝わらなかった。

庭のほうでは、背の高い男が強い風にも負けず、黙々と作業を続けていた。そのとき腕に大事そうに抱えていたのは、当初、奇妙なかたちに折りたたまれたはしごのように見えたが、風にばたつく幌のかけられたトラックの荷台に慎重に積みこまれてみると、ベビーサークルだとわかった。そのあと、男はふたたび向きを変え、重い足取りで家のほうへ向かった。今度はなかにはいらず、ただ妻のために玄関ドアを開けて支えた。彼女はポーチに出てきたとき、両腕を曲げて重い荷物を抱えていた。雪のヴェールがちらちらするので、見ている者にはそれがなんなのかはわからなかった。

その場の全員が見つめていた。ホランダーすら、グラント夫人すら。グラント夫人はひとり悪戦苦闘してやってきて、人々の後ろで息をあえがせ、寒さに体を震わせていた。

女は無言でポーチに立ったまま、小首をかしげて、腕にとても大事そうに抱えているものをのぞきこんでいた。そのあいだに男は玄関ドアを閉め、錠を下ろして、鍵を雪の積もったドアマットの下にしまった。身を起こすと、妻のひじに手を添えて階段をおりるのを助け、ゆっくりと庭を横切ってトラックのほうへ向かった。ふたりとも左右には目をくれず、まっすぐ前を向いて、吹雪にも負けず、首は起こしたままだ。たがいを守るように身を寄せあっていたが、猛烈な風のせいで歩みはのろかった。この天候では、永遠にトラックまでたどり着けないのではないかとすら思われた。

見守る人々のなかからひとつの人影がとびだして、庭に駆けこんだ。子どもで、両腕をばたさせながら、なんとか前へ進んでいく。

男と女は足を止めて、厳しい顔をそちらに向けた。子どもはバランスを崩して、ふたりの目の前、いや、ほとんど足元で転び、それから立ちあがると、くるりと向きを変えて駆けだした。

子どもがもといたところにもどったころ、トラックのドアが開いて、ふたたび閉じた。

グラント夫人は人垣をかき分けて、いまにも折れそうな指をさし伸べた。なんとかその子を捕まえて、口をふさいでやりたいとでもいうように。

その子は以前、ゲイロード邸で見かけた少女だった。だが、夫人の手は届かなかった。もう遅い、この前と同じように。

少女の顔は寒さに青ざめていた。ただ、第一声はトラックのエンジンの轟音にかき消された。

「おもちゃだけ――あの人が抱えてたのはおもちゃだけだったわ！」

目を輝かせ、かん高い声でいま言った言葉をくり返す。

二十メートルほど先で、トラックががくんと前にのめり、タイヤを横滑りさせた。

「ほら！」少女が自分を支えている男たちの手をふりほどきながら叫んだ。

彼女が指さしているのは、がたがた揺れながら町を離れていくトラックではなく、さっきまでトラックが止まっていたあたりに落ちている何か小さなものだった。

ホランダーはいぶかしげに近づいていった。ほかの人々があとに続く。

彼は上体をかがめて、それをひろいあげた。ゴムのアヒル、子どものおもちゃだった。くびすを返すと、彼はそれを集まってきた連中の前で高々と掲げ、彼らに向かって投げつけた。

誰かがつぶやいた。「だったら、どこにいるんだ――？」

全員がサッター館のほうを見た。いまやふたたび暗く閉ざされた家は、雪のせいで輪郭のぼやけた、重苦しく陰気な四角い箱と化している。不意に訪れた静寂のなか、そのひと言はこだまのようにくり返されているかに感じられた。「だったら、どこにいるんだ――？」

グラント夫人は人々を押し分けて前に出ると、一同に向き直った。「あなたがた、知りたがっていたわよね？」大声をあげる。「どう、これでもうわかったでしょう――」

膝がひどくがくがくして力が抜け、雪の地面にへたりこんだ。

「わかったでしょう！」金切り声をあげて、立ちあがるのを助けようとしてさし伸べられた手を乱暴にたたく。「わかったのなら、さっさと帰ったらどう？　まだ疑ってるの？」

人々はぶつぶつ言いながら、あとずさった。

彼女の言葉がなお彼らにぶつけられる。「疑ってるのなら、調べなさいよ――あの家のなかを！　それでも見つからなかったら――シャベルを持ってくるのね――そう、シャベルを！――そして、庭を掘ってみればいいわ！」

いまでは人々は向きを変えて、町のほうへもどりはじめていた。風がせきたてるように彼らの背中を押す。

「掘りなさいよ！　掘ってみればいいでしょ！」

彼女はすすり泣き、雪に突っ伏した。ふたりの男たちが引き返してきて立ちあがらせ、家まで連れて帰らなければ、いつまでもそうしていたかもしれない。

（藤村裕美訳）

さよなら、フランシー

ロバート・トゥーイ

Goodbye to Francie　一九七〇年

ロバート・トゥーイ Robert Twohy（一九二三― ）。アメリカの作家。カリフォルニア大学バークレー校を卒業後、複数の職業についたのち、第十二回ＥＱＭＭコンテストに投じた「死を呼ぶトラブル」が処女作特別賞入選作となり、一九五七年に作家デビュー。短編のスペシャリストとして九〇年代まで活躍した。日本オリジナルの短編集に『物しか書けなかった物書き』がある。本編の初出は〈エラリイ・クイーンズ・ミステリ・マガジン〉*Ellery Queen's Mystery Magazine* 一九七〇年二月号。

フランシーなら粋なあごひげを生やした彼の写真を気に入って、アパートメントの炉棚の上に飾るだろう。写真にはこう献辞を記す――〝ジョンからフランシーへ、ありったけの愛をこめて〟ジョン・ウェンデルはにんまりした。

彼は夕食の席で、しわの目立つ、やせこけた妻のレオーナにこう告げた。「あごひげを生やそうと思ってるんだ」

彼女は小さな薄青い目を細めて、彼の顔をじっと見た。「首をまわしてみて。うーん、そうね、悪くないかも。それに、若手劇作家にはぴったりよ。あごひげを生やすのはいまの流行《はやり》だし」

それから三週間、彼はあごひげを伸ばして過ごした。彼のしたことと言えば、ほぼそれだけだった――一階にある書斎の寝椅子に寝そべり、あごひげが伸びるにまかせたのだ。

創作活動のほうは怠けていた。だが、それでもいっこうにかまわなかった。脚本《ほん》を書かなくなってからかなりになる――じつのところ、一年半前にレオーナと結婚して以来ずっとだ。とくにその必要はなかったし、レオーナも気にしていなかった。いまでも友人たちのパーティに彼を引っぱっていって、夫は劇作家なのだと見せびらかすことができたからだ。たしかに彼には過去に一度だけ上演された作品がある。いまは筆を執ろうが執るまいが、好きにできた。レオーナに関するかぎり、彼の主たる役目は社交的な集まりでウィットと魅力をふりまくことで、結果として、彼女は夫に先立たれたり、夫をつかまえそこねたり、つかまえたもののうんざりしていたりする社交界の女性たちの羨望の的になれた。

そのお役目さえきちんと果たしていれば、彼はあとの時間何をしていても許されたし、レオーナは結婚したとき彼の銀行口座にふりこんだ多額の金について、残高が減らないように気を配ってくれる。

それゆえ、ジョンは怠惰な毎日を過ごし、あごひげが生えそろうのを待ちながらフランシーを思い――こうして四月は過ぎていった。

その衣装屋とは、ジョンは仕事上のつきあいがあった――結婚前、サンフランシスコの小劇場で脚本家兼役者をしていたころ知りあったのだ。仕事場はパーク（ゴールデン・ゲート・パークを指す）に近い、フルトン通りのかび臭い老朽化したアパートメントにあった。齢《よわい》七十を超えて第一線を退いた偏屈な独居老人で、ラジオやテレビや新聞は嫌っていた。

衣装屋はジョンが生まれたときにはすでに古びていたとおぼしい椅子にジョンを座らせると、強力なライトを当てて、親指と人差し指でひげ面をあっちこっちに動かした。「ふむ、これなら複製なんぞお手のものだ」

「色合いとか、何もかもそっくりにできる？」

「そう言わんかったかね？」

「はがれるおそれはないかな？　ほら、たとえば、女がなでたりしたら？」

「そりゃ、ぐいと引っぱりゃ取れるわな。そうでもしなけりゃ大丈夫だ」

ジョンは三回モデルをつとめたのち、つけひげを手に入れた。彼のあごから頬にかけて自然に生えていたひげをそっくり複製したしろもので、彼は大量の接着剤を渡され、つけ方とはずし方について明快な指導を受けた。

彼は車でマールボロにもどった。レオーナはこの町に、最初の結婚のときから二十年以上にわたって住んでいる——その結婚は五年前に夫の死によって終わりを告げた。先夫の心臓は積みあがるばかりの数百万ドルの刺激に耐えられなかったのだ。邸宅はまずまず趣味のいいピンクの石造りの二階建てで、広い屋敷が散在する高級住宅地にあった。使用人はいない。レオーナは自分で家事をするのを好み、掃除機やモップで家じゅうを掃除してまわり、裏庭のバラの茂みをむやみと刈りこみ、最新式の電気器具が並ぶ台所で、量ばかり多くて代わりばえのしない料理をこしらえた。

ジョンは結婚祝いにレオーナから贈られた外国製のスポーツカーを、彼女の三年もののコンバーチブルの隣に止めた。レオーナは歩道にホースで水をまいていた。彼を愛想よく迎え、夫のその日の行き先については怪しみもしなければ、たいして興味も示さなかった。彼の時間は彼のもの——お役目のとき以外は。彼女はジョンになんの懸念も抱いていなかった。人生に幸運が訪れたことを彼が充分すぎるほど自覚している以上、すべてをふいにするような軽率なまねはしないとわかっていたのだ。ちょっとした火遊び程度なら——まあ、目をつぶってもらえるだろう。だが、本気になってはいけない——スキャンダルは御法度、友人たちが彼女の背後で忍び笑いをするような事態を招いてはならない。ジョンは信用されていた。常に分別をわきまえた行動をとると見なされていた。

レオーナは家にはいっていくジョンを見送った。小柄で、きゃしゃな体つき、茶色の目、仕立てのいい上着とスラックスの上品な着こなし、明るい茶色の髪とあごひげ。彼女は自分の運のよさに微笑した。四十五歳にもなって、こんなハンサムな青年が自分のものになるなんて誰が想像しただろう?

五月四日、ジョンはパイン・シティにある、二階建ての近代的なアパートメントに車を乗りつけた。パイン・シティはサンフランシスコ半島をマールボロから南へ二十五キロほど行ったところにある町だ。アパートメントの敷地内にはプールがあって、プールサイドには日焼けしたしなやかな肢体が、男女を問わず数体、魅惑的に配置されていた。

ジョンはその様子を満足そうに眺めた。女たちのなかには、この中庭の入口に現われた、ほっそりとして身だしなみのいい、しゃれたあごひげを蓄えた若い男を満足そうに見返す者もいた。

ジョンは管理人室と記されたドアを見つけて、ノックした。五十がらみの、カーキ色の半ズボンをはいた、腕や脚は引き締まっているのにお腹の突きでた男が顔を出した。

ジョンは言った。「空室はありますか?」

「ありますよ。二十九号室が空いてます」

その部屋は二階にあって、バルコニーから階下《した》の中庭とプールが見おろせた。家具付きで寝室はひとつ、最新設備を備えた台所――子供やペットはお断わりです、と管理人は言った。

ジョンは賃貸料をたずねた。ふたりは管理人室にもどって契約をまとめることにした。

管理人が言った。「ご夫婦で、ですね?」ジョンの結婚指輪に気づいたのだ。

「そのとおり。妻はテレビ女優でね、いまはロケでロサンゼルスへ行ってます」

「へえー、そりゃあ素敵だ。ここにはありとあらゆる、素敵な若者たちが住んでるんですよ。フライトアテンダントに看護師、医学生も何人かいるし、広告業者や販売員――ほんとうに生きのいい連中でしてね」彼はウィンクしてみせた。

ジョンはおもしろがっているふうな声をあげ、札入れから現金を取りだした。

管理人は太鼓腹を机にもたせかけるようにして領収書にかがみこみ、ボールペンを構えた。

「お名前は?」

「ジョン・ワトスン」

「じゃあ、奥さまは? 郵便受に名札をつけますんで」

ジョンはためらった。「妻はフランシー・スコットの名で通ってます」

「スコット?」

「ええ。それが芸名なんです」ジョンは煙草を口にくわえ、顔をしかめて、手に持つマッチを見おろした。

管理人が彼を見上げた。「奥さまはワトスンの名前はお使いにならない？」

「まあ、あまりね」

「なるほど」ボールペンの先で机をこつこつたたく。「しかし、郵便受に掲示するのに、それではいささか都合が悪いんですよ——姓が違ってたんじゃ。ジョン・アンド・フランシー・ワトスンとするわけにはいきませんか？」

「どうだろう——それでは彼女あての郵便が届かなくなるかもしれない」

「だったら、ジョン・ワトスン・アンド・フランシー・スコット・ワトスンでは？」

ジョンは肩をすくめた。「まあいいでしょう。それがお望みなら」

問題は解決し、管理人は立ちあがって、ジョンに部屋の鍵を渡した。いまではすっかり打ち解けて、人好きのする主人役をつとめる。「一杯どうです？」酒瓶とグラスを持ちだしてくる。

「あなたのほうのご職業は？　やはりテレビ関係ですか？」

「いや、歯科用品のセールスをやっています。出張ばかりでね」

ふたりは酒を飲み終えた。管理人が言った。「ちょっと外へ出ませんか。みなさんにご紹介しますよ」

ジョンは腕時計に目をやった。「せっかくですが、もう出かけないと。約束があるので」

管理人は戸口に立ったまま、ジョンを見送った。プールサイドにたむろしていた男たちのひとりがぶらぶらとやってきた。「新入りか、バート？」

「ああ。服は上等だな。やっこさん、金はありそうだ」

「名前は?」

「ワトスンと名乗った以上、おれにとってはワトスンだ。セールスマンだってさ。かみさんと引っ越してくるとのたまってたが、来るのはかみさんじゃないね」

「どうしてわかる?」

「勘だよ」彼はウィンクした。「だてに長年この商売をやっちゃいない。愛人にしてる娘っ子だろうよ。おとなしくしていてくれる分には、こっちはいっこうにかまわない。あんたらお盛んな連中におれが望むのはそれだけだ。おれには面倒をかけないでくれ、そうしてくれたら、おれもあんたらに面倒はかけない。いいな?」

若い男は大笑いして、バートの背中をたたいた。

「わかってるって、心配すんな」

フランシーは次の週に引っ越してきた。日暮れどきに、タクシーで現われたのだ。タクシーの運転手が荷物運びを手伝い、鞄を数個持ってついてきた。管理人のバートは部屋から顔を出して彼女を迎えた。彼女は手袋をはめた手で彼の手を握ったが、すぐに離した。声も態度も愛想はいいが、よそよそしいな、と彼は思った。衣服は上等で、グレーの軽いコートをはおっている。靴もグレーだ。黒いサングラスをかけていた。赤みがかった褐色の髪をしている。タクシーの運転手が手にしている鞄は高級品に見えた。フランシー・スコットだかフランシー・ワトスンだか、誰だか知らないが、彼女にお金の後ろ盾があるのは間違いなかった。

バートがまず思ったのは、いい女だということだった。水着姿を拝むのが待ち遠しい。きっとこのアパートメントの〝華〟のひとりになるだろう。

翌日、プールサイドに常連が集まりはじめると、バートは半ズボンにロープサンダルといういつもの恰好で階段をあがり、二十九号室のドアをノックした。

「どうぞ」と返事があった。

レコードがまわっていた——耳障りな、電子音楽みたいな曲でバートは幻滅した。女は座って本を読んでいた。書名は見えなかったが、ひどく分厚かった。緑色で長袖の、ゆったりとしたリゾートウェアを着ていたが、それがバーゲン品でないのは明らかだった。赤みがかった髪はきちんと整えられていた。そばの背の低いテーブルに置かれたカップの中身はなんだろう? 紅茶か?

目つきは冷ややかだった。軽くマスカラをつけた目が緑色なのに彼は気づいた。

彼は言った。「階下《した》のプールにいる連中がね、あなたにお目にかかりたいそうなんですよ」

「ありがとう。でも、わたし、日に焼けるわけにはいかないから」部屋の窓の日よけは、日差しをなるべくさえぎるように調整されていた。

「ほんとですか?」

「ええ」返ってきた答えはそれだけだった。

これ以上自分の相手をする気はないのだ、とバートはすぐに察した。「じゃあ、またの機会に。ねっ？」

プールにおりると、彼は肩をすぼめ、両手をこすりあわせながら言った。「おお、寒っ！」

プレイボーイのジャッキーが言った。「どうした、バート？」

「二十九号室を訪ねてブルっちまった。何か薬をくれ」

彼は〝薬〟を飲み干すと、くちびるをぬぐって言った。「あの娘っ子をおれたちのお楽しみに誘うのは無理だな。彼女、いわゆる取りつく島もないってタイプだ」

ジャッキーがウィンクした。「おれならお近づきになれるかも」

「ほっときなさいよ」金髪の娘が言った。彼女はジャッキーを熱烈に愛していて、ごくたまに、お気楽なかたちでそのご褒美にありついていた。「向こうがかかわりたくないっていうんなら、こっちからかかわることないじゃない」

バートはうなずいた。「同感だね。旦那のほうは話がわかる感じだったが、あの女には愛嬌《あいきよう》がない。愛嬌のない女になんの用がある？　ここいらには愛嬌たっぷりな女がごまんといるのにさ！」そうして、彼は一同ににっこり笑いかけた——彼、すなわちバートは時代の先を行くこの種族の王様だった。

次の日曜の朝、ジャッキーはブラディマリーを数杯聞こし召してほろ酔い加減になり、新しい入居者を訪ねてみようという気を起こした。フランシーのよそよそしさにかえって好奇心をそそられていたのだ。本を表紙で判断してはいけないというではないか。

彼はドアをノックした。ドアが開いた。ジョンが上半身裸のまま、顔をのぞかせた。

ジャッキーは茶色のあごひげを生やした顔を見て、目をぱちくりさせた。「おっと、これは失礼。ご主人ですね？」

ジョンは愛想よくうなずいた。

「ジャッキーです」手と手が握りあわされる。ジョンの握手には心がこもっていた。

「朝っぱらから申しわけありません。えっと、あの、コーヒーをお借りできないかと思って」

「ちょっとお待ちを」ジョンは奥に引っこんで呼びかけた。「フランシー？」

「なあに？」

「コーヒーはどこ？」

「左の手前の食器棚。いちばん上の段よ」

ジョンがもどってきた。ふたたび上半身だけで、ドアのすき間から、腰のあたりの素肌がほんの少しのぞく。ジャッキーはコーヒーを受けとった。「少しでよかったんですが」

「袋ごとさしあげます。もうちょっとしか残ってないし。買い置きもありますしね」

「じゃあ、遠慮なく」

ジャッキーはその後、バートを管理人室に訪ね、さらにブラディマリーの杯を重ねた。「彼はいいやつだね。おれ、お楽しみのところをじゃましちまったみたいで――」

「ほんとか？」

「うん、間違いない。素っ裸だったから。しかし、いいやつにはちがいない。ほんと、とても親切な男だ」

それがたまにしか顔を見せないジョンに対するおおかたの評価となった。プールサイドのパーティにこそ参加しなかったが、いつも愛想はよかった。彼の冷たい妻――〝妻〟だとは誰も信じていなかったが――も、彼の体温を下げるには至っていないようだった。

フランシーが毎日ずっと家にいたのなら、ジャッキーを始めとする好き者連中もちょっかいを出す機会があったかもしれない。だが、彼女は家にじっとしていなかった。三、四日、ふらりと姿を消してまたもどってくる。タクシーが着いたかと思うと、軽い鞄ひとつ下げて、車から降りてきたり、反対に乗りこんだりする。テレビ女優かどうかはともかく、何か専心していることがあるのは間違いなかった。暇を持てあましているわけではないから、誘惑にころっと参ることもない。ジャッキーたちは自分たちの住まいを冗談めかして〝バート・ウォズンの種馬牧場〟と呼んでいたが、そこを飾る、赤銅色のおいしそうな若い男たちなど、フランシーには必要なかったし、ほしいとも思わなかったのだ。

こうして五月と六月の大半は過ぎていった。

六月二十七日、ジョンは外国製のスポーツカーを止めて、二十九号室へあがっていった。上着を脱ぎ、クロゼットからほうきと掃除機を取りだすと、掃除を始めた。

掃除機をかけ終わると、書籍やレコードや雑誌をそれぞれの棚から引っぱりだして床に積みあげ、湿らせた雑巾でほこりをぬぐいはじめた。

玄関ドアは開いていた。バートがはいってきた。「大掃除ですか?」彼はめざとく言った。

ジョンはそうだと認めた。

「やるとなったら、徹底的にやるもんですな」

バートはしばらく様子を眺めていたが、やがてたずねた。「なんでまた急に、こんなことを始めたんです?」

ジョンは肩をすくめ、それからこわばった笑みを浮かべた。「近々、出ていこうかと思ってましてね」

「えっ?」

「ええ……乱雑なままにしていくのはいやですから」

「いやあ、それは残念ですね」本音を言えば、それは嘘だった。ジョンはともかくフランシーは……。彼女が出ていくのは少しも残念ではなかった。部屋が空けば、もっと生きのいい娘を迎えられるかもしれない。

ジョンが言った。「家賃のほうはどうなってます?」

「あと一週間分はいただいてます。いや、ここまでしてくださるかたはめったにいない。わたしも手伝いましょう」

ジョンは微笑した。「それはご親切に」

それから一時間かけて、ふたりはアパートメント全体を徹底的に掃除した。バートはおしゃべりを続けた。さりげなく質問するのも忘れなかった。ジョンは嫌がりもせずに答えたが、その内容は遠回しだったり、あいまいだったりした。だが、その日の午後、バートはジャッキーにこう話してやるぐらいのことはできた。「あのふたり、別れるみたいだよ。女はかみさんじゃない――まあ、そいつは最初からわかってたがな。テレビに出てるのかどうか、よくは知らんらしい。どうやらサンフランシスコのバーで知りあったみたいでな。ところが、そのうちおかしな言動が目につくようになったんだと。やっこさんが言うには、最近では物騒なことを口にするようになったとかでね――ちょっと頭がどうかしてるんじゃないかって疑っていた。具体的にどういうことなのかは聞きだせなかったが、すっぱり縁を切るつもりだというようなことは言っていたね」

ジャッキーは息を吸いこみ、自分の盛りあがった金褐色の胸の筋肉を満足そうに見おろした。「さあ、どうだろう。彼女は内に情熱を秘めてるタイプに思える。そいつに火をつけてやりたいもんだ」

ジャッキーは女に関して自分の知らないことはひとつもないと思っていた。

サン・ヴィチェンテはマールボロから北へ十二キロほど行ったところにある町だ。南行きの列車は午後十一時十五分に到着する。その晩、大きな音を立てて列車が駅にはいってくると、フランシーは軽い鞄をひとつ持って乗りこんだ。ほとんど空っぽの車輛の、後ろの席に座る。窓の外を眺めながら煙草を三本吸っているうちに、やがてパイン・シティの駅が見えてきた。

彼女は列車を降りた。

一台のタクシーが客待ちしていた。彼女はタクシーに合図した。運転手が言った。「こんばんは」

彼女は軽く会釈した。

「いつものところで？」

「ええ」

タクシーは彼女を例のアパートメントへ送り届けた。

彼女は言った。「ちょっと待っててくださる？　軽く食事をしに出たいから」

タクシーの運転手はエンジンをかけたまま、十分間待った。そのあいだにメーターの料金はどんどん上がっていった。やがてドアを勢いよく閉める音と、早足の軽い靴音がした。彼女の姿が目にはいってきた。同じ鞄を下げている。

運転手は内側からドアを開けた。女の息づかいは荒かった。後部座席の隅に丸くなって、前方を見つめる。

「今度はどちらへ？」

「えっ？　ああ、マールボロへお願い」

「マールボロ？」

「ええ」彼女は煙草をくちびるのあいだに押しこんで、不明瞭につぶやいた。「もうこれっきり？　ええ、そうよ、もうおしまいよ！」

「どうしました？」

「なんでもないの。さっさと車を出してちょうだい」

「運転手はけげんな顔をして女を見やり、ギアを入れると高速道路へ向かった。

ジョン・ウェンデルは書斎から出てきた。シャツとスラックス姿で、顔は青ざめている。

彼は玄関へ行ってドアを開けると、腕を外へ伸ばして呼び鈴を鳴らした。

二階は静かなままだった。

ふたたび鳴らした。

二階でレオーナの声がした。「ジョン、玄関に出てくださる？」

返事をせずに待つ。

ふたたび彼女の声がした。大声だ。「ジョン、いるんでしょ？」

彼女が室内履きをはいて階段のほうへ来る音がする。

彼は右手をいくぶん後ろにまわして、その場から動かなかった。やがて見えてきたのは、まず彼女の室内履き、次にくるぶし、さらにバスローブ——そしてついには肩と顔が現われた。髪はくしゃくしゃで、小さな青い目を凝らしている。

「ジョン！　あなたなの？」

彼は相手に近づいた。右手はあいかわらず腰の後ろにまわしたままだ。

「いったいどうして呼び鈴を鳴らしたりしたの——？」

いまでは階段の真下に来ていた。彼女は六段上だ。ここへ来て、彼は右手を掲げた。彼女の視線がその手に握られた、黒光りする二二口径の拳銃に吸い寄せられる。だが、彼女の脳がそれがなんなのかを識別する間もなく、彼は引き金を引いた。

彼女の顔にはなんの表情も浮かばなかった。体をよじり、ゆっくりとくずおれていく。彼はふたたび発砲した。

そのあと長いあいだ、彼は玄関に立って耳を澄ましていた。通りの向かいには一軒の家がある――この近所の唯一の家だ。ホールマン氏という引退した弁護士が住んでいる。妻に先立たれた彼は、時間に几帳面なたちだった。夜はいつも十一時に家の裏手にある寝室で床についた。通りの向こうでは明かりもつかず、物音もしなかった。ホールマン氏は目を覚まさなかった。ジョンは腕時計を見た。一時五十七分だった。

彼は書斎にもどり、化粧品やら何やら雑多なものを入れておいたボール箱を取りだした。その箱を持って裏庭に出ると、ゆっくりと時間をかけて、バラの茂みの周囲の、柔らかい地面のあちこちに穴を掘り、箱の中身をひとつひとつ分けて埋めた。ようやく家のなかにもどって、ていねいに両手の土を洗い落としたとき、時計の針は二時二十八分を指していた。

ジョン・ウェンデルは妻の遺体をまたいで階段をあがり、寝室にはいってパジャマに着替えると、ベッドに横になった。

横たわったまま窓のほうを向いて、外が明るくなるのを待った。

七時半、ジョンは起床し、バスローブと室内履きを着《つ》けて書斎におりた。二二口径の拳銃を持って部屋を出る。玄関へ行ってドアを少し開ける。ふり返って拳銃の狙いをつけると、レオーナの遺体に二発銃弾を撃ちこんだ。

彼はしばらくその場に立っていた。そして、拳銃を片手にぶら下げたまま、玄関から外へ出た。

ホールマン氏はトーストを手に、正面の窓から外の様子をうかがっていた。ジョンはしっかりした足取りでホールマン邸の玄関前の階段をあがり、呼び鈴を押した。

ホールマン氏がドア越しに語気鋭く言った。「何事だ、ウェンデル？　どうして拳銃を持っている？」

「ついさっき妻を撃ちました」

「なんだと⁉」

「警察を呼んでください、お願いします。ぼくはついさっき妻を撃ちました」

「そこで待ってろ！　動くなよ！」

「待ちます」ジョンは言った。「ぼくはついさっきレオーナを撃ったんです」

ホールマン氏が家の奥へ駆けこむのが聞こえた。さらに、電話のダイヤルのまわされる音。

ジョンは玄関の外の階段に腰をおろし、拳銃を膝に載せた。そうしているうちに警察が到着した。

警察署では、ミルズ警部が取り調べを担当した。

「どうして犯行に及んだ？　動機はなんだ？」

「ほら、彼女は金持ちだったでしょう。だから、金のことでけんかが絶えなかったんです。げんなりするほど。けさもまた口論になって、ぼくは能なしのジゴロだって言われて。もうがまんできませんでした。それで書斎から拳銃を持ってきて、彼女を撃ったんです」

「何回？」

「えっと、三回か四回。よく憶えてません」

「検死報告書はまだ届いていないが、見たところ銃創は複数あった。だが、通りの向かいのホールマン氏は、銃声を二発しか聞いていないと証言している」

「ほんとうですか？」ジョンは眉根を寄せた。「わ――わかりません。頭が混乱していたし」

刑事は考えこむようにして口元をこすり、やがて、肩をすくめた。「まあいい。次へ行こう――凶器の拳銃はいつ入手した？」

「二、三か月前です」

「どうして買う気になった？」

「どうしてって、妻に殺意を覚えたからですけど」

刑事は内緒話をするような口調になった。「奥さんはかなり年上だったよな」

「はい」

「女がからんでるんじゃないのか？　よその女が？」

「いいえ」

「ほんとうか?」

「決まってます」ジョンは一瞬、刑事と視線をあわせたが、すぐにそらした。

ミルズが言った。「まあいい——とりあえずそういうことにしておこう。きみは殺人の罪を犯したことを認めるんだな?」

「はい」

「供述調書に署名する気なんだな?」

「はい、署名します」

ミルズ警部は近代的な警察署の正面の部屋へ行った。そこにはベイエリアにある全新聞社と全テレビ局の記者が顔をそろえていた。サンフランシスコの高級住宅地、マールボロで発生した殺人事件は常に大ニュースだった。

警部は言った。「では、みなさん、どうか行儀よくして、椅子の上に立ったりしないでください。彼を連れてきます」

こうして彼は連れてこられた。ジョンはいくぶんやつれた顔つきだったが、落ち着いて、嫌がりもせずにおびただしい数のカメラに収まった。

その後、彼は警察署の地下にある留置場に収容された。

彼は簡易寝台に横になって、ぐっすりと眠った。

ミルズ警部が独房におりてきた。難しい顔をしている。「ウェンデル、きみは嘘をついているな」

ジョンは目を見開いて警部を見返した。

「きみの奥さんが殺されたのはけさじゃない。夜中のうちだ」

「まさか」ジョンは答えた。「ホールマンさんの証言をお聞きになったでしょう？　けさ、ぼくが殺したんです」

「検死解剖の結果、きみの奥さんは遅くとも午前三時には亡くなっていたと判明した。死因となったのは腹部、もしくは心臓に撃ちこまれた銃弾だ――どちらが致命傷になっていてもおかしくない。遺体にはそれ以外にふたつの銃創があった――こちらの銃弾が撃ちこまれたのは、いずれも死後、かなり時間が経過してからだ」

警部はジョンから視線を離さなかった。「このあとのほうの銃弾が、きみがけさ撃ったものだ。ホールマン氏が聞いた銃声はこれだ」

ジョンはしばらく黙りこんでいた。「いいでしょう。おっしゃるとおりです。ぼくは昨夜、彼女を殺しました。午前二時ごろのことです。そして、けさになってから、さらに二発撃ちました」

「どうして？」

「確実に殺すためです」

警部は怖い顔をした。「いいかげんにしろ！　そんなたわごとが通用すると思うのか？」

ジョンは両手を広げた。「何を言えとおっしゃるんです?」

「真実だ」

「ぼくは真実を述べています」

警部は声を荒らげた。「女は何者だ?」

「女って?」

「きみの書斎で女持ちのスーツケースが見つかった。なかは衣服でいっぱいだった」

「妻のですよ」ジョンは間髪をいれずに答えた。

「それはありえん。何よりもサイズがあわん。誰の服だ?」

ジョンは答えなかった。ミルズ警部が言った。「女をかばっているんだな。きみの車がサン・ヴィチェンテ駅の駐車場で見つかった。そこまで車を運転していったのは誰だ?」

ジョンはちょっとためらってから答えた。「ぼくです」

「いつ?」

「きのうです。ゆうべ」

「家へはどうやってもどった?」

「タクシーをつかまえました――いや、歩きました」

「車を十二キロ、駅まで運転していって、そこに止め、歩いて帰宅したというのか?」警部は首を横にふった。「冗談もたいがいにしろ!」

ジョンは立ちあがった。大声をあげる。「そっちこそ、いいかげんにしてください。何がお望みなんです？　ぼくは犯行を自供したんだ、それで充分じゃないですか」

「けさの段階ではそう思っていた」警部は身を乗りだした。「愛人の名前を教えろ」

「愛人なんかいません」

「いいだろう」ミルズ警部は立ちあがった。「こちらで見つけてやる。そうすれば、すべての説明はつく」

警部は上階の自分のオフィスにもどった。部屋を共有している部長刑事が電話中で、はぎ取り式のメモ帳にメモを取っていた。「ほう——ほう——なるほど」

彼は目を輝かせて警部を見上げた。「突破口が開けました。パイン・シティの住民で、バート・ウォズンという名前のアパートメントの管理人が、テレビでウェンデルの写真を見て連絡してきたんです」

「それで？」

「ウェンデルのやつ、彼の管理しているアパートメントに、フランシー・スコットって女を囲ってたんだそうで」

警部は大きく息を継いだ。「案の定だ。よし、行くぞ。ウォズン氏から事情聴取だ」

バート・ウォズンは二十九号室のドアを解錠しながら言った。「テレビで写真を見て、電話しなきゃって思ったんです。うちの評判にかかわりますんで。でも、彼が殺《や》ったとは思えません。そういうタイプじゃないですよ。それにじつは、例の女がゆうべ遅くに帰ってきましてね。

がしゃんって音がしたかと思うと、勢いよくとびだしていったんですよ」

「ほんとうか？　時刻は？」

「真夜中ごろでした」

「帰ってきて、またすぐに出かけたんだな？　それきりもどっていないのか？」

「おれの知るかぎりは」

部長刑事が指さした。「フロアランプが倒れています。がしゃんという音の元はこれでしょう」

「そうだな」ミルズ警部が言った。「それと、ほかにも何かあるぞ――引き裂かれた紙だ」

彼は身をかがめて紙片をひろいあげ、ローテーブルの上に並べた。「ふーむ」と言いながら組みあわせていく。あとのふたりはジグソーパズルが完成するのを見守った。

「よし、こんなもんか」そして、警部はゆっくりと読みはじめた。

「〝フランシー、ばかなことを考えるのはよせ。いくらなんでもむちゃくちゃだ。いったいどこでそんな考えを吹きこまれたんだ？　そりゃ、たしかにぼくはレオーナを愛していない。でも、それは向こうもよく承知している。結婚するときに取り決めをして、彼女はそれを守ってきた。ぼくも守っていくつもりだ。きみが彼女を片づけるみたいないことを言いだしたときには肝をつぶした。いったいきみの頭はどうなっちまったんだ？

ぼくが思うに、きみはしばらくここを離れたほうがいい――東部にもどるとか。故郷はたしかフィラデルフィアだったね。いったんそこへもどったらどうだろう？　刺激の強い、安逸な暮らしはきみには毒だったのかもしれない。しばらくこうした環境から距離を置けば、きっとまたまともに考えられるようになるだろう。

よく考えてみてほしい。この週末はいつものようにここへ来るつもりだから、そのときゆっくり話しあおう。お金はこちらで用意する。きみが東部に帰るのに必要な分ぐらいは出せるさ。どうか冷静になって、理性を取りもどしてほしい。いいかい、何事もいつかは終わるんだ。

ジョン〟」

部長刑事は口笛を吹いた。「こいつは証拠になりますよ」

「確実にな。彼はこの置き手紙を残した。女は読んで逆上し、ランプをひっくり返し、手紙を引き裂いて、部屋からとびだした……よし、ウォズンさん」彼は手帳を取りだした。

管理人は言った。「バートでかまいませんよ。みな、そう呼ぶんです」

「よし、バート。ジョンとフランシーについて聞かせてくれ」

「何をお知りになりたいんで？」

「すべてだ――きみにわかる範囲内で、すべて」

警部はその日の午後、精力的に捜査を続けた。アパートメントの多くの住人や、タクシーの運転手数人から話を聞くうちに、意気はますます上がっていった。

午後七時、彼は背中の後ろに何か隠したまま、ジョンの独房を訪ねた。「よし、ウェンデル。フランシー・スコットについて話をしよう」

ジョンは表情ひとつ変えずに相手を見返した。

警部は背中の後ろに隠していたものをさしだした——額入りのジョンの写真だ。〝ジョンからフランシーへ、ありったけの愛をこめて〟と献辞がついている。

「パイン・シティのアパートメントの寝室にあった。何か言うことは？」

ジョンは首を横にふった。

「きみが彼女に残した手紙も見つけた……そんなわけで、われわれはこんなシナリオを考えている。彼女は置き手紙を読んでかっとなり、タクシーでマールボロへ向かった——運転手から証言を得ている——運転手は午前一時ごろ、彼女をレイヴン・ロードで降ろした——きみの家から百メートルと離れていない場所だ」

ジョンは眉ひとつ動かさずに、警部を見つめつづける。

「彼女はきみの家へ向かった。手にはきみの拳銃を握り——」

「ぼくの？」ジョンはきつい口調で言い返した。「彼女がどうやって手に入れたんです？」

「さあな、こっちが訊きたいよ。わたしの勘だが、あの銃はもともと彼女が持っていたんだろう。これまでにつかめたところからすると、どうやら美人だが少々エキセントリックな、旅行好きの女だったらしい。あの銃はきみが買い与えたものではないのか——護身用に。それはさておき、話を続けよう。彼女が呼び鈴を鳴らすと、きみの奥さんが出てきた。口論になった。それでフランシーは拳銃の引き金を引き、奥さんを撃った。もう一発撃つと、奥さんは倒れた。それが真相なんだろう？」

ジョンは答えた。「どうしてぼくにわかります？ ぼくは――」

警部は責めたてた。「眠っていたのか？ 眠っていたというんだな？ よし、だが、銃声を聞いて跳ね起き、階段へ駆け寄って、何が起きたのかを見てとった」

ミルズ警部は独房のなかを行ったり来たりしはじめた。「その場の光景がはっきり目に浮かぶよ。逮捕されたら、彼女が精神疾患で病院にほうりこまれるのはわかっていた――だが、まだ救うチャンスはある。きみが時間稼ぎをして、逃げる暇を与えれば――きみが警察の追及を受けているあいだに遠くへやってしまうんだ」

「なんと高潔な男だろう」ジョンは皮肉っぽく言った。「あの手紙をちゃんと読めば、彼女に対するぼくの気持ちが冷めていたのはわかるはずです」

「それは考慮に入れた。きみは高潔だ――限度はあるにしても。なぜなら警察の追及が厳しくなりすぎたら、真実を明かすことにためらいは感じないだろうから。おそらくフランシーについて洗いざらい打ち明けるにちがいない。きみの目的は時間稼ぎ――彼女に逃げる暇を与えることだ。さてと、ここからはきみの出番だ――話に結末をつけてくれ」

ジョンはため息をついた。「素晴らしい想像力をお持ちだ。あなたは作家になるべきですよ」

「いいや、わたしは刑事の仕事に満足している」警部は微笑した。「きみのけさの二度の発砲――証人に聞かせたあの銃声は巧妙きわまりない。そのせいで、ほかにも関与した者がいるという線はしょっぱなからはずされた。まあそれも検死報告書が出るまでの話だったがね。ただ、そのころフランシーはとうに逃げ去っていた。彼女はきみから車のキーを渡され、サン・ヴィチェンテ駅まで運転していって、午前二時三十七分発のサンフランシスコ行きの列車に乗ったんだ」

「へえー。目撃者はいるんですか?」

「まだだ。だが、車があの駅に止められていた理由はそれしか考えられない……それと、もうひとつある。きみの書斎で見つかったスーツケースのなかにはグレーのドレスとグレーのコートとグレーの靴がはいっていた――これはタクシーの運転手が証言した女の服装と一致する」

ジョンはひと呼吸置いてから言った。「謎めいた言い方をしますね。そのことから何がわかるというんですか?」

「警察が早めに捜索を開始したら、その服装ではすぐに捕まってしまうと承知していたんだ。スーツケースには着替えを入れていたんだよ、もちろん」

「どうしてスーツケースを置いていったんです?」

「同じ理由だ。憶えている人がいて、身元がばれてしまうかもしれない」

ジョンは首を横にふった。「警部、お見事――お見事な推理です。でも、レオーナを殺したのは、正真正銘、このぼくです。たしかにゆうべ、フランシーは家を訪ねてきました、ええ――でも、レオーナを殺したのはぼくです」

「だとしたら、どうしてフランシーは逃げたんだ?」

「えっ?」

「それに、だいたいきみの家にどういう用があったんだ?」

ジョンはかたくなに首を横にふった。「レオーナを殺したのはぼくです」

「嘘発見器にかけようか?」

「その必要はないと思いますが」

「うん、そうだな」警部は彼の肩を軽くたたいた。「まあいい、無理に主張を変えろとは言わん。要は検死審問の結果しだいだ」


フランシー・スコットは全国に指名手配された。彼女の人相はバート・ウォズンのアパートメントの多数の住人の証言により正確に判明していた。残念ながら、写真は一枚もなかった。ジョンが所持していたとしても、彼がすべて破棄したかと思われた。

さらに残念なことに、彼女の氏素性については何ひとつ情報がつかめなかった。ジョンは彼女との関係について、警察にもマスコミにも何ひとつ語ろうとしなかった——どこで知りあったのか、彼女は自分の過去をどう説明していたのか、どうやって生計を立てていたのか、彼はどのように支援していたのか、趣味は何か? 彼はただこう言うばかりだった——「あなたたは無駄な骨折りをしている。フランシーを巻きこむ必要はありません。レオーナを殺したのはこのぼくです」

警察はフランシーの指紋を採取しようとしたが、アパートメントからも車からも、ひとつも発見できなかった。車から出ないのは理解できる——サン・ヴィチェンテ駅まで運転するあいだ、例のグレーの手袋をしていたにちがいない。だが、アパートメントで見つからないのは不可解だった——だがそれも、事件の前日、ジョンがアパートメントを徹底的に掃除したのをバート・ウォズンが思いだすまでのことだった。

捜索範囲はやがてフィラデルフィア周辺に絞られたが、情報は何ひとつ得られなかった。女は地上から消え失せてしまった。

事件の三日後、検死審問でフランシー・スコットなる人物に不利な評決が下されたあと、地方検事はジョン・ウェンデルを事後従犯で起訴する意向を示した。

ミルズ警部は言った。「たしかに彼は事後従犯に当たります。しかし、それを証明するのは難しいですよ。確たる証拠は何ひとつありません。それに、マスコミ連中は彼を英雄扱いしています」

「たしかにな」

「それと、もうひとつ。彼を泳がせておけば、フランシーが連絡してくるかもしれません——金が必要でしょうから」

そんなわけで、逮捕されて三日後の晩、ジョンは釈放された。自分のバスルームに引きこもってつけひげをはずし、ひげをそりながら、危ないところだったと彼は考えた。つけひげの下に生えてきた本物のひげがむずむずして、ほとんど耐えられないほどだったのだ。

このまま自宅に閉じこもって一週間もすれば、新しいひげが生えてくるだろう。かたちは違うにしても、あごのあたりの柔和な——女性としても通りそうな——曲線を隠すのに充分なひげが。

その晩、彼は裏庭に出ると、花壇に埋めておいたさまざまな品物を掘りだし、ボール箱に入れて家のなかに持ち帰った。二個の緑色の小さなガラスは台所のシンクで丹念に細かく砕いて、下水に流した。ラベルのついていない接着剤のチューブはとくに問題はない。それは単にゴミ箱の空き缶やコーヒーかすのあいだに突っこんだ。化粧品については二階に持ってあがり、亡妻のバスルームに並ぶ化粧品といっしょにした。赤褐色のかつらはよく切れる包丁でずたずたに裂いた上で、さらに細かく切り刻んでトイレに流した。

彼は机の前に立って、自分の芝居の原稿を見おろした。そのうち世に出すことを考えてもいいかもしれない。晴れて上演にこぎつけたら、そして、評判になったら、人はみな、これが第一作ですかとたずねるだろう。はい、と彼は答える。前作については触れない。その芝居は五年前、サンフランシスコの小さな小屋で二週間だけ上演されて、べつに評判にもならなかった。だからといって恥じてはいない。それどころか、彼としては傑作だと思っている。不条理派の喜劇——どたばたと動きまわる登場人物、ブラックユーモア、でたらめな登場や退場。

幸いにも、この芝居はとうに忘れられており、万が一憶えている人がいたとしても、彼、すなわちジョン・ウェンデルと結びつけられるおそれはない。ペンネームを用いているからだ。そして、同じ名前で、彼は主役を演じた。

その公演について、サンフランシスコのある評論家が短評を加えている。

〝芝居としては、〈服装倒錯者〉は陳腐で、退屈きわまりないが、ジョジョとジョジョの妹の二役をつとめるフランク・スコットの演技は真に迫っている〟

（藤村裕美訳）

臣民の自由

アヴラム・デイヴィッドスン

「The Liberty of the Subject」一九六一年

アヴラム・デイヴィッドスン Avram Davidson（一九二三—九三）。アメリカの作家。一九四六年にデビューしたのち、軍隊生活を経て五〇年代初頭より作家活動を本格化する。五六年に「物は証言できない」で第十二回ＥＱＭＭコンテスト第一席、五八年「さもなくば海は牡蠣でいっぱいに」でヒューゴー賞短編部門、六二年には「ラホール駐屯地での出来事」でアメリカ探偵作家クラブ（ＭＷＡ）最優秀短編賞をそれぞれ受賞。その他の代表作に『エステルハージ博士の事件簿』などがある。本編の初出は雑誌〈セイント・ミステリ・マガジン〉*The Saint Mystery Magazine* 英国版一九六一年九月号。

一九五二年の冬の寒さは例年並みだったが、アンソニー・コマーにとってこの年のロンドンの寒さはとりわけ身にこたえた。ステップニー地区にある彼の狭い部屋の暖炉は、砂嚢《さのう》のようなものでふさいであった。ただそれだけでは不十分で、湿った冷たい風が吹きこんできた。別の壁にはガスの暖房機があり、数シリングも払えば使えたが、その冬のアンソニー・コマーはそれだけの金にもこと欠くありさまだった。一シリングあれば、つましい食事のために使っていた。時間をかけて食べればそのあいだは体が温まったからだ。彼の職業は、政治的亡命者だった。実入りはさほどよくなかった。

コマーは、アルドゲイトとホワイトチャペル、グッドマンズ・フィールド劇場がある界隈の狭い路地にある、小さな家の二階に住んでいた。かつてこのあたりの通りや路地や脇道で切り裂きジャックがナイフをふるっていたのだが、それも遠い昔のことで、今ここに住んでいるアフリカ人、西インド人、シク教徒、パキスタン人、マレー人、マルタ人、キプロス人は、そんな事件のことなどそもそも知らなかった。ホワイトチャペル警察署の外国人課を登録のため訪れたとき、コマーはターバンを巻いたり、ビロードやラムスキンの帽子をかぶったりしている連中が登録証の確認手続きをしているあいだ待たされることがよくあった。そしてそのたび戸惑い、どうしてイギリス人はこんなやつらの入国を認め、住むことを許しているのだろうと首をひねったものだった。

イギリス人は愚か者ばかりだ。彼らの帝国があちこち虫歯のようにぼろぼろ欠け落ちていくのに何の不思議もない。実を言えば、コマーはいかなる政治体制のもとでも違法である行為のせいで国を出ていた。けれども、もちろんそれは隠していた——政治的亡命という魔法の言葉を口にしただけで、海峡を渡るフェリーから降ろしてもらえたのだ。二カ月おきに（あるいは住所変更のたびに）外国人課に足をはこんでいる限り、王室廃止でも、女性国有化でも、世界のどの政府の転覆でも、何を主張するのも完璧に自由だった。

あるとき、巡査部長にそっと教えたことがある——当局に取り入るのが基本と心得てのことだ——「いま出ていったあいつは、無政府主義者ですよ！」そして、相手が身を乗り出して詳しいことを聞きたいと言い出すのを待った。

けれども巡査部長はこう言っただけだった。「ほう、それはそれは」

「留守のあいだに部屋のなかを調べたらどうです？」コマーは言ってみた。

「それはできない」巡査部長は答えた。「臣民の自由の侵害にあたる」

あきれるほかない。おまけにコマーは、その理屈の前提が間違っているのに気づいた。「あいつはイギリス人じゃありませんよ。ただの外国人だ」

巡査部長は登録証を返した。顔写真つきで、住所その他の必要情報が記されている小さな手帳だ。「同じことだ。次の人、どうぞ」彼が言ったのはそれだけだった。それで、イギリス人には何も期待できないことがはっきりした。いくらスパイめいたことをしてその成果を報告したところで、金をもらえる見込みはまずない。幸いにも金を支払う連中が別にいるおかげで、コマーは狭い部屋を借り、つましく食べていけるだけの稼ぎを得ていた。とはいえ、そうしたけちな商売に手を染めるのは彼にとって屈辱だったので、いつも気分は最悪だったし、そのせいでしばしば家主と言い争い、何度も引っ越すはめになった。そしてそのたび警察署に出向くくり返し——ただ、今では警察がどれほどいい加減で愚かかわかっていたので、気にならなかった。

一度など、ただの冗談だとわからせるため、わざとにやつきながら外国人課の職員にきいたものだ（このときは別の巡査部長だった）。「もし住所変更の報告を怠ったらどうなりますかね？」

相手は微笑み返して答えた。「まあ、私だったら絶対にそんなことはしないね。さもないと厄介なことになる。半ポンドの罰金かもしれない」話にならない！　植民地がその手からこぼれ落ちていくのも当然だ。もしこのおれ、アンソニー・コマーが権力を握ったら、そのときは鉄の規律で支配する。臣民や野党の自由など論外だ。

ロンドンには本物の政治的亡命者がたくさんいた。コマーはできる限り多くの亡命者を知ろうとつとめてきた。右翼と揉めている左翼、左翼と揉めている右翼、それにどちらの極端ともそりが合わない中道の集団がいた。王族の支配を打倒しようとした一派がいて、王政復古を目指す一派もいた。同じ国からの亡命者のあいだでも党派間の争いがあった。その結果として、情報が他のものに劣らぬ必需品となった。誰が何をしたか、どこに行ったか、誰を知っているかを知りたがり――その情報に対して喜んで金を払う者がいた。ただ残念なことに、支払われる金額は多くなかった。

　けれども、患者といえばたいていが掃除婦という駆け出しの医者が、いつの日か公爵夫人の主治医となることを夢見るのと同じように、アンソニー・コマーは外国の富裕な政府のお抱えとして雇われることを夢見ていた。そうなれば高級アパートに引っ越すことができて、荷物をかかえて薄汚れた部屋を渡り歩かずにすむようになるだろう。ペチコート・レーンの日曜市に出ている屋台で買うのではなく、きちんとした仕立て屋でシャツやスーツをあつらえる。脂でべたついた新聞紙にくるまれた六ペンスのチップスに別れを告げ、レストランでフルコースを食べる。ウッドバインズの小箱（五本入り）ではなく、ソブラニーのブラック・アンド・ゴールドを吸う。警官がヘルメットに手をあてて挨拶してきたら、親しげにうなずいてみせる――そんなふうに挨拶されるだろうから。あくまで鷹揚《おうよう》に……

「さて、どうしたんだ？」服装は小粋だが、顔色がやけに悪い男がたずねた。彼らはどちらにとっても母国語ではない、フランス語で話していた。ふたりは客がまばらな映画館で並んで座っていた。コマーはある名前を口にした。男は低くうなった。コマーが耳もとでささやくと、男は体を引いた。そしてコマーの手に何枚かの紙を渡して、映画館から出ていった。

次の日、ふたりはもっとくつろげる場所で会った。メリルボーン地区（セント・メアリ・ラ・ボンと呼ばれていたのは遠い昔のことだ。切り裂きジャックの時代よりもはるか前のことになる）にある部屋だ。顔色が悪い男の国の政府がコマーに興味を示すまでには、長い時間がかかった。もはや強国ではなかったが、かつての栄光の時代をいつまでも忘れられず、いまだ植民地帝国時代の影を引きずっている国だ。今は王政ではないが、その当時よりもむしろ厳しく統べていた。国内では人々は腹を空かせているのに、海外ではコマーのような男に払う金があった。

　顔色が悪い男はラジオのダイヤルをいじり、怪訝そうな表情を浮かべた。「どこも音楽をやってない」彼は不満げにぼやいた。「音楽を――音を小さくして――流しているのが好きなのに、今日はニュースと天気、強風警報しかやってない」

「しかたないですよ」コマーは言った。「国王（ジョージ六世　在一九三六―五二）は毎日死ぬわけじゃありませんから」

　相手の男は顔をしかめた。「国王が死んだ」彼は吐き捨てるように言った。「それで、イギリス人はこの機会に何をするんだ？　王室で陰謀がうごめくのか？　軍部の暫定政権は？　宮殿の革命は？　何でもいい、革命と呼べる動きは？　何もない。何も起きない。この機に乗じて何かする気もない。国王が死んだ？　〝女王陛下万歳〟、それだけだ」彼は悔しそうに、そしてあきれたようにため息をついた。それから彼は肩をすくめた。「さて。仕事の話をはじめようか。それで、私たちの友人は、いつから報告書を作成していたのだ？――その暴露文書を？」

彼はたずねた。

「半年前からです……あちこちから材料が送られてきているようで……ひそかに持ち出されているのです」

「私の国からも持ち出されているかもしれないが、この国にはこっそり持ち込む必要がない。親切で我慢強いイギリス人。誰かがイギリスと外交関係のある国家を中傷しようとしたら、彼らはそれを止めるだろうか？　その者の手紙を開封するだろうか？　さて。どうしたものか」

彼はつかのま考えた。「だめだ、その報告書が仕上がるまで待てない。新聞社か、つながりのある政治家に渡されたら厄介だ。いつ手に入れられる？」

コマーは口をすぼめた。「数日のうちに——とは思います。ですが……その、彼の部屋と建物を見張る必要があります。何時間も待たなければならないかもしれません。ですが……寒いし、それに——」

「要するに金か」顔色の悪い紳士が言った。彼は二枚の赤い紙幣を取り出した。「さしあたりはこれだけだ。丈が長くて暖かい下着を買うといい」コマーは紙幣の一枚をシャツのポケットに、もう一枚をコートのポケットに入れた。掏摸《すり》というのは、獲物のポケットを一度にいくつもは狙わないと彼は固く信じていた。用心こそがすべてに優る。

報告書の捜索と入手にあたっては、慎重に振る舞うべく細心の注意をはらった。標的が家を出るのをしっかり見届け、絶対に誰にも見とがめられないよう気をつけて部屋に入った。そして報告書をたしかに手に入れた。そこまではすべてがうまくいった。だが、狭い寝室の影が男の輪郭となって動きはじめる前に気づくべきだった。やつらが警戒もせずに報告書を放り出しておくはずがないことを。その男は靴をはかないまま、低くうなってコマーに飛びかかってきた。コマーは大柄でも勇敢でもなく、とりわけ敏捷でもなかったが、相手は年がいっていて、おまけにおそらく寝起きでまだぼんやりしていた。コマーの上着のポケットには、馬に乗った男をかたどったブックエンドがあった。もしも誰かにきかれたときには〝骨董店で査定してもらうため〟持ち歩いているとごまかすつもりだったものだ。

その小さな像の胴の部分は、ちょうど握りやすい形になっていた。コマーはこめかみを狙った。男はその場にくずおれた。コマーがその体をつかんだため、人が倒れる鈍い音や物音が響いて他の部屋の住民を警戒させることもなかった。当然ながら、コマーは男のポケットを両手で探り、薄汚れた財布があったのでそれを奪った。けれども中身を確かめている時間はなかった。彼は入ったときと同じように誰にも気づかれずに家を出た。

男が死んだことに少しだけ戸惑っていた。

コマーは地下鉄のユーストン・スクウェア駅に向かうつもりでいた。ところが通りはひどく混んでいて、歩いていくほどに人が増えていく。警官もたくさんいた。のろのろとしか進めず、おまけに警官が道の横断を禁じていた。やがて人を肩で押しのけなければ歩けなくなり、ついには一歩も進めなくなった。

「ここでじっとしてた方がいいぜ」男が呼びかけてきた。「どこでも同じだよ、あたふたすんなって」痩せぎみで、歯が何本も欠けていて、鼻は林檎色、中折れ帽をかぶり、マフラーを巻いた男だった。「悪いことは言わねえ、ここにしときなよ」男は言った。

実のところ、動こうにも動けなかった。どうやら何かのパレードの進路に迷い込んでしまったようだ。「何があるんだね?」彼は自分のしゃべりかたに訛りがないことに優越感をおぼえながらたずねた。

林檎色の鼻の男は彼をまじまじと見つめた。

「新聞を読まねえのか?」男はあきれたようにたずねた。「いやはや! 国王の葬式が来るんだよ」コマーが「まさか!」と声をあげると、男は言い直した。「そうだな、たしかに葬式じゃなかった。つまりさ、どっかの駅から——キングス・クロスかユーストンかセント・パンクラスのどれかだったよ——葬式まで寝かせとくのにふさわしい場所までお運びするのさ。あいにくの天気だけどよ」たしかに不快な天気だった。薄暗くて荒れ模様、風が強く、小雪まじりの雨が吹きつけていた。コマーは、しばらく待つしかないとあきらめた。

「それで、亡くなったケント公の結婚式は見たの?」彼の前にいた年配の女が連れにたずねた。

「この目で見たわ」相手は誇らしげに答えた。「もちろん、両方ともよ。国教会の式も、ギリシア正教会の式も。とてもよく見えたわ、今日と同じくらい近くから」

おめでたい女だ。コマーは心のなかで蔑んだ。王族が行ったり来たりするのをほんの一瞬、ちらりと見るためだけに何時間も外で突っ立って待ち、それをありがたがるとは。隣の男につつかれて、彼は我に返った。

「黒い馬に乗ったお巡りがいるだろ？　ヘルメットに黒い羽根がついてて、黒い鞘に入れた剣を下げてるやつだ。あれが巡査部長だね」コマーはおざなりな返事をつぶやいた。

「違うわよ、あなた」年配の女が言った。「アーネスト・オーガスタス王子はヴィクトリア女王の叔父の子供じゃなくて、女王さまの娘、亡くなったフレデリック皇后の子孫よ……」コマーはため息をつき、両手をポケットにぐいと突っ込んだ。

不意にあたりが静かになった。セント・パンクラス教会の鐘が鳴りはじめ、さほど遠くないあたりから大砲の音が響いた。つづけてもう一発。さらにもう一発。年配の女たちはハンカチを顔にあてて静かに泣きはじめた。中折れ帽の男はしゃべらずにはいられないのか、コマーの耳もとにしゃがれ声でささやいた。「英雄だったから悲しいんじゃないぜ。英雄じゃなかった。だけど、いい男だった。とても立派でよ。百パーセントいい男だった、生まれてからずっと。だから亡くなって悲しいのさ。そうだろ？」それから彼も黙り込んだ。ほどなくして行列が通り過ぎた。

最初に騎馬隊。水兵たちの脚絆の一糸乱れぬ動き。緋色のジャケットの衛兵。シルクハットを手にした二人の公爵——強烈な一撃を食らったが、何があったかまだわかっていないように見えるエディンバラ公。大柄で赤ら顔、知りすぎているように見えるグロスター公——コマーは、若い方の公爵の鼻から透明な水滴がひと筋垂れて光っているのに気づいて、冷ややかに笑った——彼らのすぐ後ろを、砲架に乗せられ、深紅色と紫色と金色の王旗に覆われた国王の亡骸《なきがら》がつづいた……鐘が鳴った。砲声がとどろいた。

行列は通り過ぎた。群衆が散りはじめた。不意にコマーは、警官の目が自分に注がれていることに気づいた。胸の鼓動が激しくなる（ように思えた）。その警官は彼から視線をそらしたまま、ゆっくりと近づいてきた。コマーはつのる不安を鎮めようとした。いまでは死んであの部屋に転がっている名も知らぬ男から奪った財布を処分しなければならないことに気づいた。財布はポケットのなか、指の先にある。二歩と離れていないところに、山高帽をかぶり、ビロードの襟がすり切れている黒いコートを羽織った、動きの鈍い老人がいた。その老人のコートのポケットが、招くように口を開けている。コマーはポケットから財布を出すと、周囲に目をくばりながらそれを老人の開いたポケットにそっと入れた。そしてその脇をすり抜けて足を速めた。

不意に誰かが彼の前に立ちはだかり、腕をつかんだ。くたびれた中折れ帽をかぶった林檎色の鼻の男だった。男は猛烈に怒っていた。「おい、あんた！」彼は怒鳴った。「だめだ、そいつはいけねえ、そりゃだめだ――今日に限っては、しちゃならねえことだ！」コマーはつかまれていた腕を振りほどき、警官を見た。

「いったいどうしたんだ、ピッピン？」警官が呼びかけた。怒っている男は喉を震わせた。

「おれの商売はなんだか知ってるかい？　掏摸だぜ」男は啖呵を切った。

「そんなことはわかってる」警官が答えた。

「これまでに五回挙げられたけど――」

「そいつもわかってる」警官はくり返した。「おまえがこの人のそばに立っているのが見えたんで、何をしているのかききに来たのさ」

「そう、それなんだよ、おれが言いたいことは。いいかい、プロなら誰だって今日だけはおとなしくしてる。あんたも知ってるだろう。この商売にはけじめってものがある。国王の葬式に集まった連中に手を出せるもんか。だけど、このふざけた野郎ときたらどうだ。こいつがじいさんのポケットに手を入れたのを、おれはこの目で見たんだ――」

コマーはじっと動かなかった。警官は周囲を見まわした。「それで、どこにいるんだ？　そのじいさんってのは？」

ピッピンは口をあんぐり開け、あたりをきょろきょろと見まわした。「なんてこった、呼び止めるのを忘れてたよ！　どじを踏んじまった！　とにかくこいつを調べてくれ、怪しいものがないか確かめてくれよ！」

警官は首を振った。「いや、それはできないな。わかるだろう。臣民の自由ってやつだよ。さあ、もう行った行った」ピッピンは口もとをゆがめ、コマーをにらみつけながらのろのろと歩み去った。警官は顎をしゃくってコマーにも行くよう促した。コマーはこれ幸いとそれに従った。律義な掏摸の脇を通り過ぎるとき、ふたりの目が合った。そして愚かにも、コマーはこらえきれずに嘲りの笑みを浮かべてしまった。それが失敗だった。コックニー訛りの男は悪態をついて飛びかかってきた。コマーはそれをかわして後ろに下がり、蹴り返した。またしても先ほどの警官がやってきたが、今度は目に見えて怒っていた。彼はふたりをつかんだ。「やめんか！　場所をわきまえろ！」彼は言った。二人目の警官も駆けつけてきた。「よりによってこんなときに喧嘩をするなんて！　まして蹴飛ばすとは――」彼はあきれたように赤ら顔をコマーに向けた――「イギリス人にあるまじき振る舞いじゃないか？」

「おれはイギリス人じゃない」コマーは思わずそう吐き捨ててしまった。警官にきつく握りしめられている手首が痛かった。

警官は（今ではさらに二人いた）彼の手を離した。そしてポケットから小さな手帳と鉛筆を出したが、開きはしなかった。「名前と住所は？」彼はコマーにたずねた。

「サッパーズ・レーン十六番地」彼は答えた。それから引っ越したことを不意に思い出して、あわてて言い直した。「いや、違う――ロラード・コート十二番地だ」ひたすらへりくだり、頭を垂れて逃げるしかない。とにかく逃げることだ。何を持っていたか知られてはならない。あの部屋とのつながりを気づかれてはならない。せっかくあれだけ注意して――

「登録証をみせてもらえるかな？」その質問は命令に等しかった。コマーは小さな手帳を秩序を守る者の手に渡した。

「だからさ、いいかい、おれが言いたいのは、まっとうな掏摸なら絶対に国王を弔ってるやつのポケットを探ったりしないってことだ、いいかい、だからさ――」警官の一人が黙るよう命じた。

「それでどっちなんだね。サッパーズ・レーン十六番地なのか、ロラード・コート十二番地なのか？」

コマーはせきこむように答えた。「ロラード・コート十二番地です」警官は登録証を閉じて自分の手帳を開き、それから静かに言った。「一緒にきてもらわなきゃならない」

コマーは叫んだ。「だがどうして？」

「外国人法違反だ。住所変更の届け出を怠った」

コマーは胃が沈むような感覚におそわれ、最後の引っ越しの報告を怠っていたことを悔やんだ。警察を舐めきって、都合のいいときに行けばいいと高をくくっていた。愚かな警察は、報告したその日に引っ越したと信じるだろうと決めつけていた。しかしこうなると――このあとどうなる？　署で取り調べを受けるのか？　こんな些細な違反でそこまでされないはずだと自分に言い聞かせ、落ち着こうとした。けれども不意に襲ってきたパニックに頭が真っ白になり、彼は身をひるがえしていきなり駆け出した。

警官たちはすぐに追いついてコマーをつかまえた。彼は完全に自制心を失っていた。蹴飛ばし、わめき、もがいた。人々が集まってきた。そのなかに、山高帽をかぶり、ビロードの襟がすり切れている黒いコート姿の年配の紳士がいた。その老人がそばにいた男に話しかけた――くたびれた中折れ帽をかぶった男に。

「やれやれ。いったい何ごとだね？」

「外国人が騒いでるんだよ」相手が答えた。鼻が林檎色だ。

「やれやれ」老人はくり返した。「奇妙なことがあってね」彼は言った。「ポケットに手を入れたら、この財布があったんだ」相手の男は老人を見つめた。

「ああ！」男は叫んだ。「その話を警官にしてくれ。きっと今度こそおれの話を信じてくれる

「もちろん警察に話すつもりだ。彼らがあの男を落ち着かせたらすぐに。外国人と言ったね？　不思議じゃないな」老人は言った。「イギリス人なら、何があろうと決してあんなふうには騒《さわ》がないものだ」

（門野集訳）

破壊者たち

グレアム・グリーン

The Destructors　一九五四年

グレアム・グリーン Graham Greene（一九〇四―九一）。イギリスの作家。オックスフォード大学を卒業後、一九二九年に『内なる私』を刊行して作家デビュー。代表作に『権力と栄光』『第三の男』『情事の終り』『ヒューマン・ファクター』など多数。第二次世界大戦中は秘密情報部MI6に所属、創作と並行してスパイ活動に従事したことでも知られる。七六年にはアメリカ探偵作家クラブ（MWA）グランドマスター賞を受賞。本編の初出は雑誌〈ピクチャー・ポスト〉*Picture Post* 一九五四年七月二十四日号および三十一日号。翻訳には短編集『二十一の短篇』（一九五四）収録のテキストを使用した。

1

いちばん新しい団員がワームズリー・コモン団のリーダーになったのは、八月の祝日《バンクホリデー》の前日のことだった。マイクのほかは誰も驚かなかった。マイクはまだ九歳で、どんなことにも驚くのだ。かつて誰かがマイクに言ったことがあった。「その口を閉じていないと、蛙が跳び込んでくるぞ」それからというもの、マイクはよほど驚いたとき以外は、しっかり口を閉じているようになった。

その新入りは、夏休みのはじめにコモン団に入った。彼の沈黙には何か考えているような気配、こいつは大物かもしれないと思わせる重みがあった。無駄口はいっさいたたかず、コモン団の掟によって名乗るよう求められるまで、自分の名前すらも口にしなかった。ようやく〝トレヴァー〟と名乗ったときも単なる事実の表明といった態度で、ともすれば照れてしまったり、けんか腰になったりしがちな、ほかの連中とはまるで違った。名前を聞いたとき、マイク以外は誰も笑わなかった。マイクはほかに笑っている者がいないのに気づき、新入りの暗い目に見据えられると口を開け、また静かになった。この新入りは、のちにTと呼ばれるようになる。Tは嘲りの標的にされてもおかしくなかった——名前からして気どっているし（そうしないといちいち笑ってしまうので、団員たちは名前の代わりにイニシャルで呼んでいたわけだ）、かって建築家だった父親が今では〝すっかり落ちぶれて〟事務員になっているうえに、母親が近所の者を見くだして、お高くとまっていたのだから。それなのに屈辱的な入団の儀式を無理強いされることもなく団の一員となれたのは、何をしでかすかわからない危ないやつだと思わせる、得体の知れなさがあったおかげだった。

団員たちは毎朝、最初の空襲の最後の爆弾が落ちた場所につくられた、仮ごしらえの駐車場に集まっていた。ブラッキーという名前で通っているリーダーは、その爆弾が落ちた音を聞いたと言い張っていた。誰も彼の生年月日までは知らなかったので、そのとき彼はまだ一歳で、地下鉄のワームズリー・コモン駅の下りのプラットフォームでぐっすり眠っていたはずだと言い返せる者はいなかった。駐車場の片側には、壊れてしまったノースウッド・テラスのうち、最初にまた人が住むようになった三番の家がもたれかかっていた――もたれかかっていたという言いまわしは喩えではなく、爆風を受けたせいで家の側壁が実際に傾いていて、何本もの木の棒で支えられているのだ。それより小さい爆弾や焼夷弾が少し先に落ちたために、あたりに隣家の塀の名残、台胴、それに暖炉の残骸が散らばるなか、その家だけが乱杭歯のように突き出していた。ふだんTが口にする言葉といえば、毎朝ブラッキーが提案するその日の計画に対する〝賛成〟か〝反対〟のいずれかにほぼ限られていたので、あるとき何やら考え込みながら「あの家を建てたのはレンだって、父さんが言ってた」と言い出したときには、団員の誰もがびっくりした。

「レンってのは誰だ？」

「セント・ポール大聖堂を建てたやつだ（クリストファー・レン　一六三二―一七二三）」

「だから何だってんだ？」ブラッキーが言い返した。「しょせんは、〝しょぼくれ《オールド》〟じいさん《ミザリー》の家だ」

〝しょぼくれ〟――本当の名前はトマスという――は、かつては大工で内装も手がけていたという老人だった。傾いた家に一人で暮らしていて、身のまわりのことは自分でしていた。週に一度、彼がパンと野菜を手にして空き地を横切り帰ってくる姿を目にすることができた。あるとき、少年たちが駐車場で遊んでいると、彼が庭の壊れかけた塀の上から顔を出してその様子を眺めていたことがあった。

「便所に行ってたんだな」少年の一人が言った。その家の配管は爆弾が落ちたせいで壊れているのに、〝しょぼくれ〟はけちなので金を惜しみ修理されないままになっていることは、誰もが知っていた。建物の修繕なら自分でできて材料費だけですむが、配管工事については何も知らないので手をつける気がないというわけだった。便所というのは狭い庭の隅にある木造の小屋で、ドアには星形の孔が開いていた。隣の家を壊し、三番の家の窓枠を吹き飛ばした爆風の被害を免れたのだ。

次に団員たちがトマス氏を見たときには、もっと驚かされた。ブラッキーとマイク、そしてなぜかサマーズという名字で呼ばれているやせっぽちで黄色い顔の少年が、市場から帰ってきたトマス氏と空き地で出会ったときのことだ。トマス氏は彼らを呼び止め、やぶから棒に言った。「おまえたち、駐車場で遊んでいるやつらだな？」

マイクが答えようとしたが、ブラッキーがそれを止めた。ここはリーダーの出番なのである。

「だったらどうした？」彼はあいまいに言い返した。

「チョコレートがあるんだよ」トマス氏は言った。「わしは好きじゃないんだ。ほら、おまえたちにあげよう。ただし、みんなの分はないけどな。きっと足りない」彼は哀しげに独り合点してつぶやいた。そしてスマーティ（イギリスで子供たちに人気のカラフルなチョコレート菓子）を三箱渡してくれた。

団員たちはこの好意に戸惑い、うろたえて、説明をつけようとした。「きっと誰かが落としたやつを拾ったんだ」ひとりが言った。

「盗んだけど、あとになってびびったんだ」別の少年が、これも当てずっぽうで言った。

「賄賂《わいろ》だ」サマーズが言った。「おれたちが家の塀にボールをぶつけるのをやめさせたいんだ」

「賄賂なんて無駄だってわからせないとな」ブラッキーが言い、彼らはその日の午前中をまるまる犠牲にして、ボールをぶつける遊びをつづけた。それで楽しめたのは、幼いマイクだけだった。トマス氏は姿を見せなかった。

次の日、Ｔが全員を驚かせた。Ｔは集合時間になっても現れず、その日の作戦を決める投票は彼抜きで行われた。ブラッキーの提案で、団員は二人一組になってあちこちでバスに乗り、不注意な車掌の目を盗んでどれだけ無賃乗車できるか競うことになった（いんちき防止のため、必ず二人一組で行動する）。相棒を決めるくじを引いていたとき、Ｔがようやくやってきた。

「どこにいたんだ、Ｔ？」ブラッキーが呼びかけた。「もう投票できないぜ。団の掟は知ってるだろう」

「あそこにいたんだ」Tは言った。そして何か隠しごとでもあるかのように、地面を見た。

「どこだ？」

「〝しょぼくれ〟の家だ」マイクが口を開け、それからしまったとばかりぎゅっと閉じた。蛙のことを思い出したのだ。

「〝しょぼくれ〟の家？」ブラッキーが言った。別に掟を破ったことにはならないが、こいつは危ないことをしてやがると慌てさせられた。彼はそうであってほしいと願いながらたずねた。

「押し入ったのか？」

「そうじゃない。ベルを鳴らした」

「それで何て言ったんだ？」

「家が見たいと言った」

「あいつはどうした」

「見せてくれた」

「何か盗んだのか？」

「いや」

「それなら何のために入ったんだ？」

団員たちがまわりに集まってきた。あたかもその場で即席の法廷を開いて、逸脱行為を裁こうというかのように。Tが言った。「美しい家だ」まだ地面を見つめ、誰とも目を合わせようとせず、唇の左右の端をちろりと順に舐めた。

「どういう意味だ、美しい家ってのは？」ブラッキーが小馬鹿にしたようにきいた。

「二百年前につくられた、コルクの栓抜きみたいな階段がある。支えは何もない」

「支えがないって、どういうことだ。浮かんでるのか？」

「反力で支えてるって、〝しょぼくれ〟は言った」

「ほかには？」

「羽目板があった」

「〈青猪亭《ブルー・ボア》〉みたいなやつか？」

「二百年前のものだ」

「〝しょぼくれ〟は二百歳なのか？」

マイクがけたけたと笑い声をあげ、それからまた静かになった。集会はぎくしゃくした雰囲気になっていた。Tが休みの最初の日に駐車場にふらりとやってきてから初めて、その立場が危うくなりつつあった。誰かがTの本名をひとこと口にするだけで、団員たちは彼をつるし上げにかかりそうだった。

「どうしてそんなことをしたんだ？」ブラッキーがきいた。彼は公平で、ねたみもなく、できるならTをコモン団に引き留めたかった。心配なのは〝美しい〟という言葉だった――それは、ワームズリー・コモン・エンパイア劇場の舞台で、シルクハットをかぶり鼻眼鏡をかけた役者がいかにもなしゃべりかたをして茶化している、上流階級に属する言葉だ。彼は〝トレヴァー、ださいことをするなよ〟と言って、団員たちをけしかけたい誘惑にかられた。「押し入ったのならよかったのにな」彼は残念そうに言った――それだったら団員にふさわしい手柄になっていたのに。

「この方がよかったんだ」Tは言った。「いろいろなことがわかった」彼はまるで教えたくない――あるいは、教えるのが恥ずかしい――夢想にふけっているかのように、誰とも目を合わさずにまだ足もとを見つづけていた。

「どんなことを？」

「〝しょぼくれ〟は、明日と祝日はずっと出かけてる」

ブラッキーはほっとして言った。「忍び込めるってことか？」

「そうして何か盗む？」誰かが口をはさんだ。

ブラッキーが答えた。「盗みはしない。押し入る――それで十分だ、そうだろう？　裁判沙汰はごめんだ」

「盗みはしたくない」Tが言った。「もっといい考えがある」

「何だ？」

Tは目を上げた。その瞳は、くすんだ八月の風景のように灰色で、ざらついていた。「あの家を壊すんだ」彼は言った。「ぶっつぶす」

ブラッキーは思わず笑いかけ、それから相手の真剣で冷たい視線にひるんで、すぐにマイクのように静かになった。「警察が黙って見ているとでも？」彼は言った。

「警察にはばれない。家の内側から壊すんだ。入り込む方法を見つけた」彼は堰を切ったようにしゃべりはじめた。「林檎のなかにいる虫みたいにやるんだ、わかるだろう。外に出てきたときには、なかは空っぽになってる。階段も、羽目板も。ただ壁だけが残っている。それから壁も倒す――どうにかして」

「刑務所行きになる」ブラッキーが言った。

「証拠は？ そもそも、おれたちは何も盗まないんだ」Tは少しもはしゃいだところなく言い足した。「終わったあとには、盗めるものなんて何もありゃしない」

「ものを壊して牢屋に入れられたなんて話は聞いたことがない」サマーズが言った。

「時間が足りない」ブラッキーが言った。「業者が家を壊してるのを見たことがある」

「おれたちは十二人いる」Tが言った。「手分けしてやるんだ」

「誰もやりかたを……」

「おれが知ってる」Tが言った。彼はブラッキーを見た。「もっといい計画があるのか？」

「今日は」マイクが空気を読まずに言った。「ただ乗りをして……」

「ただ乗り」Tは言った。「ガキの遊びだ。あんたはやらなくたっていいんだぜ、ブラッキー、もしどうしても……」

「団員で投票して決めるのが掟だ」

「それなら提案してくれ」

ブラッキーはぎこちなく言った。「明日と月曜日、〝しょぼくれ〟の家を壊すという提案があった」

「すげえ」ジョーという名の太った少年が言った。

「賛成のやつは？」

Tが言った。「決まりだ」

「どうすればいいんだ？」サマーズがきいた。

「こいつが説明する」ブラッキーが答えた。それが、彼のリーダーとしての役割の終わりだった。彼は駐車場の端まで歩いていき、石をつまらなそうに蹴りはじめた。駐車場には古いモリスが一台停まっているだけだった。ふだんからここを使うのはトラックばかりで、乗用車はほとんどない。管理人がいないので、不用心だからだ。彼はモリスに向かって石を蹴り飛ばした。石があたって、後部のフェンダーの塗装がわずかに剝げ落ちた。向こうでは、彼のことをまるでもう赤の他人になったように無視して、団員たちがTのまわりに集まっていた。彼は、人気の移ろいやすさというものをぼんやり意識した。家に帰ろうかと、そしてもう二度とここには戻らず、Tがリーダーの器ではないことを団員みんなに気づかせてやろうかとも考えた。けれども、もしもTの計画が実際に可能だったら――前例のない大仕事だ。ワームズリー・コモンの駐車場を根城とする当団の名声は、間違いなくロンドンの隅々にまで知れ渡るだろう。新聞の見出しを何度も飾るだろう。プロレス賭博の胴元や、手押し車の街頭売りの元締めでもある大人のギャングまでが、〝しょぼくれ〟の家が壊された話を聞けば一目置いてくれるだろう。団の名声のための純粋で単純、利他的な野心に突き動かされ、ブラッキーはTが立っている〝しょぼくれ〟の家の塀がつくる影のなかまで戻った。

Tはてきぱきと指示を与えていた。まるで生まれたときからずっとあたためていた計画が、いくつもの季節を重ねて熟成され、ついに十五歳のこの年になって思春期のうずきとともに結実したかのようだった。「おまえは」彼はマイクに言った。「大きな釘を持ってこい。できるだけ大きなやつだ。それに金槌も。ほかの誰でもいい、できたら金槌とドライバーを持ってきてほしい。たくさんいるんだ。鑿《のみ》もだ。鑿は多ければ多いほどいい。誰か、のこぎりを持ってこられるやつはいるか?」

「おれが持ってくる」マイクが言った。

「おもちゃののこぎりじゃないぞ」Tが言った。「本物ののこぎりだ」

ブラッキーは、気がつけば平《ひら》の団員のように手を上げていた。

「いいだろう、あんたが持ってきてくれ、ブラッキー。だけど、まだ問題がある。弓のこがほしい」

「ゆ、ゆみのこって何だ?」誰かがきいた。

「ウルワースで売ってる」サマーズが言った。

でぶっちょのジョーが、不満げにつぶやいた。「わかってたよ、けっきょくは金を出せってか」

「おれがなんとかする」Tが言った。「おまえらの金はあてにしてない。だけど大ハンマーは買えない」

ブラッキーが言った。「一五番で工事をしてるだろ。休日にあそこの作業員が道具をどこにしまってるか、知ってるぜ」

「それなら話は以上だ」Tが言った。「九時きっかりに集合」

「おれ、教会に行かなきゃならないんだ」マイクが言った。

「塀を越えて口笛を吹け。なかに入れてやる」

2

日曜日の朝、ブラッキーを除く全員が時間通りに集まった。マイクも間に合った。マイクは運がよかった。たまたま母親の具合が悪くなり、父親は土曜の夜は疲れていたこともあって、寄り道は絶対にだめだとしつこく釘をさされたあと、教会には一人で行くよう言われたのだった。ブラッキーはのこぎりを持ち出すのに手間どり、遅れてしまった。そのあと、一五番の裏で大ハンマーを見つけた。巡回している警官に見とがめられないよう表通りは避け、庭の裏手の路地を通って家に近づいた。くたびれた常緑樹が、嵐の気配をはらんだ陽射しをさえぎっていた。大西洋の上空には明日の祝日に雨をもたらす雲が待ちかまえていて、木々の下では早くもつむじ風が埃の渦をつくりはじめていた。ブラッキーは、塀を乗り越えて〝しょぼくれ〟の庭に降りた。

どこにも人の気配はなかった。便所は、うらさびれた墓地の石碑のように見えた。カーテンは引かれていた。家は眠っていた。ブラッキーはのこぎりと大ハンマーを持って、急ぐでもなく近づいた。けっきょくは誰も来なかったのだ。そもそもあの計画は無理筋だった。一晩たって朝になったら、みんな急に醒めてしまったのだろう。しかし裏口のドアに近づくにつれ、蜜蜂の群れがうごめいているような、ざわついた音がかすかに聞こえてきた。かたんことん、ばんばん、がりがり、きーきー、そして何かが不意に割れる苦しげな音。彼は思った。これは本当なんだ、と。そして口笛を吹いた。

団員たちが裏口のドアを開けてくれて、彼は家のなかに入った。そしてすぐに、秩序だち整然とした気配を感じとった。彼がリーダーだったときの、場当たり的なやりかたとはまるで違う。しばらくのあいだ、彼はTを探して階段をのぼったり降りたりした。誰も彼に注意を向けなかった。空気は張りつめ、ぴりぴりしている。どういう計画なのか、すぐにおおよその見当がついた。壁には手をつけることなく、家の内側から注意深く壊している。サマーズが、金槌と鑿を使って一階のダイニングルームの床近くの幅木をはずしている。すでにドアの羽目板は壊されていた。同じ部屋でジョーが寄せ木の床板をはがしていて、地下室の上を覆う柔らかい木材がむき出しになっていた。幅木が失われた壁からは、ぐるぐる巻きの電線が飛び出していた。マイクが床に座って、楽しそうにその電線を切っている。

らせん型の階段では、二人の団員が刃のあまい子供用ののこぎりを使って手すりを懸命に切ろうとしていた——彼らはブラッキーの大きなのこぎりを見ると、黙ったまま手振りでそれをよこせと求めた。ブラッキーが次に見たときには、手すりの四分の一は廊下に転がっていた。

浴室で、やっとTを見つけることができた――Tはまだ手がつけられていないその場所に不機嫌そうに座り、下から聞こえてくる音に耳を傾けていた。

「本当にやったんだな」ブラッキーは脱帽とばかり呼びかけた。「これからどうなるんだ?」

「まだ始まったばかりだ」Tは答えた。彼は大ハンマーを見て、指示を出した。「あんたはここで、風呂と洗面台を壊してくれ。配管はいじるなよ。それはあとでやる」

マイクがドアのところにやってきた。「電線は切り終わったよ、T」

「よくやった。そしたら、次は歩きまわってもらう。まずは地下の台所だ。皿やらガラスやら瓶やらを、手当たり次第に割るんだ。蛇口はひねるなよ――水浸しになりたくない――今はまだだめだ。そのあとぜんぶの部屋に入って、引き出しを抜いてくれ。もし鍵がかかっていたら、誰かを呼んで壊して開けさせろ。見つけた書類はどんどん破れ。飾りの小物はすべて壊せ。台所から切り盛り用のナイフを持っていくといい。ここの向かいは寝室だ。枕を切り裂いて、シーツはずたずたにしろ。さしあたってはそれで十分だ。それからあんた、ブラッキー、ここが終わったら、その大ハンマーで廊下の漆喰を割ってくれ」

「おまえはどうするつもりなんだ?」ブラッキーがきいた。

「おれは特別なものを探している」Tは言った。

ブラッキーが作業を終えてTを探しにいったときには、昼飯どきになっていた。家のなかは混沌が支配していた。台所の床は、割れたガラスと食器のかけらで埋めつくされていた。ダイニングルームでは寄せ木の床がはがされ、その下の根太までなくなっている。ドアは蝶番からはずされ、床は取り去られていた。破壊者たちが創造者と同じように精魂を込めて手を動かしている空間に、閉じた鎧戸の隙間から幾筋もの光が射し込んでいる。けっきょくのところ、破壊とは創造の一形式なのだ。この家の今の姿は、ある種の想像力の産物だった。

マイクが言った。「家に帰ってご飯を食べなきゃ」

「ほかにも帰りたいやつはいるか？」Tが呼びかけたが、他の者たちは何らかの口実をつけて食べ物を持ってきていた。

彼らは壊れゆく部屋のなかでしゃがみ、好きではない具材のサンドイッチを交換しあった。昼食は三十分ほどですませ、また作業に取りかかった。マイクが戻ってきたとき、彼らは最上階にいた。六時には表面的な破壊は完了していた。ドアはすべてはずされ、幅木もすべてはがされ、家具は引き出され、壊され、つぶされていた――崩れた漆喰の山のほかには、この家に横になって眠ることができる場所はもうなかった。Tが命令を出した――翌朝八時に集合。そして彼らは、人目を避けるために一人ずつ庭の塀を乗り越えて駐車場に出ていった。ブラッキーとTだけが残った。外は暗くなりつつあったが、スイッチに触れても明かりはつかなかった――マイクは与えられた仕事をきちんとやったのだ。

「特別なものってのは見つかったか？」ブラッキーがきいた。

Tはうなずいた。「こっちに来てくれ」彼は言った。「ほら、これを見てくれ」彼は両方のポケットからポンド紙幣の束を取り出した。「〝しょぼくれ〟の蓄えだ」彼は言った。「マイクはマットレスを切り裂いたとき、これを見落としていた」

「どうするつもりだ？　みんなで分けるのか？」

「おれたちは泥棒じゃない」Tは言った。「誰もこの家から何か盗んだりしない。これはおれたちだけのものにする――お祝いだ」彼は床に膝をついて紙幣を数えた――ぜんぶで七十枚あった。「焼いちまおう」彼は言った。「一枚ずつ」ふたりは紙幣を一枚ずつとってかざし、炎がゆっくり指先に近づいてくるよう上の端に火をつけた。灰色の燃えがらが舞いあがり、ふたりの頭に年齢のように降りかかってきた。「すべてが終わったあとの〝しょぼくれ〟の顔が見たいよ」Tが言った。

「そんなにあいつが憎いのか？」ブラッキーがたずねた。

「そうじゃない、あいつを憎んでなんかいない」Tは言った。「もし憎んでいたら、これっぽっちも楽しめない」最後の一枚を燃やす炎が、思いをたぐる彼の顔を照らした。「憎しみとか愛ってのは」彼は言った。「すべて甘っちょろいたわごとだ。この世にあるのは、ものだけなんだ、ブラッキー」そして彼は半分になったもの、壊れたもの、かつて何かだったものの見慣れぬ影で満たされた部屋を見まわした。「家まで競走だ、ブラッキー」彼は言った。

3

翌朝、本格的な破壊がはじまった。二人が抜けていた――マイクと、もう一人だ。もう一人は、生ぬるい雨がゆっくり降りはじめ、雷鳴がかつての空襲の最初の砲声のように河口にとどろいているなか、サウスエンドとブライトンに家族で出かけたのだ。「急ぐぞ」Tが言った。サマーズは不服そうだった。「もう十分じゃないか?」彼は言い返した。「スロットマシンで遊ぶのに一シリングもらったんだ。これじゃ仕事みたいだぜ」

「まだ始めたばかりだ」Tは言った。「いいか、床はそっくり残ってる。それに階段も。窓も一枚もはずしてない。おまえもみんなと同じように賛成したはずだ。おれたちは、この家を壊すんだ。終わったときには、何一つ残ってちゃだめだ」

彼らは二階で外壁近くの床を覆っている板をはがすところからはじめ、隠れていた根太をむき出しにした。床下に渡されていたその根太をのこぎりで切ったところで、いったん廊下に出た。床の残った部分が傾いて沈みはじめたからだ。作業をしているうちにこつがつかめてきて、三階の床はもっと簡単に壊せた。夕方になり家のなかにできた大きな空洞を見下ろしたとき、彼らは奇妙な高揚感に包まれた。何度も危険をおかしたし、失敗もした。たとえば窓をはずすのを忘れていたが、気がついたときにはもう遅かった。「やべえ」ジョーが声をあげた。一ペニー硬貨を水ではなく瓦礫《がれき》がたまっている井戸に落としてしまったのだ。硬貨はかちりと音をたて、割れたガラスの破片の上でくるくるまわった。

「どうしてこんなことをしてるんだっけ?」サマーズがいぶかるように、誰にともなくきいた。Tはもう一階にいて、残骸をかき寄せ、外側の壁際にスペースをつくっていた。「蛇口をひねるんだ」彼は言った。「もう暗いから誰にも見えないし、朝になったら、たとえ気づかれたってどうでもよくなってる」水は階段にいた彼らのところまできて、床のない部屋に流れ落ちていった。

そのとき、家の裏手からマイクの口笛が聞こえた。「何かあったみたいだ」ブラッキーが言った。ドアの鍵を開けると、マイクのぜいぜいという荒い息づかいが聞こえてきた。

「おばけでも出たか?」サマーズがきいた。

「〝しょぼくれ〟だ」マイクが言った。「帰ってきた」誇らしげな声だった。

「まさか、どうして?」Tが言った。「話が違うじゃないか……」彼はこれまで見せたことがなかった子供っぽさをのぞかせ、怒りをあらわに吐き捨てた。

「サウスエンドに行ってたんだって」マイクが言った。「でも、列車で帰ってきたんだ。すごく寒くて、雨もひどかったたって言ってた」マイクは言葉を切り、水たまりを見つめた。「あれ、こっちは嵐だったんだ。屋根から漏れたの?」

「あとどれくらいで来る?」

「五分かな。おれは母さんを置いて、走ってきたんだぜ」

「撤収しようぜ」サマーズが言った。「これだけやったんだ、もういいだろう」

「いや、違う、これじゃだめだ。こんなことは誰だってできる——」〝こんなこと〟というのは、壊されて壁だけしか残っていない、空洞になった家のことだ。壁はこのまま保つことができる。正面のファサードには価値がある。家のなかだけなら、前よりもきれいに造りなおすことだってできる。ここは、また人が住める家に戻ってしまう。彼はじれったそうに言った。

「最後までやらなきゃだめだ。帰らないでくれ。おれに考えさせてくれ」

「時間がない」誰かが言った。

「何かできるはずだ」Tが言った。「ここでやめるなんて……」

「よくやったよ」ブラッキーが言った。

「違う、違う、やってない。誰か玄関を見張ってくれ」

「これ以上は無理だって」

「あいつは裏から入ってくるかもしれない」

「だったら裏も見張ってくれないか」Tは哀れっぽく訴えた。「頼む、とにかくあと少しだけ待ってくれ、なんとかする。絶対になんとかするから」けれどもあいまいな答弁によって、Tの権威は損なわれてしまった。彼はただの団員の一人に戻っていた。「お願いだ」彼は言った。「お願いだ」サマーズが馬鹿にしたように真似し、だしぬけにあの致命的な名前を口にして急所をついた。「早く家に帰れよ、トレヴァー」


Tはぐらついてロープにもたれかかったボクサーのように、壊れた壁に背をあずけていた。夢が揺らいで崩れようとしているのに、言葉がなかった。そのとき、団員に笑い出すいとまを与えずブラッキーが動いて、サマーズを後ろに押しのけた。「玄関はおれが見張るぜ、T」彼はそう言って、警戒しながら玄関の鎧戸を開けた。目の前には雨に濡れる灰色の空き地が広がり、街灯の光が水たまりに反射して輝いていた。「誰か来るぞ、T。いや、あいつじゃない。それでおまえの計画は、T?」

「マイクに庭の便所まで行って、そのすぐそばに隠れるよう言ってくれ。おれが口笛を吹くのが聞こえたら、十まで数えて叫ぶようにって」

「何を叫ぶんだ?」

「ああ、〝助けて〟でも何でもいい」

「聞こえたな、マイク」ブラッキーが言った。彼はまたリーダーだった。彼は鎧戸の隙間から素早く外を見た。「あいつが来るぞ、T」

「急げ、マイク。便所だ。ブラッキー、それにみんなはまだここにいてくれ。おれが叫ぶまで」

「どこに行くんだ、T?」

「心配するな。おれにまかせてくれ。とにかく信じてほしい」

〝しょぼくれ〟が、足を引きずりながら空き地を抜けてきた。靴に泥がついていたので立ち止まり、それを歩道の縁でこそげ落とした。自分の家を汚したくなかった。爆弾が落ちた場所にはさまれ、闇のなかぎざぎざの輪郭を浮かべて立つその家が破壊を免れたのは奇跡に近い。そう彼は信じていた。爆風を浴びたときも、明かりとりの窓さえも壊れなかった。どこかで誰かが口笛を吹いた。〝しょぼくれ〟は鋭くあたりを見まわした。口笛は胡乱《うろん》だ。子供が叫んでいる。その声は、ほかならぬ彼の家の庭から聞こえてくるように思えた。そのとき、駐車場から道路に一人の少年が駆け出してきた。「トマスさん」その少年が呼びかけてきた。「トマスさん」

「どうした？」

「本当にすみません、トマスさん。友だちが急にやばくなって、あなたなら怒らないと思って、でもそのあと出てこられなくなって」

「いったい何を言ってるんだ？」

「おたくの便所に閉じ込められたんです」

「どうしてうちの……おまえとは前にも会ってないか？」

「あなたの家を見せてもらいました」

「そうだった、そうだった。だからといってそんな図々しいことを……」

「どうか急いでください、トマスさん。あいつ、窒息しちゃう」

「ばかばかしい。窒息するわけがない。この鞄を置いてくるまで待ちなさい」

「鞄はおれが持ちます」

「いや、だめだ、いかん。わしが自分ではこぶ」

「こっちです、トマスさん」

「そっちからは庭には入れん。家のなかを抜けなければならんのだ」

「でも、ここから入れますよ、トマスさん。いつもそうしてます」

「いつも？」彼はむっとしながらも、言われるがまま少年のあとにつづいた。「いつ？　いったい何の権利があって……」

「ほら見えますか……？　塀が低いでしょ」

「自分の家の庭に塀を越えて入るもんか。ばかげてる」

「こうするんです。足をここに、もう片方の足をこっち、それでこうやってまたいで」少年の顔が下をのぞき、腕が伸ばされ、トマス氏が気づいたときには鞄を奪われて塀の向こう側に置かれてしまっていた。

「わしの鞄を返せ」トマス氏は怒鳴った。便所で子供が叫びつづけている。「警察を呼ぶぞ」

「鞄は大丈夫です、トマスさん。ほら。足をここにかけて。右です。あと少し上。左に」トマス氏は自分の庭の塀を乗り越えた。「鞄はここです、トマスさん」

「塀を高くするぞ」トマス氏は言った。「ガキどもが勝手に入り込んで便所を使えないようにしてやる」彼は小径でよろけたが、少年が肘をつかんで支えてやった。「ありがとう、ありがとう、助かったよ」彼は思わずそうつぶやいた。暗闇のどこかで誰かがまた叫んだ。「いま行く、いま行くよ」トマス氏が呼びかけた。彼は隣にいる少年に話しかけた。「わしとて意地悪がしたいわけじゃない。子供の気持ちはわかる。礼儀をわきまえろってことだ。土曜日の朝にこのあたりで遊びまわるのもかまわん。ときどき、誰かがそばにいると嬉しいこともある。筋さえ通せばな。きちんと許可を求めにくれば、いいよと答えてやる。たまに、だめと答えるかもしれん。そんな気分じゃないときもある。いいか、玄関から入って、裏から出るんだ。庭の塀を越えるんじゃない」

「どうかあいつを助けてください、トマスさん」

「わしの便所は別に危なくない」トマス氏はよたよたと庭を歩いた。「まったく、このリウマチってやつは」彼は言った。「休日のたびに出てきやがる。用心しなきゃならん。このあたりの石はぐらぐらするんだ。手を貸してくれ。昨日のわしの星占いに何て書いてあったか知ってるかね？ 〝週の前半は取引を厳に慎むこと。深刻な打撃を受けるおそれあり〟だ。それがこのことかもしれん」トマス氏は言った。「占いは喩えやら、かけことばやらを使うからな」彼は便所のドアの前で立ち止まった。「それで、どうなってるんだ？」彼は呼びかけた。返事はなかった。

「気絶しちゃったのかな」少年が言った。

「うちの便所で気絶されたら困る。おい、おまえ、出てくるんだ」トマス氏はドアを思い切り引っ張った。そしてあまりにたやすくそのドアが開いたせいで、危うく仰向けに倒れそうになった。差し出された誰かの手が彼を支え、次の瞬間には逆に乱暴に突き飛ばした。彼は頭を奥の壁にぶつけ、へなへなと座り込んだ。鞄が足にぶつかった。同じ手が鍵をさっと抜いて、ドアをたたきつけた。「出してくれ」彼は声をあげたが、返ってきたのは鍵がまわされる音だった。〝深刻な打撃〟彼はその言葉を思い出してぞくっと震え、混乱し、急に老けこんだように感じた。

ドアにくりぬかれた星形の孔から、落ち着いた声が話しかけてきた。「心配しなくていいよ、トマスさん」その声は言った。「傷つけたりしない、静かにしているなら」

トマス氏は頭を両手で抱えて考えをまとめようとした。駐車場にはトラックが一台だけしかなかった。その運転手はきっと朝まで来ないだろう。表の道路を誰かが通りかかったとしても彼の声は聞こえないだろうし、裏の路地はほとんど人が通らない。あそこを使うのは急いで家に帰るときくらいだし、きっと酔っ払いがわめいているとしか思わず、立ち止まってはくれまい。それに、もし実際に〝助けてくれ〟と叫んだとして、人気のない休日の夜にいったい誰が勇気を出して確かめにきてくれるだろう? トマス氏は便座に座り、老いた頭で知恵を絞ろうとした。

しばらくすると、静まり返ったなか何かの音が聞こえたような気がした——かすかな音が家の方から聞こえる。立ち上がって通風口——鎧戸の一枚の隙間からのぞいてみると、光が見えた。電灯ではなく、ろうそくの火のように揺れる明かりだった。何かをたたいたり、こすったり、切ったりする音がしているようにも思えた。強盗かもしれない——きっとそいつが、あの少年を見張りとして雇ったのだ。ただ、聞けば聞くほどこっそり大工仕事をしているとしか思えない。そんな音をたてる何かを、どうして強盗がしなければならないんだ? トマス氏は試しに叫んでみたが、誰も答えなかった。その声は彼の敵の耳にすら届かなかった。

4

マイクは寝ると言って家に帰ったが、ほかの者たちは残った。誰がリーダーかという問題は、もはや団員たちの頭から消えていた。釘、鑿、ドライバー、そのほか鋭くて突き刺さるものなら何でも使って、煉瓦のあいだのモルタルをほじり出しながら内側の壁のまわりを動きまわった。最初に取りかかった場所は位置が高すぎたが、ブラッキーが防湿材を見つけ、そのすぐ上にある継ぎ目をはずせば作業の手間が大幅に減ることがわかった。時間がかかり、しんどくて楽しくない作業だったが、ついに終わった。中身をくりぬかれた家は、防湿材と煉瓦にはさまれた厚さわずか数インチのモルタルに支えられ、かろうじて立っていた。

最後にあと一つ、外に出て爆撃を受けた跡地の隅でやらなければならない、もっとも危険な作業が残っていた。通行人がいないか確かめるために、まずサマーズが見張りに出された。便器に座っていたトマス氏は、今度こそはっきりのこぎりを引く音を聞いた。その音はもはや家からは聞こえてこなかったので、彼は少しだけほっとした。不安が薄らいだ。たぶんほかの音も、たいした意味はなかったのだ。

孔の向こうから誰かの声が話しかけてきた。「トマスさん」

「わしをここから出せ」トマス氏は尖った声で言った。

「毛布だよ」その声のあと、長いソーセージのような形をした灰色のかたまりが孔から押し込まれ、トマス氏の頭の上にどさりと落ちた。

「あんたに恨みはないんだ」その声は言った。「今夜は気持ちよく過ごしてほしい」

「今夜だと」トマス氏は信じられない思いでくり返した。

「受けとってくれ」声が言った。「食パンだよ――バターを塗ってある。それにソーセージロールも。お腹がすかないようにさ、トマスさん」

トマス氏は必死に訴えかけた。「なあ、冗談なのはわかってるぞ。わしをここから出してくれたら、絶対に何も言わない。わしはリウマチなんだ。楽にして寝ないとだめなんだ」

「楽にはできないな、あんたの家ではね、それは無理だ。もうだめだ」

「どういう意味だ、それは？」けれども足音は遠ざかっていった。夜の静けさがあるだけだった。のこぎりの音も聞こえない。トマス氏は試しにもう一度叫んでみたが、静寂にひるみ、黙り込んだ――どこか遠くでフクロウが鳴き、かそけき羽音をたてて音のない世界を飛び去った。

翌朝七時、トラックの運転手が駐車場にやってきた。運転席に乗り込み、エンジンをかけようとした。誰かの叫び声がぼんやり聞こえていたが、気にもとめなかった。ようやくエンジンがかかると、彼はトラックをトマス氏の家を支えている、太い木の柱にぶつかるまでバックさせた。そうすれば方向変換せずに、そのまままっすぐ通りに出て走り去れるのだ。トラックは前に動き出したが、次の瞬間なぜか後ろから引っ張られたかのように大きく揺れた。そしてまた進みはじめると、何かが崩れるがらがらという音が響いた。運転手は、目の前で煉瓦が跳ねるのを見て驚いた。車の屋根にばらばらと石が降ってくる。彼はブレーキを踏んだ。車から降りてみると、一瞬のうちにあたりの風景はがらりと変わっていた。駐車場の脇にもはや家はなく、ただ瓦礫の山があるだけだった。トラックの後ろにまわって被害はないか調べたところ、そこにはロープが結びつけられていた。ロープの反対端は、木の柱の丸い部分にぐるりと巻きつけられていた。

運転手は、またしても誰かが叫んでいるのに気づいた。その声は、崩れた煉瓦の山のなかでただ一つ、かろうじて家と呼べる形をとどめている木造の小屋から聞こえていた。運転手は壊れた塀を乗り越えて、そのドアの鍵を開けた。トマス氏が便所から出てきた。体にかけている灰色の毛布には、パンのかけらがこびりついていた。トマス氏は涙声で叫んだ。「わしの家」彼は言った。「わしの家はどこだ？」

「おれにきかれてもな」運転手が答えた。そして浴槽の残骸と、かつては食器棚だったものを見て、笑い出した。どこにも何も残っていなかった。

「どうして笑うんだ」トマス氏が言った。「あれはわしの家だったんだ。わしの家だ」

「ごめんよ」運転手は答え、英雄なみにこらえたものの、トラックが不意にがたんと揺れ、煉瓦が崩れ落ちてきたときのことを思い出すと、また笑いの発作がこみあげてきた。あの家は爆撃の跡地にはさまれて、シルクハットをかぶった紳士のように、じつに堂々と立っていた。それなのに次の瞬間、どん、ぐしゃりで、もはや跡形もない――何一つ残っていなかった。運転手は言った。「ごめんな、笑って悪かったよ、トマスさん。何も悪気はないんだって。だけどあんまりおかしくってさ。誰が見たってこいつは傑作だよ」

（門野集訳）

いつまでも美しく

シーリア・フレムリン

For Ever Fair　一九七〇年

シーリア・フレムリン Celia Fremlin（一九一四―二〇〇九）。イギリスの作家。育児と家事の合間に執筆した初の小説『夜明け前の時』を一九五八年に刊行し、デビュー作でいきなりアメリカ探偵作家クラブ（ＭＷＡ）最優秀長編賞を受賞する。女性や子供を主人公に据えて小さなコミュニティでの事件を描く、いわゆる〈ドメスティック・ミステリ〉の書き手として、九〇年代まで創作を続けた。代表作に『泣き声は聞こえない』『死ぬためのエチケット』などがある。本編は短編集 *Don't Go to Sleep in the Dark*（一九七〇）書き下ろしの作品である。

その男をひと目見て、まともな医者ではなさそうだと思った。〝J・モートン・エルドリッチ認定開業医〟と名乗っているが、誰が〝認定〟したのだろう？　どんな治療を行う〝開業医〟？　向かいに座っている小柄な男の少し充血した生気のない青い瞳を覗き込んでいるうちに、疑念はますます強くなった。

疑念？　いいえ、自分をごまかすのはやめよう。まともな医者であるはずがない、と心のどこかでは確信していた。まともな医者なら新聞に、ましてや地方紙の個人広告欄に広告を出しはしない。それに「若々しい魅力を失うことを恐れるご婦人すべてに贈る、今回限りのすばらしいチャンス」という謳い文句も、若返りを餌にしたインチキ商売だと自ら認めているようなものだった。

やはり、にせ医者だ。しかも、にせ医者であるだけではなく、有能なようにも見えないので、背筋が寒くなってきた。わたしは愚かかもしれないが――藁にもすがる思いが高じると、どんな女でも愚行に走る――J・モートン・エルドリッチの〝治療〟がいかなるものであるにしろ、一種の自己催眠以上の効果を期待するほど、理性を失ってはいない。たぶん、言葉巧みに誘導して、若返って美しくなったと信じ込ませるのだろう。すると、これで中年の夫の愛を取り戻すことができるわ、と自信のようなものがつく――たぶん、つくのでは？　わたしの夫の愛は、子猫のようにかわいらしい、無邪気に微笑む若いブロンド娘に盗まれた。

だが、年齢不詳の生白い顔に眠たそうな目をした、貧相で胡散臭いこの男に、他人に自信を与える力があるとは思えない。魂の奥底まで見通す、吸い込まれそうな黒い瞳も、みじめな中年女の悩みに同情する――たとえ偽りでも――温かみのある豊かで甘い声も欠けている。女としての魅力を取り戻した、といまごろは信じ込ませてくれているはずだった、真っ白な歯を見せての微笑も、父親と求愛者を兼ねた計算ずくのオーラもない。こうした手品の類や癒しを求めるからこそ、この手のインチキにお金を払うのに。

心の裡《うち》を読まれたような気がしてばつが悪くなり、わたしはさりげなく目を逸らした。来なければよかった、と痛切に後悔した。なぜ、愚かにも予約の電話を入れてしまったのだろう。だとしても、〝ドクター〟J・モートン・エルドリッチの〝診療所〟のある通りを見たときに、さっさと踵《きびす》を返せばよかったのだ。人っ子ひとりいない通りは、まるでゴーストタウンのようだった。売店ひとつ、乳母車一台見当たらず、レースのカーテンを固く閉ざした、煤ぼけた背の高い家が連なるばかり。各戸の玄関に縦一列に並んだ呼び鈴はどれも埃をかぶって氏名を記した文字が薄れ、誰の記憶にも残っていないはるか昔の住人が、ここでいっとき送ったわびしい生活の遺物となっていた。二七番の戸口でそうした主を失った呼び鈴を四個も試したあと、ようやく家の奥からスリッパ履きの足音が急ぐ様子もなく近づいてきて、薄汚い格好の太った老婆がドアを開けた。老婆は慣れない昼の陽光に目を瞬《しばたた》き、わたしが用件を説明するあいだ、無作法を通り越した無関心な顔で見つめていたが、親指をぐいと曲げて上階を漠然と示すと、薄暗くがらんとした家の奥深くへのろのろ戻っていった。そこで、わたしはひとりで階段を上って診療所を探し当てた。

そうした次第でいまここにいるのだが、悶々と悩んだあげくに勇気を振り絞って来てはみたもののすでに気持ちは萎え、帰りたくてたまらなかった。日の当たらない部屋は薄暗くて悪臭が漂い、汚れたカップや、腐った滓《かす》のこびりついた牛乳瓶が棚に捨て置かれている。部屋の主は打ちひしがれて生気がなく、これでは他人はおろか自らを救うことさえできそうもない。だが、帰るためのもっともらしい口実が思い浮かばなかった。ミスター・エルドリッチ――きっと、ドクター・エルドリッチと呼ばれたいのだろうが――は、使い古したノートに詳細を記入していった。

「四十一歳、とね」ぶつぶつと声に出して、書いていく。「既婚――夫がずっと年下の女性にご執心――ほほう、どんな女性です？」突然、鼻にかかった甲高い声を鋭くしてペンを止め、背筋を伸ばしてしょぼついた目をわたしに据えた。

「どんな？　エディスが？　そうですねえ――ええと、言うまでもなくとても若くて――年は十八かそこらでしょう。金髪で、とてもきれいな人ですよ。ちょっと軽薄な感じですけれど」話し始めると、少し楽観的な気分になった。どのみち、わたしの場合は失うものはなく、それにこの風采の上がらない奇妙な小男が、女性に効果をもたらす妙案――その他多くと似たり寄ったりの、効きもしないホルモン入りクリームだとしても――を思いつかないとも限らない。

「エディスの魅力は、若さでしょうね」わたしは話を続けた。「ほかには、なにもありませんもの。知的でもないし、付き合って楽しい相手でもない。だって、話題がないんです……こちらがなにか言うと、間が抜けているというか、うつろというか……とにかくそんな感じでにっこりするだけなんですよ」

エディスの微笑。できる限り説明してはみたものの、おぞましいほど知性の欠如したあの微笑を的確に伝える言葉は見つからなかった。夫のロナルドがそれに魅力を感じていることを初めて知ったとき、嫉妬心のせいかもしれないが、実際に気分が悪くなったくらいだった。夏のある日曜日、わたしたちは芝生の庭でお茶を楽しんでいた。近所の人たちを何人か招いていたので、記憶が正しければストロベリー・クリーム、ひと口大のサンドイッチ、手作りのレーズンケーキなど、けっこういろいろ用意してあった。誰が連れてきたのか覚えていないが、エディスはお客のひとりの姪、あるいは家族の友人というような触れ込みだったと思う。むろん、わたしは招待していない。まったく見ず知らずの人だった。エディスは細いウェストのところで上半身を少し前に傾け、ちょこちょこと変なふうに足を動かして、つまずきながら小走りに芝生を横切ってきた。まるで、差し伸べられた二本の腕のなかに飛び込むような格好だった。

そして、ロナルドの腕のなかに飛び込んだ。ロナルドが差し伸べていたのではない。少なくともその日は。たまたま、彼女の進路上に立っていたにすぎなかった。ロナルドは笑ってエディスの肘をつかみ、デッキチェアに座るのを手伝った。手伝っただけなのだ！　そして、わたしの座っているところから、エディスが巧みに力を抜いて、ほっそりした若々しい体をロナルドにもたせかけたのが見えた……その瞬間、とっさに出た夫の親切心はそれ以上のものになった。長く暑い午後のあいだずっと、ロナルドは呪文をかけられたかのようにエディスのそばを離れず、あれやこれやと滑稽なくらいに世話を焼いた。背中に当てたクッションの位置を変えたり、彼女の持ってきた変てこりんな薄いショールで肩を覆ったり、こまめにその具合を直したり。たぶん色白の敏感な肌を守るためだったのだろうけれど、果たしてどうなのか。最近の若い娘はみんな、日焼けをしたがるものだと思っていた……とにかく、ロナルドのようなタイプはこの手の策略に弱いと見え、〝頼りなく、はかなげなエディス〟の虜になった。あとでわたしにこう語ったものだ。ついに、ほんとうに女らしい人に出会って、とても新鮮だったよ。ああいう人は、男をほんとうに男らしい気分にしてくれる。

たぶん悪気はなかったのだろうけれど、わたしは自分のがっしりした体格や、自立心を馬鹿にされたように感じて、夫の理不尽を責めた。あなたはわたしに、家の模様替えや車の運転、あなたと同じくらい稼ぐことを要求しておきながら、手のひらを返したように馬鹿にするのね！　わたしが、繊細でいまにも――

「馬鹿になどしていない！」本心かどうかはともかく夫は反論したが、わたしは取り合わなかった。「いまにも壊れそうな、可憐なお馬鹿さんじゃないから。あなたのだいじなエディスと違うから！」

「エディスを巻き込むな！」夫が怒鳴った瞬間に、わたしは負けを悟った。喧嘩自体はなんとなく収まったし、ロナルドが家を出たわけではない。だがそれを機に、夫はエディスのものになった。夫もわたしも、それがわかっていた。おそらくエディスも。長く暑い夏のあいだずっと、夫を奴隷のように完全に所有していたことまで自覚していたかは、ともかくとして。夫があれほど頻繁に訪問し、ドライブに連れ出し、食事に招いたのだから、一緒にいたがっていることに気づかないはずはない。彼女は毎晩のように、ロナルドの腕にしがみついて危なっかしい足取りで庭の小径をやってきた。そのあいだも、エディスは顔を仰向け、ロナルドはうつむけて倦むことなく微笑を交わしていた。間の抜けた顔でにこにこしているふたりは、まさに虚《うつ》けそのものだった。どんな話をしていたのかは、想像もつかない。わたしが居合わせたときに耳にするのは、ロナルドほど知的な人がなぜ我慢できるのか計り難い、空疎《くうそ》でつまらない会話ばかりだった。「きょうはあまりじめじめしていないわね」エディスがぱっちりした目を見開いてにっこりすると、この世でいちばん機知に富んだ言葉を聞いたみたいにロナルドは相好を崩し、彼女の腕に置いた手に力を込める。たまにわたしたち夫婦が知的な会話をすると、ずるがしこい彼女はぼろを出すのを恐れて話に加わらない。たいした娘っ子だわ！　ただそこに座って、にこにこして首振り人形みたいにうなずいている。そしてロナルドはあとになって、エディスはほんとうに聞き上手だね、とわたしの前で褒めちぎる。ふんっ！

だいたい、食事の仕方も気に入らない。我が家の食卓に並んだ心のこもった料理をきちんと食べたためしがなく、小鳥みたいにつんつんつついて少しつまみ、これは嫌い、あれは食べられない、これも苦手と、いちいちうるさいこと。ごく普通の量を食べるわたしは、しまいに豚のごとく大食いの意地汚い女で、料理下手でもある気にさせられる。エディスが赤ん坊がむずかるみたいな声で「ステーキ&キドニーパイは苦手なの」などと言おうものなら、ロナルドは作ったお前が悪いとばかりに睨みつけ、自分も嫌いなふりをする。そこで、胸糞の悪い繊細な微笑を交わすふたりをよそに、わたしはステーキ&キドニーパイをひとりで好きなだけ食べるのだった。

「では」ドクター・エルドリッチが、重々しく口を挟んだ。「この――ええと、エディス嬢ですか――彼女と同じくらい若い容姿になれば、ご主人の愛を取り戻すことができる、そう考えているのですか?」

わたしは、はっと我に返ってエルドリッチを見つめた。不平不満を並べ立てることに夢中になって、自分がどこにいるのか、なんのために並べ立てているのかを、ほとんど忘れていた。

「それは、その――ええ、きっと役立ちます。でも、いますぐでなくても――よく考えないと……どんな治療をなさるのかしら」

「ああ、注射を一本打つだけですよ」エルドリッチは椅子の横にあるアルコーブの棚に、うわの空で手を伸ばした。「もう用意ができています」埃をかぶった本や書類を漁って、消毒をしていない、むき出しの注射器を手に取ったので、わたしはぎょっとした。

「さあ、袖をまくって」なんでもないことのように、さらりと言う。「こちらにどうぞ」

「いいえ! けっこうです!」わたしは思わず叫んだ。エルドリッチはにせ医者であるばかりでなく、頭がおかしいのだ。「だめ――やめておきます。いまは――」彼の機嫌を損ねないよう、必死になってつけ加えた。「よく考えてから……あらためて予約を……」

「それでは手遅れになりますよ」エルドリッチは生気のない目で、わたしを頭のてっぺんからつま先まで観察して断言した。「この治療は、中年になっても容姿を保っている女性にしか効かないのです。あなたの場合は——一回の注射で、十八歳のころのようにして差し上げられる。しかし、肉体がいったん衰え始めると——」頭を振った。「無理ですね。老化がほんとうに始まってしまうと、効かないのですよ。四十歳前後で行わないと、効果を発揮しない。いいですか、奥さん」エルドリッチは抑揚のない鼻声に、一生懸命熱意を込めた。「この方法で変貌を遂げると、変貌したままでいることができるのですよ。つまり、注射がいったん効果を発揮すると、いくつになっても十八歳のように見えるのです。生涯ずっと。百歳まで生きたとしてもね！　すてきでしょう？　治療を受けたいでしょう？　女性なら、誰でも希望しますとも！」

わたしは時間稼ぎを試みた。さっきほど怖くはなくなった。頭がおかしくても、わたしの意思に反して注射をする気はないようだ。

「試したことはあるんでしょうね？」わたしは雑談をするような口調で、訊いた。「今回が初めてではありませんよね？」

エルドリッチは躊躇した。「正直に言いますとね、この薬は百年ほど前に祖父が発明したのです。そして、あなたの言葉を借りれば、試したところ、多くの患者にすばらしい効果を発揮した。祖父自身も含めてね。証拠が欲しいなら、祖父が八十四歳のときの写真をお見せしよう……」部屋を横切って、古ぼけたホースヘアのソファに積んである埃まみれの本の山を引っかきまわす。「あった、あった」古いアルバムを引き抜いて、持ってきた。「ほらね。八十四歳にしてはたいしたものでしょう?」

十八歳くらいの少年の写真が目の前に差し出されたが、返答に窮した。一九三〇年代の十八歳の少年には違いないが、どこの誰ともわからない。これではなんの証拠にもならない。

「とてもハンサムですね」わたしはおずおずと言った。「でも成功を収めたのなら、おじいさまはなぜ有名にならなかったのですか? どうして、この方法が世界じゅうに広まらなかったのかしら」

エルドリッチは肩を落としてかぶりを振った。「よくある話ですよ。あまりにも斬新な方法だったから、世間に受け入れてもらえなかったのです。祖父は激しい非難を浴び、中傷されたあげくに何年も刑務所に入れられ、釈放されたときは治療を続ける意欲を失っていました。そして秘法を隠した。わたしはつい最近、偶然それを発見しましてね。今度は、世間に受け入れてもらえるといいのですが。ですから、あなたが勇気を出してこれを……」

「ええっ! そんな!」わたしはあとずさりして、必死に知恵を絞った。どうにかこの男をしゃべらせておいて、そのあいだに逃げるチャンスを窺おう。

「ほかの人たちは?」思いつくままに、口に出した。「若返りの治療を受けた患者さんたちは、どうなったんです?」

「よくぞ、訊いてくださった」頭のおかしな小男の口調は、次第に明るくなっていった。「祖父の患者の〝治療前、治療後〟の写真が何枚かあるから、見てごらんなさい。効果がよくわかりますよ」

アルバムをめくって、とあるページを開く。六人の女性の写真が、エドワード七世時代(一九〇一―一〇)の服を着た中年のときと、十八歳前後のときとを並べて貼ってある。

「ほらね?」エルドリッチは得意満面で言った。「年を取っているほうの写真が先で、そのあと……」

写真を撮った順序と被写体の年齢とが逆だったが、それについての説明は不要だったし、疑問も持たなかった。口を開くのが怖かった。あっという間に口が干上がって、声が出なくなった。六人のうちのひとりに見覚えがあったのだ。いやというほど、よく知っている顔だった。七十数年前に撮られた黄ばんだ写真のなかで、エディスがわたしに微笑んでいた。

「別にかまいませんよ」エルドリッチは話を締めくくった。「無理強いはしません。残念ですな。治療を受けるせっかくのチャンスを逃すなんて。でも、なにをすればいいのかは、本人がいちばんよくご存じだ」

エルドリッチは丁重にわたしを送り出した。彼は正しい。なにをすればいいのか、わたしがいちばんよく知っている。待つ、観察する。それだけだ。エディスが無邪気に微笑んでロナルドの腕にしがみつくとき、彼が気づかなくても、痴呆症の老人のうつろな微笑の影をわたしは感じる。つまずきながらのかわいい小走りに、バランスを取りながら進むおそろしく高齢な老婆の足取りが重なって見える。立ったり座ったりするたびにロナルドの手を借りるのは、甘えているのではなく、百歳近い老婆にはひとりで立ち上がる力がないためだと、わたしは知っている。ロナルドが愛してやまない素朴な言葉に、わたしは子ども返りの兆しを聞きつける。

ロナルドは今夜、エディスをダンスに連れていく。エディスは老いた四肢がリズムに乗らんと苦闘していることをおくびにも出さずにロナルドに愛らしくもたれ、耄碌《もうろく》し、混乱した脳がもたらす戸惑いを隠して可憐に微笑むことだろう。ロナルドは、彼女のたおやかな体が立っていることもおぼつかない老いたそれとは思いもせずに、抱き寄せることだろう。美しい顔の内側で知性が失われつつあることにロナルドが気づくまで、あとどのくらい？　老人の支離滅裂な妄想が会話に混じって、気が利いている、純朴だ、とロナルドが感心しなくなるまで、あとどのくらい？　もうじきエディスは、料理をつつくばかりか、その上に涎《よだれ》を落とすようになる。もうじき粗相を繰り返し、わけのわからないことをつぶやいて深夜に徘徊するようになる。

でも、きょうはまだ、うつろな微笑は可憐さを失わず、ロナルドにもたれる姿も愛らしい。ロナルドはそんなエディスに夢中になり、そしてときに訝《いぶか》るに違いない。どうしてわたしがこうも落ち着いて、安心しきって眺めているのだろうと。

（直良和美訳）

フクシアのキャサリン、絶体絶命

リース・デイヴィス

The Dilemma of Catherine Fuchsias　一九四九年

リース・デイヴィス Rhys Davies（一九〇一―七八）。イギリスの作家。ウェールズに生まれ、働きながら小説を執筆。一九二七年に刊行した第一長編 *The Withered Root* の好評を受け専業作家となる。生涯の大半をロンドンで過ごし、六六年に発表した「選ばれたもの」でアメリカ探偵作家クラブ（ＭＷＡ）最優秀短編賞を受賞。六八年には大英帝国勲章を授与された。本編の初出は雑誌〈ザ・ニューヨーカー〉*The New Yorker* 一九四九年二月十九日号。翻訳には短編集 *A Human Condition*（二〇〇三）に収録されたテキストを使用した。

バノグ村から四十マイル離れた港町がウェールズ屈指の商業地として日の出の勢いだったころ、そこに移り住んで船具商として成功をおさめたジョン・ルイスは、財布とわが身をたっぷり肥やして鼻高々で故郷の村に退《しりぞ》いていた。彼は財産目当てに結婚したイングランド人の気むずかしい妻ともども、イワナが棲む清流のほとりにピンク色の壁の屋敷をかまえた。そうこうするうちに、〈フクシアのキャサリン〉と呼ばれる四十路《よそじ》の未婚女性とねんごろになり、その情事は――ほぼ毎週のように日曜の晩方、非国教派の礼拝のあと、ルイスが村はずれの彼女のコテージに通うという形で――二年のあいだ、人知れず続けられていた。とある日曜の晩までは。その日、数週間まえから胸苦しさを訴えていたルイスが彼女の寝床で、彼女の腕に抱かれてこと切れたのだ。

どこの村にも恥知らずの悪女、あるいはその素質の持ち主はいる。とはいえ、えてして不義を働く機会や勇気がなかったり、ゴシップや村八分を恐れるあまり、猫をかぶって墓場まで行ってしまうものである。〈船具屋ルイス〉は〈フクシアのキャサリン〉がまともに愛を交わした最初の男だったから、そんなふうに彼に死なれて彼女がただならぬショックを受けると同時に、すっかり進退きわまったのも無理からぬことだろう。

彼女は生来の毒婦ではなく、娘時代には恋人に泣かされたりもしていた。その男は一山当てにオーストラリアへ旅立ったきり、いずれは彼女を呼び寄せるという約束を果たさなかったのだ。以来、キャサリンは雇われ農夫だった父親のために所帯を切り盛りし、彼が亡き妻のあとを追ってからは、二人が眠るホーレブ教会の墓地を週給五シリングで掃除していた。ほかにも週に三日、バノグ村から一マイルほどの小さな毛織物工場で働いている。ルイスに見初められたのはホーレブ教会の礼拝のさなかで、ルイスは彼女の赤茶けた顔とむっちりした腰と、健康そのものの雰囲気に目を奪われたのだった。彼女のコテージは村はずれの草深い山腹にひっそりとたたずみ、緑豊かな庭には、彼女の大好きなフクシアがみごとに生い茂っていた。

こともあろうに自分のベッドで情夫が死んだとき、彼女は初め、それを信じようとしなかった。なにしろルイスはとうてい六十四歳とは思えないほど、しぶとい精力的な男だったのだ。それでも、彼女は泣きわめきながら階段を駆けおりた。階下で狂ったように暖炉の炎を掻きたて、カナリアの籠に夜用の覆《おお》いをかけると、キッチンへ駆け込んで一、二枚の皿をゆすぎ、マットのしわをのばして、髪を整えた。鏡に映っているのは、たしかに彼女の顔だった。いつもどおりの、茶色いそばかすだらけのミス・キャサリン・ボウエンの顔であることは疑いの余地もない。窓辺に迫りはじめた穏やかな秋の夕闇も、ガラス戸の外を飛び去ってゆく小鳥の鳴き声と同じぐらい自然だ。彼女はつかのま、静寂の中にチクタクと響く振り子時計の音に耳を傾けた。それから、あたふたとやかんに水を入れ、調理用石油ストーブにかけると、ブリキの蠅《はい》帳《ちょう》からアップルタルトをひとつ取り出し、しげしげと見つめ、蠅帳の中にもどした。そしてまたもやじっとたたずみ、うめき声をあげた。

しばらくすると、忍び足で階段を少しだけのぼって呼びかけてみた。「ルイスさん……ほら、ここよ、ルイスさん！　今しがたやかんを火にかけたとこ。ねえ、そろそろ帰る時間でしょ。さっさと下りてきて……ルイスさん！」キャサリンは声を張りあげた。「ねえ、起きてってば、ルイス。さあ、はやく！」応えたのは振り子時計の音だけだ。彼女は階段にすわり込んでうめいた。「ルイス」とささやくように言う。「ふざけてからかってるのね！　もう二度と来ないで、ひどい人……まったく、腹が立つったら。いいこと、あたしは散歩に行きますからね。こっちがもどるまでに、ここから出ていって」彼女は派手に音をたてて階段をおり、玄関の鍵を開けると、外に出てばたんとドアを閉めた。

すでに家の周囲をコウモリが飛び交っていた。ヒマワリは頭《こうべ》をたれてまどろみ、庭の奥にある深い古井戸は、鬱蒼《うっそう》たるキクの茂みの中で青い翳《かげ》に包まれている。キャサリンはしばしぼんやり考え込むようにその暗がりに目を向けたあと、そそくさとわきの木戸から庭を出て、低い藪の中へとつながる小道を進みはじめた。「バナーさんちの野原へキノコ摘みにいこう、それがいい」彼女は胸に言い聞かせた。「もどってくるころには、あの人はいなくなってるはずだ」けれども結局、ふもとの農場の草地には行かず、円形の茂みにもぐり込み、中央の小さな湿った草地に身をひそめた。おっかなびっくり片目を開けたまま、何やら瞑想にでもふけるように、もういっぽうの目をなかば閉じて。

ひどいショックはときとして、人間の感性に驚くべき効果を及ぼす。埋《うず》もれた才能が揺り起こされて、原始的本能という薄暗い領域で、粗野な狡猾さがみるみる息を吹き返すのだ。つまり、多大なショックを受けた人間は——とりわけ女性の場合には——事実をねじ曲げて攻撃的な態度に出たりする。意図的に善人ぶるのではなく、恐怖のあまり現実を直視できずに、空想の世界へ逃げ込んでしまうのだ。

キャサリンはがばと立ちあがり、白壁のコテージへと小走りにもどった。夕闇に包まれた細長い谷と遠くの村には、ちらほら明かりが灯りはじめている。彼女はコテージに飛び込み、二階へ駆けあがった。

「さてと、ルイスさん」と大声で叫んだ。「ゆっくり休んでいくらか気分がよくなった？」ベッドに近づき、パッチワークキルトの上に横たわるずんぐりした薄黒い人影を見おろした。「おやおや、どうにもいただけない有様だこと」彼女はとがめるように言った。「どうして上着を脱いだりしたんです？　暑かったの？　いやだわ、ほんとに具合が悪そう。奥さんとお医者を呼んでこなくちゃ。けど、上着を脱いだままそんなところに寝ころんでたら、風邪を引いちまいますよ」

キャサリンはしきりに舌打ちしながら蠟燭に火をつけ、骨折り仕事に取りかかった。もう一時間近くもたっていたので、ルイス氏の身体は少々こわばりかけていた。彼女は汗をかいてうめき、青くなったり赤くなったりしながら作業を進めた。彼はカブの詰まった大袋なみに重くて扱いにくかった。やっとのことで上体を起こし、腰のうしろに小さな椅子を押し込んでベッドの背板によりかからせた。さいわい、彼は上着しか脱いでいなかった。とはいえ（近ごろさらに太ったせいもあり）、教会用の黒いラシャの上着はラードを詰め込んだゴム袋みたいにパンパンだ。階下では、古い振り子時計が大きな音でせわしげに時を刻んでいる。

ようやくボタンを全部とめ、彼をきちんと横たえると、汗まみれになったキャサリンはよろよろあとずさった。そういえば父親の遺体を整えたときには、鍛冶屋のおかみさんの手を借りたものだ。

キャサリンはしばし仕事の成果を吟味したあと、階下に駆けおりて彼の帽子と傘と讃美歌集を取ってきた。傘をベッドのわきにころがし、帽子をサイドテーブルに載せると、讃美歌集を――いかにも彼の手からすべり落ちたかのように――キルトの上に置いた。その間もずっと、さも気遣わしげにまくしたてていた。「まあ、ルイスさん、そんな身体で散歩なんてするからですよ。こんな山道を！　うちの木戸にもたれなすってるのにあたしが気づいてさいわいでした。うっかりしたら、途中でぽっくりいったまま朝まで放っとかれて、イタチにかじられちまうところだ。じゃあゆっくりしててください、長くはかかりませんから」そこでふと思いつき、水の入ったグラスを枕元に置いた。それから、今度は自分の身なりをざっと点検し、レインコートと花飾りのついた帽子を身に着けると、蠟燭を吹き消し、急ぎ足でコテージをあとにした。もう九時すぎで、外は真っ暗だったし、暗い中では決して自転車に乗らないことにしていたのだ。

半時間後に、彼女はピンク色の屋敷の豪華な樫の扉をばんばんたたき、興奮しきった声で叫んだ。「奥さん、ルイスの奥さん、旦那が大変なんですよ！」メイドのミリー・ジョーンズがドアを開けると、キャサリンは彼女を乱暴に押しのけた。「奥さんはどこ？　はやく会わせて」だが気づくとルイス夫人はすでに、火かき棒みたいにこわばった姿勢でホールに立っていた。

「〈フクシアのキャサリン〉ですよ！」バノグ村で生まれ育ったミリー・ジョーンズが叫んだ。

「おやまあ、いったい何ごとかね？」

キャサリンは今にも倒れんばかりだった。「おたくの旦那が、ルイスの奥さん、大声であなたを呼びなすってるんです！　ああ、もうっ」彼女はうめいた。「家からずっと、野ウサギみたいに走ってきたから……」ごくりとつばを飲み、椅子に腰をおろして苦しげにあえいだ。

「はやく帽子をかぶって、奥さん。それとミリー・ジョーンズに言って、ワトキンズ先生を呼びにやってください」

イングランド人らしいよそよそしさが鼻につくルイス夫人は、村の教会には決して顔を出さず、近所付き合いもろくにしていなかった。彼女はじっとキャサリンをねめつけ、「夫は事故にでも遭ったの？」と堅苦しく尋ねた。

「ついさっき、うちの木戸の外をうろついてなさるのを見つけたんですよ！」キャサリンは声を張りあげた。「こちらは井戸で水を汲んでたとこだったんですけどね。気づくとおたくの旦那がよろめきながら、真っ青な顔でじっと見てるんです。『まあ、ルイスさん』とあたしは言いました。『どうなすったの、具合でも悪いんですか？　ここは教会からおたくへ帰る道じゃないのに！』って……。そしたら、『ちょっとあんたのコテージで休ませてくれ――それと水を一杯もらえんかな。胸がやたらとドキドキしてるんだ』って。それで肩をお貸しして家の中に入ったら、旦那が大声でうなりだしたんで、『死んだ父さんのベッドで休まれたほうがいいわ、ルイスさん』とおすすめしたんです。『あたしが今すぐ奥さんに知らせに行って、ワトキンズ先生を呼んでもらいますから』って……。はやく先生を呼んであげてください、奥さん！ほんとに肝をつぶしましたよ。それに、旦那を一人で置いてくるしかなかったんです。ちょうどキクに水をやって戸締まりしようとしてたら、誰かが具合悪そうに木戸にもたれかかってるのが見えて――」キャサリンは息を切らして汗をぬぐった。

ミリー・ジョーンズははやくも女主人にコートを着せかけ、当のルイス夫人は、恐るべき顚末をうわごとのようにしゃべり続けるキャサリンを苛立たしげに見つめている。やがて、生来無口なイングランド女はぴしゃりと話をさえぎった。「それじゃ、おたくへ案内してちょうだい……ミリー、あんたは先生のところへ行って、今の話をお伝えして」その後、くどくどと同じ話をまくしたてるキャサリンと連れ立ってコテージへ向かうあいだも、ルイス夫人はろくに口を開かなかった。

暗闇に包まれたコテージに着くと、キャサリンは階段をあがりながら励ますように呼びかけた。「ほら、ルイスさん、もどりましたよ。長くはかからなかったでしょ、ねえ？」

「明かりをつけておいてくれればよかったのに」踊り場でルイス夫人が言った。

「ルイスさんが倒れかかって、蠟燭の火がベッドに燃え移ったらどうするんです？」キャサリンは憤然と答えたあと、静まり返った部屋でマッチを擦って蠟燭に火をつけた。「ああ、そんな！」彼女は悲鳴をあげた。

ルイス夫人は棒立ちになり、眼鏡ごしに目をこらした。それから妙に気の抜けた声で、「ジョン！……ジョンったら！」とつぶやいた。キャサリンが両手で顔をおおい、芝居がかった泣き声をあげると、「しいっ……お黙り」とルイス夫人は厳しくたしなめた。

キャサリンは顔からさっと両手を離して目を剝《む》いた。へえっ、お黙りだって？　ここを誰の家だと思ってるのさ！　こんなに親切にしてやったのに！　けれど口にしたのはこれだけだった。「でもね、奥さん、自分の家で他人《ひと》に死なれたら、心ある者なら誰でも動揺しますよ。それにしても」と抜け目なく言い添えた。「どうして旦那は具合が悪いのに、一人ぼっちで山道を歩きまわったりなすってたんでしょう？　お気の毒に、どうして礼拝のあとまっすぐおたくに帰らなかったのかしら？　まるで家なし子みたいに、こんなところをさまよい歩くなんて！」

ルイス夫人は調理場の求人に応募してきた者を品定めするように、かすかに光る目を長々とキャサリンに向けた。それから、「先生が見えたわ」とぽつりと言った。

「あら、本当」キャサリンは叫んだ。「先生の車で旦那を運んでってもらえればありがたいけど」ちらりと遺体に向けた目には、今や敵意がみなぎっていた。「ルイスさんはひょっこりあらわれて、このつましいコテージを利用されたわけですからね」悪意のにじむしぐさで腰をふりながらルイス夫人のわきをすり抜け、ドアの外から、階下に向かって呼ばわった。「あがってくださいな、ワトキンズ先生。もう手遅れだけど」

医師は地元で生まれ育った陽気な男で、患者の死亡を確認すると、キャサリンが外で彼を見つけて必死に二階へ担ぎあげた経緯を逐一《ちくいち》語るのに耳を傾け、やおら口を開いた。「やれやれ、ついこの夕方も、ルイスが教会で力いっぱい歌っとるのを見たばかりだよ――コマドリみたいに胸を膨らませて。一度もうちの診療所へ来ようとしなかったのは残念だ。『心臓には気をつけるんだぞ、ジョン・ルイス』と、いつぞや無料《ただ》で助言してやったものだがね。『煙草、酒、それに歌は禁物だ』と。どう見たって狭心症を起こしそうな様子だったからな」

「あの人は声を張りあげて歌うのが大好きでしたからね」ルイス夫人が相槌をうった。それからキルトの上の讃美歌集を取りあげ、さっとふり向いてキャサリンに突きつけた。

「あの人はこれをベッドにまで持ってきたの？　そんなに具合が悪かったのに」

「まさか！」キャサリンは声を高めた。見慣れた土地っ子のワトキンズ医師がそばにいることで、いよいよ強気になっていた。「そこに寝かせてあげてしばらくすると、いくらか顔色がよくなったから、あたしがこう言って取ってきたんですよ。『それじゃ、ルイスさん、こちらがひとっ走りしてくるあいだ、讃美歌でも読んでてください。力が出るでしょう』って」

「そのくせ、蠟燭は消していったのね！」ルイス夫人が切り返す。「そのころにはもう、かなり暗くなっていたでしょうに」

「ほら、あそこに」キャサリンは芝居がかったしぐさで指さした。「マッチ箱があるでしょう？　あたしが持ってきてあげた水の入ったグラスのそばに」耳をそばだてているワトキンズ医師を横目に、彼女は喧嘩腰で言い立てた。「蠟燭に火をつけたければ、いつでもできたはずです」

「それで」ルイス夫人はじろりと室内を見まわし、フックに掛けられたペチコートや化粧台の女らしい小物に目をとめた。「ここがお父さんのお部屋なの？」

「ええ」キャサリンはふてぶてしく答えた。「うちの父が最期を迎えて、ホーレブ教会に葬られるまで安置されてた部屋ですよ。いつも暖かい季節になると、あたしは裏の部屋からここへ移ってくるんです。こっちのほうが涼しいし、夏にはすごく眺めがよくて、観光客が買ってく絵葉書そっくりですからね。〈イワナの橋〉は見えないけど……いったい何を知りたいんです？」彼女はつんと身をそらせた。「ここは清潔で、塵ひとつありません。ベッドの下をのぞいてみますか？　戸棚の中も？」

ルイス夫人は冷ややかな顔で医師に目をやった。「主人が死んでどれぐらいたつかおわかりですか？」

医師はこれ見よがしに遺体のまぶたをめくり、頬をつまみ、片腕を揺すったあと、「まる二時間はたっとりますな」と断言した。

「それなら」とルイス夫人。「あの階段をあがったときにはもう死んでいたはずよ！　ここからうちまでは三十分とかからないんですから」彼女はキャサリンにきっと目を向けた。「あなたはこの人をお父さんの寝室へ担ぎあげると、すぐにわたしのところへ駆けつけたという話だったわね」

「この土地にだって法律はあるのよ！」キャサリンはがなりたてた。「これは悪意ある中傷、嫉妬深い言いがかりだわ！」新たに力を得た彼女は、憤怒に燃える舞台女優よろしく、いつもの倍にも見えるほど身を膨らませ、「ねえ、先生」とワトキンズ医師に訴えた。「親切にしてやった報いがこれですよ。瀕死の病人をベッドに寝かせたら、善意でさしのべた手をヘビに嚙まれるなんて！　いっそルイスさんが木戸の外で倒れるのを放っといて、キクに水でもやればよかった。あたしは四十年もバノグに住んできたけど、娘時代も大人になってからも、うしろ指ひとつさされたことはないんです」ここがずきずき痛むとでもいうように、膨れあがった胸をしぼりあげ、「はやくあの気の毒な人をここから運び出して」と声をかぎりに叫んだ。「今さら死人が起きあがって本当のことを話してくれるわけじゃなし。こちらには評判を守ってくれる夫も、父親も、兄弟もいないんです。あの人を運び出して！」

「今夜は無理だろう」ワトキンズ医師はキャサリンの熱弁に当惑しつつも、心を動かされていた。「もう夜も遅いし日曜日だからな。それに葬儀屋は何マイルも向こうだ」

「そちらのレディが」と、キャサリンはふるえる指を突き出した。「〈ミズガラシのピーター〉の荷車でも借りればいいんです、先生の車に乗せるのが無理なら」

「こちらだって」とルイス夫人。「夫を朝までこんな家にいさせるつもりはありません」こんないかがわしい場所に、と言わんばかりの口ぶりだった。

「まあ、ひどい」キャサリンはまたも泣き叫び、ベッドに近寄ると、「ジョン・ルイス！」と遺体に呼びかけた。「ねえジョン・ルイス、起きあがって本当のことを話して！　ほんのしばらく黄泉《よみ》の国からもどって、あなたが結婚したこの性悪女を黙らせてちょうだい！　無邪気にこの清潔な小屋にあなたを迎え入れたキャサリン・ボウェンが、懸命に助けを求めて――」

すでに二度も診察鞄を取りあげては置きなおしていたワトキンズ医師が、ついに決然と口をはさんだ。さきほどミリー・ジョーンズに呼び出されたとき、彼は今しも、コールドダックの切り身が並んだ食卓に着こうとしていたのだ。「さあさあ」彼は男らしく、ぴしりと女たちをたしなめた。「もうよかろう。少しは死者に敬意を表しなさい」それからルイス夫人に尋ねた。「では荷馬車を借りますか？　よければルウェリンの農場まで送って、そちらのお望みどおりに話をつけてあげましょう」

「こちらだって望むところよ！」キャサリンはそう言い捨てるなり、腰を揺すって部屋から出ていった。

自慢たらしいルイス氏は生前こそあまり好かれなかったが、もともと地元の人間だったので、〈農夫のルウェリン〉は快く遺体の運搬を引き受けた。彼は馬をたたき起こして荷馬車のランタンに火を灯すと、村で二人の助っ人を集めて〈フクシアのキャサリン〉のコテージへ向かい、ルイス氏の巨体を階下へ運びおろした。すでに村中が、安息日の夜の静かな眠りから揺り起こされていた。なにしろミリー・ジョーンズは医師を呼びにいったあと、金持ちのルイス氏がなぜかキャサリンのコテージで倒れたというビッグニュースをみなと共有せずにはいられなかったのだ。そんなわけで農場の荷馬車が二人の男を乗せたときには、村の誰もがルイス氏の訃報をなかば予想し、期待に胸を高鳴らせていた。これで新たな一週間はさぞ充実したものになるだろう。ルイス氏はいったい何をしていたのだろう？　所帯持ちの男は礼拝のあと、運動がわりの散歩のそばをうろつくなんて、妙な話ではないか。礼拝の帰りにわざわざキャサリンの家などしないものだ。

月曜の朝、まだ庭の花々の露が消えもしないうちに、村の郵便局の隣に住む旧知のモーガンズ夫人がキャサリンのコテージに飛び込んできた。「ねえちょっと、キャサリン」モーガンズ夫人は彼女をまじまじと見つめて叫んだ。「いったいどういうことなのさ、あんたのベッドで男が死ぬなんて！」

「あたしの父さんのベッドよ」キャサリンはすかさず訂正し、身体をぐっと膨らませた。「ああ、ジニー・モーガンズ、あたしはもういつでも天国の門をくぐれる。だってほら……」と腰に両手を当ててうめいた。「あの人が木戸の外で老いぼれ犬みたいにクンクンいってるのを見つけると、力をふりしぼって二階へ担ぎあげてやったんだから。おかげでわき腹が攣《つ》るしまつよ。あの人はすごく太ってたでしょ。それに、ベッドに寝かせてくれと泣きわめいてた。暗がりで間違えて毒キノコでも食べたのかと思ったわ」

「でもルイスさんは何をしてたんだろうねえ？　こんなところを歩きまわって」モーガンズ夫人は声をひそめた。

「まえにも一度、あたしが庭にいたとき通りかかってね。ふと立ちどまって、うちのフクシアを褒めてくれたのよ――いたたっ！」キャサリンはうなり、わき腹をおさえた。「筋をたがえて、痛むの何のって」

「あんたのフクシアを――？」モーガンズ夫人は先をうながした。

「今年はすごく大きな花をつけたから。ルイスさんは言ってたわ、『子供のころはよくここらの水たまりにオタマジャクシを捜しにきたものだ』って。あいたっ！」キャサリンはまたもうなった。

「オタマジャクシをね」モーガンズ夫人は両目をひたと友人に向けたままうなずいた。何ひとつ見逃すまいと全神経を集中している。周知のとおり、女性というのはいちおう話に耳を傾けはしても、言語を超えた第六感が暗にもたらす情報のほうを重んじるものなのだ。

キャサリンは相手が村の代表者であることに気づき、ことの核心へと突き進んだ。さっとわき腹から離した両手を脅しつけるようにふりながら、またもや身体をいつもの倍にも膨れあがらせ、胸をたたいた。「あの嫉妬深い奥さんときたら」と声を張りあげ、「人の家へやって来て、いやらしい猫みたいに部屋じゅう嗅ぎまわるのよ。ワトキンズ先生のいるまえで、あれこれほのめかしてさ！　名誉棄損ってものだわよ」彼女は意地の悪い目をちらりと訪問者に向けた。「もう一言でも妙なことを言われたら、すぐにも〈ヴォーン弁護士事務所〉へ行って、警告書を送りつけてもらうわ」

「は！」モーガンズ夫人はとつぜん、ただならぬ緊張を解いた。「は！」とくり返したその口調は、さきほどの相槌と同じぐらい曖昧だったが、まあ総じて、彼女は判断を保留したようだった。

じっさい、キャサリンのコテージで不埒なことが行われていたという確かな証拠があるだろうか？　モーガンズ夫人はこの顛末を村で報告し、その日は誰もがじっくりそれを吟味することになった。高慢なルイス夫人がみなに反感を抱かれていたことはキャサリンに有利だったが、そうはいっても、男たち全般の安全を思えば、ふしだら女を野放しにしてはおけない！　日がな一日村の郵便局で、夕方からは居酒屋〈渓流亭〉で、さらにはあらゆるコテージと農家で、この件が侃侃諤諤《かんかんがくがく》と論じられた。

水曜の午後には、文学士でもあるホーレブ教会のモルドウィン・デイヴィス牧師が山腹のコテージを訪ね、教区民兼掃除婦のキャサリンに大あわてで迎えられた。彼女は必要もないのに椅子の埃を払い、あたふたクッションを捜し出すと、牧師が入ってきたとたんに狂ったようにさえずりながら止まり木を揺すりはじめたカナリアを叱りつけ、せっつくように牧師をすわらせた。それからやかんをかけに走ったが、キッチンではたと、筋を痛めていたことを思い出し、わき腹をおさえてそろそろと居間にもどった。「やれやれ」彼女はうめいた。「また痛みはじめたわ！　日曜の晩からずっと、痛みが出たり引いたりなんですよ。気の毒なルイスさんを二階へ担ぎあげるのは、ほんとに骨が折れましたから。けど、ホーレブ教会の信徒の一人が木戸の外で力なく寝床を求めてたら、ほかにどうすればいいんです？　相手はただのごろつきや英国国教会の信徒じゃないんです、むげに閉め出したりはできません」

「とはいえ」デイヴィス牧師は言った。いつも説教壇で妙《たえ》なる音楽をかなでる幾重にもたるんだ喉が、今は高い襟に埋もれたままだ。「奇妙なことだな。具合の悪かったルイスさんが、こんなところまでのぼってきたとは」牧師は小鳥が答えを知っているとでもいうように、じっとカナリアを見つめた。

「われを忘れて夢中でやって来たんですよ！」キャサリンは叫んだ。「無理もありません。誰でもせっかくの礼拝で気持ちよく歌ったあと、あんな冷え冷えした家へ帰りたいものですか！　まえにも何度か、あの人が何やら考え込みながらそこらを歩きまわってるのを見ました。いつぞやうちの木戸のまえで立ちどまって、ダリアを褒めてくれましたっけ。ちょうど花に水をやってたあたしは、『まあ、ルイスさん』と言いました。『どうしてこんなところまであがってらしたんです？』そしたら、『さっきのデイヴィス先生のすばらしいお説教について考えてたら、どんな高い山にでも登れそうな気がしてね！』ですって。今となっては、お茶でもさしあげなかったのが悔やまれますよ。ひどく寂しげなご様子でしたから。『なあボウェンさん、子供のころはよくここへウサギ狩りにきたものさ』とかいうことでしたよ」

「たしかに」デイヴィス牧師はなおも考え込むようにカナリアを見つめながら言った。「ここのダリアはじつにみごとだし、ウサギは厄介なものだがね」

「いたたっ」キャサリンは片手を腰に当ててうめいた。「不平を鳴らす気はないけど、あの日曜の親切の報いがこれですよ！……しいっ」彼女はカナリアに食ってかかった。「静かにしないと、今日はもうエサをあげないよ」

デイヴィス牧師はめずらしく、言葉に窮しているようだった。ひょっとすると彼もまた、その場の空気から事実を嗅ぎ出そうとしていたのかもしれない。とはいえ、表情は深刻そのものだった。彼の説教を糧としてきた、二人の信徒の評判が危うくなっているのだ。しかもあいにくそのうちの一人は、もはや尋問もできない状態ときている。

「湯が沸騰しているぞ」彼はキャサリンに知らせた。彼女はすっかり話に夢中で、そんなことは耳に入らない様子だったからだ。

キャサリンは甲高い叫び声をあげてキッチンへ駆け込み、お茶の道具がどっさり載ったトレイを軽々と運んでもどると、「埋葬はいつになりそうですか？」と尋ねた。

「木曜の二時だ。公開の葬儀だが……あんたも顔を出すつもりかね？」牧師はそれとなく探りを入れた。

彼女は非難がましくぴしゃりと答えた。「いやだ、このあたしが？　筋を痛めて家から一歩も出られず、クリーム菓子ぐらいしか食べられないのに？　ほんとは今だってベッドに寝てなきゃいけないんです……それに」キャサリンはまたもやいきりたち、「あのお上品なルイス夫人には、うんざりですよ！」と口にしたあと、しばし黙って深々と息を吸い、彼にバターつきマフィンを手渡した。

「まあ、あの人はここらの人間じゃないからな」牧師は認め、きゅっと唇をすぼめた。

キャサリンは重々しく胸をそらし、自分は茶菓子には手もつけずに言い放った。「痛みがおさまったら、すぐにも〈ヴォーン弁護士事務所〉へ相談しにいくつもりです」どす黒い怒りのたぎる声で言い、ふるえる指を天井に向かって突き出した。「あの人は二階の大事な父さんの部屋に立って、ワトキンズ先生のいるまえで――気の毒なご亭主がまだ生暖かいまま、両目をボタンみたいに光らせて見てるのに――おぞましい言葉を吐いたんです。それとなく、嫌味たっぷりに！　こっちまで死んじまいそうでしたよ……善意でさしのべた手を毒へビに嚙まれて！」キャサリンはさらに大きく身を膨らませ、「あたしはこのバノグで四十年、何ひとつやましいことはせずにきたのに、今や天涯孤独の身で、たった一人で闘うしかないんです。イングランド国王のまえでも世界中の裁判官のまえでも、きっぱり誓ってみせますよ。ジョン・ルイスさんはここの二階のベッドに寝かされたときには、ふらふらでしたって！　すごく重くて、こちらは奮闘のあまりわき腹の筋を痛めたんです！　だけど異教徒の旅芸人だって、あの人を幌馬車に乗せてやったでしょうよ！　あたしはいまわのきわのルイスさんに安らぎを与えてあげたんです。枕元に水の入ったグラスを置き、わき腹の痛みをこらえて奥さんを呼びに飛んでったのに、あちらは干からびた海藻みたいにしゃっちょこばった偉そうな態度でやって来て、礼も言わずに妙な難癖ばかりつけるんだから……何とまあ！」胸がはり裂けそうだと言わんばかりに、両手でぐっとおさえた。「もしもこの世に正義があるんなら、村中の正直者が抗議の声をあげるべきですよ。あの口汚いよそ者を古い橋の外へ追い払ってやらなくちゃ。この純朴な村を豚小屋みたいに汚されてたまるものですか！」

冬のさなかにも遠くの農場から人々を引き寄せるデイヴィス牧師の名高い説教に、キャサリンが長年じっと耳を傾けてきたのは無駄ではなかったようだ。肉付きのいい腰の上で身を揺すり、ときにはハープをかき鳴らすように、またときには太鼓を轟かせるように彼女が声を張りあげるうちに、デイヴィス牧師はついに、思わぬ感嘆の念にとらわれた。一人の芸術家が他の芸術家に寄せる、まことに稀有な感嘆の念だった。あまりに情熱的なスピーチだったので、ようやく黙ったときにはわき腹の痛みがぶり返し、キャサリンは両手で患部をさすりながら苦しげにうめき、大きなうるんだ目で天を仰いだ。

「さあさあ」気持ちをやわらげた牧師は同情深い口調で言った。「いいから、もう楽にしなさい」そのあと彼が「バノグ村に醜聞は無用だ！」と断言したとき、キャサリンは自分が勝利をおさめたことを知った。

「ほら、ここに手を当ててみてください」彼女は叫んだ。「痛めた筋がぴくぴくしてるのがわかるはずです」

牧師はしばし懐疑の表情を浮かべたものの、彼女の言葉を受け入れた。そして考え込むようにうなずきながら、アップルタルトを一切れ口に運んだ。なるほど、貞女の誉《ほまれ》は女のいちばんの宝だと言われる。それを守ろうと闘う女には、称賛と敬意を払うべきだろう。とりわけそれがバノグ村の女なら。もとより彼にとっては、二人の教区民が恥ずべき行為にふけったなどという話は受け入れがたかった。

とはいえ、ようやく熱狂と痛みを鎮めたキャサリンが濃いめのお茶をすすりはじめると、牧師は咳払いして切り出した。「噂によれば、ルイスさんは二年以上も日曜の晩はほとんどいつも、十時まで教会から帰らなかったそうだ。しかも、それまで何をしていたのかさっぱりわからない。『散歩だよ』と家では言っていたようだがね。『その日の説教についてじっくり考えるための、日曜の晩の散歩だ』と。とにかくメイドのミリー・ジョーンズは村のあちこちでそう話し、彼が冬でも夏でも散歩するのを夫人はひどく怪しんでいたと言っている」

「それなら、警官にこっそり尾行させればよかったんです」キャサリンは注ぎたての紅茶にふうふう息を吹きかけながら、自信たっぷりに言った。「まったく、死人は起きあがって話せないのが残念ですよ。まだ埋葬もされてない人を女たらし呼ばわりするなんて」今や落ち着きはらったキャサリンは、そのぶん説得力の増した口調で言い添えた。「何か証拠があるなら見せてほしいものだわ、確かな証拠をね。ミリー・ジョーンズが今後も馬鹿げたことを触れまわるなら、〈ヴォーン弁護士事務所〉から送ってもらう手紙が二通に増えるまでですよ」

「これこれ」デイヴィス牧師はあわてて言った。「やめなさい。悪い噂が村の外にまで広がって、市場で話題になったりしてはまずい。いや、この件はもう水に流すのがいちばんだ。人の噂も七十五日だよ」彼は立ちあがり、カナリアに優しくうなずきかけると、コテージをあとにした。

これでデイヴィス牧師がきっぱりと、口さがない噂を静めてくれることだろう。それでもキャサリンは当てつけがましく、もうしばらく家に引きこもっていた——おあいにく様とばかりに、村人たちの好奇の目を避けて。

金曜の朝に配達にきたミルク屋の話では、その前日にルイス氏の盛大な葬儀が営まれていた。彼が無事に埋葬されたと知って、キャサリンは胸を撫でおろした。土に還ればどんなおぞましいことも忘れ去られて、いずれは甘い思い出になるものだ。ミルク屋が行ってしまうと、彼女はお祝いにとっておきのケーキを作りながら、勝ち誇った気分で考えた——もうお高くとまって閉じこもるのはやめて、日曜の晩にはいつもどおり教会へ行こう。卵をもうひとつボウルに割り落とし、そのときの自分を想像してみた。ぎりぎりの時刻に礼拝堂に着き、名誉を守った誇りに昂然と頭をかかげて最前列の席まで進もう……。

土曜の朝遅く、人里離れた彼女のコテージにたどり着いた郵便屋が一通の手紙をドアの中に投げ込んだ。十五分後に、泡を食った顔のキャサリンが自転車で家から飛び出し、ほどなく村人たちは彼女がハンドルの上に顔を伏せたまま、わき目もふらずに猛スピードで走り去ってゆくのを目にした。村のよろず屋を兼ねた郵便局、ホーレブ教会、居酒屋、名もなき人々が住む一連のコテージを一気に通りすぎた彼女は、ウェールズ芸術祭で三冠を制した詩人ウィンフリー(彼の伝承歌集はもっと広く知られるべきだ)の家を尻目にさらに進んだ。〈学士のデイヴィス牧師〉の家、いつぞやラジオで毛織物について語った〈織工ウィリアムズ〉の後家さんの家、〈ハープ弾きのエヴァンズ〉と、シカゴの刑務所にいた〈シカゴ帰りのジェンキンズ〉のコテージを通りすぎると、キャサリンは猛然とベルを鳴らして急カーブを切り、古き良き時代に羊泥棒が首を吊るされた四つ辻を曲がって、つつがなく幹線道路に出ていった。

「どうやら」郵便局にいた〈ハープ弾きのエヴァンズ〉の細君が言った。「あの自転車のこぎかたからして、わき腹の痛みは完治したようね」

ヴォーン弁護士が事務所をかまえる市場町は九マイルほど先にあり、事務所は土曜日には正午で閉まることになっていた。そこに着いたキャサリンは階段をドタドタ駆けあがり、おもての部屋に飛び込むと、肝をつぶした様子の若者に、今すぐヴォーン弁護士に会わせろと迫った。若者はその半狂乱の顔を見るなり、曇りガラスのドアの奥へ駆け込み、やがてもどると、彼女をボスの部屋に通した。ヴォーン氏は気むずかしげな小男で、すでに黒い帽子を頭に載せていた。「いったい何の御用かな?」彼は非難がましく言った。「もう終業時間なのだがね」

キャサリンが苦しげに胸を波打たせ、例の手紙をデスクに投げ出すと、ヴォーン氏はちらりと目を向けて、そっけなく言った。「ああ、それはまだ受け取れんよ。遺言書の検認がすむまでは。家に帰って数週間ほどおとなしく待つことだ」受遺者——それにもちろん、遺産をもらいそこねた者——のヒステリックな反応には慣れていたので、彼はくるりとキャサリンに背を向けて鍵束をポケットに入れた。

彼女は息を切らして汗を流しながら、ぐっと胸を押しさげ、かろうじて声をしぼり出した。「いえ、ヴォーンさん」と半泣きで訴えた。「お金が欲しいわけじゃありません。ここへ来たのは、こんな話はきれいさっぱり葬り去ってほしいからです」心ない中傷に悩み苦しむ哀れな女といった風情で、彼女は田舎者らしい真っ赤な頬から汗と涙をぬぐった。

「どういう意味かね？」ヴォーン弁護士は苛立たしげにそこらの埃を払った。いつも十二時五分すぎには〈灰色猪亭〉の談話室で銀行の支配人と会い、顧客たちの私的な事柄を話し合うことになっているのだ。

キャサリンは恥じ入った顔でうなだれ、悲しげに言った。「あたしはルイスさんにちょっぴり気に入られてたんです。いつも花やら野菜やら、無料《ただ》でさしあげていたので。けどバノグ村には口さがない人たちがいて、このお金のことを聞いたら、たちまち騒ぎ出すでしょう」

「それなら」弁護士は今度もそっけなく答えた。「もう手遅れだ。肝心のルイス夫人はあんたへの遺贈のことを木曜の夕方から知ってるし、おまけに——」

キャサリンは思わず叫んだ。「でもあの人は黙ってるはずよ！　ご亭主があたしに三百ポン

ド も遺したなんて、わざわざ触れまわるものですか！　それにこっちはいざとなれば、気の毒なルイスさんから聞いたことを話せるんです。あの奥さんがどんなにひどい人かをね！　それより心配なのは、ホーレブ教会のほうですよ――牧師のデイヴィス先生やほかの誰にも、あたしがお金を遺されたことは話さないでください」彼女はそっと慎ましやかにヴォーン氏を見あげた。

「しかし」弁護士は同情するふしもなく、さらに邪険な、しかつめらしい口調で言った。「それももう手遅れだ。この手紙と一緒にデイヴィス牧師にも一筆したため、教会に新しいオルガンの購入費が遺された件と、掃除婦のミス・キャサリン・ボウェンにも遺贈があった件を知らせたからな。あの手紙も今朝には届いたはずだ。ちなみにルイス氏の遺言補足書には、あんたは働き者なのに清掃費が安すぎるから金を遺したいと書かれていたよ」

当人が不運にも彼女のベッドで死んだりしなければ、その言い訳はもっともらしく聞こえたことだろう。キャサリンは大声でうめいた。事務所の固い椅子に崩れるように腰をおろすと、どうかこの窮地から救い出してほしいと悲痛な声で訴えた。自分の評判を守ってもらえるなら、せいぜい謝礼をはずむつもりだと。

「そんなことができたら奇跡だな」弁護士は答えた。

重大な事実は弁護士事務所の中でさえ、そうそう誤魔化したりはできないものなのだ。受遺者は打ちひしがれた足どりで事務所の階段をおりた。その後は、片足しか使えないかのようにのろのろペダルをこいで家へと向かい、村を避けて迂回路に入ると、石ころだらけの小道から小道へと自転車を押しあげて進んだ。

コテージに着くと、しばらく呆然とすわっていたあと、キクに囲まれた水汲み場まで涙ながらにおりてゆき、蓋をはずした井戸の縁にぼんやり腰をおろした。さまざまな考えが鉛のように重くのしかかり、そのまま一時間がすぎ去った。彼女の心は闇夜に沈み込んでいた。だがそれでも、地中に深々と穿《うが》たれた真っ黒な穴へ身を投じる気にはなれなかった。

やがて、闇夜の彼方に一条の明るい光がさした。あの手紙が届いてから初めて、キャサリンはふと、三百ポンドもの金を手にしたという厳然たる事実に思い至ったのだ。それだけあればアベリストウィスへ行って、友人のサリー・トーマスと商売をはじめてもいい。あそこで料理人をしているサリーは、つねづね大学生相手の下宿屋をはじめたがっていた。いつもしまり屋だったルイス氏がこんな気遣いをしてくれたのは驚きだったが、彼がお金を大事にしていたこと自体は理解できた。人生、無駄な出費はしないのがいちばんだ。それにこの遺贈は、キャサリンを新たな人生へと導いてくれるはずだった。

彼女は井戸から立ちあがった。コテージにもどると、ついに暗い夢想をすっぱりと振り捨て、こう考えることにした――ルイス氏はきっと、あの高慢ちきな妻の鼻をあかすために自分に金を遺してくれたのだ。

もう誰ひとりキャサリンに会いにこようとはせず、彼女のほうも日曜の礼拝に足を運ばなかった。三日後に、自宅を訪ねてほしいという〈学士のデイヴィス牧師〉からの手紙が届いた。どういう意味かは察しがついた。牧師は今回の件について、教区の執事たちとこっそり臨時会議を開いたのだろう。そして彼女を呼び出し、ホーレブの信徒会から除名する旨を告げようとしているのだ。キャサリンは招待をことわる手紙をしたため、じきにバノグ村を離れて海辺の町で静かに暮らすつもりだと書き添えた。次にサリー・トーマスにも手紙を書いたが、それを出すには、郵便局へ切手を買いにゆかなければならなかった。

キャサリンはいかにも遺産の相続人らしく、悠然と郵便局のドアをくぐった。中にはホーレブ教会の女性会員が二人おり、〈女局長のリジー〉は日用品の売り場でベーコンを切り分けていた。キャサリンは隅っこにある郵便用のカウンターで順番を待った。誰も彼女には目もくれず挨拶ひとつしなかったが、じきに客の一人がすばやく出ていったかと思うと、三人の女を連れてもどってきた。みなキャサリンには背を向けたまま、じりじりしながら待つ彼女をよそに、べちゃくちゃ話し込んでいる。

〈女局長のリジー〉が声を張りあげた。「あの〈船具屋ルイス〉がホーレブ教会に新しいオルガンを遺贈するとはね！」

「執事会で『おことわりだ』と言ってやればいいのよ」〈ミズガラシのピーター〉の細君が息巻いた。

「まったくね」靴屋のおかみがうなずく。「みんなオルガンが鳴るたびに、あいつのことを思い出しちまうよ」

「でもねえ」メジャーを首にかけた独身の〈裁縫師のジェーン〉が言った。「それはオルガンの罪じゃないでしょうに」

女たちはベーコンを切り分ける女局長のまえに群がり、そのかたわらでは、ビスケットの缶の上に鎮座した猫が満足げに耳を傾けている。女局長がベーコンを切る手をとめて、長いナイフを振りあげた。「あたしなら、そんなオルガンを弾くのはまっぴらだ――たとえ手袋をはめてもね。そんなものに合わせて讃美歌を歌うのだってごめんだよ」

「この件を徹底的に協議する総会を開くべきだわ！　執事は男ばかりでしょ。ダリアやフクシアをふらふら見にいって――」

「あげくの果てに」靴屋のおかみが割り込んだ。「みごとなダリアを見て昇天しちまうような」

キャサリンはカウンターをコツコツたたき、「切手を！」と叫んだ。

女局長がみなの頭ごしに首をのばして叫び返した。「おや、〈フクシアのキャサリン〉じゃないの！……わき腹の痛みはおさまったの？」

ほかの女たちがいっせいにふり向いて目をこらした。

「切手をちょうだい」みなにじろじろ見られたキャサリンは、とつぜんしおらしい態度になった。

「宛先は？」郵便物を扱う一角にやってきた女局長は、キャサリンがカウンターに置いた二通の手紙を取りあげた。「へえっ、一通は〈学士のデイヴィス牧師〉様、もう一通はアベリストウィス宛てだって！」

「アベリストウィスに引っ越すつもりなの」キャサリンはもったいぶって言った。

「悠々自適の引退生活？」と〈裁縫師のジェーン〉。

「アベリストウィスには大学教授や金満家がわんさといるからねえ！」ピーターの細君がコメントした。

「ええと」女局長はそんな人間に切手を売ってよいものかと言わんばかりに、眉根を寄せた。

「ほんとに、どうしたものやら……どのみち、こっちは切手代が無駄じゃないの？」と耳ざわりなきんきん声。「デイヴィス先生は通りのすぐ先にお住まいなんだから。お金があり余ってるのならべつだけど？」

「あたしなんて」独り身の〈裁縫師のジェーン〉が愚痴っぽく言った。「十シリング稼ぐには三日以上もせっせと働いて、ドレスを一着仕上げなきゃならないのよ。アベリストウィスで海辺の遊歩道にすわって一眠り、なんて引退生活は夢のまた夢」

「どうしてそんなに急いで引っ越すのさ？」靴屋のおかみの視線がさっとキャサリンの顔から下腹へと移り、そこで疑わしげにとまった。

「それじゃ二枚ね」女局長がようやくしぶしぶ二枚の切手を放ってよこし、腐ったネズミの尻尾でもつまみあげるように、キャサリンの硬貨を取りあげた。「ほんとなら、どこかよそで買ってほしいとこだけど」

キャサリンは二枚の切手を嘗めて貼ってしまうと、がぜん強気を取りもどし、ドアへと向かいながら横柄に言い放った。「遺産をもらった人間は妬《ねた》まれるものよね！　あんたがたはついぞこんな立場になったことがないから、やっかんでるんでしょ」

だが当然ながら、勝負を決めたのは女局長の一言だった。「そういやアベリストウィスには従姉《いとこ》がいてね。旦那は町内に知らぬ者はいないほど顔の広い牧師なの。ここはひとつ、あたしもアベリストウィスへ手紙を書かなくちゃ」

（猪俣美江子訳）

不可視配給株式会社

ブライアン・W・オールディス

Intangibles Inc.　一九五九年

ブライアン・W・オールディス Brian W. Aldiss（一九二五―二〇一七）。イギリスの作家。一九五四年に作家デビュー、五八年に初のSF長編『寄港地のない船』を発表し、ヒューゴー賞新人作家部門を受賞する。その後J・G・バラードとともに〈ニュー・ウェーブ〉運動を牽引し、二十一世紀まで現役SF作家として活躍しつづけた。代表作に『地球の長い午後』『グレイベアド』、SF史研究書『十億年の宴』およびその続編『一兆年の宴』などがある。本編の初出は一九五九年二月発売の雑誌〈サイエンス・ファンタジー〉*Science-Fantasy* 三十三号。翻訳には短編集 *Intangibles Inc. and Other Stories*（一九六九）収録のテキストを用いた。

「なんだかわが家じゃ、しょっちゅう食事の時間がきてるって感じね」

メイベルは、テーブルのアーサーの側に磁器の塩入れと胡椒入れをがたんと置くと、急ぎ足に料理をとりにキッチンへもどっていった。アーサーの目は、ほれぼれとその後ろ姿を見送った。たしかに感嘆にあたいするりっぱな若妻ぶりで、あまり扱いやすくはないが、目の保養にはなる女性だ。それにひきかえ、当のアーサーのほうは、若い牡牛、それもあまり利口ではない牡牛という感じだ。

「冷めないうちに飲んじゃってよ」もどってきたメイベルは、そう言って彼の前にスープを入れた深皿を置いた。

外の通りに一台のトラックが停まっているのにアーサーが気づいたのは、スプーンをとりあげた直後のことである。見ると、ボンネットがあげられ、運転手がその下に首をつっこんでいるが、どうやら漠然とエンジンをながめるだけで、なにもしてはいないらしい。

アーサーは湯気をたてているスープを見、メイベルを見、それからまた窓の外に視線をもどした。そしてごしごしと頭をかいた。

「あの調子じゃ、あと半時間はあの暗がりで立ち往生してるだろうな」と、だれにともなくつぶやく。

「そうね、そろそろ明かりをつける時間ね」と、これもだれにともなくメイベルが言う。

「ちょっと行って見てやれば、二ドルがとこ稼げるかもしれん」戦術を変えて、彼は言った。

「『これだけの食べ物はお金じゃ買えない、時間がたっても味がよくはならない』うちのおかあさん、いつもそう言ってたものよ」メイベルは彼の目を避けて、自分のスープをかきまわしつつ応じる。

二人が結婚して、まだ四ヵ月にしかならない。けれども、双方の求めるものが大きく食いちがっていること、そのことにアーサーが気づくのには、それだけの時間はかからなかった。一見、仲のよい夫婦に見えても、彼らの二つの思考の流れは、触れあうことはおろか、ひとつところに集中することさえ、けっしてないのだ。しかし彼は頑固な若者だったし、筋違いなことで方針を変えさせられるつもりもなかった。彼は立ちあがった。

「とにかく、どこが悪いのかだけでも見てやることにするよ」それから、さながら彼女の料理自慢にへつらうように、出てゆきしなに声をかけた。「そのスープ、冷めないようにしといてくれよな——すぐもどってくるから！」

手入れの悪い雑然とした敷地に建った彼らの小さなバンガローは、ハプスヴィルの村はずれ、約二、三百ヤードの地点にあった。道路ぞいの広告板のほかには、地に生えるものとてなく、その風景に、エンコしたトラックの存在が、なおいっそうの荒廃の気を添えていた。トラックは、見るからにすりきれ、つぎをあてられ、繕《つくろ》われ繕われしてきた感じで、まるで汽車や駅馬車の通う以前から、この道路を走ってきたかのようだった。

ボンネットのそばに立っていたつなぎ服姿の男は、アーサーが近づくまで待ってから、ばたんとボンネットをしめてふりかえった。眼鏡をかけた貧相な小男で、そのくせ、頭のてっぺんからあごの先まで十八インチはあろうかという、長い、長い顔をしていた。その顔を埋めつくした無数の皺のまんなかに、物悲しげな、ひとのよさそうな表情が躍っていた。

「お困りかね、旅の人?」アーサーは問いかけた。

「そうでなけりゃ、こんなところにいるものかね」これまた皺だらけという感じの声だ。

「なにかおれにできることでも?」アーサーはたずねた。「おれ、この道の先にあるハプスヴィルの自動車修理工場に勤めてるんだ」

「それはありがたいが、じつは長旅をしてきたんでね」皺だらけの男は言った。「あんたがすすめてくれれば、温かいスープを一杯ごちそうになるのも悪くはないと思うんだが」

「ちょうどいいタイミングだ」アーサーは言った。「まあ入って、メイベルに会ってやってくれ。そのあとでおれがエンジンを見てやろう」

彼は先に立ってバンガローに引き返した。皺のある男は、マットで靴をふき、汚れたつなぎ服で眼鏡を拭ってから、アーサーを追って部屋に入ってくると、物珍しげに室内を見まわした。

メイベルは手ばやく仕事をすませていた。窓ごしに男たちがもどってくるのを見てとると、二皿のスープを鍋にもどし、水を足して火にかけてから、汚れたエプロンの上にきれいなのをかけたのだ。

「お客さんだぜ、メイベル」アーサーが言った。「明かりをつけようか」

「はじめまして」メイベルは皺だらけの男に手をさしだしながら言った。「なにもありませんけど、せいぜい歓待させていただきますわ」

彼女の言いかたはまさに適切だった。ほんとうに心から歓迎しているように思わせるかたわら、なかに〝歓待〟というごたいそうな単語をすべりこませることによって、客が迷惑がられていることをそれとなくにおわせたのだ。メイベルは教養のある女だった。むろんアーサーも同様だ。彼らはどちらもたくさん新聞や雑誌を読む。けれども、アーサーの関心がもっぱら科学的、技術的、機械的問題(メイベルにとっては、この三つの言葉はどれも同じものを意味していた)に向いているのにたいし、彼女の関心は、心理学、教育、礼儀作法といった方面にあった。もしも彼らがそれぞれの世界観を絵にあらわすことができたら、アーサーのそれはたがいに嚙みあった山ほどの歯車の図、メイベルのは、大勢のお上品な女教師がからみあった図になっただろう。

薄められたスープが煮えたつと、三人は食卓についてそれをすすった。

「ちょくちょくこの道を通るのか?」と、アーサーが客にたずねた。

「ああ、ときおり。いわゆる一定の道順ってのはないんだ」

「トラックは何型だっけ?」

「あんた、修理工場の機械技師だとか言ったかね？」

話をそらされて、アーサーはどぎまぎした。「いや、そうは言わなかったさ——言ったかい？　ただの機械工だよ。だけど勉強はしてる。どっさり勉強はしてるんだ」

あらためて彼はトラックについて質問しようとしたが、メイベルはいまこそ自分が口を出すべきときだと判断した。

「どんな製品を販売してらっしゃいますの？」

長い顔にティッシュペーパーのような皺が寄った。

「製品、という言葉はあたりませんな」男は白木のテーブルにひじをついて、熱心に前へのりだしながら言った。「たぶん、わしのトラックの文字をごらんにならなかったんでしょう。ほら、『不可視配給株式会社《インタンザブルズ・インク》』です——いまはだいぶ薄れているが」

「へえ、するとタンザブルってのを売り歩いてるのか」アーサーが言った。「たしか南のニューオーリンズのほうでとれるんじゃなかったかい？　商うにはおもしろい品物だろうな、きっと」

「いやあねえ、アーサーったら！」メイベルがわずかに赤面しながらたしなめた。「このかたのおっしゃったこと、よく聞かなかったの？　無形物《インタンザブルズ》を扱っているとおっしゃったのよ。それ、品物でもなんでもないわ。それぐらいのこと、あなただってわかりそうなものなのに。それは、なんというか——その、ぜんぜん存在しないようなものなのよ」

彼女はとまどった面持ちであやふやに言葉を切った。ただちに小男が、二人の救助にのりだした。

「わしが商っているたぐいの無形物《インタンザブルズ》は、たしかに存在しとりますよ、奥さん。事実、人間の生活を支配しとるものだと言ってよいでしょう。しかし、目に見えんものだから、どうしてもその価値を過小評価しがちだ。それなしでも生きてゆけると思いたくなる。しかしそれはまちがいなんです」

「このチーズ、召しあがってみません？」メイベルはからのスープ皿を重ねながら言った。

「すると、いまのお話だと……」

皺の男はチーズの塊りと自家製のパンの厚切りを受け取り、そして言った。「さよう、こうしてごちそうになった以上、ひとつあんたがたのご好意に報いるためにも、無形物《インタンザブル》をさしあげるのがよろしいようだ」

「われわれは素寒貧《すかんぴん》だよ」アーサーがあわてて口をはさんだ。「ついこのあいだ結婚したばかりだし、来春には赤ん坊も生まれる予定なんだ。よけいな贅沢はできんな」

「赤ちゃんとはおめでたい」皺の男は言った。「しかし、わしの商品には代金はいただかんということ、これがあんたにはわかっていないらしい。あんたがたは、すでにひとつの無形物《インタンザブル》をくださった。歓待というやつを。だからお返しに、わしからもそれをさしあげようというんだ」

「まあそういうことなら……」口では納得したようなことを言いながらも、内心アーサーは、この老人、ちょっぴり頭がいかれてるらしい、なるべく早く追いだしてしまうにかぎると考えていた。人間とは要するにこういうものなのだ。友好的であるか非友好的であるかのどっちかだが、友好的でありながらも、どうにも気に食わぬやつというのは、不幸にして、非友好的であって、しかも気に食わぬやつとおなじくらい、たくさん存在しているのである。

パンの皮の一片を力をこめて嚙みきりながら、皺の男はメイベルに向きなおった。「そこでです、あんたがたのケースをとりあげるとして、いったいどんな無形物《インタンザブル》が必要ですかな？　あんたの人生における目的はなんです？」

「こいつに人生の目的なんかあるものか」アーサーがにべもなく言った。「このとおりおれと結婚してるんだからね」

即座に辛辣なしっぺがえしの言葉がメイベルの舌の先まで出かかったが、なぜか客のほうがもうちょっと穏やかな一言で、彼女の機先を制した。アーサーにむかってしかつめらしく首をふってみせながら、男は言った。「いや、あんたにはどうもわしの言う趣旨がわかっていないようだ。結婚した人間にだって、ありとあらゆる無形物《インタンザブル》はあるさ、野心とかなんとかね——そしてその大半は、他人には見せずにじっとしまいこまれている」彼があらためてメイベルに向きなおったとき、ふいにそのまなざしは突き刺すように鋭くなっていた。「たとえばある種の人妻は、新婚ほやほやのころから、そのきれいな頭のなかでそれを温めるようになる——つねに夫の望みに反することをやるってことをね。それは彼女らの主たる無形物《インタンザブル》になり、どうしてもそれを振り捨てることはできなくなるんだ」

メイベルはこれにたいしてなにも言わなかったが、アーサーは憤然と立ちあがった。男の言葉は、おそらく本人が認めるだろう以上に、彼を動揺させていた。

「メイベルのことで、そんなでたらめを言うのはよしてくれ！」彼は猛牛然とした声音で言った。「それはあんたの知ったことじゃないし、また正確でもない。それより早くそのパンを食って、出てってくれ。そしてだれかにあのトラックを盗まれない用心でもするんだな！」

メイベルもまた立ちあがっていた。

「アーサー・ジョーンズ！　それはお客さまにたいして失礼よ。このひとはなにもあたし個人をさして言ったんじゃないわ。だからおとなしく腰をおろして、話を聞いてちょうだい。普段あたしたちが話しあうことなんて、そうたびたびあるわけでもなし」

やりこめられて、アーサーはどしんと腰をおろした。皺のある男の長い皺だらけの顔が、かぎりない同情をこめて、彼を見まもっていた。

「すまん、無作法な真似をするつもりじゃなかったんだ」そうつぶやいて、当惑げにアーサーは塩入れをもてあそんだ。

「いや、気にしなさんな。無形物《インタンザブル》は、扱いかたによっては、厄介なものにもなりかねない――たとえば礼節。それをうまく扱う唯一の方法は、意志力を働かせることなんだ」男は溜め息をついた。「意志力はたしかに必要不可欠でね。あんた、意志力はお持ちかな、お若いの？」

「どっさりね」アーサーは言った。この皺のある男は、どんなに彼がいらいらしているか、とんと理解できないらしい。そしてこのことがまた、その苛立ちをさらに大きくしているのはいうまでもなかった。彼は猛然と塩入れをひねくりまわしはじめた。

「で、あんたの人生における目的は？」皺の男が追及した。

「やれやれ、なんであんたがそれを気にしなきゃならんのかね？」

「どんな人間も、人生に目的があったほうが幸福になれるからさ」皺のある男は言った。「目的もなく、漫然と時を過ごすのはよくない。そうでなければ、わしの商売はあがったりだよ」

男のこの言葉はメイベルにとって、雑誌で読んだ処世訓、あらゆる知恵の泉そのままと聞こえた。いわく、分かちあう喜びは喜びを倍加する。分かちあってこそ人生は不滅。いわく、自分のために尽くしてもらう最善の道は、他人のために尽くすことである。いわく、パンは気前よく水中に投ぜよ。鮫だって生きねばならない。……このつなぎ服の男に、メイベルは必ずしも好感を持てなかったが、しかし明らかに彼は、一つ二つのことを夫に教えてくれたのだ。

「もちろん人生に目的がないはずはないわね、あなた？」と、彼女は言った。

その〝あなた〟は鈍重な目をあげて彼女を一瞥《いちべつ》すると、また視線を落とした。皺だらけの手が、つとテーブルごしにのびてきて、彼のひねくりまわしている塩入れをとりあげた。アーサーははっきりと四面楚歌に陥っているという感覚に襲われた。

「そりゃもちろん目的はあるさ……いくらか金を儲けて……子供を育てて……」自信なげにつぶやいたあと、彼はつけくわえた。「それに庭の手入れもして、もうちょっと庭らしい恰好をつけたい」

「たいしたものだ、非常にりっぱですよ」皺だらけの男は温かい声音で言った。「それらは若いものにしてはたしかにりっぱな目的だ。庭の手入れをするというのなんか、とくにいい。しかしそれらは、つまるところだれもが持ったぐいの目的にすぎない。男ならもっと特別な、自分ひとりの野心というものが必要だ。自分をその他大勢と区別するためのものが」

「おれが自分を他人ととりちがえることはまずあるまいよ」アーサーは憂鬱そうに言った。メイベルの沈黙からは、彼女がこの尋問を是としているということが読みとれた。胡椒入れをつかむと、彼はそれをぐるぐるまわしはじめた。「あの庭ときたら、いつだってはこべだらけで……」

「なにかあんただけの特別な、ひそかなる野心といったものはないのかな？」

ばかげていると思われずにそれに答えるすべを知らなかったから、アーサーはただ黙って坐って、ばかげていると思わせるだけにしておいた。皺だらけの男はいんぎんに彼の手からくるくるまわる胡椒入れをとりあげ、メイベルは残忍さをおさえた口調で言った。「おっしゃいよ、あなた。なにも恥ずかしがるには及ばないわ、人生になんの目的もないことを認めるのを」

アーサーはぎいと椅子を後ろに押すと、のっそりテーブルから立ちあがった。

「せっかくだが、ないものは言えない。あんたの品物のなかには、おれがもらって役に立つようなものはなささうだな」

「反対だね」皺の男は言った。その声音からは、いささかも親切さは失われていなかった。「まさしくあんたに必要なものを、このわしは持っている。どの程度の頭の持ち主にたいしても、それに見あうだけの無形物《インタンザブル》をわしは持ってるのさ」

「とにかくおれはほしくない」アーサーはかたくなに言った。「いまのままで、おれはじゅうぶん幸福だ。そのなんとやらいうものを、ここに持ちこむのはよしてくれ！」

「アーサー、あなた、このひとの言ってることがぜんぜんわかってないみたい――」メイベルが言いかけた。

「おまえは黙ってろ！」アーサーは彼女に指をつきつけながら言った。「おれにわかってるのは、この男がおれになにかを押しつけようとしていて、おまえがそれに手を貸してるってことだけだ」

夫婦は睨みあった。皺のある男は、二つのポットをもてあそびながら、分別顔で二人をながめていた。メイベルの表情が、反抗のそれから苦悶のそれへと変化した。彼女は腹部に手をあてた。

「赤ちゃんが暴れてるわ」

即座にアーサーは乱暴な言葉を後悔して、テーブルをまわってゆくと、彼女に腕をまわして、なだめた。しかし、彼女がちらりと皺の男を盗み見ると、彼はいかめしい顔で彼女を見まもっていて、その目にはまたあの突き刺すような光が宿っていた。アーサーもまたその視線に気づき、それを誤解して、うしろめたそうに言った。「医者を呼んできたほうがいいかな？」

「そりゃ金の無駄使いだろうな」皺の男は答えた。

それを聞くと、アーサーは明らかにほっとしたようだったが、それでも一言弁解じみた言葉を口にせずにはいられなかった。「スモールピース先生は、いい医者だって評判だぜ」

「あるいはな」皺のある男は言った。「しかし、いまここで問題になってる無形物《インタンザブル》にたいしては、医者はなんの役にも立たん……さよう、人間の魂というやつは、驚くほど暗く、複雑な場所なんだ！　不思議なのは、それが多くのことを成し遂げる能力を持ちながら、いつもたいがい面倒な軋轢《あつれき》のなかにあって、そのため、ごくわずかなことしか実際にはできんということさ」

しかしアーサーは、メイベルに触れていることで勢いを得て、また強気になっていた。

「つづけろ、この悲観主義者めが」彼は嘲罵《ちょうば》した。「メイベルだっておれだって、この人生で多くのことを成し遂げてみせるぞ」

皺の男は首をふり、言い知れぬ悲哀の表情を浮かべてみせた。ちょっとのあいだ、いまにも泣きだすのではないかと思われたくらいだった。

「そこが問題の根本さね」と言う。「じつはそれが誤りなんだよ。あんたたちは、他の幾千、幾万もの人々が、まったくおなじときにまったくおなじようにやっていること、それ以外のことはなにもできない。多くの目に見えぬもの《インタンザブル》があんたたちの足をひっぱっている。ひとりでは、たとえ五分間たりとも、それをひっぱりかえすことはできない。協力してひっぱることなんか、考えるだけむだだ」

アーサーはがんとこぶしをテーブルにたたきつけた。

「それは嘘だ。つべこべ言わずと、さっさとここから出て失せろ！　おれはやりたいことならなんだってやってみせる。意志力があるんだ！」

「たいへん結構」

いまや皺だらけの男も椅子を脇に押しのけて立ちあがっていた。そして胡椒入れと塩入れをとりあげると、その二つをテーブルの端に、たがいに触れあわぬ程度に並べて置いた。

「さあ、これはあんたのためのちょっとしたテストだ」彼は言った。その声音は依然として穏やかだったが、奇妙に印象的な響きがあった。「いまわしは、この二つのポットをここに置いた。そこでだ、あんたたちはどのくらいの期間、この二つをこの場所に置いたままにしておけるだろう。一インチたりとも動かさず、まったく手を触れず、そっくりこのままの場所に？」

ほんの一瞬、今後の時間的な展望と取り組んでいるように、アーサーはためらったが、やがて、かたくなに言った。

「おれが望むかぎり、いつまでもだ」

「いや、それは不可能だね」客は反駁《はんばく》した。

「ばかを言え、可能だとも！　ここはおれの家だ。おれの家でおれが好きなようにするのに、なにが不可能だ。そんな実験、やりたがるのはばかげてるが、もし必要とあらば、一年だってそれをそのままにしておけるぞ！」

「なるほど！　あんたはこれをこのままにしておくために意志力を用いるつもりだ、そうだろう？」

「そうしちゃ悪いか？」アーサーは詰問した。「意志力なら、おれはたっぷり持ってる。のみならず、庭を手入れし、豆やなにかをつくることだって、りっぱにやってみせるぞ」

長い顔が左右にふられ、肩先が持ちあがった。

「そんなやりかたじゃ、意志力のテストはできんよ。意志力とは、一生でも持続さるべきものなんだ。あんたはそうした意志力を持つほどの、徹底した個人主義者じゃない。そうだろう?」

「賭けるかね?」と、アーサー。

「いいとも」

「よし。じゃあおれは、その二つのポットを、一生——おれが死ぬまで——このままのかたちでテーブルに置いておけるってことに賭ける」

皺のある男は笑った。彼はポケットからパイプをとりだすと、火をつけにかかった。パイプの軸のなかで、唾がごぼごぼ鳴るのが聞こえた。

「そんな賭けに応じるわけにはいかないな、若いの」と、男は言った。「なぜって、それは不可能だし、失敗すればあんたは、きっと自分に失望することになるとわかっているからさ。いいかね、こんな些細なことだが、やってみると、これが意外にむずかしい。さっきからわしの言っている心のなかの無形物《インタンザブル》、それがあんたを妨害するんだ」

「そんなものくそくらえだ!」アーサーはどなった。いまや完全に頭に血がのぼっていた。

「何度だって言ってやるぞ、おれは必ずやってみせると」

「それならわしも何度だって言おう、それはできないと。なぜかって？　なぜなら、二年か五年か、あるいは十年のうちには、あんたははっとわれにかえって、こう言うだろうからさ。『なんだこんなもの、大騒ぎするほどのものじゃない――やめだやめだ』でなければこう言う。『なんだっていつまでも、若気のいたりでしちまったばかな約束に縛られなきゃならないんだ？』そうでなければ、友達がやってきて、うっかりテーブルにぶつかり、これを落としてしまうかもしれない。子供が大きくなって、悪戯するかもしれない。でなきゃ家が火事で焼けちまうかもしれない。そのほかどんな事故だって起こりうるんだ。要するに、どんな簡単なことでも、そうしたあらゆる無形物《インタンザブル》の妨害をはねのけてやり遂げるということ、これは不可能だってことなんだ。それら、そしてこの二つのポットそれ自体、これらがいずれあんたを打ち負かすだろう」

「このひとの言うとおりよ」メイベルが相槌を打った。「そんなこと、やるのはばかげているし、それにやり遂げることもできないわ」

この一言が、議論に決着をつけた。

アーサーは深くポケットにこぶしをつっこみ、立ちはだかって、二つのポットを見おろした。

「おれはこの二つのポットが、おれの死ぬまでここにこのまま置かれているだろうってことに賭ける。さあ、賭けに応じるか、撤回するか、どっちだ」

「無理だって――」メイベルが言いかけたが、皺の男は手をふってそれを制し、アーサーに向きなおった。

「承知した」と、彼は言った。「じゃあ、今後もときどき立ち寄って——寄ってもよけりゃ、だが——これがどうなっているか、見せてもらうことにしよう。そしてそのかわりにわしは、わしの持つ最良の無形物《インタンザブル》のひとつをあんたにあげよう——いや、すでにあげてあるんだ——人生の目的というやつを」

彼は口をつぐんでアーサーがなにか言うのを待ったが、若者は魅せられたように二つのポットを見おろしているきりだった。

かわりにたずねたのはメイベルだった。「で、このひとの目的というのは?」

ドアに向かいながら、皺だらけの男は軽い笑い声をあげた。必ずしも愉快そうではない、かといって、必ずしも非情とは言えぬ笑い声だった。

「わかりきってるじゃないですか、そのポット二つを護ることですよ。おやすみ、ご両人」

それから何日もたってからだった——家を出た男が、エンコしたはずのおんぼろトラックに乗りこむなり、なんの苦もなくエンジンをかけて走り去った、この事実に二人が気づいたのは。

当初、メイベルとアーサーのあいだには、二つのポットをめぐって激しい議論がくりかえされた。議論はいつも一方的だった。メイベルが手を腹部にあてるだけで、勝ちは彼女のものと決まっていたからだ。彼女はその賭けがいかにばかげているか、それを彼に納得させようとした。ときには彼もそれを認めることがあったが、ときに認めないこともあった。また、それがいかにつまらぬことかも彼女は示そうとしたが、これぱかりは彼も、どうしても認めようとしなかった。あの皺の男は、アーサーの愚かさと怒りをぐさりとえぐり、彼の痛いところに触れたのだ。

このことに気づくまでは、メイベルもなんとかアーサーを説いて、テーブルからポットをどけさせようと努力したが、それがわかってからは、沈黙することにした。彼女は辛抱づよく待ち、何事もなかったように生活をつづける努力をした。

そうなると、今度はポットに反対するのは、逆にアーサーの役になった。まるでなにか奇妙なダンスでもしているように——いや、事実そうだったのだが——彼らはいともあっさりとその位置を入れかわった。

「どうしてあんな煩わしいことを我慢しなきゃならないんだ」と、彼は彼女に言った。「あいつはただのおしゃべりじじいで、おれたちを愚弄しようとしていただけなんだ」

「あのポットを動かしたら、あなた自身の気持ちが釈然としないってことはわかってるでしょ。心理学の問題なのよ、これは」

「悪戯だと言っただろう」妻の読書傾向については、貧弱な意見しか持ちあわせないアーサーだから、いまも不機嫌に言った。

「のみならず、あの二つはさほどあなたの邪魔にはならないはずよ」メイベルはべつの方向からの防衛を試みた。「いつもあのまわりで仕事しているあたしのほうが、よっぽど苦になるはずだけど、じつのところ、それほどでもないわ」

「おれだって店でポンプを動かしてるあいだ、たえずあれのことを気にかけてるぞ」

「動かしたら、もっと気にするようになるわ。ね、あと四、五日でいいから、あのままにしときましょうよ」

彼は二つのポットを睨みつけた。それから、ゆっくり手をあげると、それらをテーブルから払い落として、部屋の向こうまではねとばそうとしかけたが、そこで思いなおして、ぷいと背を向け、大股に庭へ出ていった。あしたこそ、うんと早起きして、あのいまいましいはこべをなんとかしてやることにしよう。

つぎなる段階は、二人ともふっつりとそのことを口にしないというものだった。暗黙の諒解のもとに、彼らはその話題を避け、メイベルはそれらの周囲だけを掃除した。それでもその問題は完全に忘れ去られたわけではなかった。それは夫婦のあいだの冷たい隙間風のようなものだった。つまり目に見えぬもの《インタンザブル》にほかならない。

見覚えのあるあの旧式なトラックがハプスヴィルを通りかかったのは、それから二年後だった。その日はアーサーの二十四回めの誕生日にあたり、その顔の長いつなぎ服姿の人物が戸口に近づいてきたのは、今回もまた夕刻だった。

「もしもやつがこのポットのことでおかしなことでも言いやがったら、こいつをやつの顔にたたきつけてくれるからな」アーサーは言った。夫婦のどちらかがそれらのことを口にするのは、過去数ヵ月間に、これがはじめてのことだった。

「お入りになりませんか？」メイベルは皺のある男を上から下までながめながら、そうすすめた。

男はこだわりのない、愛嬌のある笑顔を見せ、礼を述べたが、戸口からなかに入ろうとはしなかった。アーサーを見つけると、眼鏡がきらりと光って、顔面の皺のひとつひとつが、生命を持ったもののように動いた。アーサーの表情から、彼は容易に知りたいことを読みとってしまったらしく、首をのばして、テーブルの上をのぞこうとすらしなかった。

「せっかくですが、今夜はご造作にあずかるのはよしにしましょう」と、彼は言った。「ただちょっと立ち寄って、これをお渡ししようと思っただけなんでね」

彼はポケットから小さな木彫りの人形をとりだすと、二人の前でぶらぶらさせてみせた。人形は、明るいブルーに塗られたきれいなつぶらな瞳をしていた。

「お嬢ちゃんにプレゼントです」それをメイベルに押しつけながら、彼は言った。

つられてメイベルは人形を受け取り、それからはっと気がついて、問いかえした。「どうして女の子だとわかりましたの？」

「物干し綱に服がかかっているのが見えましたのでね」男は言った。「じゃあおやすみ！　いずれまた！」

夫婦は戸口に立ったまま、小さなトラックが走りだし、道の向こうに消えてゆくのを見送った。どちらもきょうの会見のあっけなさに、失望を隠しきれなかった。

「すくなくとも、利いたふうな口をきいて、あなたを怒らせはしなかったわね」メイベルが言った。

「入ればよかったのに」アーサーはむっつり顔で言った。「あいつに見せてやりたかったんだ、二つのポットがまだもとのままだってことを」

「この前のとき、失礼な態度をとったからよ」

「なぜ無理にでもすすめなかったんだい？」

「この前のときは、あのひとをいやがってたくせに、今度はそれをすすめろって言うのね！じっさい、アーサー、あなたほど気むずかしいひともないわ。きっと、不幸なときがいちばんしあわせなんでしょうね。あなたの最悪の敵は、あなた自身よ」

彼は悪態をついた。たちまち激しい口論が持ちあがったが、メイベルが腹に手をあてて顔をしかめてみせたので、すぐにおさまった。

今度の子は男の子だった。マイクと名づけられ、手のつけられない小悪魔に育っていった。この子にかかっては、なにひとつ安全なものはなかった。アーサーはポットを護るために、その周囲に板を打ちつけて、囲いをつくらねばならなかった。なに、大事なテーブルってわけじゃなし、と彼はメイベルに言った。

「呆れたひとね、あなたみたいないいおとなが！」彼女はじれったげに叫んだ。「そんなもの、いますぐどこかにほうりだしちゃいなさいよ。近ごろじゃあなた、それに取り憑かれてるみたいよ。それに、庭のほうをなんとかするって言ってたけど、いつとりかかるつもりなの？」

彼は暗い好戦的なまなざしでじっと彼女を凝視し、ついに彼女が負けて目をそらした。

三度めに例の皺の男が訪ねてきたのは、マイクが十歳近くになり、罠で鳥をつかまえに森へ出かけたあとだった。男はちょうどアーサーが修理工場に出勤するまぎわにあらわれ、愛想よくほほえみながら、メイベルに案内されて部屋に通った。着用しているすりきれたつなぎ服まで、むかしとまったく変わらないように見えた。

「あのとおり、ポットはちゃんと置いてあるぜ、おっさん」アーサーは誇らしげに言った。「あんたがあそこに置いて以来、指一本触れたことはない」

たしかに、それらは二人の歩哨のように、毅然としてそこに屹立していた。

「結構、結構!」皺のある男は、心から満足そうに言った。そして手帳をとりだすと、何事か書きつけた。「顧客ひとりひとりについて、こうして記録をとってるものでね」と、彼は言い訳がましく言った。

「すると、ほかにもこうやって塩入れを護ってる人たちが、あちこちにいるってことですの?」庭で二歳になる末の子が泣くのを聞いて、メイベルがそわそわしながら問うた。

「いや塩入れを護っているとばかりは限りません」皺の男は言った。「マッチ箱の表装を集めている人もいる。アルバムに小さなスタンプを貼りつけている人もある。そうかと思えば、書物を筆写する人、コインを収集する人、他人の人生と競争する人、いろいろですよ。ときにはわしが手を貸してやることもあり、ときには自分たちの力だけでやってゆくこともある。あんたがたも非常によくやってると言いたいですな」

「あの二つをああやって置いとくのは、とても厄介ですのよ。殿方にはわかりませんわ、その煩わしさは」

皺のある男は、彼女のよく覚えているあの突き刺すような視線を彼女に向けたが、なにも言おうとはしなかった。かわりにアーサーに注意を向けかえると、工場の仕事はうまくいっているかとたずねた。

「いまじゃ主任技師だよ、おれは」アーサーはいささかの誇らしさが感じられぬでもない口調で答えた。「それに、ハプスヴィルという土地も、どんどん発展してる――いやまったく！新しい罐詰め工場やなにかができてね。仕事が殺到して、手がまわりかねるくらいさ」

「よくやってますよ、あんたがたは」皺の男は重ねて保証した。「いずれまた近いうちにまわってきましょう」

近いうち、とは、十四年後だった。


ほとんど読みとれないほどに薄れた文字の書かれたおんぼろトラックが、家の前に停まり、皺のある男が降りたった。彼は興味ありげに周囲を見まわした。

最後の訪問以来、ハプスヴィルの町並みがここまで伸びてきて、道路の両側にはこぎれいな木造の人形の家が建ち並び、アーサーの土地をかこいこんでいた。家自体も、やはり変化を遂げていた。大きな部屋が一方の翼に建て増され、外壁もすっかり塗りなおされている。薔薇《ばら》の茂みにかこまれた芝生の庭が、正面の垣根のきわまで広がっているが、はこべはどこにも見えない。

「ふむ、なかなかよくやっているらしい」皺だらけの男はつぶやいて、玄関へ行き、ノックした。

　十六歳ばかりの少女があらわれ、たちどころに男の正体を見てとった。

「あたしジェニファー。十六よ。ずっとおじさんに会うのを楽しみにしてたわ。いまおかあさん、裏で洗濯してるから、おじさん、入って、待ってて。ほら、あのポット、ちゃんとおなじ場所にあるでしょ。一度だって動かしたことないわよ。おとうさん、いつも言ってるわ、万一あれにさわったら、百万年でもたたるぞって。あれはさわることのできないもの《インタンザブル》だからって」

　ぺちゃくちゃさえずりながら、少女は彼をむかしの部屋に案内した。そこもまたようすが変わっていた。ベッドが一台据えられ、壁には色褪せた写真が数枚かかっている。夕映え色のピンクの膚《はだ》をした老人がひとり、揺り椅子に坐っていて、皺の男がジェニファーに案内されて入ってゆくと、満足げにうなずいてみせた。「お祖父ちゃんよ――パパのパパ」娘が説明した。

　部屋のなかで、ひとつだけ見覚えのあるものがあった。むかしどおりの場所に、あの白木のテーブルがあり、その端近く、たがいに触れあわぬ程度に、二つの磁器のポットが並んでいる。感服の面持ちでそれをながめている皺の男を残して、ジェニファーは母を呼びに出ていった。

「ほかの子供さんたちはどこです？」いかにも世間話といった調子で、皺の男はお祖父ちゃんに問いかけた。

「いま残ってるのは、あのジェニファーだけさね」お祖父ちゃんは答えた。「長女のプルーはもう所帯を持った。わしがここへくるよりも前の話だがね。かれこれ六年になるかな、いや、七年だったか。ミュラー（ドイツ語で「粉屋」の意）という粉屋に嫁に行ったんだ。おもしろいじゃないかね、え？——ミュラーという名の粉屋とは。そして生まれた娘がミリーだ。それからアーサーの倅《せがれ》のマイク、これがまたどうしようもないどら息子でね。女をはらますこと以外に、なんの能もない。それで、どうやらあちこちでふうてん娘どもが腹をでかくしたと思ったら——マイクのやっこさん、おやじの修理工場から客の車をかっぱらって、その足でサン・ディエゴまで高っ飛び、そのまま海軍に入隊しちまいやがった。それ以来、だれもあいつには会っていないよ」

皺だらけの男は、ちょっちょっと舌を鳴らした。それは、そうしたよからぬ所業にはけっして賛成するものではないが、似たような話なら、再三、耳にしていることを示していた。

「で、アーサーはどうしてます？」と、彼はたずねた。

「商売は順調だよ。去年の秋に、下町に新しい修理工場を買ったことは知らんだろうな？　いまじゃやっこさんも経営者さ」

「かれこれ十五年近く、この地方にはきていないんでね」

「ハプスヴィルはえらい発展ぶりだよ」お祖父ちゃんはつぶやいた。「といっても、むろん、むかしに変わらず住んで快適なところ、というような意味じゃないがね……そう、アーサーは前のボスが引退したときに、古いほうの工場を買収したんだ。利口なやつだよ、アーサーは——ちょっと足らないところはあるが、だが、抜け目がない」

メイベルはタオルで手をふきふきあらわれた。他のすべてのもの同様、彼女もまた変化していた。去年、彼女は四十八回めの誕生日を迎えたが、歳月はすっかり彼女を肥満させていた。鼻の上にのっかった眼鏡は、長年それで雑誌の広告欄のなかに家庭心理学を追求してきた、彼女の頑固さのしるしだった。経験が回転砥石のように彼女の表情をとがらせていた。

にもかかわらず、彼女は皺のある男に笑顔を見せ、愛想よく迎えた。

「アーサーは仕事に出てますわ。シードルでもさしあげましょう」

「ありがとう。しかしもう行かなきゃなりません。その後どうしておられるか、ちょっと確かめに寄っただけですから」

「あら、例のものでしたら、無事でしてよ」メイベルは急に辛辣な口調になってそう言うと、手真似で塩入れと胡椒入れをさしてみせた。そのついでに、戸口にもたれているジェニファーを認めると、声をかけた。「ジェニー、さっきやってみせたように、あのりんごをきちんと積みあげてちょうだい。おかあさんはこのかたとお話がありますからね」

それから深く息を吸いこんで、皺のある男に向きなおった。「ところで、あなたがここへお見えになるのは、だんだん間遠になるようですわね。もう二度とおいでにならないんじゃないか、なんて思ってましたわ。じつは、ここの地所をいい値段で買おうという申し出がありまして。売れればそのお金で、もっと土地柄のいいところに、もっといい家を構えられるんですけどね」

「それは願ってもない話ですな」長い顔にくしゃくしゃと愛嬌のある皺が寄った。

「まあ、それじゃいい話だとおっしゃるんですのね？」メイベルは言った。「ならばこのことを教えてくださいな。アーサーはあの二つのポットのために、そういった有利な申し出を片っ端から断わっているんです。この地所を売ったら、当然、あれは動かされることになる、そしてあれが動かされると考えると、やりきれん、そう言うんです。さあ、あなたはこれにたいしてなんとおっしゃいまして、無形物《インタンジブル》さん？」

くだんの男は大きく手をひろげると、かぶりをふった。無数の皺が忙しくもつれあい、からみあった。

「それにたいしては、申しあげることはひとつしかありませんな。このわれわれのちょっとした賭け、これがそんなにも不都合なものになっているからには、すぐにもやめるべきです。なんならアーサーの帰ってこないうちに、いまこの場で、このわしがあれを撤去しますかな？あとであんたからご主人にわけを話していただく、それでいいじゃないですか」

彼はテーブルに歩み寄ると、二つのポットに手をのばした。

「待って！」メイベルは叫んだ。「ちょっと考えさせてくださいな」

「それを動かしたりしたら、アーサーはけっしてあんたを許すまいよ」と、お祖父ちゃんが背後から声をかけた。

「それをあたしに決めろなんて、あまりにも責任が大きすぎますわ」自分の優柔不断に業を煮やしながら、メイベルは言った。「子供たちが小さい時分、どんなにあたしたちが苦労してそれを護ったかを考えると。おやまあ、そう言えばもう四半世紀も、その二つはそこに立ってるんだわ……」

なにかが彼女の声を詰まらせた。

「悩むことはありませんよ」皺のある男は彼女を慰めた。「アーサーが帰宅するまで待って、それから彼に言うんです、わしがこの賭けのことはもう忘れようと言っていたと。そもそも最初のときにも申しあげたように、こんな簡単なことでも、それを妨げようとするもろもろの目に見えぬもの《インタンザブル》をはねかえして、最後までやり遂げるというのは、不可能なんですよ」

メイベルはぼんやりと、一度拭ったはずの手をまたていねいに拭いはじめた。

「すこしお待ちになって、それをあなたの口から主人に言っていただくわけにはいきませんか？　もう三十分もしたら、食事にもどりますから」

「残念ですが、それはできません。わしの商売もまた大繁昌でしてな――これからある若い夫婦者を見にいってやらにゃならんのです。交配によって、ぜったいに吠えない種類の犬をつくりだそうとしてましてね。いずれまた寄らせてもらいますよ」

約束どおり、皺のある男はそれから十九年後にあらわれた。粉雪が舞い、地面はぬかるんで、アーサーの家は見つけにくかった。『ラヴライト』とかいう映画を上映ちゅうの、大きな映画館が家の一方を区切り、もう一方には、新しいバイパスができて、車がびゅんびゅん行きかっていた。

「どうやらとうとう売らなかったらしいな」皺の男はひとりごちて、庭の小径を家へ近づいていった。

玄関へまわった男は、そこでちょっとためらって、また周囲を見まわした。この前のとき、あんなにも美しく手入れされていた庭は、いまは一片の荒地と化していた。薔薇はキャベツの切り株に場所を明けわたし、映画館の壁には、古いチケットやアイスクリームの空容器が吹き寄せられていた。小径には、はこべも生い茂っている。家もまた、いくらか傾きかかっているようだ。

「車の騒音で、ノックしても聞こえまいな」皺のある男はつぶやいた。「ちょっとのぞくだけにするか」

いまだにあの磁器のポットが立っている部屋のうちには、火が燃えていて、揺り椅子に坐った老人が、それで暖をとっていた。老人と侵入者とは、たがいに汚れたガラスごしにばったり目を見あわせた。

「お祖父ちゃん！」皺の男は叫んだ。「わしはまた、一瞬……」

「なんと言ったかね？」老人が問いかえしてきた。「このところとんと耳が遠くなってな。まあお入り……おお、あんたか！　ミスター無形物《インタンザブル》のまたのご入来か。この前まわってきたときから、ずいぶんたってるじゃないか」

「九十九年になりますよ。あちこちまわるところがふえましてね」

「なんじゃって？　わしがまだ生きとるとは思わなかったろう、ええ？　去年の十一月で九十七になったよ。耳がまるきり駄目になったのをべつにすれば、壮健そのものじゃて」

裏手のドアから、だれかべつの人物がはいってきた。四十五、六の不器量な女で、まるきり似合わないマスタード・グリーンの服を着ている。鈍重そうな顔つきが、彼女もこの家の一員であることを示している。

「お客さまとは気がつきませんでしたよ」そう言ったあとで、女は皺のある男がだれであるかに思いあたったようだった。「あらまあ、あなたでしたか。なにかご用？」

「ちょっと待ってくださいよ」男は言った。「あんたはたしか——そう、きっとプルーさんだ。粉屋と結婚した、総領娘のプルーさんでしょう！」

「ああ、どうかあの男のことは言わないでくださいな」プルーはつっけんどんに言った。「あのひとには、もう二年も会っていません。厄介払いして、せいせいしてますよ」

「ははあ。すると離婚、ですな？　ま、当節、離婚は流行《はやり》ですから……で、お嬢さんは？」

「ミリーは結婚しましたよ。息子のレックスもね。いまじゃどっちもハプスヴィルよりはましな都会に住んでいます」

「なるほど。レックスのことは聞いたことがなかったな」

「父にお会いになりたいんでしたらあっちですよ」唐突にプルーは言った。明らかにこの会話を打ち切りたがっていると知れた。

そして彼女は、客を裏手の寝室へ案内した。部屋じゅうにカーテンが引きまわされて、外の荒廃をさえぎるのと同時に、枕もとの明るい灯で、見せかけの居心地よさをつくりだしていた。『ポピュラー・メカニックス』誌を膝に置いたアーサーが、背を丸めてベッドにうずくまっていた。

両者が最後に対面してから、三十三年の月日が流れていた。アーサーはほとんどむかしの面影を失っていた。ただそのがっしりしたあご骨のあたりに、若き日の牡牛の名残りがかろうじて見てとれるだけだ。壮年から中年にかけて増していった体重を、いま彼はまた失いつつあった。眉毛は伸びてもじゃもじゃになり、ほとんど目を隠さんばかりに垂れさがっている。皺の男を認めると、その目は輝いた。髪は灰色で、櫛を入れたあともない。

二人のあいだをへだてる歳月の深淵にもかかわらず、アーサーはまるできのう会ったばかりのように話しだした。

「あれはまだテーブルの上にあるよ。見たかね?」と、熱っぽく問いかける。

「見た。あんたはたしかに意志力を持っているらしい」

「この年月、一度だってあれにさわったことはないぞ！　ええと……あれからどのくらいになるかな?」

「四十五年だ、ほとんど」

「四十五年！」アーサーはおうむがえしに言った。「そんなにたったような気はせんがなあ……人生に目的を持つことが、なにをなしうるかって証拠だよ、うん。四十五年……長い歳月だった。そのわりにあんたは変わらんようだな」

「若さを保ってくれるのさ、わしの仕事は」皺の男は、顔に皺を寄せながら言った。

「いまじゃプルーがもどってきてね、手伝ってくれてる」アーサーは相手の言葉にかかわりなく言った。「あれはいい子だ。あれにそう言えば、なにか食い物をつくってくれるよ。メイベルは留守なんだ」

皺の男はつなぎ服で眼鏡を拭った。

「どうして寝たきりになったのか、まだ話してくれていなかったな」彼は静かに言った。

「そのことか。工場で背骨をくじいたのさ。面倒だったんで、ジャッキを使わずに車台を持ちあげようとしたんだ。仕事がたまってたんでね。時間を節約しようとしたのさ。この年になって、ばかなことをしたものだよ」

「いまいくつ工場を持ってる?」

「ひとつだけさ。おれたち――おれんとこみたいな小企業じゃ、大工場の攻勢には太刀打ちできなくてね。やむなく下町の工場は手ばなした。みすみす損とわかってたが、しょうがない。そのときに、あるいは転身を考えるべきだったのかもしれんが、ここまでくると、それも遅すぎる気がしてね……春には再起できるだろうって、医者は言ってる」

「寝ついてからどのくらいになる?」皺のある男は言った。

「数週間、寝たり起きたりってところかな。いっとき具合が好いかと思うと、また悪くなるってあんばいでね、一進一退さ。こういう病気がどういうものか、知ってるだろう。それにしても、ばかなことをしたものだよ。メイベルが毎日おれのかわりに経理を見にいってる。ところで、あのポット二つのことだが――」

「この前きたときに、奥さんに言っといたはずだが。いっさいは終わりにしようって」

アーサーは不機嫌に寝具のけばをむしった。灰色の上掛けとの対照で、その手が赤銅色に光っている。けんか腰の態度になると、そうでないときよりは、むかしのアーサーが彷彿としてくるようだった。

「いまさらやめにするわけにはいかん――それぐらいわかってるだろう」と、拗ねた調子で言う。「あんたともあろうものが、ばかなことを言うじゃないか。あれはいまのおれがしがみついていられる唯一のものなんだぜ。あの二つのポットを動かすくらいなら、死んだほうがましだ。メイベルはあれがジンクスだと言ってるが、まさにそんな感じさ。あれを動かしたら最後、どんな災難がふりかかってくるかわかりゃしない。そうでなくたって、人生は楽なもんじゃないんだぜ」

長い顔が悲しげに左右にふられた。

「それはあんたの考えすぎだよ」と、皺だらけの男は言う。「あれはむかし、わしたちが若くて愚かだったころに、一夜の気まぐれでした賭けにすぎないんだ。人間は、若いころにはおかしなことをやりたがるものさ。先週、訪ねていったある若いチームなんか、二十日鼠を宇宙船に乗せて、打ちあげようとしているんだぜ。まあ考えてもみるがいい」

「そしてあんたは、いまこのおれを、その賭けに負けさせようとしてる!」アーサーは興奮して言った。「おれは一度だってあんたやあんたの言う無形物《インタンザブル》とやらを、本心から信じはしなかったぞ。あんたの言ったことを、おれが忘れてるなんて思うなよ。あんたは言った――いずれなにかがおれの心を変えさせる、いつかおれはあの部屋に入っていって、あの二つをテーブルからはたき落とすと。見てくれ――そうはしなかった。あの二つのために、みすみす損になるとわかっていながら、この家にしがみついてきさえしたんだ」

「そういうことなら、もうなにも言うことはなさそうだな」

皺のある男がドアに向かうのを見て、アーサーはあわてて手をのばした。「待ってくれ！　まだ行かないでくれ！　ひとつ訊きたいことがあるんだ」

「言うがいい」

「あの二つだが――おれたちゃ一度だってあれにさわっちゃいないぞ。なのに、よく見ると不思議なことがわかるんだ。ぜんぜん埃《ほこり》が積もっていないんだよ！　なぜだか教えてやろうか。あの新しいバイパスのせいさ、あそこを通る車の震動のせいさ。そのおかげで、うちのポット二つに埃がたまらないんだよ」

「ふむ、便利だな」皺の男は慎重な口調で言った。

「だけど、おれが心配してるのは、そのことじゃない」アーサーはつづけた。「車の往来は、日に日に激しくなる。いつか震動がうんとひどくなって、あの二つがテーブルから落ちやしないか、それが気がかりなんだ。あれ、テーブルの端っこにあるだろう？　ちょっとした震動で、たやすく落ちちまうはずなんだ。もしほんとうに揺り落とされたとしたら――それもやっぱり勘定に入るのかな？」

彼は男の皺だらけの顔をのぞきこんだが、眼鏡に反射する部屋の明かりが、男の目を隠していた。長い沈黙のすえに、皺の男はいかにも気が進まぬように口をひらいた。

「その答えは最初からわかっていたはずだ、アーサー」彼がアーサーの名を呼んだのは、このときが最初で最後だった。

「ああ」アーサーはのろのろと言った。「わかってると思う。もしあれがテーブルから揺り落とされたら、それはついに無形物《インタンザブル》がおれをつかまえたってことなんだ」

暗いまなざしで、彼はふたたび枕にもたれた。『ポピュラー・メカニックス』が床に滑り落ちた。一瞬の躊躇ののち、皺の男は背を向けて戸口に向かったが、そこでまたためらった。

「春には再起できることを祈るよ」彼はそっと言った。

それを聞くと、アーサーは痛みにうめきながら、がばと身を起こした。

「またきてくれよ！　またまわってくると約束してくれよな？」

「まわってこよう」皺の男は言った。

いかにも、それからさらに二十一年後、彼の古めかしいトラックが、軋みながらハプスヴィルの何車線もの道路にはいってきた。バイパスから折れた彼は、やがて目的の地点へ車を乗りつけた。

「周囲はたしかに急激に変化している」と、彼はつぶやいた。

映画館はもう長いあいだ閉鎖されたままのようだった。いまそれは家具の倉庫として使用されているらしく、大きな家具運搬車がその外に停まって、寝椅子を積みこんでいた。アーサーの家の裏手には、醜怪なアパートが建っていた。子供たちが黄色い声をあげて露地を走りまわっている。車の行き来の激しい高速道路の向こう側には、キャンディやポップスのレコードなどを商うちっぽけな店が、ずらりと並んでいる。商店街の裏には、混雑するヘリコプターの発着場まで設けられている。

狭い横丁に折れると、そこに、ドラッグストアの裏口に押しつぶされるようなかたちで、アーサーの家が残っていた。ほかの箇所では断固として撃退されている自然が、ここではまた勢力を盛りかえしていた。蔦《つた》がポーチの柱を這い、雑草が窓の内をのぞきこむほどに、高くまで生い茂っている。玄関前の階段は、はこべにおおいつくされている。

「なにか用かね？」

かりにとびあがるような性癖の男だったら、皺の男はきっととびあがっていただろう。誰何《すいか》したのは、半びらきの戸口に立って、パイプをふかしている人物だった。中年から初老にかかろうという年輩の男で、無精ひげの伸びた、がっちりした牡牛然としたあごをし、白髪まじりの髪をしている。

「アーサー！」皺の男は叫んだが、そのとき相手の男が闖入者をもっとよく見ようとしてか、日ざしのなかにずいと進みでてきた。

「いや、アーサーのはずはないな」皺の男は自ら訂正した。「あんたはマイクだ、そうだろう？」

「いかにもおれはマイクだが、それがどうした?」

「そうか、やっぱり。たしか、もう——六十四になるはずだったな?」

「だったらどうした。おまえはいったい何者だ——ポリ公か? いや——待てよ! わかったぞ、おまえがだれだか。それがよりにもよってきょう、やってくるとはな」

「なに、ただいつもの巡回の途中で寄ってみただけだが」

「ふん」マイクは口をつぐんで、雑草のなかにぺっと唾を吐いた。まさしく父親に生き写しで、血のめぐりも、明らかに父親より速くはなさそうだ。

「おまえさん、例の塩と胡椒の男だな?」ややあって彼は問うた。

「そう呼びたければ、それでもいい」

「とにかく入って、おふくろに会うがいいぜ」彼は不承不承のように脇に寄り、皺の男を通した。

　家のなかは寒く、湿っぽく、かびくさかった。メイベルがのろのろと寝室を歩きまわって、大きな黒い鞄にそこらのものを押しこんでいた。皺のある男が部屋に入ってくると、彼女はひとりうなずきながら、まぢかく寄って、しげしげと彼を見た。彼女自身の体からも、寒く、湿っぽく、かびくさい匂いが漂ってきた。

　彼女は八十八歳、すりきれた外套の下で、小さく縮んだ老婆になっていた。いまもなお、険しい、だが信じられぬほどもろそうな鼻梁の上には、眼鏡が光っている。けれどもいったん口をひらくと、その声音はむかしに変わらず辛辣だった。

「きっとくると思ってましたよ。みんなにも、きっとくると言ってたんだ。最後を見届けにきたんでしょう？　さあ――ごらんのとおりですさね。売ったんですよ、ここを。これから引っ越しです。プルーは再婚してね――また粉屋と。あたしゃマイクのところへ引き取られてゆきます――サン・ディエゴのほうの果樹園地帯に、小さな小屋を持ってるんでね」

「で……アーサーは？」皺のある男はうながした。

彼女はもう一度、険しい一瞥を彼にくれた。

「おや、まるで知らないみたいにさ！」と、叫ぶように言う。その声音は、涙で曇るには、あまりに硬質すぎた。「けさ、埋葬しましたよ。りっぱなお葬式だった。あたしゃ行かなかったけどね。このとおり老いぼれちゃって、自分のお葬式でもなきゃ、出かけられるもんですか」

「もっと前にくればよかった……」男は言った。

「あんたはいつだって、自分の気の向いたときにしきゃ、こないのさ」メイベルはそっけなく言った。「アーサーはずっとあんたのことを言いつづけてましたよ、いまわのきわまでね……工場で背骨を傷めて以来、ついに再起できなかったんです。二十一年間、ほれ、あそこのベッドで寝てましたよ……」

彼女は男を案内して、いつか彼らがともに薄めたスープを飲んだ、あの表の部屋へ入っていった。いまそこはひどく暗かった。汚れたガラスと窓の外をおおった雑草のせいで、どこか緑色がかった暗さがそこを支配していた。いまだに二つの磁器のポットがのっているあのテーブルのほかは、室内は完全にからっぽだった。

皺のある男は、手帳になにか書きこむと、快活をよそおった声音で言った。「アーサーはたしかに賭けに勝ちましたよ！　いや敬服しました」そう言って彼は部屋を横切り、二つのポットを見おろして立ち止まった。

「これが六十六年間動かされずに、ここにこうして立っていたかと思うと……」彼は絶句した。

「アーサーもまったくおなじことを考えてましたよ！」メイベルは言った。「彼はついに最後まで、そのことを心配するのをやめませんでした。じつはね、彼には内緒だったけど、あたしゃ毎日それをとりあげて、埃を払ってたんです。掃除は女の役目ですからね。彼に知れたら殺されてたかもしれないけど、どうしても我慢できなかったんですよ、あたしにはばかげてるとしか思えない、そんなことを彼が信じてるのを見るのが。いつかあんたが言ったように、女だって男とおなじに、それぞれの無形物《インタンザブル》を持ってるものなんです」

感慨ぶかげにうなずきつつ、皺の男はメイベルに送られて戸口へ向かいながら、手帳に最後の書きこみをした。

「もうこれでお会いすることはないでしょうな」と、男は言った。

一瞬、胸が迫って、彼女はただ無愛想に首を横にふってみせただけだった。それから向きなおり、またのろのろと暗い寝室にもどると、あらためて身の回りの品を鞄に詰めはじめた。

（深町眞理子訳）

九マイルは遠すぎる

ハリイ・ケメルマン

The Nine Mile Walk　一九四七年

ハリイ・ケメルマン Harry Kemelman（一九〇八―九六）。アメリカの作家。本編の初出は雑誌〈エラリイ・クイーンズ・ミステリ・マガジン〉*Ellery Queen's Mystery Magazine* 一九四七年四月号。第二回ＥＱＭＭコンテストに投じられ、処女作特別賞を獲得したケメルマンのデビュー作である。その後二十年にわたって発表されたニッキー・ウェルト教授の推理譚全八編は同題の短編集『九マイルは遠すぎる』（一九六七）にまとめられた。六四年にはユダヤ教のラビ（宗教指導者）、デイヴィッド・スモールを探偵役にした長編『金曜日ラビは寝坊した』を刊行、アメリカ探偵作家クラブ（ＭＷＡ）最優秀新人賞を受賞する。以降ラビのシリーズは全部で十二の長編が刊行された。

善政協会の晩餐会で行なったスピーチで、わたしは笑い者になってしまった。ニッキー・ウェルトは、たまに一緒に朝食をとる〈ブルー・ムーン〉でわたしを追い詰め、嬉しそうにそのことを蒸し返した。わたしは用意していたスピーチ原稿から離れ、わたしの前に郡検事を務めた人物が出した報道機関に対する声明を批判するというミスをしてしまったのだ。わたしは彼の声明からさまざまな推論を引き出したが、相手にすぐさま反論される羽目になり、そのため信用ならない知性の持ち主だという印象を与えてしまった。ロー・スクールの教員をやめて改革党の候補として郡検事になってから、まだ数カ月しか経っていないものだから、政治的な駆け引きには慣れていなかった。わたしは情状酌量してもらうつもりでそういったが、常に教育者らしい態度を崩さないニコラス・ウェルト（彼はスノードン基金英語・英文学名誉教授なのだ）は、期末レポートの締め切りを延ばしてほしいと訴える大学二年生をはねつけるような口調でこういった。「それはいいわけにならない」

わたしより二つか三つ年上なだけで、まだ四十代後半のはずなのに、彼はいつもわたしを、教師が出来の悪い生徒を叱りつけるように扱った。そしてわたしは、おそらく白髪でしわだらけの地の精《ノーム》のような顔をした彼が、実際よりずっと年上に見えるためだろうが、それに甘んじていた。

「あれは完全に筋の通った推論だった」わたしはそう訴えた。

「ねえきみ」彼は喉を鳴らすようにいった。「人間同士の交流は、推論なくしてはほとんど不可能だが、たいていの推論は間違っているものだ。誤る率は、法律家の場合がとりわけ高い。彼らが意図するのは、話し手が伝えたいことよりも、むしろ隠したいことを見つけることだからだ」

わたしは伝票を取り、そっと席を立った。

「きみは証人の反対尋問のことをいっているんだろう。しかし、推論が非合理的なら、必ず相手側の弁護士に反論されるはずだ」

「誰が合理性の話をしている？」彼はいい返した。「合理的だが、事実ではない推論もある」

彼はわたしのあとに続いて、通路をレジへ向かった。わたしは自分の支払いを済ませ、彼が古めかしい財布の小銭入れを探るのを、いらいらしながら待った。硬貨を一枚一枚取り出し、カウンターの伝票の横に置いていくが、結局全部出しても足りなかった。彼は硬貨を小銭入れに戻すと、小さくため息をついて別の仕切りから紙幣を取り出し、レジ係に渡した。

「十語から十二語の文章を挙げてみたまえ」彼はいった。「そうすれば、きみの頭にそれが浮かんだときには夢にも思わなかったような合理的推論を立ててやろう」

別の客が入ってきた。レジの前は狭かったので、わたしは外に出て、ニッキーがレジ係に支払いを済ませるのを待つことにした。彼はわたしがまだそばにいるものと思って話しつづけているかもしれないと、少し愉快になったのを覚えている。

歩道で一緒になったところで、わたしはいった。「九マイル歩くのはただごとじゃない、まして雨の中では」

「ああ、そうだろうね」彼はぼんやりと相槌を打った。それから足を止め、鋭くわたしを見た。「いったい何の話だ？」

「十一語の文章だよ」わたしはそういって、指折り数えながらその文章を繰り返した。

「それがどうした？」

「十語から十二語の文章を挙げてみろといったじゃないか――」

「ああ、そうか」彼は探るようにわたしを見た。「どこからそんな文章が出てきた？」

「ぱっと頭に浮かんだんだ。さあ、推論を立ててくれ」

「本気なのか？」彼は小さな青い目を、面白そうに輝かせた。「本当に、やってほしいのか？」

挑戦しておいて、こちらがそれを受けたのを面白がるとは、いかにも彼らしい。わたしはそれが気に障った。

「できないなら黙っていてくれ」わたしはいった。

「わかったよ」彼は穏やかにいった。「そうかっかするな。やってやろう。ふむ、どういう文章だったかな。〝九マイル歩くのはただごとじゃない、まして雨の中では〟か。手がかりになりそうなものはあまりないな」

「十語以上ある」わたしはいい返した。

「いいだろう」彼はきびきびした口調になった。頭の中で問題に取り組んでいるときの口調だ。「第一の推論。話し手はうんざりしている」

「賛成だ」わたしはいった。「といっても、とうてい推論とは思えないけれどね。言葉に暗に示されている」

彼は気短にうなずいた。「次の推論。雨は前もって予測されていない。予測されていたら、〝雨の中を九マイル歩くのはただごとじゃない〟というだろう。その代わりに、あとから考えて〝まして〟をつけ加えている」

「まあいいだろう」わたしはいった。「わかりきったことだけれどね」

「推論も、最初のうちはわかりきったことばかりさ」ニックはつっけんどんにいった。

わたしは聞き流した。彼は苦戦している様子だったので、わざわざそれを指摘しようとは思わなかった。

「次の推論。話し手は運動選手やアウトドア型の人物ではない」

「それは説明が必要だな」わたしはいった。

「これも〝まして〟の部分だ」彼はいった。「話し手は、雨の中を九マイル歩くのを、ただごとじゃないといっているのではない。ただ歩くことを――いいかい、距離だけを――ただごとじゃないといってるんだ。さて、九マイルというのはとんでもなく長い距離ではない。ゴルフの十八ホールを回れば、その半分以上は歩いたことになる――しかも、ゴルフは老人のスポーツだ」彼は意味ありげにつけ加えた。わたしはゴルフをやるのだ。

「まあ、普通の状況なら問題ないだろうね」わたしはいった。「だが、そうじゃない可能性もある。話し手はジャングルの中の兵士かもしれない。それなら、雨が降っていようといまいと、かなりの距離になる」

「ああ」ニッキーは皮肉っぽくいった。「あるいは、話し手は片脚しかないのかもしれない。それをいったら、ユーモアに関する博士論文を執筆中の大学院生で、その書き出しに笑いごとではない状況を列挙していたのかもしれない。さて、続ける前にふたつのことを仮定する必要がある」

「どういう意味だ？」わたしは警戒しながら訊いた。

「いいかい、ぼくはこの文章を、いわば事実とは無関係《イン・ヴァキュオ》に語っている。誰が話しているのか、どんな状況かわからない。普通、文章は状況という枠にとらわれているものだ」

「なるほど。それで、仮定というのは？」

「ひとつ目は、話し手の意図はふざけたものではないということだ。話し手は、実際に歩いた事実をいっていて、その目的は賭けに勝つとか、そういった類のものではない」

「まあ、筋は通っている」

「もうひとつ、歩いた場所はここだと仮定したい」

「ここって、フェアフィールドのことかい？」

「そうとは限らない。国内の、だいたいこのあたりだ」

「いいだろう」

「さて、そう仮定した場合、話し手が運動選手やアウトドア型の人物ではないという最後の推論は、認めるしかないだろう」

「まあ、そうだな。続けてくれ」

「では、次の推論だが、歩いたのは深夜または早朝だ――午前零時から、五時ないし六時の間といったところだな」

「どうしてそれがわかる?」わたしは訊いた。

「九マイルという距離を考えてみたまえ。ぼくたちがいるのは、人口の多い場所だ。どの道を歩いても、九マイル以内に村や町に突き当たるだろう。ハドリーは五マイル先だし、ハドリー・フォールズは七マイル半、ゴアトンまでは十一マイルあるが、イースト・ゴアトンはほんの八マイル先だから、ゴアトンへ着く前にイースト・ゴアトンに突き当たる。ゴアトン街道沿いには鉄道のローカル線が走っているし、ほかの道にはバスの便がある。ハイウェイの交通量も多い。つまり、バスも鉄道も終わっていて、わずかな車もハイウェイで見知らぬヒッチハイカーを乗せるのをためらう深夜でなければ、誰が雨の中を九マイルも歩く?」

「人目につきたくなかったのかもしれない」わたしはいってみた。

ニッキーは哀れむような笑みを浮かべた。「乗客がみんな新聞に没頭している公共交通機関を利用するよりも、ハイウェイをとぼとぼ歩くほうが目立たないと思うか?」

「まあ、無理には主張しないよ」わたしはぶっきらぼうにいった。

「では、これはどうだろう。彼は町から遠ざかったのではなく、町へ向かってきた」

わたしはうなずいた。「そのほうがありそうだ。町にいるなら、何らかの移動手段が手配できるだろうからね。それがこの推論の根拠かい？」

「その一部だ」ニッキーはいった。「距離からもその推論を導くことができる。いいかい、彼は九マイル歩いたといっているのであり、九というのは厳密な数字だ」

「どういうことかわからないな」

苛立った教師のような表情が、ニッキーの顔にまた浮かんだ。「たとえばきみが〝十マイル歩いた〟とか〝車で百マイル走った〟といったとき、実際には八から十二マイルくらいを歩き、九十から百十マイルくらいを走ったと解釈できるだろう。いい換えれば、十とか百というのはおおよその数字だ。きっちり十マイル歩いた場合もあるし、だいたい十マイル歩いた場合もある。だが、九マイル歩いたといったときには、厳密な数字を口にしていると考えていいはずだ。ところで、われわれは町からある地点までの距離よりも、ある地点から町までの距離を知っている可能性のほうがはるかに高い。つまり、町にいる人に、農家のブラウンさんはここからどれほど離れたところに住んでいるかと尋ね、その人物が彼のことを知っていたとすれば、〝三、四マイルだ〟というだろう。しかし、農家のブラウンさんに町からどれくらい離れているかを訊けば、こう答えるだろう。〝三・六マイルさ――走行距離計で何度も見ているからね〟と」

「それは弱いな、ニッキー」

「だが、町にいる人間なら移動手段を手配できたという、きみ自身の意見と組み合わせたら――」

「まあ、それならわかる」わたしはいった。「いいだろう。ほかには？」

「やっと本調子になってきたぞ」彼は得意げにいった。「次の推論、彼には明確な目的地があり、ある特定の時間にそこへ着かなくてはならなかった。車が故障したとか、奥さんが産気づいたとか、誰かが家に泥棒に入ろうとしているといった理由で、助けを呼びに行くのとは違う」

「おいおい」わたしはいった。「車の故障は、一番ありそうな状況じゃないか。町を出るときにマイル数を確認しているだろうから、正確な距離はわかるはずだ」

ニッキーは首を振った。「雨の中を九マイル歩くくらいなら、後部座席で丸くなって寝てしまうさ。少なくとも車のそばにいて、ほかのドライバーに助けを求めるだろう。いいかい、九マイルだぞ。それだけの距離を歩くには、最低でもどれだけかかる？」

「四時間だ」わたしはいった。

彼はうなずいた。「ああ、雨を考えればそれ以下ということはないだろう。それが深夜、もしくは早朝のことだったというのは、お互い意見が一致している。そこで、深夜一時に車が故障したとしよう。到着するのは朝五時だ。夜は明けている。たくさんの車が道を走り出すことだろう。もう少しすれば、バスも動きはじめる。現に、始発バスがフェアフィールドに着くのは五時半頃だ。それに、助けを求めたいなら、はるばる町まで来る必要はない——最寄りの電話まで行けば事足りる。いいや、彼にははっきりとした約束があり、その場所は町で、時刻は五時半までのいつかだ」

「だったら、それよりも早く来て、待っていてもいいんじゃないか？」わたしはいった。「最終バスで一時頃に着き、約束の時間まで待てばいい。なのに、代わりに雨の中を九マイルも歩き、しかもきみがいうには、その人物は運動選手じゃない」

そうこうするうちに、わたしのオフィスがある庁舎まで来ていた。いつもなら、〈ブルー・ムーン〉で始まった議論は庁舎の入口で終わるのだが、ニッキーの論証に興味を引かれていたので、ちょっと寄らないかと誘った。

腰を下ろしてから、わたしはいった。「どうだい、ニッキー、彼が早めに来て待つことができなかった理由は?」

「待つこともできただろう」ニックは反論した。「だが、そうしなかったということは、こう考えるしかない。彼は最終バスが出てしまうまで足止めを食ったか、何らかの合図を待たなければならなかった。おそらく、電話を」

「すると、きみの説によれば、彼は午前零時から五時半の間に約束があったというわけだね——」

「もっと細かく指定できる。いいかい、その距離を歩くには四時間かかる。最終バスがフェアフィールドを出るのは零時三十分だ。それに乗らず、同じ時刻に歩き出したとすれば、目的地に着くのは四時半以降になる。一方、始発のバスに乗れば、五時半頃に到着するだろう。つまり、約束の時間は午前四時半から五時半の間だ」

「要するに、約束の時間が四時半よりも早ければ最終バスに、五時半よりも遅ければ始発のバスに乗っただろうということだね?」

「その通り。もうひとつある。彼が合図か電話を待っていたとすれば、それは午前一時よりもあとではない」

「ああ、それはわかる」わたしはいった。「約束の時間が五時頃で、その距離を歩くのに四時間かかるとすれば、一時には出発していなければならない」

彼は無言で、考え込むようにうなずいた。わたしは、自分でもわからない何か奇妙な理由から、彼の考えを邪魔してはいけないような気がした。壁には郡の大きな地図が貼られているので、それに近づいて眺めはじめた。

「きみのいう通りだ、ニッキー」わたしは肩越しにいった。「フェアフィールドから九マイルのところで、ほかの町にぶつからずに行ける場所はない。フェアフィールドは、たくさんの小さな町の真ん中にあるんだ」

彼は地図の前へ来た。「いっておくが、フェアフィールドである必要はない」彼は静かにいった。「彼が行かなければならなかったのは、もっと郊外だったかもしれない。ハドリーはどうだろう」

「どうしてハドリーなんだ？　朝五時に、ハドリーに何の用がある？」

「〈ワシントン・フライヤー〉が、だいたいその時刻に停車して、機関車に給水する」彼は静かにいった。

「確かにそうだ」わたしはいった。「あの列車の音は、眠れない夜に何度も聞いたよ。停車して一、二分後に、メソジスト教会の鐘が五時を打つんだ」わたしはデスクに戻り、時刻表を見た。「〈フライヤー〉は午前零時四十七分にワシントンを出て、午前八時にボストンに着く」

ニッキーは地図に向かったまま、鉛筆で距離を測っていた。

「ハドリーからきっかり九マイルのところにあるのは、〈オールド・サムター・イン〉だ」彼はいった。

「〈オールド・サムター・イン〉」わたしは繰り返した。「しかし、それだとすべての説がひっくり返ってしまう」あそこなら、町にいるのと同じくらい簡単に移動手段が手に入るだろう」

彼はかぶりを振った。「車は囲いの中にあるから、門を出るときに係員に見られてしまう。係員は妙な時刻に車で出かけた人物を覚えているだろう。あそこはきわめて保守的な宿だからね。彼は部屋で、ワシントンからの電話を待っていたのだろう。〈フライヤー〉の乗客に関する情報——たぶん、車両と寝台の番号を。それから建物を抜け出し、ハドリーまで歩いた」

わたしは引き込まれたように彼を見た。

「列車が給水している間、車内に忍び込むのは難しいことじゃない。そして、車両と寝台の番号を知っていれば——」

「ニッキー」わたしはもったいぶっていった。「経費節約計画を掲げて改革党の郡検事となった者として、税金を無駄にする行為かもしれないが、ボストンへの長距離電話をかけさせてもらう。馬鹿げているし、正気の沙汰ではないが——そうするつもりだ！」

彼は小さな目を輝かせ、舌の先で唇を湿した。

「やってくれ」彼はかすれた声でいった。

わたしは受話器を置いた。

「ニッキー」わたしはいった。「これは犯罪捜査史上、最も驚くべき偶然の一致だ。零時四十七分ワシントン発の列車の寝台で、人が殺されているのが発見された！　殺されたのはボストン到着の三時間前、ちょうどハドリーに停車している頃だ」

「そんなところだろうと思った」ニッキーはいった。「だが、偶然の一致というのは間違っている。それはあり得ない。あの文章をどこで耳にした？」

「ただの文章だよ。頭にぱっと浮かんだんだ」

「そんなはずがあるものか！　あれは人の頭にぱっと浮かぶような文章じゃない。ぼくのように長年作文を教えていればわかると思うが、十語ほどの文章を作れといわれたら、〝わたしはミルクが好きだ〟というようなありふれた言葉を思いつくものだ――さらに〝健康にいいから〟という修飾をつけ加える。きみが口にした文章は、特定の状況と結びついているはずだ」

「しかし、今朝は誰とも話をしていないし、〈ブルー・ムーン〉ではずっときみとふたりきりだった」

「ぼくが支払いをしているとき、きみはそばにいなかった」彼は鋭くいった。「ぼくが〈ブルー・ムーン〉を出てくるのを待つ間、誰かに会わなかったか？」

わたしは首を横に振った。「きみが出てくるまで、外にいたのは一分ほどだった。きみが小銭を引っ張り出しているとき、男がふたり入ってきただろう。ひとりがぼくにぶつかったから、外で待とうと――」

「彼らを前に見たことは？」

「誰を？」

「入ってきたふたり連れさ」そういった彼の口調には、また苛立ちが戻ってきていた。

「いいや――知らない人たちだった」

「彼らは話をしていたか？」

「と、思う。ああ、話をしていたな。実際のところ、すっかり会話に夢中になっていた――そうでなければぼくに気づいて、ぶつからずに済んだだろう」

「〈ブルー・ムーン〉に知らない客が来ることはめったにない」彼は指摘した。

ニッキーの目が細くなった。

「彼らだというのか？」わたしは熱心にいった。「もう一度見たら、わかると思うが」

ワシントンで被害者のあとをつけ、寝台番号を突き止める。ふたりでなくてはならないんだ――ひとりは犯行に及ぶ。ワシントンの男は、あとからここへ来る可能性が高い。殺人に加えて強盗も働いていたら、奪ったものを山分けする必要がある。ただの殺人なら、共犯者に報酬を払わなければならない」

わたしは電話に手を伸ばした。

「ぼくたちが店を出てから、三十分と経っていない」ニッキーが続けた。「彼らはちょうど入ってきたところだったし、〈ブルー・ムーン〉は料理が出てくるのが遅い。ハドリーまでずっと歩いてきた男は腹が減っているだろうし、もうひとりもワシントンから夜通し車を走らせてきているはずだ」

「逮捕したら、すぐに知らせてくれ」わたしはそういって、電話を切った。

待っている間、どちらもひとこともいわなかった。部屋を歩き回り、何やら恥ずべきことをしたかのように、お互いを避けた。

ついに電話が鳴った。わたしは受話器を取り、耳を傾けた。それから「わかった」といって、ニッキーに向き直った。

「ひとりは厨房を抜けて逃走しようとしたが、ウィンが裏口を見張らせていたので、逮捕されたそうだ」

「逃げたということは、間違いなさそうだな」ニッキーが冷ややかな笑みを浮かべていった。

わたしはうなずいた。

彼は腕時計を見た。「何てことだ《グラシアス》」と叫ぶ。「今朝は早くから仕事をするつもりだったのに、きみとのおしゃべりですっかり時間を無駄にしてしまった」

わたしは彼を見送りにドアまで行った。「ねえ、ニッキー、きみが証明しようとしていたのは何だったっけ？」

「合理的だが、事実ではない推論もあるということだ」

「ああ」

「何がおかしい？」彼はぶっきらぼうにいった。それから、一緒になって笑った。

（白須清美訳）

ママは願いごとをする

ジェームズ・ヤッフェ

Mom Makes a Wish　一九五五年

ジェームズ・ヤッフェ James Yaffe（一九二七―二〇一七）。アメリカの作家。一九四三年、十五歳で雑誌〈エラリイ・クイーンズ・ミステリ・マガジン〉*Ellery Queen's Mystery Magazine* に投稿した短編「不可能犯罪課」が掲載されデビュー。五二年に〈ブロンクスのママ〉シリーズ第一作「ママは何でも知っている」を発表し、日本では本国に先んじて同題の短編集が刊行されるほどの人気を得た。八八年の『ママ、手紙を書く』を皮切りにシリーズ長編も四作ある。本編の初出はＥＱＭＭ一九五五年六月号。

通常、妻のシャーリイとわたしは、金曜日の晩にはブロンクスのママのところで食事することにしている。翌日がわたしの所属する殺人課の非番の日なので、それがいちばん都合がいいのだ。だが年に一度だけ、金曜でなくても出かけていく日がある——十二月八日、すなわちママの誕生日だ。

この日には、万古《ばんこ》不易《ふえき》のしきたりがもうひとつ破られる。ママはいっさい台所に立たないのだ。シャーリイが料理をこしらえ、わたしが皿洗いをする。そうすれば、ママは安楽椅子に深深と腰かけて、のんびりテレビを見たり、電話で友達と噂話に花を咲かせたりすることができる。むろんママにとって、そんなふうにくつろいでいるのは本意ではない。シャーリイの料理の腕をとんと信用していないのである。「あんた、どこで料理を習ったの？　近ごろの若い娘ときたら、たかが卵のゆで方を知ってるぐらいで〈ウォルグリーンのオスカー〉（本来〈ウォルドーフのオスカー〉とすべきところ。名コックの意）気取りなんだからね」そして、シャーリイがウェルズリー（マサチューセッツ州にある名門女子大学）で家政学を学んだと説明すると、ママは例によって盛大に鼻を鳴らすのだ。

「なんとまあ、ウェルズリーかい。だったらうかがいたいもんだけど、ウェルズリー流のゲフィルテ・フィッシュ（ユダヤの伝統的な魚料理）はさぞおいしいんだろうねえ」

わたしの皿洗いについても、ママのつける点数はこれ以下はありえないほど低い。ただ両手をふりあげて嘆くのだ。「ぶきっちょ《シュリマッツェル》は、いつまでたってもぶきっちょだよ！」

だが、シャーリイとわたしも頑固なことでは引けをとらないので、ママの抵抗も長くは続かない。かくして、結局はなごやかな誕生パーティとなるのが常だった。

このあいだのお祝いには、特別なおまけがついた。わたしがミルナー警部を招待したのだ。ミルナー警部はわたしの上司で、殺人課内では結婚相手とするにもっともふさわしい男性だ。五十代で、背は高く、ほっそりしている。白髪交じりの髪に、角張ったたくましいあご。それでいて優美な、憂いをこめたまなざしは、同年配の母性的な女性にはたまらない魅力となる。そのしばらく前から、シャーリイとわたしはミルナー警部とママの仲をそれとなくとりもとうとしていた。

ママは彼を大歓迎した。背中をたたき、警察官に関する心のこもったジョークをあらんかぎり持ちだした。警部はとまどいつつも、照れたように微笑していた。やがて食事もなかばにさしかかったころ、ママの警部を見る目つきが、唐突に、抜けめのない鋭いものに変わった。「どうしてチキンレッグを残していらっしゃるの？」ママは言った。「おいしくできてますよ——料理したんじゃなくて、家政学とやらで処理したにしては。何か気にかかっていることでもおありなの？」

ミルナー警部は笑みを返そうとした。「あいかわらず何もかもお見通しのようですね」彼は言った。「いいでしょう、認めます。デイヴィッドに訊いてください」

「いま捜査中の新しい事件なんだ。ひどく気の滅入る話でね」

「謎があるの?」ママは身を乗りだした。ママはわたしの担当している事件に強い関心を示す。そればかりか摩訶不思議な才能があって、いつもわたしより先に謎を解いてしまう。

「いや、謎はない」わたしは言った。「殺人事件で、犯人はわかってるし、たぶん今週中には逮捕に持っていけると思う」

ミルナー警部が悲しげに長々とため息をついた。

「ほらほら」ママはことさら陽気に言った。「すっかり話してちょうだい、遠慮しないで」

わたしはひと呼吸置いて、おもむろに切りだした。

「まず、知っといてもらいたいのは、その大学教授のことだ。正確には、元だけどね。パトナム教授。もう五十を超えていて、ワシントン・スクエア近くにあるエレベーターのないアパートメントの、三間の狭い一室に娘のジョーンと住んでいる。十年前まではダウンタウンの大学で英文学を教えていた。人並み優れた学者と見なされていたんだ。ところが、奥さんが亡くなって、すっかり気力をなくしてしまったらしい。ずっと研究室に閉じこもって、天井を見上げているばかりになる。講義に遅れ——しまいには、まったく顔を出さなくなった。学生のレポートはほったらかしで、院生とのゼミもすっぽかすようになった。学部長から何度か注意されたが、それまでの輝かしい業績や家庭の事情が勘案されて、厳しい処分は受けなかった。だが、その状態が二年も続くに及んで、大学側も考えを改めた。そして、学部長が彼に解雇を告げた」

「それで、あんたの言ってた娘さんだけど」ママが口をはさんだ。「そのときいくつだったの?」

「十七歳」わたしは答えた。「大学に進んだばかりだった。でも、父親が失業したので、中退するしかなかった。父親がいっこうに働こうとしないので、自分が代わりに生計を支えなきゃいけないと思ったんだね。タイプと速記を習って法律事務所の秘書の仕事につき、以来、立派にやっている。まあ、ぜいたくはできないにしても」

「それでお父さんのほうは、その後も立ち直らなかったの?」

ミルナー警部がふたたび長々とため息をついて、話を引きとった。「それが、いよいよ悪い方向へ進みましてね。職を失ってまもなく酒に手を出すようになったんです。週に二回――月曜と木曜です――夕食後にアパートメントを出て、深夜零時過ぎまで帰ってこない。帰ってきたときにはへべれけで、ウィスキーのにおいをぷんぷんさせ、足元もおぼつかない。ジョーン・パトナムは起きて待っていて、父親を寝かしつけるのが習慣になりました。この十年間、彼女は何度か父親に生活を改めさせようとしたんですが、うまくいきませんでした。週に二度の気なぐさみに加えて、家のあちこちにウィスキーの瓶を隠すんです。大瓶の安酒で、大半が残っており、彼女は見つけるたびに捨てていました。しかし、父親はいつもなんだかんだで新しい隠し場所を見つけましてね」

「それだけじゃないんだよ」わたしは話に割りこんだ。「パトナム教授は職を失ったとき、学部長を責めた。ダックワース学部長はほぼ同年配だ――大学には若いころいっしょに専任講師として勤めはじめ、長年の友人でもあった。ダックワース学部長から解雇を告げられたとき、パトナム教授はひと騒動を演じた――学内ではいまも語り草になっている。学部長を非難したんだ――自分をクビにするのは嫉妬のせいだ、自分のキャリアを台なしにしてくれた、妻が死んだのはおまえのせいだ、とかなんとか、あることないこと言いたてて。いつか仕返ししてやると脅しもした。以来、ダックワース学部長に対するパトナム教授の気持ちに変化はない、十年前に大声であからさまに憎悪を口にしたときとね。ところがここへ来て、確執は頂点に達し――」

「その原因はわかる気がする」ママは言った。「ダ、ダ、ダ、ダックスープ学部長には若い独身の息子がいるんでしょ、違う?」

「驚いたな」ミルナー警部が小声でつぶやいた。「殺人課にもこんな頭脳がほしいもんだ」

「実際のところ、すでにご利用ですよ」ママは言った。

「とにかく話を進めるよ」わたしはあわてて言った。というのも、わたしが自分の抱える難事件を解決するのにどの程度までママの助力を仰いでいるのか、ミルナー警部ですら、正確なところは知らないからだ。「ご名答だよ、ママ。ダックワース学部長の息子のテッドは大学で専任講師をしている。三十代初めで、まだ独身だ。数か月前、ジョーン・パトナムと婚約した。

ダックワース学部長は全面的に賛成している。いっぽう、パトナムは猛反対でね。自分の人生を狂わせた男の息子との結婚など断じて許さんと言うんだ。息子が近づきになろうと自宅を訪ねてきたときにも、一歩もなかに入れようとしなかった。そしてある晩――一週間前だけど――ダックワース学部長の家にどなりこんだ。学部長の家はワシントン・スクエアのはずれの二階屋なんだけど、部屋いっぱいの客の前で、ひと悶着起こしたんだ。ダックワース学部長は自分から職を奪い、妻を奪い、自尊心を奪い、今度はこの世で自分に唯一残されたもの、つまり娘を奪おうとしているとわめき散らしてね。殺意すら口にした。『そうしても殺人には当たらない。これは死刑の執行だ』と。かくして娘のジョーンは、テッド・ダックワース青年にいますぐにはとても結婚できないと告げた——延期して、父親が理性を取りもどすのを待とうと」

「いくら待っても無駄でしょうね」シャーリイが話に割りこんだ。「これはきわめてありふれた事例だわ。父親は娘に対する神経症的依存を正当化しようとして、自分の罪悪感を第三者に転嫁し——」

「きわめてありふれてるって？」ママがとげをふくんだ声でさえぎった。シャーリイがウェルズリーで学んだ心理学の知識をひけらかすと、ママはきまってこういう口調になる。「事件に巻きこまれてる人たちにそう教えてやったら、みなさん、さぞ大助かりだろうよ」

「とにかく、事情は想像がつくだろ、ママ」わたしは続けた。「この月曜、夕食のあと、パトナム教授は例によって飲みに出かけた。ジョーンもいつものように起きて待っていた。だが、その晩は深夜零時を過ぎても帰ってこなかった。ようやく帰宅したのは午前一時半。千鳥足で、ウィスキーのにおいをぷんぷんさせていたのは言うまでもない。そして、ちょうど同じころ、ワシントン・スクエアをパトロール中の警官がダックワース学部長の遺体を発見した。自宅から一ブロックほど離れた場所で歩道に倒れていたんだ。激しく殴られていて、凶器は遺体のすぐわきに転がっていた——砕けたウィスキーの瓶だ。

で、ぼくたちは暗いうちから捜査に全力を注いだ。奥さんと息子さんから話を聞いて、被害者が午前零時三十分ごろ、地下鉄駅へ遅版の新聞を買いに出かけたことをつかんだ。だが、彼の所持品のなかに新聞はなかったし、売店の売り子も買いにきた覚えはないと言っているから、凶行にあったのは駅へ向かう途中だったにちがいない。奥さんと息子さんはその晩、たまたまずっといっしょにいて、彼の帰りを待っていたから、たがいのアリバイは成立する。同時に、被害者とパトナム教授の確執やその背景もたちまち明らかになった。朝の六時にはパトナム教授の家を訪ね、前夜の行動について質問していた」

「気の毒な人ですよ」ミルナー警部が首を横にふりながら言った。「ぼうっとして、目にも生気がなくて。娘さんがやっとのことで起こしたんです。ダックワース学部長の不幸を伝えると、しょぼついた目でこちらを見たまま、言われたことが理解できないかのようでした。やがて、声をあげて泣きだしました。そして、昔話を始めるんです。ダックワースと彼が理想に燃える若者だったころの話、いっしょに教職についたころの話を。そのあいだ娘さんは、かわいそうに、われわれと父親を交互に見やっていました、目に懸念の色を浮かべて。なりゆきの見当がついたんでしょう」

「つらかったよ」わたしはそのときのことを思いだして、ちょっと身震いした。「しまいには話をさえぎって、前の晩の行動について単刀直入に訊かなきゃならなかった。ところが、彼は話そうとしないんだ」

ママはそのひと言に目を細めた。「話そうとしない？　飲みすぎて憶えてないってこと？」

「単に話そうとしない。憶えてないっていうんじゃない。証言を拒否したんだ。それでは罪を認めたも同然だと警告したし、娘さんもこう懇願した——どこかでお酒を飲んでいたんだとしても、恥ずかしがることはない。お父さんの習慣はみんなよく知っているんだからと。だが、それでも態度を変えない。こうなってはもうお手上げだ。正式に逮捕したわけじゃないけど、事情聴取のために警察本部まで同行を求めた」

ママはわけ知り顔にうなずいた。「拷問にかけるためね」

「まさか、拷問なんかしないよ」わたしは少々むっとして答えた。ママは実情をちゃんと承知しているくせに、わざと警察署ではいまなお百年前と同じ手法が用いられていると信じているふりをする。そうやってわたしをからかうのだ。「彼には誰ひとり、指一本触れちゃいない。でも、徹底的に尋問した。途中で休み休み、半日以上かけて」

「しかたがないんですよ」ミルナー警部が弁解するように言った。「殺人者は通常、犯行直後は神経過敏になっているものでしてね。連行して取り調べにはいるのが早ければ早いほど、自白を引きだせる可能性も高まるんです。平気でやっていると思われては困ります」彼は急いでつけ加えた。「あんな気の毒な年寄りを——すっかり老けこんでいるんですよ、実年齢はわたしとおっつかっつなのに——とうていいい気持ちはしませんでした」

ママの声色と顔つきがたちまち優しくなった。ミルナー警部に語りかける。「それはそうでしょう。いくらあたしがぼんくらでも、あなたが平気でいらしたとは夢にも思いませんよ」

「とにかく」わたしは言った。「パトナム教授は口を割ろうとしなかった。殺していないと言い張り、そのくせ、事件当時どこにいたのか明かそうとしないんだ。それで、彼を勾留するに足る証拠も見つかっていなかったので、自宅へ、娘さんのところへ帰らせた」

ミルナー警部がかすかに赤面した。「娘さんからかなりきついことを言われましたよ」ため息をつく。「まあ、毎度のことで慣れてはいますが――」

「パトナム教授が本ボシなのはほぼ確実なんだ」わたしは言った。「で、次に、彼が事件当時、現場付近にいたことを証明できる目撃者を探すことにした。当然だけど、これは難しくない。人が飲みに出れば――パトナム教授みたいにひとりで飲むのが好きで、飲み仲間はいなかったとしても――必ず誰かが目に留めてるはずだ。ぼくらは被害者宅の近所の酒場を全部まわって、パトナム教授の写真を見せた。そしてついに、ダックワース邸から三ブロックしか離れていない一軒の店で収穫を得た。ハリー・スローンという、その店の店主兼バーテンダーがパトナム教授を憶えていたんだ。パトナムは過去数年間、たびたび彼の店に来た。しかも、事件の晩にも来たという。零時四十五分ごろだった。ハリーと妻は店を閉めたあとだった――店の得意客はおおかた学生で、いまは大学が休暇中だから、零時過ぎには店を閉めて早寝することにしていたんだ。そこへパトナムがやってきてドアをたたき、大騒ぎを始めた。店主夫妻はドアを開けて、もう閉店ですと言ったが、パトナムは一杯飲ませろと言い張り、飲み代ならあると金まで見せた。ハリーは、ここは相手の言うとおりにして、さっさと追っ払ったほうが賢明だと判断した。そして、パトナムを店に招じ入れたが、夫妻が言うには、彼はバーボンの瓶を半分近く空け、ようやく厄介払いできたときには一時十五分になっていたそうだ。楽しんで飲んでいるふうではなかったという。何か思い詰めているようだった。怖いみたいだった、とミセス・スローンは言っている」

「だからって、彼が人殺しだという証明にはならないでしょ」

「まあね。でも、ほかのことと考えあわせると、かなり強力な証拠になる。第一に、彼には動機がある。第二に、機会もあった。時間的にぴったり一致するんだ。ダックワースが新聞を買いに家を出たのは零時三十分。途中で――偶然か、約束していたのかはわからないけど――彼はパトナムと会った。パトナムは手に持っていた酒瓶でダックワースを殴った。それが零時四十五分ごろ。パトナムは自分のしでかしたことに動転して怖くなり、酒に救いを求めようとして最寄りの酒場へ向かった。店を出たのが一時十五分、帰宅したのは、娘さんの証言によると、一時三十分だ。第三に、彼の態度はいま話したシナリオとなんら矛盾しない――スローンの店で酒をうるさくせがんだし、ひと晩じゅう何をしていたのかについて打ち明けるのを拒んでいる。こいつは単純明快な事件だよ、ママ」

ミルナー警部が悲しげに会話に加わった。「単純明快です。証拠はほかには解釈のしようがありません」

長い沈黙が落ち、やがて、ママが鼻を鳴らした。「もうひとつあるじゃないの。正しい解釈のしかたが」

わたしたちはそろって顔をあげ、ママを見つめた。ママがこういうことを言いだすのは毎度のことだ――だが、毎回、不意を突かれてしまう。

「まさか、お義母《かあ》さん」シャーリイが最初に反応した。「ほかの答えがあるとおっしゃるんじゃ――」

「冗談だろう、ママ」わたしは言った。

「無理です、ありえません」ミルナー警部が首を横にふった。「そう願いたいところですが――同情に値しますから。しかし、無理です」

「どうして無理なのか検討してみましょうよ」ママは言った。「その前に、三つばかり簡単な質問をさせてちょうだい」

わたしはちょっと身構えた。ママの〝簡単な質問〟はかえって事態をめちゃくちゃに混乱させてしまうからだ――あとから本人の説明を聞いて、ようやくその質問がいかに簡単で、当を得たものであったかを悟らされるわけだが。「いいよ、言ってみて」わたしはおそるおそる応じた。

「質問その一、そのダックポンド学部長さんについてちょっと教えてちょうだい。パトナム教授がそんな大酒飲みになってしまったことを彼はどう思ってたの？　酔っ払いには寛容だった、それとも、厳しかった？」

こんな質問には意味がないように思われたが、わたしはそれでも辛抱強く答えた。「とうてい寛容とは言いがたかった。絶対禁酒主義者で――学生に向けた禁酒運動を指揮して、規則やらなんやらを作ろうとしていた。奥さんや息子さんにはよくこう話していたらしい。パトナムが酒に溺れたのは、彼の道徳心が薄弱だったからだ。十年前にクビにしておいてほんとうによかったって」

ママは満足そうににっこりした。「思ったとおり」ママは言った。「質問その二、パトナム教授は警察本部で拷問にかけられたあと、娘さんの待ってる自宅にもどったのよね。帰ってからは何をしてた？」

「何をしてたかって？」

「それを訊いてるの」

またしても意味をなさない質問に思えたが、わたしはふたたび辛抱強く答えた。「たしかに彼が何をしてたかはわかってる。逃亡のおそれがあるので、アパートメントにひとり、見張りの者を置いたんだ。彼は娘さんとうちの署員の見ている前で、ソファに横になって眠りこんだ。翌朝、目を覚ますと、朝食をとった。オレンジジュースにトースト、コーヒーだ。角砂糖はふたつ。こんなのが重要な手がかりになるの？」

ママはわたしの皮肉にはとりあわず、あいかわらず笑みを浮かべている。「見る目があれば手がかりになるわよ。じゃあ、最後の質問。事件の晩、現場近くの映画館で〈風と共に去りぬ〉が上映されてたってことはない？」

これにはさすがのわたしもかちんときた。「いいかげんにしてよ、ママ。これは殺人事件の捜査で、遊びじゃないんだよ！」シャーリイとミルナー警部も当惑の声をあげた。

「遊んでなんかいるもんですか」ママは平然としている。「答えは聞かせてもらえるの？」

返事をしたのはミルナー警部だった。敬意をこめて言う。「どうつながるのか、わたしにはさっぱりわかりませんが、おっしゃるとおり、近くの〈ロウズ館〉で〈風と共に去りぬ〉を上映していました。パトナム教授の家へ最初に事情聴取に行ったとき、前を通ったので憶えています」

「やっぱりねえ」ママは勝ち誇ったようにうなずいた。「これで落着はついた」

「それはとても興味深いですわね、お義母さん」シャーリイが思いっきり優しい声を出した。「でもほら、事件はデイヴィッドとミルナー警部がとうの昔に落着——いえ、決着をつけていますわ。犯人は突き止めて、逮捕は時間の問題なんですもの」

「気に入るの、気に入らないのは言っていられませんからね」ミルナー警部がつぶやいた。だが、ママの勝ち誇った表情にはなんの変化も現われない。ミルナー警部のほうを向いたときだけ、ほんの少し、いたわりの色が加味された。「たぶん気に入らないことにはならないと思いますよ。パトナム教授は犯人じゃありませんから」

わたしたちは全員、ふたたびママの顔を見つめた。

ミルナー警部がおぼつかなげに目をしばたたいた——なかば安堵し、なかば安堵したことを認めたくない心境で。「証拠は——証拠はあるんですか?」

「簡単なことですよ」ママは両手を広げた。「いとこのミリー、あのこぼし屋とおんなじ」

「いとこのミリーさん——?」ミルナー警部の安堵感は揺らぎはじめた。

「こぼし屋でねえ」ママはうなずいて言った。「あの人、いつもこぼしてたのよ、体調についてね。心臓が悪いの、脚が痛いの、腰が痛いの、胃がもたれるの、頭痛がするのって。もう体じゅうぼろぼろ——毎年、違うところがおかしくなるんだけど。結婚もしてなくて、気の毒なモリス、つまり弟が同居して、面倒を見ていた。彼も独り身のままだった。彼がちょっとでも娘っ子に目を留めようもんなら、たちまちミリーの体のあっちこっちが痛みだして、具合はどんどん悪くなるんだもの。最期はあっけなかった。台所で戸棚からチーズケーキを出そうとして椅子に上がり、足を踏みはずして床に頭をぶつけたの。打ちどころが悪かったんでしょうね。検死した医者は弟のモリスに、頭のこぶをのぞけば、これほど健康な遺体を診るのは初めてだと言ったとか。モリスはそのときすでに五十七歳になっていた。はげ頭で太鼓腹ときては、ふり向く女なんかひとりもいやしなかった」

ママは言葉を切り、わたしたちはみな真剣に考えこんだ。

しまいにシャーリイが口を開いた。「お義母さん、つながりがわからないんですけど」

「わからない？　いたって単純な話なんだけどねえ。最初に首をひねったのは習慣だった」

「習慣ってなんのこと、ママ？」

「パトナム教授の習慣。彼は酒飲みだと言ってたでしょ。毎週月曜と木曜の晩、いつも同じ時間に、いつも夕食後に出かけて、いつも同じ時間、午前零時ごろに、千鳥足で、ウィスキーのにおいをぷんぷんさせて帰ってくるって。これがあたしには妙に思えたの。そんなに規則正しい、時間割どおりに動く、勤め人みたいな酒飲みがいるわけないじゃないの。人は酔っ払うと——とりわけその教授みたいに泥酔してしまうと——時計に注意を向けなくなる。第一、見たってわかりゃしないでしょう。それに、彼の習慣——月曜と木曜の夕食後から深夜までってのを聞いて、べつのことを思いだしたのよ。ほら、映画館の上映スケジュール。映画館では月曜と木曜に出しものが変わる、それに、二本立てだと、ちょうど夕食後に始まって深夜零時に終わるの」

「ママ」わたしは話に割りこんだ。「ってことはつまり――」

「お黙り。あんたは見抜けずじまいだったんだから、最後まであたしに説明させてくれたっていいじゃないの。その習慣に納得がいかなかったから、訊いたのよ――警察署を出たあと、十二時間にわたって尋問されたあと、パトナム教授は何をしたかって。彼は帰宅すると、そのまま寝《やす》んだ。朝、起きると、朝食をとった。お酒は一滴も口にしていない。所望すらしない。常習的な酒飲みだとされている人が、十二時間にわたって警察の拷問を受けていた人が――そのあと、まるっきりお酒に興味を示さなかったって？　言いたかないけど、そんなばかな話あるわけないでしょうが。だから、あたしの当初の見立てに狂いは――」

「彼は大酒飲みではないとおっしゃるんですね」ミルナー警部が感服したように言った。

「そうですとも」ママは言った。「だいたいお酒なんか好きじゃなかったんじゃないかしらね。ただ大酒飲みのふりをしていただけ。この十年間、毎週月曜と木曜の晩、彼は近所の映画館へ新しくかかった映画を見にいっていた。上映中はそこにいた。映画が終わると、ウィスキーを瓶で買って、襟元と両手をお酒で濡らすかどうかして、帰宅したときには娘さんの前で千鳥足になってみせた。さらに――家のあちこちにウィスキーの瓶を隠した――中身はいつもほとんど残っていた。半分まで減ってるのだって、娘さんは一本も見つけてないんでしょ。もうひとつつけ加えると、彼はごていねいにも、自分は孤独な酒飲みで、飲み友達はひとりもいないと言っていた」

「でもなぜ？」わたしは言った。「なぜ彼はこれほど長いあいだ、娘さんをだましてきたんだ？」

「こぼし屋のミリーのときとおんなじ」ママはにっこりした。「その教授は仕事を失い、男らしさを失い、生きる力を失った。娘さんが面倒を見てくれるようになってうれしかった。でも、いつかは結婚して家を出てしまうと気が気でなかったんでしょう。娘を手元に引き留めておくには、気弱さ以上の何かが必要だと考えた。そこで、大酒飲みに化けることにしたのよ。気立てのいい優しい娘さんが、哀れな飲んだくれの父親をほったらかしにして、よそへ行けると思う？　かくして作戦は成功した。気の毒なジョーンにも、いとこのモリスのときと同じように効いたわけ。ただ今回は、手遅れにはならないかもしれないわね」

わたしたちはみなしばらく黙りこんでいた。それぞれの脳裏に、打ちひしがれながらも、なお狡猾さを失わず、策を練って自分の娘を手放すまいとした男の姿が浮かびあがった。「しかし、彼はそんな自分を恥じていた」ミルナー警部が言った。「だから、月曜の晩、酒場にいなかったことを認めるくらいなら、殺人の罪をかぶったほうがましだと考えたんですね」

「ちょっと待って」シャーリイが鋭い声をあげた。「お義母さんは、教授が毎週月曜の晩、映画を見にいっていたとおっしゃいましたよね。だから、帰宅はいつも午前零時ごろだった――二本立てだからと。でも、事件の晩、帰宅したときには午前一時半をまわっていました。こうなると、結局は彼が犯人だったという証拠になるんじゃありませんか?」

ママは笑い声をあげた。「あんた、あたしの最後の質問を憶えてないんだね。あれこそが確証になったんじゃないの——近所の映画館で〈風と共に去りぬ〉が上映されていたことが。あの映画は、普通のより、たっぷり一時間は長いのよ」

シャーリイは参ったというふうに引き下がった。

「さてと」ママが言った。「みなさん、メインディッシュはお済みのようね。そろそろデザートにしましょう。きょう、あたしは何もしなくていいらしいけど」

「ぼくが持ってくる」わたしは立ちあがって、台所のドアのほうへ行きかけた。しかし、シャーリイの声に引き留められた。

「待った!」シャーリイが満足そうな顔をしてママを見た。「まだ事件は解決していませんわ。たしかにパトナム教授は大酒飲みではなかったかもしれません。でも、誰が犯人なのかはわからないままじゃありませんか」

「そう?」ママは何食わぬ顔で微笑した。「明々白々なんだけどねえ。パトナム教授は酒飲みではなかった。これは事実だと証明された。だったら、どうして彼はハリー・スローンの店へ閉店後に押しかけていって、バーボンの瓶を半分空《から》にすることができたの? それに、どうしてハリー・スローンとおかみさんは、この数年間、自分たちの店でときどき彼を見かけることがあったの?」

ミルナー警部とわたしははっとして顔をあげた。警部の顔に決然とした、厳しい表情が浮かんだ。「スローンと妻の証言は嘘なんですか?」

「ほかに考えようがあります? そのスローンって人がダッ、ク、リ、ン、グ学部長殺しの真犯人ですよ。動機も教えてもらってるわね。学部長は禁酒運動を指揮していた。学生に飲酒を禁じる規則まで作ろうとしていた。そんなことをすれば、学生たちは学部長の目の届かない、キャンパスから遠く離れた店へ足を運ぶようになるでしょう。さっきの話じゃ、そのスローンって人の店の得意客はほとんどが学生だった。学部長のせいで商売あがったりになりかねない――きょうび、人を殺す動機としては充分じゃないの。でも、あたしの見たところ、計画的な犯行じゃないわね。月曜の晩、たまたま外出して、新聞を買いに出た学部長と行きあった。スローンはたぶん少し酔っていて、酒瓶を持っていたんでしょう。本部長を呼び止めて、禁酒運動を思いとどまらせようとした。ところが、売り言葉に買い言葉で、とうとう相手を殺してしまった。そして、家にもどると、おかみさんに事情を話して――」

「そして、次の晩」わたしはうなるように言った。「こともあろうに、ぼくたちは彼に絶好の機会を与えてしまった。パトナムの写真を見せて、犯行時刻にパトナムにはアリバイがないと教えたんだ――そこで、スローンと妻は彼に不利な証言をすれば、自分たちの身は安泰だと考えた」

「そして、ふたりは罪を逃れるところでした」ミルナー警部が厳《おごそ》かに言った。「かりにあなたの――」彼は決まりの悪さと賞賛の念にとまどい、言葉に詰まった。シャーリイとわたしは例によって意味ありげに視線を交わした。

そのあとすぐ、ミルナー警部は席を立って本部に電話し、スローンと妻を連行するよう命じた。わたしは台所へ行って、シャーリイの焼いたケーキにろうそくをともした。ろうそくは三本——ひとつはママの実年齢のため、もうひとつはママの自称年齢のため、三本めは幸運のため。そして、わたしはケーキを捧げて食堂にもどり、みなで〈ハッピー・バースデー〉の歌を歌い、ママはかわいらしく赤面した。

そしてケーキをテーブルのママの正面に置くと、シャーリイとわたしはママに「願いごとをして、ろうそくを吹き消して」と大声で言った。

だが、ママはためらい、ミルナー警部のほうを見た。「まだ何か心にかかっていることがありのようね」

「申しわけありません」警部は顔をあげて苦笑いした。「あの気の毒なお年寄りのことが頭から離れないんです。真実が判明した以上、娘さんは結婚して親元を離れるでしょう。ひとりぼっちになってしまったら、彼はどうなるのでしょうか?」

ミルナー警部の声にはさし迫った響きがあった。だが、ママの返事は不可解だった。質問を完全に無視して、きっぱりとした口調でこう言ったのだ。「年寄り? 誰が年寄りだって?」

そして、少々言いすぎたとでもいうように、あわててケーキのほうに注意を向けた。「まずお願いをして、それから吹き消すのよね」ママは目をしっかりと閉じて、しばらく声を出さずにくちびるを動かした。やがて目を開けると、ケーキの上にかがみこんで、ろうそくを吹き消した。

何を願ったにせよ、内容は話してもらえなかった——とにかく、その晩には。

（藤村裕美訳）

ここ掘れドーヴァー

ジョイス・ポーター

Dover Does Some Spadework　一九七六年

ジョイス・ポーター Joyce Porter（一九二四―九〇）。イギリスの作家。キングス・カレッジ卒業後、秘書職を経て一九四九年からイギリス空軍の女性部隊である王立婦人空軍に勤務する。退役後の六四年、「史上最低の探偵」とも称されるウィルフレッド・ドーヴァー主任警部が主役を張る長編『ドーヴァー1』で作家デビュー。ドーヴァー主任警部もののほか、〈ホン・コンおばさん〉シリーズでも知られる。本編の初出は〈エラリイ・クイーンズ・ミステリ・マガジン〉*Ellery Queen's Mystery Magazine* 一九七六年十月号。

「あなたは刑事じゃありませんか！」

いまだ夢のなかといった態のドーヴァー主任警部は顔も洗わず、ひげも剃らずのガウン姿。キッチンテーブルから顔を上げて、向かいに立っている妻をじろりと睨んだ。偉大な主任警部は虫のいどころがあまりよくなかった。「休暇中だ」喧嘩腰で言い、砂糖を半ポンドほども紅茶にすくい入れる。「ゆっくり休まなくちゃいかんのさ」

「まあ、うらやましい」ドーヴァー夫人はふくれっ面で、ベーコン、卵、トマト、マッシュルーム、ソーセージ、揚げパン（ラードやベーコンの脂で炒め焼きした食パン）を盛った皿を主任警部の前にどすんと置いた。

ナイフとフォークを手にして待ち構えていた主任警部は口を尖らせて、皿の上のものをつつきまわした。「腎臓《キドニー》はないのか？」

「ジャムをのっけたのが欲しいのよね、ふんっ！」

がっかりしたドーヴァーは、返事の代わりにうなった。「そもそも」数分後、顎についた卵の黄身を手の甲で拭って言う。「おれは殺人課だぞ。庭仕事の道具が盗まれた程度の事件なんか、バカバカしくてやってられるか。なにか盗られたんなら、地元の警察に通報しろ」

「あたしが笑いものになってもいいんですか？」ドーヴァー夫人は腰を下ろして、自分のカップに砂糖を入れた。「夫はスコットランドヤードの主任警部なのに、地元の警察に助けを求めるなんて、みっともなくてできませんよ！　それに、さっきも言ったでしょう、ウィルフ。なにも盗まれていないのよ。だけど、誰かが忍び込んだに違いないわ」

心優しい主任警部は妻の度重なる小言を思い出し、ナイフについたマーマレードをきれいに舐めてからバターに突き立てた。あまり怒らせると、ろくなことにならない。「いいか、それって裏の寝室の模様替えをピカソに頼むのと同じだぞ、わかっているのか」パンくずをまき散らしながら、説明する。「だいいち、なにもなくなっていないなら……」

「だったら、あたしにも考えがあります」ドーヴァー夫人は、勝利を確信した思わせぶりな口調で宣言した。

ドーヴァー主任警部は突如不安に駆られて眉をひそめ、恐る恐る尋ねた。「どういう意味だ？」

ドーヴァー夫人は、夫の問いを右から左に聞き流した。「トーストをもう一枚いかが？」陰険なユーモアを漂わせて、勧める。「好きなだけ、どうぞ。朝食をせいぜい楽しみなさい。作ってもらえるうちに！」

「ちぇっ、くそっ！」これからどうなるかを重々承知しているドーヴァーは、うめいた。

ドーヴァー夫人は髪のそちこちを軽く押さえて形を整えながら「あたしのささやかな頼みを聞いてくれないっていうなら、ねえ、ウィルフ」と、もっともらしく理屈をつける。「せっかくのお休みなのに、なにもしてもらえなかったってことになるかもしれないわよ。あたしが一日じゅうせっせとお料理するのをやめたら、どうする?」

「だけど、それはおまえの仕事だろ?」ドーヴァーは反論した。「女房は亭主の世話を焼くものだ。そう決まっている!」

夫人は夫の抗議を歯牙にもかけなかった。「両親はあたしをあなたのコック兼子守にするために育てたんじゃありませんからね」夢見るような口調になった。「あなたの無給の召使なんかじゃなく、もっと素敵な将来を考えてくれていたわ。そうねえ――」空想に浸って、うっとりと遠くを見つめた。「コンサートピアニストか判事、もしかしたらテレビの司会者になっていたかもしれない……あなたに会っていなければ」

「万に一つもあるものか」ドーヴァーは妻に聞こえないようにこっそりつぶやき、鼻を鳴らした。「だったら」いささかおざなりに約束する。「物置を見てきてやる。あとでな。もうちょっと日が当たって、あったかくなったら」

長年の結婚生活で鍛えられた百戦錬磨のドーヴァー夫人は、その手には乗らなかった。「ええ、いつでもけっこうよ、ウィルフ」夫人はおだやかに答えた。「お昼を用意しておくわ……解決したあと、すぐ食べられるように」汚れた食器を片づけながら、念を押す。「あとですよ、前じゃありませんからね」

「だから」ドーヴァーはがみがみ怒鳴った。「ここでこうしているんだよ! つまらんことを訊くな!」

マクレガー部長刑事は目を丸くして突っ立っているほかなかった。なにを言っても曲解されそうだ。しかし、そつのない沈黙も憤懣《ふんまん》やるかたないドーヴァーにかかっては功を奏さなかった。「おい、なんとか言ったらどうだ、小僧」

マクレガーはため息を押し殺した。勤務中にさんざん手を焼かされているので、ふだんは休暇中の主任警部を訪問したりしない。だが経費報告書には上司の連署が必要で、経費の大部分は主任警部のために使ったのであるから、ミミズののたくったようなサインをもらわないわけにいかなかったのだ。

そこで午前十一時にドーヴァーの住む郊外の棟割り住宅を訪れたのだが、十二月の霧深く寒い朝とあって御大はまだ寝ているとばかり思っていた。ところが予想に反して、主任警部は庭のはずれの物置小屋にいると、夫人は言葉少なに告げた。マクレガーは半信半疑だったが、ほんとうだった証拠にこうして主任警部が目の前にいる。

ドーヴァーは葬式に出るかのように、みすぼらしい黒のオーバーとそれよりもっとみすぼらしい山高帽をまとってデッキチェアの上で肩を落としていた。じろりと部長刑事を見上げる。

「おまえはブラックプール・ロック(長い棒状のキャンディ)か? しゃっちょこばって突っ立っていないで、さっさと入ってドアを閉めろ!」

ドアを閉めてもさっぱり暖かくならず、居心地の悪いことはなはだしい。マクレガーは、寒さで紫色になった主任警部の鼻を眺めて、ちょっぴり溜飲を下げた。「あの——具体的にどんなかったので――」

な問題があるんですか、警部。実際のところ、警部がここにいる理由を奥さんは説明してくれ

ドーヴァーはにべもなくマクレガーの質問をさえぎった。「あのバカタレは、何者かが先週ここに忍び込んで鋤《すき》を借用したって言ってきかないんだよ。クソババア！」

「なるほど」マクレガーは丁重に答えた。

「なにが、なるほどだ」ドーヴァーは洟《はな》をすすった。「結婚していないやつにわかるもんか」

「鋤が……盗まれたということですか、警部？」そこで初めてマクレガーは周囲に注意を払って、仰天した。彼が立っているのは、清潔さと整理整頓という点では病院の手術室にも引けを取らない、おびただしい数の園芸用品のど真ん中だった。ぎっしり並んだ真新しい品々を眺めているうちに、疑問が生じた。なにに使うのだろう？　物置と母屋のあいだの、猫の糞尿で汚れた殺風景な粘土質の地面用でないことはたしかだ。それにしてもこの量は、卸し業者からまとめ買いしたのだろうか。

鍬《くわ》、熊手、鋤、シャベルにスコップ、移植ごてなどが専用のかけ釘やラックに吊るされて、三方の壁を埋めている。大小、形のさまざまな剪定用の鋏、シードトレイ、きれいに積み重ねた植木鉢などの載った二段の棚は、あまりの重量に耐えかねてたわんでいた。床は手押し車、ジョウロ、きちんと油を差したシリンダー式芝刈り機で埋めつくされている。いくつもの泥炭《ピート》や肥料の袋をあっけにとられて見つめていたマクレガーは、主任警部に話しかけられていることに気づいて我に返った。「は？　なんでしょうか、警部？」

「だから、盗まれていないんだよ!」ドーヴァーはわめいた。「誰かが無断で借用しただけだ」マクレガーのきょとんとした顔を見て、主任警部は怒り狂った。「そっちだ! ボケ!」

主任警部の親指は、壁に吊るされているステンレス製の鋤二本のうち大きいほうを指していた。マクレガーは顔を寄せて、鏡のような刃を子細に観察した。「ええと――奥さんはなんでこれが――あの――借用されたとわかるんです?」

うんざり顔のドーヴァーは、鼻から息を吹き出した。「目ん玉はどこへやった、トンマ! よく見ろ!」寒さでかじかんだ手を振りまわして、壁の道具類を示す。「どれも専用のかけ釘に吊るしてあるだろ。いいな? さて、カミさんは毎週火曜日の午前中、雨が降っても槍が降ってもここにお出ましになって、全部の道具の裏表を反対にする。くそいまいましい時計みたいに、規則正しく。つまり、鋤だとか移植ごてだとかが裏を壁に向けて吊るしてあったら、今度は次の火曜まで裏を小屋の中心に向けて吊るしておく。おまえ、理解できるか?」

「おかげさまで完璧に、警部」マクレガーはむっとして答えた。

「ドーヴァーは顔をしかめた。「ふん、たいしたもんだ」ぶつくさ言う。「だったら、おれよりましだ。こうすれば裏も表も同じように古びるんだとさ。くだらない。それでだ!」主任警部はデッキチェアの上で背筋を伸ばし、親指をぐいと反らして鋤を示した。「あれの向きが違っているんだと。だから誰かが動かした、この物置は英国銀行よりしっかり戸締まりしてある、したがって誰かが押し入ったに違いない。というわけだ」

ドーヴァーがデッキチェアに深々と座り直すと無理もない、椅子はきしみ、うめいて抗議した。「カミさんは最近、細かいことにうるさくてな。昔はあんなじゃなかったが」

マクレガーの鋭い頭脳は、とうに問題を解決していた。「でも、口はばったいことを言うようですが、鋤の向きは間違っていませんよ」

飲み込みの悪いドーヴァーを慮《おもんぱか》って、マクレガーは壁の前に立って説明した。「ここにある道具類は全部、裏を壁に向けている。そうですよね？　フォーク状の先端部分や――ええと、刃先など、どれもこっちを向いています。さて、問題の鋤ですが、これもほかの道具とまったく同じ向きですよ。したがって、吊るしかたは間違っていない。もちろん――」――大胆にも小馬鹿にしたようにクスリと笑い――「奥さんがこの鋤だけ、特別扱いをしているならべつですが」

ドーヴァーの閉じたまぶたは、ぴくりとも動かなかった。よほど不運な日でない限り、マクレガーのごとき青二才をぎゃふんと言わせるのは朝飯前なのだ。「カミさんは先週、そいつで蜘蛛を殺した」ドーヴァーはあくびまじりに説明した。「後生大事な物置を見まわったときだ。餓死するのが関の山のこんなところになんでいたのか知らないが、とにかく蜘蛛が床の上にいた。カミさんは蜘蛛が大の苦手だから、とっさに鋤をつかんで叩き潰した」

「なるほど」ドーヴァー夫人を乱暴者とは夢にも思ったことのないマクレガーだが、無難にあいづちを打った。

「そこで」ドーヴァーはオーバーの襟を立てて、耳を覆った。「鋤を洗わないわけにいかなかった。だろ？　それに消毒も。うん、カミさんは絶対に消毒したな」かじかんだ指をこすり合わせて、温める。「洗ったばかりの鋤を、裏を壁に向けて吊るすバカはいない。錆びるからな。そこでカミさんは風がよく通るように、長年の習慣を破って、本来の向きとは逆に吊るした」

「なるほど」マクレガーは二分前と同じ言葉を繰り返した。「その無断借用者は返す際に当然ほかの道具と同じ向き、つまり裏を壁側に向けたんですね。ええ」大きくうなずいた。「そりゃあ、間違えますよね」

「ああ、もうっ。黙れ！」

「は？」

苛立ったドーヴァーは、デッキチェアの上で身体を左右に揺さぶった。「そいつが実在しているみたいに話すな。侵入したやつなんか、いやしない！」

「では、どうして鋤の向きが逆になっているんですか？」

「うるさい、クソガキ！」ドーヴァーがわめく。「それがわかれば、こんなところで凍えているもんか、間抜け！」

怒声がやんで、一瞬静まり返った。マクレガーが蜘蛛を殺したドーヴァー夫人に倣い、手近な重たい道具で主任警部の頭を叩き割ったとしてもおかしくなかったが、ロンドン警視庁の新人教育は天下一品だった。マクレガーは怒りも衝動もぐっとこらえて、刑事の職務に専念した。

「侵入した形跡はあるんですか、警部？」

デッキチェアからぶっきらぼうなひと言。「知るか！」

マクレガーは戸口へ行ってドアを開け、掛金から無造作にぶらさがっている大きな錠前を調べた。つい最近、鋭い歯を持った肉食動物にかじられたような痕がある。

身体をほぐしたくなったドーヴァーが立ち上がり、そばに来て覗き込む。「こん畜生は固くてさ。開けるのにてこずった」

ドーヴァーの不注意が原因で重要な手がかりが台無しになったのは、これが初めてではないし、最後でもないだろう。マクレガーはあまり期待をしないで尋ねた。「鍵を開けるとき、異常な点はありましたか、警部？　たとえば――」

ドーヴァーは一縷《いちる》の望みに時間を浪費する性質ではない。「なかった」

マクレガーはドアを閉めた。「では、侵入者は鍵をこじ開ける方法を知っていたんですね。手がかりになるな」

「ふんっ」ドーヴァーは鼻で笑った。「きょうびは、そんなことは誰でもガキのうちからお手のものだ」ドタドタ歩いてデッキチェアに戻る。「おい、煙草を持っているか？　吸わなくちゃ、やってられん」

ドーヴァーに巻き上げられた煙草を経費として計上できないのを常々こぼしているマクレガーだが、いつものようにおとなしく箱ごと差し出した。主任警部がもたもたと一本抜き出すのをじっと待ち、火をつけてやる。

「あそこの植木鉢を持ってこい」ドーヴァーは命じた。「小さいやつだ」

マクレガーはぎょっとした。植木鉢？　よもや主任警部はそこに――

「灰皿代わりだよ、このあほう！」ドーヴァーが怒鳴りつける。「床を灰だらけにしようものなら、カミさんが怒り狂うだろ」

安堵したマクレガーは、思わずよろけそうになった。「さっきから考えているんですが、警部」

「ふん、奇跡の時代いまだ過ぎやらず」主任警部はせせら笑った。

嘲笑や罵倒には慣れっこのマクレガーは、めげずに続けた。「無断借用者について、いくつか推測を立てられますよ」

「たとえば？　言ってみろ」ドーヴァーは、部長刑事を横目でじろりと見上げた。

マクレガーは爪をきれいに整えた指を一本ずつ立てて指摘していった。「鋤はなんらかの違法行為のために使われた」ドーヴァーのきょとんとした顔を見て、わかりやすく言い換えた。

「たとえばジャガイモなんかを掘り出したいなら、貸してくださいと頼めばすむ。そうでしょう？　無断で鋤を持ち出しただけではなく、そのために鍵をこじ開けまでしたのだから犯罪絡みに違いありません。どうです、警部？」

まだ言質を取られたくないドーヴァーは、のろのろとうなずいた。「じゃあ、なにかを掘り出すために持っていったのか？」欲深な主任警部は目をらんらんとさせた。「財宝でも埋めてあったんだろうか」

「いえ、実際のところ、なにかを埋めて隠したかったのではないでしょうか。その男は鋤をここに戻した。埋めてあった財宝を掘り出しただけなら、元の場所に戻す手間などかけませんよ」

「じゃあ、埋めてあった財宝をまた埋めた？」ドーヴァーはオーバーに灰をまき散らしながら、言ってみた。

「あるいは、死体を埋めた」マクレガーは言った。「こっちの線が濃厚だと思いますが」

ドーヴァーは渋い顔をして、だぶついた顎を本来ならシャツ襟のあるべき場所に埋めた。スコットランドヤード殺人課の一員（歓迎されてはいなくても）である限り、死体は仕事と切っても切れない縁があり、ドーヴァーは仕事と聞くと反吐が出そうになる。そこでもっと好ましい仕事、あら探しに乗り出した。「なんで、男と決めつける？」主任警部は食ってかかった。

「女かもしれないだろ」

優れた論理力と思考能力を披露したくてたまらないマクレガーは、愚鈍な上司の意見にはろくすっぽ敬意を払わなかった。「いや、違いますよ、警部！　お気づきかどうかわかりませんが、壁には鋤が二本吊るされている。一本は無断借用されたもの、もう一本はたしか溝掘り用と呼ばれる小ぶりのものです。侵入犯が女なら、軽くて扱いやすい溝掘り用を持っていく」

ドーヴァーの憤怒の形相は、思考回路にスイッチが入ると同時に眉間の縦皺が深くなり、便秘に苦しんでいるような表情に取って代わられた。

マクレガーは不安げな面持ちで待った。

「若い男だ！」ようやくドーヴァーが口を開く。

「は？」

「庭の柵を乗り越えて物置の鍵をこじ開け、死体を埋める大きな穴を掘らなきゃならないんだぞ。そんな芸当ができる老いぼれが、そうそういるもんか。おまえはまったく世間知らずの坊やだな。そもそも、ここらは何週間も前からずっと霜が降りている。地面は鉄みたいにカチンカチンなんだよ！」

想定外のまともな推論を聞いたマクレガーは露骨に驚いた顔をしたが、自説に熱くなって暴走しだした主任警部は、気分を害するどころか気づきもしなかった。

「もうひとつ教えてやろう。いいか、小僧」主任警部は続けた。「死体を埋めるためにうちのカミさんの鋤を無断借用したんなら、一ポンド対一ペニーで賭けてもいい、死体はそいつの女房だ」

マクレガーは、きれいかどうかたしかめてから手押し車の端におずおず腰を下ろした。ドーヴァー夫人は、物置を隅から隅まで徹底的に管理していて、埃一つなかった。片隅にもう一脚デッキチェアがあったが、ビニール包装をまだ剝がしていないので、恐れ多くて使う気になれない。

なるたけ座り心地をよくしたところで、マクレガーは主任警部の頭を冷やしにかかった。

「あの、警部、先走りしないほうが……」

「先走り？　なにを抜かす」自説を信じて疑わないドーヴァーは、部長刑事の気弱な進言をはねつけた。妻殺しの犯人は夫。これがドーヴァーの信条だ。おおざっぱな経験則だが大いに手間を省いてくれる。たまに迷惑をこうむる無実の夫もいるが、どんな方法にも欠陥の一つや二つはあるものだ。「死体を始末する必要に迫られて近所の人の鋤を無断借用した若い男――だったら、その死体は自分の女房に決まっている。文句があるか、小僧?」

マクレガーは上司を見習って、細部のあら探しをしてしっぺ返しをした。「近所と決めつけるのは、いかがなものかと――」

反論は蒸気ローラーに轢かれたシュークリームのごとく、ひとたまりもなくつぶされた。

「はるばるバラムから地下鉄で来るわけないだろ、うすらバカ! しかも、二度だぞ。最初は鋤を手に入れるため、次は元の場所に戻すため。近所のやつに決まっている。そうでなきゃ、うちの物置のことを知っている道理がない」

マクレガーはなかば無意識のうちに手帳を取り出していた。しばらく白紙のページを見つめていたが、目を上げて主任警部に言った。「実際のところ、なぜこの物置を選んで忍び込んだのか、その点がそもそも不可解です」

ドーヴァーは即答した。「いやがらせだ、くそっ!」

「こうした物置小屋は近辺に十以上あります。なぜ、ここだったんでしょう?」

ドーヴァーは遠慮会釈なくげっぷを漏らした。物置への流刑が内臓に悪影響を及ぼしている。

「偶然だろ。頭に来る」

「頑丈な南京錠をこじ開けなければならなかったんですよ、警部。鍵のかかっていない物置はいくらでもあるでしょうに」

ドーヴァーはどんよりした目を部長刑事に据えた。「わかったよ、お利口さん。じゃあ、答えはなんだ」

「奥さんの道具類がどれもこれも清潔で、きちんと整理してあるからです。この不届き者は、鋤を使って戻しても絶対に気づかれない、触ったことさえ疑われない、そう考えたんです。いいですか、たとえば汚くて埃だらけで散らかっていて——蜘蛛の巣が張っているような物置では、元の状態を変えることなくなにかを持ち出して返すのは、まず不可能です。ここまではいいですか、警部？　要するに、必ず痕跡が残る。でもここなら——」マクレガーはうやうやしく腕を左右に振って、周囲を示した。「鋤をきれいに洗って、ほかのものと同じようにきちんと吊るしておけば絶対に疑われない」

「うちのカミさんを勘定に入れなかったんだな。あいつは猟犬並み、いや、それ以上だからな」憂鬱そうな口ぶりだが、まんざらでもないようだった。はたと我に返って言う。「とにかく、おまえの意見もそいつが近所の人間だと示しているだろうが。だからこそ、ここがイギリス一清潔な物置と知っていた」

主任警部は言葉を切って、周囲を憎々しげに見まわした。「カミさんはこれを全部、トレーディングスタンプを集めて手に入れた。何年もかけてな。断っとくが、おれの欲しいものを訊いたためしがない」恨めしそうに考え込む。「あったかそうなズボン下があるのにさ。カタログで見たから間違いない」

「ええ、侵入犯が近所の人間であることは認めます、警部」マクレガーの頭には、職務を果たすことしかなかった。「でなければ、どうやってこの物置や園芸道具について知ったのか、説明がつきません。ただし、この地に来てまだ日が浅いのではないでしょうか」

ドーヴァーは太い指をパチンと鳴らして煙草を要求し、ことさらゆっくり一本抜き出して口にくわえて時間稼ぎをした。マクレガーの意図するところを読み取ろうとしたのだが、結局、負けを認めざるを得なかった。「シャーロック・ホームズ気取りかよ」せせら笑って減らず口を叩いた。

ホームズより優秀だと自負しているマクレガーだが、それを上司の前で口に出すほど愚かではない。「無断借用したやつは、物置の持ち主が警官と知っていれば、忍び込まなかったはずです。それも、スコットランドヤードの主任警部ときては」

もうもうと立ち上る煙草の煙になかば埋もれて、ドーヴァーは思案にふけった。裏社会の連中に恐れられているというのは、大いに気に入った。「気の毒に。頭が弱かったんだろうよ」と、寛大なところを見せた。「さもなきゃ、おれみたいに経験豊富で優秀な警官の目をごまかせるとは考えないいさ」

そのときはたとひらめいて、ドーヴァーは衝撃のあまりデッキチェアの上でのけぞった。「なんてこった!」と、息を呑む。「この事件を初めて知ったのは、ほんの二時間前だ。なのに、どうだ! もはや解決は目前だ! あとは、最近越してきた、新婚ほやほやの若い性悪な男を見つけるだけだ。それに、賭けてもいいが、そいつはこの先にできた公営アパートに住んでいる。あそこは社会のクズの吹き溜まりだ。よし、地元の警察に連絡して警官隊を聞き込みにいかせよう。条件と一致する男を探し出し、女房に会わせろと要求する。そいつが女房を連れてくることができなかったら——もう、こっちのもんだ。だろ?」口を挟みたくてじりじりしているマクレガーをさえぎって、付け加える。「鋤を無断借用した理由は、それだ！　アパートには庭がない。庭がなければ、園芸用品を持っていない！」

マクレガーは手帳をしまって立ち上がった。「いや、アパート住まいではありません」

ドーヴァーの眼《まなこ》は、猜疑心と憤《いきどお》り、それに慢性の消化不良が合わさってたちまち曇った。

「どうしてだ？」

「アパート住まいでは、死体を埋める場所がありません」

ドーヴァーの眉間の皺はますます深くなっていった。「よその家の庭に埋めればいい」至極もっともなことを言う。

マクレガーは首を横に振った。「危険が大きすぎますよ、警部。死体を埋めるのに十分な大きさの穴を掘るには、一時間かそれ以上かかります。自分の庭でも目立つのに、ましてや他人の庭では――」唇をすぼめて口笛を吹く真似をし、再度首を横に振った。「やっぱり違いますよ、警部。現実的な仮説として――」

「空き家の庭なら大丈夫だ」ドーヴァーは自説を譲らず、腹立ちまぎれに空のジョウロに吸い殻を投げ捨てた。

「うーん、できなくはないでしょうね」マクレガーはため息をついた。「ま、心に留めておく必要は認めます。でも、ここは片田舎ではありません。つまり――このあたりはどこも丸見えというか、あまりプライバシーがない」

こうした資産価値を損ねる評を聞いたら、プチブル根性の銀行家だの金貸しだのの抵当権所有者はたいてい憤慨するだろうが、ドーヴァーはこの手の厄介なプライドとは無縁だ。きっぱりうなずいた。「うん、そうだ」割れ鐘のような声を轟かせる。

「不可解な点はまだあります、警部」マクレガーは言った。「なぜ、手間をかけて鋤を借用したのか。忍び込んだ手口はプロを指していますが、それにしてもリスクはあった。誰かに見られて通報されたかもしれないんですよ」

「闇にまぎれてやったのさ」ドーヴァーは言った。「だいいち、ある程度の危険を覚悟しなくちゃ、人殺しなんかできやしない。ほかにどんな手があった？　目の前に死体が転がっているのに、鋤がないんだぞ。ナイフとフォークで穴を掘れってのか？」

「だったら、鋤を買えばいい」

「なんだと？」

「だったら、鋤を買えばいい」マクレガーが繰り返すと、予想に違わずドーヴァーは怖気をふるって生白い顔をこわばらせた。主任警部にとって、金を出して買うという行為は、ねだる、借りる、盗むなどありとあらゆる方法を試したあげくの、最後の手段なのだ。「値の張るものではないのだし、危険を冒さずにすみます」

ドーヴァーは鼻に皺を寄せた。「店が閉まっていたんじゃないのか？」なおも言い募る。「あるいは金がなかったとか」

「プロの犯罪者が？　それはちょっと考えられませんね。それに、どうせ盗むなら現金を盗めばよかった。まずい事態になっても、奥さんのステンレスの鋤より現金のほうが嵩張らないし、ごまかしやすい」

ドーヴァーは身震いをして両手をオーバーのポケットに突っ込んだ。物置は長居するようにできていないうえに、ドアの下から寒風が勢いよく吹き込んでくる。一刻も早くここを出て、暖かくて居心地のよい家に戻りたかった。「わかった！　なんで鋤を買わなかったのか、わかったぞ」

「と言いますと？」

「殺人犯の身になってみろ、小僧。おまえは女房を殺し、穴を掘って死体を隠さなくちゃならない。遅かれ早かれ、警察があれこれ訊きにくるだろうが、鋤が身辺にあったら怪しまれる。絶対、そばに置いておきたくない。だろ？　鋤を借用して戻しておいたということは、先のことに考えが及ぶ、けっこうまともな男だったんだ。敵ながら」にやりとして付け加えた。「あっぱれだ。さて」部長刑事に向かって、もじゃもじゃの眉を吊り上げた。「なにをぼけっと待っている？　クリスマスか？」

「は？」

ドーヴァーは大げさに深いため息をついて、嘲笑した。「そんなじゃ、警部補になれなくて当然だ。いやはや、鈍いやつだな。小僧、みんなに気に入られる刑事になるには、どうすればいい。言ってみろ」

マクレガーは話の筋がまったく読めなかった。「あの――その――」しどろもどろに答える。

「ええと、事件をいくつも解決する？」

「バカもん！」ドーヴァーは怒声を上げ、珍しく勢い込んでまくしたてた。「あのな、おまえだって警視総監だとか警視監だののお偉方がどんなふうだか、知ってるだろ。自分から進んで事件を見つけてくるのが優秀な刑事だって、いつも延々と説教を垂れるじゃないか。違うか？」

「ああ、なるほど」

「よし。では、おれはどうだ？」

「え？」

「おれは休暇中だ。だよな？」目をぎらつかせて念を押し、自画自賛に取りかかった。「しかし、家でのんびりくつろぐものか！　余人なら見向きもしないほんのわずかなヒントから、誰も気づいていない凶悪至極な殺人事件を嗅ぎつけたのだ！」

マクレガーが危険を察知したときは、手遅れだった。「でも警部――」

「つべこべ言うな！」ドーヴァーは怒鳴りつけた。「地元の警察に情報を与えてやろう。そうすれば、あっという間に犯人を逮捕する」

「地元の警察に行くわけにはいきませんよ、警部」マクレガーは慌てふためいた。「まだ推測なんですから」

ドーヴァーは底意地悪くにやりと笑い、「もちろん、行かない」と気安く請け合った。「おまえひとりが行け！」それから腹を抱えて、しばらく笑い転げた。「アンディ・アンドリュース警視に面会を求めて、おれの名前を告げるんだ――はっきりと。そして、これまでに判明したことを伝えろ。容疑者は若くて元気な、新婚ほやほやの男。最近この地域に越してきた模様。錠前破りのプロと思われる」

「そんなあ、警部」マクレガーは情けない声を出した。

「これに合致する男は、それほど多くないだろう」ドーヴァーは続けた。「たとえ大勢いても、庭に最近掘り返した跡があって女房の姿が見当たらないやつとなれば、簡単に絞り込める。女房ではなくガールフレンドってこともある。そのへんのところは、最近はわからないからな」

これはただの悪夢だ、すぐに覚める。マクレガーはそう信じようと努めた。「本気ではありませんよね、警部」

「本気だとも。これほど本気になったのは、生まれて初めてだ」主任警部は取りつく島もなかった。「そうそう、いま思いついた。越してきたばかりの新婚夫婦だから、女房が失踪したという通報がなかったんだ。彼女には毎日の習慣や仲のいい友達が、まだできていなかった。亭主は、女房がいない理由をいくらでもでっちあげることができる」マクレガーがまだその場にいることに気づいた。「なんでぼんやり突っ立っている、小僧？　おまえは仕事熱心なところを見せる機会を、いつも窺っているだろうが！」

「まだ証拠が不十分では――」

だが問答無用と決め込んだドーヴァーは、部下の気弱な抵抗を無慈悲にさえぎった。「アンドリュースに、ヒルみたいにへばりついていろ。いっときもそばを離れずにいて、おまえが犯人に手錠をかけろ。アンドリュースに手柄を横取りされてはかなわん。栄誉は事件を解決したおれのものだ。おい」――がっくりと肩を落としているマクレガーを睨みつけ――「なにをしている？　九番のバスでも待っているのか？」

マクレガーはからからに干上がった喉から声を絞り出した。「いいえ、警部」

「煙草は置いていけ」優先順位をしっかり心得ているドーヴァーは、命じた。「どのみち、煙草を吸う暇はないぞ」

マクレガーは悔しさを呑み込んで煙草を渡し、予備のマッチも見つけてやった。しかし、ドアノブに手をかけたところで、立ち止まった。「あのう――警部はまだここにいるんですか？」

さんざん興奮しても、自分の苦境を忘れるドーヴァーではない。「うちに寄って、くそいまいましい鋤の謎は解けた、おれに殺人犯の逮捕を命じられたのでこれから向かうところだ。カミさんにそう伝えろ。カミさんがいい知らせをじっくり味わえるように、おれは五分待ってからここを出て、家に戻る。なあ小僧、正直なところ」面白くもなさそうに周囲を見まわす。「暖炉の脇の肘掛椅子に早く座りたくてたまらんよ」とぼやき、当惑して頭を振った。「これまでは何度頼んでも、ここにひとりで来させてもらえなかったのにな。おかしなもんだ」

予定の五分が経たないうちに、マクレガー部長刑事が庭の小道を駆け足で戻ってきた。その足音を聞きつけたドーヴァーは激怒してデッキチェアから尻を引き抜き、ドアを開けてわめき散らした。「こん畜生！　カミさんは、まだなにか文句があるのか？」

マクレガーは、物陰で見物している無言の隣人たちの気配を察して、そわそわと周囲に視線を走らせた。べつに自分の隣人ではないし、ドーヴァー夫妻がどう思われようと知ったことではないのだが。「実際のところ、そうではないんです、警部」

「だったら、実際のところ何なんだ?」主任警部は二流パブリックスクール出身のマクレガーの口癖を真似て嚙みついた。

「奥さんから伝言です」

悪い知らせの前に懐柔しようって腹だな、ドーヴァーはピンと来た。「さっさと言えよ、小僧」げんなりした声で言った。

マクレガーはきまりが悪そうに、にやにやした。「奥さんは、鋤の向きを変えたことをたったいま思い出したそうです。奥さん自身が、という意味です。ころっと忘れていたけれど、日曜の朝、ひも付きラベルの枚数を確認したくて教会へ行く前に物置に寄ったら、鋤の向きが逆になっているのが気になったんですって。それで、たぶんもう乾いているだろうと――」

「詳細はいらん」かくして、ドーヴァーの名声と栄誉の夢は雲散霧消した。

「葉蘭《ハラン》の水洗いが終わったらここに来て自分で説明する、とのことでしたよ」

ドーヴァーは、妻の心遣いには興味を示さなかった。「アンドリュース警視にはまだ連絡してないよな?」

マクレガーは首を横に振った。「連絡してもしょうがないですからね。鋤の向きを直したのは、奥さんですし――」肩をすくめる。「その点は間違いないようですから。つまり、物置に侵入して鋤を借用した人物はいなかった。鋤を借用した人物がいないなら、地中に死体は埋められていない。埋められた死体がないなら、妻を殺した夫はいない。したがって――」

ドーヴァーは聞いていなかった。欠点だらけの男だが、過ぎ去ったことはいつまでもくよくよしない。物置を出てドタドタと家に向かって歩くその頭のなかは、未来のことでいっぱいだった。マクレガーを振り返って、最後の質問を放った。

「昼飯になにを作ったか、カミさんは言っていたか?」


（直良和美訳）

青い死体

ランドル・ギャレット

The Muddle of the Woad　一九六五年

ランドル・ギャレット Randall Garrett（一九二七―八七）。アメリカの作家。一九五〇年代よりSFを中心に作品を発表。ミステリ界では、六四年に第一作を発表した〈ダーシー卿〉シリーズの著者として知られる。長編『魔術師が多すぎる』と九つの中短編からなる、魔法が存在するパラレルワールドの現代ヨーロッパを舞台にした謎解きものは日本でも評判となり、オリジナル短編集『魔術師を探せ！』が刊行された。そのほかの作品に『銀河の間隙より』などがある。本編の初出は雑誌〈アナログ〉*Analog* 一九六五年六月号。〈ダーシー卿〉シリーズ第三作である。

仕事場のドアを開けたとき、ケント公爵の家具職人頭ウォルター・ゴトベッドの神経系を、痛みと誇りの拮抗《きっこう》するエネルギーが走った。誇りと同様、痛みもまた精神に発するものだった。九十歳を超える年齢にもかかわらず、マスター・ウォルターは針金のように細く強靭な体と、慎重で確実な手さばきに恵まれていた。大きくて骨ばった細い鼻に眼鏡をきちんと載せ、今でも衣装戸棚から葉巻入れに至るまで、正確な図面を引くことができた。次の三位一体の主日、すなわち一九六四年五月二十四日が来れば、マスター・ウォルターは公爵の家具職人頭となって五十年目を迎えることになる。仕える公爵は当代がふたり目だ。先代は一九二七年に死去し、まもなく三人目に仕えることになるだろう。ケント公はいずれも長生きだったが、上質な木材を扱い、その素となる巨木の力と不老性を吸収している男は、さらに長寿なのである。

仕事場は木のにおいで満ちていた——ぴりっとするスギのにおい、深みのあるオークのにおい、マツの強いにおい、リンゴの甘いにおい——早朝の光が窓から射し込み、仕事場を埋めつくすさまざまな製造段階の戸棚や机、椅子、テーブルなどを照らしている。ここはマスター・ウォルターの世界であり、彼はこの空気の中で働き、生きていた。

マスター・ウォルターの後ろには、さらに三人の男がいた。熟練工《ジャーニーマン》のヘンリー・ラヴェンダー、そして見習い工のトム・ウィルダースピンとハリー・ヴェナブルだ。彼らはマスターのあとについて仕事場に入り、四人揃ってまっすぐに、隅の台に鎮座している磨き上げられたクルミ材の巨大な作品に近づいた。二歩離れたところで、マスター・ウォルターが足を止めた。

「どう思う、ヘンリー？」マスター・ウォルターは、振り返らずにいった。

熟練工のヘンリーはまだ四十前だったが、すでに木工師の風格を漂わせていた。彼は満足げにうなずいていった。「とても美しいです、マスター・ウォルター。とても美しい」それはお世辞ではなく、心からの称賛だった。

「公爵夫人はお喜びになるのではないかな？」老人はいった。

「お喜びになるどころではありませんよ、マスター。う一む。ゆうべ見たときから、ほんのわずかなほこりが積もっていますね。おい、トム！　きれいな布にレモン油を少し垂らして、もう一度磨いておけ」見習い工のトムが急いでそれに従う間、ヘンリー・ラヴェンダーは続けた。

「公爵夫人はマスターのお仕事に感心なさるでしょう。これまで手がけられたどの作品よりも見事です」

「ああ。覚えておくといい、ヘンリー——それに、おまえたちふたりも頭に入れておけ。木の美しさというのは華美な彫刻ではない。木そのものなのだ。いっておくが、しかるべき場所に彫刻をほどこすのは構わない。適切な彫刻に異を唱えているのではない。だが、美しさは木の中にあるのだ。このように、意匠も装飾もなく、木を木としてありのままに見せる作品というのは神の創造物であり、それ以上優れたものにはできない。できるのは、神自身が与えた美しさを引き出すことだけだ。さあ、布を貸しなさい、トム。わしが最後のひと磨きをしよう」油が染み込んだ、かすかにレモンの香りのする布を、広く平らな表面に滑らせながら、マスター・ウォルターは続けた。「慎重な技巧こそがそれを実現するのだ。慎重な技巧がな。部品同士がしっかりと組み合わさり、ぴったりと接着され、ねじできちんと留められ、溝や隙間がない——それが作品をよいものにする。木目を合わせ、慎重に木材を選び、かんなや紙やすりで表面を完璧にし、仕上げにワックスやニス、シェラック（ラックカイガラムシの分泌物から得られる天然樹脂で、ワニスの原料となる）を塗って滑らかにする——それが作品を申し分のないものにする。そしてデザイン——ああ、デザイン——それこそが作品を芸術にするのだ！

いいだろう。さて、トム、前の端を持ってくれ。ハリー、おまえは後ろの端だ。階段を上らねばならないが、おまえたちはふたりとも体力があるし、これはそれほど重くない。それに、指物師や家具職人には力強い筋肉が必要だから、いい運動になるだろう」

見習い工は素直に指示された端をつかみ、作品を持ち上げようとした。以前も運んだことがあったので、どれほどの重さかはよくわかっていた。上へ引き上げる。

ところが、美しく磨き上げられたクルミ材は、ほんの少ししか動かなかった。

「おい！　どうした？」マスター・ウォルターがいった。「落とすところだったぞ！」

「重いんです、マスター」トムがいった。「中に何か入っています」

「何か入っている？　そんなはずがあるか？」マスター・ウォルターは手を伸ばし、蓋を開けた。そして、取り落としそうになった。「何てことだ！」

茫然自失の沈黙の中、四人の男性は中にあったものを見た。

「死体だ」しばらくして、熟練工のヘンリーがいった。

それは明らかだった。死体に間違いない。まぶたは落ちくぼみ、肌は蠟のようだった。男は完全に死んでいた。

さらに恐ろしいのは、その裸体が――頭のてっぺんから爪先まで――ほとんど藍色といっていいほど濃い青に染まっていたことである。

マスター・ウォルターは、ふたたび息ができるようになった。怒りの波が、驚きと恐怖をのみ込んでいた。「だが、ここにいるのはおかしい！　ここにいる権利はないはずだ！　断じて！」

「おそらく、この男のせいではないでしょう、マスター・ウォルター」熟練工のヘンリーが口を出した。「自分でここに入ることはできなかったでしょうから」

「ああ」マスター・ウォルターは落ち着きを取り戻していった。「その通りだ。だが、こんなところから死体が見つかるなんて、あまりにも奇妙じゃないか！」

見習い工のトムは、思わず笑いそうになったのをこらえるので精一杯だった。

棺の中以上に、死体を見つけるのにふさわしい場所があるだろうか？

どれほど仕事熱心な人間でも、ときには休日を楽しむものだ。ノルマンディー公爵リチャード閣下の主任犯罪調査官であるダーシー卿も例外ではない。彼は仕事を楽しんでいるだけでなく、仕事が何よりも好きだった。彼の鋭い頭脳は、仕事柄、絶えず持ち込まれる問題を解くことで満足した。しかし、ひとつのことばかり考えていれば、すぐに頭が鈍ってしまうこともわかっていた――それに、しばらく心を解き放つのもいいものだ。

さらにまた、イングランドに帰省する喜びもあった。フランスはいいところだ。帝国の要所であり、公爵の下で働くのは楽しいことだった。だが、イングランドは彼の故郷であり、年に一度そこへ帰るのは……そう、ほっとすることだった。イングランドとフランスがひとつの国になって八百年が経っていたが、その違いには今も、イングランド人にフランスをどこか外国のように感じさせるものがあった。おそらく、その逆もあるのだろう。

ダーシー卿は舞踏室の片隅に立ち、群衆を眺めていた。オーケストラは曲と曲の合間で、フロアいっぱいの人々は、おしゃべりしながら次のダンスを待っていた。彼はさっきからちびちび飲んでいたウィスキーの水割りに口をつけた。こうした物事には、と、彼は満ち足りた気持ちで考えた。二週間で飽きがくるが、本業に嫌気がさすには五十週かかる。とはいえ、どちらも同じように気晴らしになった。

ダートムア男爵は礼儀正しい人物で、チェスの腕は素晴らしく、ときに話し上手なところも見せる。ダートムア男爵夫人は、ディナーや舞踏会にふさわしい人物を選ぶコツを心得ていた。だが、ダートムア邸にいつまでも滞在しているわけにはいかないし、ロンドンの社交界は、そこに住んでいない者にとっては人生のすべてではなかった。

気がつくと、ダーシー卿は、五月二十二日にはルーアンへ戻るのがよさそうだと考えていた。

「ダーシー卿、失礼ですが、お話があります」

女性の声にダーシーは振り返り、ほほえんだ。「はい？」

「一緒に来てくださいますか？」

「もちろんですとも、マイ・レディ」

彼は夫人のあとをついて行ったが、彼女の神経質な様子やぎこちない態度に、ただならぬことがあったのだろうと思った。

図書室のドアの前で、夫人は足を止めた。「卿、中に……あなたとお話ししたいという紳士がいらっしゃいます。図書室の中に」

「紳士？　どなたです、マイ・レディ？」

「それが――」ダートムア男爵夫人は背筋を伸ばし、深呼吸した。「お教えすることはできないのです。ご本人の口から聞けるでしょう」

「わかりました」ダーシー卿はさりげなく両手を後ろに回し、右手で緑色の燕尾服の裾に隠れたホルスターから小型のピストルを抜いた。罠の気配はしなかったが、油断してよい理由はない。

ダートムア男爵夫人はドアを開けた。「ダーシー卿がお見えです……サー」

「お通ししてくれ」中から声がした。

ダーシー卿はピストルを上着の裾に隠したまま、中へ入った。後ろでドアが閉まる音がした。

男性はドアに背を向けて立ち、窓から明かりに照らされたロンドンの通りを見ていた。「ダーシー卿」彼は振り返らずにいった。「きみがかねてより聞いていた通りの男なら、今にも反逆罪という大罪を犯そうとしているようだ」

だが、ダーシー卿はその背中をひと目見て、ピストルをホルスターに戻し、片膝をついていた。「陛下もご存じの通り、反逆罪を犯すなら死を選びます」

男が振り返り、ダーシー卿は生まれて初めて、ジョン四世国王陛下と対面していた。イングランド、フランス、スコットランド、アイルランド、ニューイングランド、ニューフランスの王にして皇帝、信仰の擁護者、などなどの肩書を持っている。

彼は弟のノルマンディー公リチャードとよく似ていた——プランタジネット家の一族の例に漏れず、背が高く、ブロンドで、ハンサムだ。だが、彼はリチャードよりも十歳年上で、その差が表れていた。国王はダーシー卿より何歳か年下にすぎなかったが、顔のしわのせいで老けて見えた。

「立ちたまえ、卿」陛下はそういって、ほほえんだ。「手に銃を持っていたであろう？」

「はい、陛下」ダーシー卿は流れるような動作で立ち上がりながらいった。「申し訳ありません」

「構わんよ。きみのような能力の持ち主なら当然だろう。かけたまえ。邪魔は入らぬ。その点はダートムア男爵夫人が保証してくれる。実は困ったことがあるのだ、ダーシー卿」

ダーシー卿が腰を下ろすと、国王は向かい合った椅子に座った。「しばしの間は」王はいった。「身分を忘れることとしよう。わたしが知っている事実をすべて話すまで、口を挟まないように。そのあとで、好きなだけ質問してよい」

「かしこまりました」

「よろしい。きみに依頼したいことがあるのだ。休暇中なのはわかっている。気晴らしの邪魔をするのは心苦しいが——調査の必要があるのだ。いわゆる古代アルビオン聖協会の活動は知っているな」

それは質問ではなく明言だった。ダーシー卿をはじめ、王の正義の執行官なら誰もが、アルビオン協会のことを知っていた。ただの秘密結社ではない。キリスト教会を否定する異教の教派だ。黒魔術に手を出しているともいわれている。一種の自然崇拝を行い、ローマ時代以前のドルイド教の直系であると称している。協会は十九世紀には容認されていたが、その後、非合法組織となった。キリスト教の勝利以降、何世紀も身を隠していたものが、おおらかな十九世紀になって現れたという者もいれば、古代にさかのぼるという主張は偽りで、サー・エドワード・フィネリーという、奇人で、いささか正気を失っていたと思われる人物が一八二〇年代に作ったという者もいる。そのどちらも、一部は真実なのだろう。

非合法化されたのは、人間の生贄をあからさまに推奨したためだ。十字架の犠牲によって、それ以上の人間の生贄は必要なくなったという教会の教えを否定し、国難のときには、国王自らが国民のために死ぬべきだと主張している。征服王ウィリアムの息子ウィリアム二世は、そのために部下の〝流れ矢〟によって死んだという〝証拠〟は、協会の歴史の古さに重みを添えていた。赤顔王と呼ばれたウィリアム二世自身も異教徒であり、喜んで死に赴いたと信じられている――だが、現在の英仏《アングロ＝フレンチ》帝国の君主が、そのようなことをするとは思えない。

元々は、生贄となる人物は自ら進んで、そればかりか喜んで死ななければならないというのが、彼らの教義のひとつだった。単なる暗殺では意味がなく、まったく効力がないというのだ。ところが、帝国とポーランド王国との間の緊張が高まったことで変化が訪れた。今は国難の時期であり、望むかどうかにかかわらず、国王は死ななければならないと協会は主張している。しかし、こうした意見は、ポーランド王カジミェシュ九世のスパイによって協会員の間に入念に植えつけられていると考えられる証拠があった。

ジョン王は続けた。「協会が実際に帝国政府の脅威になるとは思えない。イングランドにはそれほど多くの狂信者がいないからだ。だが国王もほかの人間と同じく、一匹狼の暗殺者――特に狂信者の場合――には弱いものだ。わたしは自分が帝国に不可欠な存在だとは思っていない。死ぬことが国民の利益になるなら、今日にも打ち首になろう。しかし、当面は生きていたい気がする。

わたしのスパイが協会にうまく潜入したことは知らせておこう。これまでのところ、わたしを亡きものにしようとする組織的陰謀の気配はないということだ。ところが、新たな事件が起こった。

今朝、七時少し前、ケント公爵が息を引き取った。それは意外なことではない。年はまだ六十二歳だが、しばらく前から健康状態は思わしくなく、この三週間で急速に衰えていたからだ。

最高の治療師《ヒーラー》が呼ばれたが、神父たるその者たちがいうには、死を覚悟した者には、教会は何もできないということだ。

七時きっかりに、公爵の家具職人頭が故人のために用意された棺を取りに仕事場へ向かった。ところが、すでに棺はふさがっていたのだ――公爵の主任捜査官であったカンバートン卿の遺体によって。

卿は刺殺されており――遺体は真っ青に染められていた！」

ダーシー卿は目を細くした。

王は続けた。「カンバートン卿がいつ殺されたかはわかっていない。防腐の呪文がかけられていた可能性はある。ケント州で最後に姿が見られたのは三週間前で、休暇を過ごしにスコットランドへ出かけるところだった。そちらへ到着したかどうかもわからないが、まもなくテレスンで報告が届くはずだ。これがわたしの知っている事実だ。何か質問はあるかね、ダーシー卿？」

「ございません、陛下」国王に質問しても仕方がない。カンタベリーへ行って調べたほうがいいだろう。

「わが弟リチャードは」王はいった。「きみの能力を高く評価し、わたしに詳しく教えてくれた。弟の判断には全幅の信頼を置いているし、その判断が正しいことは、去年一月にきみが〝シェルブールの呪い〟事件を解決したことで証明済みだ。わたしのスパイが何カ月も調査して成果をあげられなかったというのに、ものの二日で事件の核心に迫ったのだからな。そこでだ、わたしはきみを騎士団最高法院の特別捜査官に任命する」彼はダーシー卿に、上着のポケットから出した文書を渡した。「ここへは身分を隠して来た」彼は続けた。「この事件に個人的に関心があることを知られたくないからだ。公《おおやけ》には、大法官の決定として知らされる――慣例通りにな。きみにはカンタベリーへ行ってもらい、カンバートン卿が誰に、なぜ殺されたかを突き止めてほしい。わたしにはデータがない。必要なデータを集めてほしいのだ」

「喜んで、陛下」ダーシー卿は任命状をポケットにしまいながらいった。「お望みのままに」

「結構。カンタベリー行きの列車は一時間と――」陛下は腕時計を見た。「――七分後に出る。間に合うか?」

「もちろんです、陛下」

「よろしい。きみには大司教の館に滞在してもらう手はずを整えた――そちらのほうが気楽だろうし、公爵家よりは適切だと思ってな。大司教は、わたしがこの件に関心を持っていることを知っている。サー・トマス・ルソーもだ。ほかに知る者はない」

ダーシー卿は眉を上げた。「サー・トマス・ルソーですか? 理論魔術師の?」

国王は、してやったりといった笑みを浮かべた。「その男だ。アルビオン協会の会員で――わたしのスパイでもある」

「お見事です、陛下」ダーシー卿は称賛の笑みを浮かべていった。「彼のような科学者が、協会員やスパイだと疑われることは、まずないでしょう」

「わたしもそう思う。ほかに質問は?」

「ありません。しかし、ひとつお願いがあります、陛下。サー・トマスは、実践魔術師ではないと思われますが――」

「しかり」国王はいった。「理論のみだ。彼は〝主観的合同理論〟なるもの――どういう意味かはわからぬが――を完成させようとしている。主観的代数の記号論を専門とし、実際に理論を試すのはほかの者たちに任せている」

ダーシー卿はうなずいた。「まさしく。彼は法魔術学の専門家とはいえません。わたしとしては、マスター・ショーン・オロックリンの力を借りたいと存じます。彼とは協力して仕事をしていますので。今はルーアンにいることでしょう。カンタベリーに呼んでも構いませんか?」

国王の笑みはさらに広がった。「その頼みを予期して、先手を打っておいたといえて嬉しいよ。テレスンでドーヴァーへ連絡済みだ。信頼できるエージェントが、すでに特別船でカレーに向かっている。その者がテレスンでルーアンに連絡を取り、カレーで待っている船で、マスター・ショーンをドーヴァーへ連れ帰るという寸法だ。ドーヴァーからは列車でカンタベリーへ来てもらえばよい。天気にも恵まれている。明日には着くだろう」

「陛下」ダーシー卿はいった。「帝国の冠があなた様のような方の頭に載っているうちは、この国が滅びることはないでしょう」

「口がうまいな。朕《ちん》は礼をいうぞ」国王陛下は立ち上がり、ダーシー卿もそれにならった。国王が〝朕〟という一人称に戻ったことは、もはや男同士の対等な会話ではなく、君主から臣下への言葉であることを示していた。「きみには一切を任せる。だが今後は、どうしても必要なときを除き、朕に連絡してはならぬ。調査が終わったら、完全かつ詳細な報告書を寄越してくれ――ほかの者の目に触れぬようにな。必要な手配は、大司教を通してくれ」

「承知しました、陛下」

「もう下がってよいぞ、ダーシー卿」

「失礼します」ダーシー卿は片膝をついた。だが、立ち上がったときには、王はふたたび彼に背を向け、窓の外を見ていた――ダーシー卿が後ずさりして部屋を出ずに済むように。

ダーシー卿はきびすを返し、ドアへ向かった。ドアの取っ手に触れたとき、また国王の声がした。

「あとひとつ、ダーシー」

ダーシー卿は振り返ったが、国王は相変わらず背を向けていた。

「いかがされました?」

「くれぐれも気をつけることだ。命を落としてほしくない。きみのような人物が必要なのだ」

「はい、陛下」

「幸運を祈る、ダーシー」

「ありがとうございます、陛下」

ダーシー卿はドアを開け、出て行った。物思いに沈む王をひとり残して。

ダーシー卿はぼんやりと鐘の音を聞いていた。ゴーン、ゴーン、ゴーン。続いて間があった。その間、彼はふたたび眠りに落ちたが、それもつかの間、鐘がまた三度鳴った。ダーシー卿は、今度はややはっきりと目が覚めたが、二度目の間でまたしても心地よい忘却に逆戻りしそうになった。三度目の繰り返しで、それがお告げの祈り《アンジェラス》の鐘だと気づいた。朝六時ということは、きっかり五時間寝ていたことになる。九回の鐘の最後の響きの間、彼は早口で祈りの言葉をつぶやき、十字を切ると、九時まで寝ようとまた目を閉じた。

だが当然、眠れるはずがなかった。

何であれ、いつかは慣れる。眠気ですっきりしない頭で、彼はそう考えた。甲高くて大きな鐘の音さえも。だが、カンタベリー大聖堂の鐘楼に下がる巨大なブロンズの怪物は、直線距離で百ヤードと離れていないところにあり、その音は壁を揺るがすほどだった。

彼は枕からまた頭を離し、上半身を起こして、大司教に与えられたまだ慣れない、だが心地よい寝室を見回した。それから窓の外を見た。少なくとも、天気はよさそうだ。

彼は布団をはぎ、ベッドの端から足を下ろして、スリッパを履いた。続いて呼び鈴の紐を引いた。金色の竜を刺繍した、真っ赤な絹の化粧着の紐を結んでいるとき、若い修練士がドアを開けた。「お呼びでしょうか？」

「カフェのポットと、クリームを少し頼む」

「かしこまりました」修練士はいった。

ダーシー卿がシャワーを浴び、ひげを剃り終えた頃には、すでにカフェが用意され、ベネデイクト会の衣に身を包んだ修練士がそばに立っていた。「ほかにご用はありますでしょうか?」

「いいや、ブラザー。これで結構だ。ありがとう」

「お役に立てて光栄です」修練士はすぐに立ち去った。

これぞベネディクト会の修練だと、ダーシー卿は思った。身分の低い若者には紳士のようにふるまうすべを教え、家柄のよい若者には謙虚さを教える。たった今やってきた若者が、小さな農家の息子なのか、貴族の末息子なのか、見分けることはできない。いずれにしても教わらなければ、彼はここまでにはなれなかっただろう。

座ってカフェを飲みながら、ダーシー卿は考えた。まだほとんど情報はない。大司教は背が高く、恰幅のよい年配の男性で、たてがみのような印象的な白髪をして、血色のよい顔には優しげな表情を浮かべている人物だったが、ダーシー卿がすでに国王から聞いていた以上の情報は持っていなかった。テレスンを使って、ダーシー卿はサー・アンガス・マクレディと連絡を取った。エジンバラ侯爵の主任捜査官だ。カンバートン卿は確かにスコットランドへ行っていた。だが、休暇のためではなかった。サー・アンガスには何もいわなかったが、何らかの捜査活動に従事していたのだ。サー・アンガスは、それが何なのか突き止めると約束してくれた。

「ええ、ダーシー卿」彼はいった。「わたしが担当します。誰にもいいません。直接ご報告します」

スコットランドでのカンバートン卿の捜査が、彼が殺された原因と関係があるかどうかは、まだわかっていない。スコットランドには、古代アルビオン聖協会の信者はごくわずかで、そこで殺人が行われたのではないことはほぼ間違いない。エジンバラからカンタベリーまで人間の死体を運ぶのはきわめて困難だ。したがって、カンタベリーで死体を発見させることに、移動の危険を上回る大きな利点がなければならない。その可能性は無視できないが、さらに有望な証拠が出てくるまでは、殺害場所はカンタベリー付近と仮定しておこうとダーシー卿は判断した。

地元の憲兵は、カンバートン卿は発見された場所で殺されたのではないと断定している。外科医によれば、深い刺し傷によっておびただしい出血があったはずだが、公爵の棺には血痕がなかったからだ。それでも、家具職人の仕事場を自分の目で見る必要があるだろう。大司教から聞かされた憲兵の報告では不十分だった。

遺体そのものは、マスター・ショーンが来るまでは調べても仕方がない。青く染めたのは、明らかに魔術的なにおいがすると、ダーシー卿は思った。

それまでは、公爵の城を見て回り、聞き込みをしよう。だが、まずは朝食が先だ。

マスター・ウォルター・ゴトベッドは、その紳士が仕事場に入ってくると、お辞儀をして額に手を当てた。「どのようなご用件でしょうか？」

「家具職人頭のウォルター・ゴトベッドですね？」ダーシー卿は尋ねた。

「さようでございます」老人は礼儀正しく答えた。

「わたしはダーシー卿。騎士団最高法院の特別捜査官です。少し時間をいただけますか、マスター・ウォルター」

「ええ。もちろんですとも」老人の目に痛ましい表情が浮かんだ。「カンバートン卿のことでございましょう。こちらへどうぞ。ええ。お気の毒なカンバートン卿が、あのような殺され方をしたのは恐ろしいことです。ここはわたしの職場でして。ここなら邪魔は入りません。こちらの椅子におかけください。いや、ちょっとお待ちを、卿。おがくずを払いますので。おがくずというのは、どこにでもつくものですな。さて、お知りになりたいというのは、どのようなことで？」

「カンバートン卿の遺体は、この仕事場で見つかったのですね？」ダーシー卿が訊いた。

「ええ。いわせてもらえば、これもまた恐ろしいことです。あんな恐ろしいことが起こるなんて。公爵様の棺の中で見つかったのですからね。治療師が公爵様に望みはないというので、奥方様はとりわけ立派な棺を用意するようおっしゃいました。もちろん、わたしはおいいつけ通りにお作りし、昨日の朝、ここへ参ったのですが、そこにカンバートン卿がいたのです。つまり、あの方のものではない棺の中に。全身真っ青でした、卿、全身が。そのせいで、最初は誰かもわかりませんでした」

「気持ちのよい眺めではなかったでしょうね」ダーシー卿はつぶやいた。「それからどうなったか、教えてください」

マスター・ウォルターは、聞いているほうがうんざりするほど事細かに説明した。

「彼がどうやってここに来たか、心当たりはないのですね？」独演会が終わったところで、ダーシー卿は訊いた。

「まったくございません、卿。まったく。バートラム隊長にも同じことを訊かれました。〝どうやってここへ入ったのか?〟と。しかし、われわれにはわかりません。窓もドアもしっかり戸締まりがされていて、裏口のドアには錠がかかっていました。鍵を持っているのはわたしと、熟練工のヘンリー・ラヴェンダーだけですし、どちらも前の晩はここに来ていません。バートラム隊長は、見習い工がいたずらのつもりでここへ持ち込んだとお考えのようでした――まだ遺体の主がわからず、医学学校かどこかから盗んだと思ったのです――しかし、見習い工たちは何も知らないと断言しましたし、わたしもそれを信じています。いい子たちですし、わたしにそんな迷惑をかけるはずがありません。バートラム隊長にはそのように申し上げました」

「なるほど」ダーシー卿はいった。「念のためにお尋ねしますが、あなたと熟練工のヘンリー、見習い工たちは、日曜の夜にはどこにいましたか?」

マスター・ウォルターは、親指で天井を指した。「わたしと見習い工は上にいました、卿。そこがわたしの住まいで、見習い工たちにひと部屋使わせています。ベイリー夫人が昼間来て、掃除と食事の支度をしてくれます――妻にはもう十八年も前に先立たれましたので。妻の魂に安らぎあれ」彼はそっと十字を切った。

「すると、あなたがたは上から仕事場に来られるのですね?」

マスター・ウォルターは仕事場の壁を指さした。「あそこの梯子から、わたしの寝室に上がることができます。跳ね上げ戸がご覧になれるでしょう。しかし、もう十年近く使っておりません。この脚も昔のようには動きませんし、もう梯子を使おうとは思いません。みんな建物の外の階段を使っています」

「あなたに気づかれずに梯子を使うことはできますか、マスター・ウォルター？」

老人はきっぱりと首を横に振った。「それは無理です、卿。わたしがここにいれば姿が見えますし、上にいれば物音が聞こえます。跳ね上げ戸の上にあるベッドを動かさなければなりませんからね。それに、わたしはとても眠りが浅いのです。九十を過ぎると、若い者のようには眠れないものですよ」

「それで、昨日の朝、ここに来たときには、錠はすべてかかっていたのですね」

「その通りです、卿。しっかりとかかっておりました」

「熟練工のヘンリーが、別の鍵を持っているといいましたね。彼はどこにいたのですか？」

「家です。ヘンリーは結婚しておりまして。かわいい奥さんでね――結婚前の姓はトリヴァー。ベン・トリヴァーの娘のひとりです。パン屋のマスター・ベンのね。ヘンリー夫婦は城門の外に住んでおりますので、ここへ来ていれば守衛が見ているでしょう。彼も奥さんも来ていないといっていますし、わたしもそれを信じています。それにヘンリーにも、見習い工同様、そのようなことをする動機がありません」

「錠には、防御呪文をかけていましたか？」ダーシー卿が訊いた。

「ええ、もちろんです。欠かしたことはありません。ごく普通のものです。年に五ソブリンほどかかりますが、十分その価値はあります」

「免許を持った魔術師の呪文でしょうね？　もぐりの魔術師や魔女ではなく」

老人はショックを受けたようだった。「いいえ、まさか！　このわたしが！　わたしはきちんと法に従っております！　マスター・ティモシーはちゃんとした免許を持っております。それに、あなたがおっしゃったような魔術師の呪文は、せいぜいお粗末なものでしょう。白魔術より黒魔術のほうが強いなどという異説は、ひとつも信じちゃいません。悪魔が神より強いというのと同じじゃありませんか。それに――」彼はまた十字を切った。「――このわたしが、そんなことを考えるわけがありません」

「そうでしょうとも、マスター・ウォルター」ダーシー卿はなだめるようにいった。「こうしたことを訊くのは、わたしの義務だとご理解ください。では、この場所はしっかりと戸締まりがされていたのですね？」

「そうです、卿、その通りです。公爵が昨日お亡くなりにならなければ、カンバートン卿は今朝までここにいたかもしれません。つまり、仕事場を開けることはなかったでしょうから。祝日だったので」

「祝日？」ダーシー卿は問いかけるように相手を見た。「五月十八日が何の祝日だというのです？」

「カンタベリーだけの、特別な感謝祭なのです。一五八九年――または九八年だったか、覚えておりませんが――のこの日、暗殺者の一団が裏切り者の手引きで城に忍び込んだのです。全部で五人でした。公爵とその家族を皆殺しにしようと企てたのです。しかし、その企ては暴かれ、城を捜索した結果、全員が何もできないうちに捕えられました。彼らは外の中庭で縛り首になりました」マスター・ウォルターは仕事場の正面を指さした。「以来、それを記念して、公爵の命が救われたことを感謝する日になったのです――とはいえ、ご存じの通り、公爵はその数年後には亡くなっておられますが。礼拝堂と大聖堂で特別なミサが行われ、守衛が城を捜索する儀式をします。公爵様の近衛兵が盛装し、パレードや軍旗敬礼分列式が行われ、中庭には五体の人形が吊るされて、夜には花火が上がります。とても壮観なものですよ、卿」

「そうでしょうね」ダーシー卿はいった。マスター・ウォルターの詳細な説明で、史実を思い出した。「それで、昨日もいつも通り行われたのですか？」

「いいえ。公爵様の近衛隊長は、ご家族が喪に服しているときに、それはよろしくないというお考えでした。大司教も同じご意見でした。亡くなられた公爵様がまだ埋葬されてもいないのに、四世紀近く前に亡くなった公爵の命が救われたことを感謝するのはふさわしいことではないと。代わりに、衛兵は公爵夫人に五分間の黙禱と敬礼を捧げました」

「なるほど。それは賢明なことです」ダーシー卿は同意した。「では、公爵が亡くならなければ、今朝までこの仕事場には来なかったというのですね。昨日の朝、鍵を開ける前に、最後に仕事場に鍵をかけたのはいつです？」

「土曜の夜です。わたしがやったのではありません。ヘンリーです。わたしは少し疲れていて、先に上へ行ったものですから。ヘンリーがいつも、夜に鍵をかけるのです」

「そのときには棺は空だったのですね？」ダーシー卿が訊いた。

「間違いありません、卿。いわせていただければ、あの棺には特別な誇りを持っております。特別な誇りをね。サテンの裏打ちに、おがくずその他、ひとつも落ちないように気をつけておりました」

「わかりました。それで、土曜の夜、何時に鍵をかけたのでしょう？」

「それはヘンリーにお尋ねになったほうがよいでしょう。ヘンリー！」

熟練工はすぐに現れた。自己紹介のあと、ダーシー卿は同じ質問をした。

「八時半に鍵をかけました。外はまだ明るかったです。見習い工を上へ行かせ、しっかりと戸締まりしました」

「そして、日曜日には誰もここへは来なかったのですね？」ダーシー卿はふたりを順繰りに見た。

「はい」マスター・ウォルターはいった。

「人っ子ひとり来ていません」ヘンリー・ラヴェンダーはいった。

「人っ子ひとり、か」ダーシー卿はそっけなくいった。「だが、死体は来たわけだ」

ダーシー卿が駅のプラットフォームで待っていると、ドーヴァーからの十一時二十二分の列車が到着した。そして、小柄でずんぐりしたアイルランド人の男が、ノルマンディー公のお仕着せに身を包み、シンボルで飾られた絨毯地の大きな旅行鞄を手に車両から出てきてあたりを見回すと、ダーシー卿は声をかけた。

「マスター・ショーン！　こっちだ！」

「ああ！　そこにいましたか、ダーシー卿！　またお会いできて嬉しいですよ。休暇は楽しめましたか？　休暇があれば、ということですが」

「正直いって、少し退屈していたところだよ、ショーン。このちょっとした事件は、お互いの脳から蜘蛛の巣を払うのに役立つだろう。行こう。馬車を待たせてある」

馬車に乗ると、ダーシー卿は馬のひづめと車輪の音の中でかろうじて聞こえるように計算した、低い声で話した。注意深く耳を傾けるマスター・ショーン・オロックリンに、ダーシー卿は公爵の死とカンバートン卿の殺人に関する詳細を伝えた。国王じきじきの命であることを除いて、何ひとつ漏らさずに。

「仕事場の戸締まりは確認した」彼は最後にいった。「裏口のドアは単純な打掛錠で、魔法を使わない限り外から開けることはできない。窓も同じだ。正面のドアにだけ鍵がある。そこにかけられている呪文を確認してほしい。戸締まりについては、彼らは本当のことをいっていると思う。誰も殺人にはかかわっていないだろう」

「鍵に呪文をかけた魔術師の名前はおわかりになりますか？」

「マスター・ティモシー・ヴィドーだ」

「ああ。人名録で見ておきましょう」マスター・ショーンは考え込んでいるように見えた。

「公爵の死には、疑わしい点はなかったのでしょう？」

「わたしは常に、殺人事件と密接にかかわる死は疑うことにしている、マスター・ショーン。

だがまずは、カンバートン卿の遺体を見てみよう。憲兵隊本部の遺体安置所にある」

「遺体安置所へ行く前に、薬局で馬車を停めるようにいってもらえませんか？　ほしいものがあるので」

「いいとも」ダーシー卿が指示を出し、馬車は小さな店の前で停まった。マスター・ショーンは中へ入り、しばらくして小さな瓶を持って出てきた。乾燥した葉が入っているようだ。一枚一枚が矢じりのような形をしている。

「ドルイド教の魔術か、マスター・ショーン？」ダーシー卿が訊いた。

マスター・ショーンは一瞬驚いたようだったが、やがてにやりとした。「そう驚くことではありませんでしたね、卿。どうしてわかったのです？」

「青く染まった死体から、戦いの前に体を青く染めるという古代ブリトン人の風習を思い出したのだ。薬局で、大青《たいせい》（アブラナ科の草。葉が染料の素材となる）に典型的な矢じり形の葉が詰まった瓶を買ってきたのを見て、きみもわたしと同じ考えだとわかった。その葉を相似性の分析に使うのだろう」

「その通りです、卿」

数分後、馬車は憲兵隊本部の前で停まり、まもなくダーシー卿とマスター・ショーンは遺体安置所にいた。ふたりがカンバートン卿の遺体を調べている間、憲兵がひとり立ち会っていた。

「このような状態で発見されたのですか、卿？　裸で？」マスター・ショーンが訊いた。

「そう聞いている」ダーシー卿はいった。

マスター・ショーンはシンボルで覆われた旅行鞄を開け、中身を出しはじめた。仕事に使う材料を選び出すのに彼が専念している間、カンタベリー市の憲兵隊長バートラム・ライトリーが入ってきた。彼はマスター・ショーンの邪魔をしなかった。仕事中の魔術師をわずらわせてはいけないのだ。

バートラム隊長は、丸顔でピンクの肌をしていて、その表情は愛想のよいカエルを思わせた。

「ここにいると聞いたものですから、卿」彼は小声でいった。「詰所で片づけなくてはならない仕事がありまして。何かお手伝いすることはありますか?」

「今のところはありません、バートラム隊長。しかし、この一件が解決するまでには、助けが必要になるでしょう」

「失礼ですが」マスター・ショーンが顔を上げずにいった。「遺体を外科医に見せましたか、バートラム隊長?」

「もちろんです、マスター・ショーン。話をしますか?」

「いいえ。今のところは結構。わかっていることの要点だけを教えてください」

「ええと、ドクター・デルの意見では、遺体は亡くなってから四十八時間から七十二時間が経過していたということです——もちろん、防腐の呪文をかけられていた時間が、それに加わりますが。当然ながら、その時間差は誰にもわかりません。死因は背中の刺し傷です。長めのナイフで刺したか、剣で短く突いたものでしょう。左の肩甲骨のすぐ下、肋骨の間を通って心臓にまで達していました。即死です」

「出血について何かいっていましたか?」

「ええ。あの刺し傷なら、きわめて大量の出血があったに違いないといっていました。きわめて大量の」

「ああ。だと思いました。これを見てください、卿」

ダーシー卿が近づいた。

「遺体には、確かに防腐の呪文がかけられています。今はもう効果がありません――すっかり消えています――が、表面には微生物の痕跡だけがあります。内部で生きているものはありません。しかし、遺体は血液が凝固してから洗われ、その後で染められています。傷口はきれいで、ご覧の通り、傷口の中に染料が残っています。さて、この青いものが本当に大青かどうか、見てみましょう」

「大青？」バートラム隊長がいった。

「ええ、大青です」マスター・ショーンがいった。「相似の法則で、それがわかります。この男性に使われた染料は、この葉の染料とまったく同じものかもしれません。もしそうなら、反応があります。実は、これらはすべて広義の換喩の法則から来ているのです――結果は原因に似ており、象徴は象徴化されたものに似ているというね。もちろん、逆もまた真なりです」続いて彼は何やらわからないことをつぶやき、大青の葉に親指をこすりつけた。「さあ、どうなるか」彼は静かにいった。「どうなるか」彼は葉を、死んだ男の青く染まった腹部に置き、すぐさま取り去った。葉の皮膚に触れた側が青くなっていた。死体の腹には、青い色が少しもない白い部分が生まれた。大きさも形も葉とまったく同じの。

「大青です」マスター・ショーンが満足そうにいった。「間違いなく大青です」

マスター・ショーンは道具を旅行鞄にしまっていた。三十分ほどで、必要なデータはすべて揃った。彼は手のほこりを払った。「行きましょうか、卿？」

ダーシー卿はうなずき、ふたりは遺体安置所のドアへ向かった。ドアのそばに、五十代半ばの小柄な男が立っていた。白髪交じりの髪にほっそりした顔、淡い青色の目に、妙に鷲に似た鼻をしている。足元の床には、マスター・ショーンのものと同じような、シンボルで飾られた旅行鞄が置かれていた。

「ごきげんよう、同輩」彼は高い声でいった。「マスター・ティモシー・ヴィドーです」続いて小さくお辞儀をする。「ごきげんよう、卿。ご気分を害さなければよいのですが、おふたりの捜査を興味深く拝見しました。法魔術は専門ではありませんが、前々から興味があったものですから」

「ショーン・オロックリンです」ずんぐりしたアイルランド人はいった。「こちらはわたしの上司のダーシー卿」

「ええ、ええ。バートラム隊長に聞いています。恐ろしいことではありませんか？　つまり、カンバートン卿がこのように殺されたことがです」

話しながら、彼はほかのふたりと足並みを合わせ、一緒に通りまで出た。「おそらく、お仕事で相似分析は数多くこなしているのでしょうね、マスター・ショーン？　わたしにはまったくなじみのない技法です。防御呪文、忌避呪文、修理――それがわたしの分野です。家庭内の商売ですよ。あなたのお仕事のように刺激的ではありませんが、気に入っています。満足を与えてくれますからね。それでも、同業者がどんなことをしているのか知りたいのです」

「すると、ここへはマスター・ショーンの仕事ぶりを見にきたというわけですか、マスター・ティモシー?」ダーシー卿が心の内を少しもうかがわせない、物柔らかな口調でいった。

「いいえ、卿。バートラム隊長から用事を頼まれたのです」彼はマスター・ショーンを見て、くすくす笑った。「あなたはお笑いになるでしょうね、マスター・ショーン。彼は憲兵隊の兵舎の厨房で使える保存装置を買うには、いくらかかるか知りたいというのですよ!」

マスター・ショーンは穏やかに笑っていった。「いわせてもらえば、それを知らせたら、相手は昔ながらの氷室を使うことにするでしょうね。すると、あなたはこの地方の販売代理人なのですか?」

「ええ。しかし、まだそれほどの儲けはありません。売れたのはひとつだけで、これ以上売れそうにありませんから。値段が高すぎるのです。歩合はほとんどもらっていないのですが、本当に金になるのは保守です。この呪文はだいたい六カ月ごとに補強しなくてはならないので」

マスター・ショーンは愛想よく笑った。「面白そうですな。その呪文は、興味深い構造をしているに違いない」

マスター・ティモシーも笑みを返した。「ええ、たいへん興味深いですよ。ぜひあなたとお話ししたいところですが……」

マスター・ショーンは、ますます興味深そうな表情になった。

「……しかし、マスター・サイモンは、すべての過程を秘密にしていましてね」

「だと思いました」マスター・ショーンはため息とともにいった。

「邪魔をして悪いが、きみたちは何の話をしているんだ？」ダーシー卿が訊いた。

「ああ、失礼しました、卿」マスター・ショーンが慌てていった。「ただの商売上の話です。ロンドンのマスター・サイモンが、食物を腐敗から守る新たな原理を発明したのですよ。たとえば大手のワイン業者がワイン樽に呪文をかけるように、ひとつひとつの品物に呪文をかけるのではなく、特別製の箱に呪文をかけ、その中に入れたものはすべて腐敗しないようにする方法を。つまり、ものに呪文をかける代わりに、空間に同じことができる性質を与えるというわけです。しかし、この方法はまだ、きわめて高価なのです」

「なるほど」ダーシー卿はいった。

マスター・ショーンはその口調に気づいていった。「ええと、商売の話はよしましょう、マスター・ティモシー。そのう……鍵を見てきてもよろしいでしょうか、卿？　マスター・ティモシーに一時間ほどお時間があれば、それもよいかと思いますが」

「鍵？」マスター・ティモシーがいった。

マスター・ショーンは家具職人の仕事場の鍵のことを説明した。

「ああ、もちろんです、マスター・ショーン」マスター・ティモシーはいった。「お手伝いできることなら、何なりと」

「結構」ダーシー卿がいった。「データが手に入り次第、大司教館に来てくれ。ご協力に感謝します、マスター・ティモシー」

「お役に立てて光栄です、卿」鷲鼻の小柄な魔術師はいった。


館の静かな居間で、大司教はダーシー卿を背の高い細身の男に紹介した。顔色は青白く、明るい茶色の髪は、広く秀でた額から後ろへ撫でつけている。瞳は青灰色で、愛嬌のある笑みを浮かべていた。

「ダーシー卿」大司教がいった。「サー・トマス・ルソーを紹介しましょう」

「お目にかかれて光栄です」サー・トマスは笑顔でいった。

「こちらこそ」ダーシー卿がいった。「あなたが一般用にお書きになった『シンボリズム、数学、魔術』は、たいへん興味深く読ませてもらいました。もっと専門的なものになると、わたしの理解を超えているもので」

「恐れ入ります、卿」

「ご用がなければ」大司教はいった。「わたしは失礼して、あとはおふたりでどうぞ。急ぎの用事があるものですから」

「もちろんです、大司教」ダーシー卿がいった。

大司教が出て行き、ドアが閉まったところで、ダーシー卿はサー・トマスに手ぶりで椅子を勧めた。「ここでわたしと会っていることは、誰も知らないのでしょうね?」彼はいった。

「もちろんです」サー・トマスがいった。唇には皮肉な笑みが浮かび、片方の眉は少し上がっている。「わたしが国王の特別捜査官と会っていると協会に知られれば、喉をかき切られないまでも、二重スパイの効果がなくなってしまいますからね。ここへ来るには、大聖堂の地下納骨堂から館へと通じるトンネルを使っています」

「教会に入るのを見られてしまうでしょう」

「それは構わないのです、卿」サー・トマスはそっけなく片手を振った。「協会が非合法組織となってからは、身分を偽ることが求められているのです。キリスト教を信じていないからといって、教会を避けることで、いたずらに注目を集めても仕方がありません」彼はまた皮肉な笑みを浮かべた。「行ってはいけない理由はないでしょう? 異教であるドルイド教の信者を装うために、狂信者たちの薄汚い集会でキリスト教への非難を口にするように、異教徒が同じ理由でキリスト教徒を装っていけないはずがありません――本当の信仰を隠すためにね。唯一の違いは、片方は法の側につき、もう片方はそれに反しているということです」

「わたしの考えでは」ダーシー卿はいった。「その違いは、国王と国家の側についているか、それに反しているかということだと思いますが」

「いいえ」サー・トマスはきっぱりと首を横に振った。「それは間違いです。古代アルビオン聖協会は、あなたやわたしと同じくらい、国王と国家を支持しているのです」

ダーシー卿はベルトの小袋に手を伸ばし、陶器のパイプと煙草の包みを出して、火皿に詰めはじめた。「教えてください、サー・トマス。協会のことをぜひ詳しく知りたい――活動と理論の両方を」

「では、理論から。協会は、このイングランド諸島には、すべての人類に平和と幸福をもたらす神がいると信じている者たちの集まりです。それらを現実のものとするためには、この島に元々住んでいた人々の習慣や信仰に立ち返らなければならないというのです――紀元前五五年にカエサルが侵攻したとき、その土地を正当に所有していたケルト人の」

「ケルト人はこの島々の先住民でしたっけ？」ダーシー卿が訊いた。

「卿、ご辛抱ください」サー・トマスは慎重にいった。「協会の公式な信仰がどのようなものか、お聞かせしようとしているのです。人間の行動は、その人物が真実だと思っていることによって判断しなくてはなりません――本当の真実ではなく」

ダーシー卿はパイプに火をつけ、うなずいた。「失礼しました。続けてください」

「ありがとうございます。わたしが申し上げている信仰は汎神論に基づいたものです。神は三位一体であるだけではなく、無限なのだと。キリスト教の見解は正しいが、限定的だと彼らはいっています。神はひとつだというのは正しい。しかし、それは三位一体以上のものであり、無限が一体となったものなのです。三位一体というキリスト教の信仰は〝イングランドの浜辺には三粒の砂がある〟という言葉と同じくらい間違っている――そして、正しい――と彼らは考えています」彼は両手を広げた。「この世は精霊で満ちています――木、岩、動物、あらゆるものに……これ以上よい言葉がないので、精霊と呼んでおきますが、それが満ちているのです。そして、それぞれの精霊には知性があります――しばしば、われわれには計り知れない類

3年連続年末ミステリランキング

完全制覇

アンソニー・ホロヴィッツ最新刊

カササギ殺人事件

待望の続編!

ヨルガオ殺人事件 上下

2021年9月刊行予定【創元推理文庫】

名探偵アティカス・ピュントシリーズの犯人当てミステリ『愚行の代償』に、以前サフォーク州のホテルで発生した殺人のヒントが隠されているかもしれない——。そう知らされた元編集者のスーザンは、かつて自分が編集したその本を開くが……。

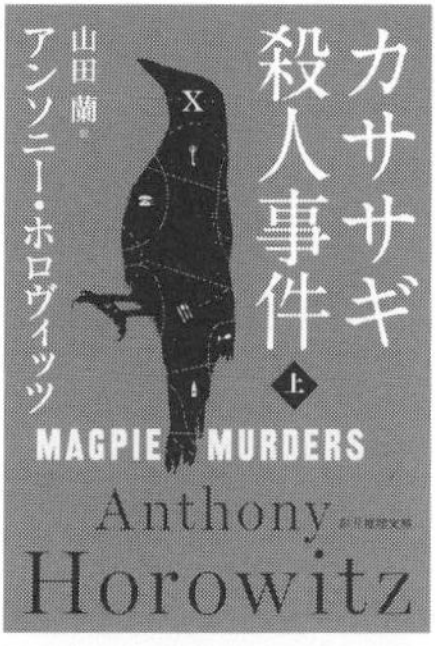

シリーズ好評既刊

本屋大賞〈翻訳小説部門〉第1位

カササギ殺人事件 上下

山田蘭 訳【創元推理文庫】

ISBN 上 978-4-488-26507-6
下 978-4-488-26508-3

定価 各1100円

7冠達成!

のものですが、知性があるのです。それらは個々の存在で、〝善〟から〝悪〟までのあらゆる領域にいます。力の強い者も弱い者もいます。木の精《ドリュアス》のように、ある物質と強く結びついている者もいます。人間が肉体と結びついているようにね。〝自由霊〟もいます——われわれが〝幽霊〟、〝悪霊〟、〝天使〟と呼ぶ者たちです。その一部は——実際には大半は——直接的、あるいはほかの精霊を通して間接的に操ることができます。なだめたり、懐柔したり、脅したりね。

さて、古代ブリトン人は、これらの精霊を好きなようになだめたり、懐柔したり、操ったりする秘訣を知っていました。ドルイド教団——つまり、協会の中枢部もそれを知っているようなのです。少なくとも、彼らは下位の会員にそういっています。彼らは、ほとんどが血族《ザ・ブラッド》の者だと自称しています——スコットランド、アイルランド、ウェールズ、ブルターニュ、オークニー諸島、マン島などの出身です。純粋なケルト人と彼らは呼んでいます。しかし、アングロサクソン人やノルマン人、フランク人の祖先を持つ人々も中枢部への入会を許される場合があります。ほかの人々は許されません。

彼らが国家を支持していないとお考えになってはいけません、卿。われわれは、いつかは世界を支配することになります。イングランド諸島の国王は、全世界を網羅する帝国の支配者となる運命なのです。そして、国王本人は？　彼は保護者であり、魔法の盾であり、魔除けなのです。〝悪霊〟の群れに支配され、人々の生活が悲惨なものになるのを防ぐための。国王は嵐を止め、地震を防ぎ、疫病を食い止め、国民をあらゆる害から守るのです。

彼らは国王と国家の味方なのです、卿――しかし、あなたやわたしが考えるのとは、まったく同じとはいえません」

「興味深い」ダーシー卿は考え込みながらいった。「彼らは、イングランドが実際に嵐や霜に襲われることを、どう説明するのですか？」

「それは国王の責任なのです」サー・トマスはいった。「国王が正しいふるまいをしなければ、いい換えれば、古い信仰に従わず、ドルイド教の教義に沿って行動しなければ、悪霊は防御をすり抜けることができるというわけです」

「なるほど。そして、その教義のひとつが、協会が望ましいと判断したときに、国王はいつでも命を差し出すというものなのですね」

「それは完全に正しいとはいえません、卿」サー・トマスはいった。「彼らが〝望ましいと判断したとき〟ではありません――危機に瀕したときだけです。あるいは、七年ごとのどちらかです」

「ほかに生贄については？」

サー・トマスは顔をしかめた。「わたしが知っている限りでは、人命を捧げるものはありません。しかし、彼らの集会では必ず、何らかの動物を殺す儀式があります。季節や集会の目的によって、どの動物が生贄になるかが決まります」

「どれも違法なことですね」ダーシー卿はいった。

「おっしゃる通り」サー・トマスはいった。「わたしの調査書類と報告書は、すべて大司教がお持ちです。必要な証拠がすべて揃い次第、彼らを一網打尽にできます。あの有害な教義は行きすぎです」

「ずいぶんと熱心ですね、サー・トマス」

「もちろんです。迷信というのは、下々の者の心を大いに乱します。彼らは、魔術師が毎日、科学的な手続きを踏んでやっていることを目にしながらも、迷信と科学を混同し、ありとあらゆる愚行を鵜呑みにしてしまいます。だからこそ、もぐりの魔術師や黒魔術師、魔女や魔法使いの集会、その他ありとあらゆる犯罪的な集団が存在するのです。下々の者は、病気になれば、ちゃんとした治療師ではなく魔女のところへ行きます。魔女どもは傷口にカビの生えたパンを当て、意味のない呪文を唱えるでしょう。あるいは心臓病の患者に、ジギタリスやら何やら、病状と象徴的な関係が一切ない薬草を煎じて飲ませる。ええ、断じて、このようなことは撲滅しなくてはなりません！」

理論魔術師は、うんざりしたような皮肉な態度を捨て去っていた。この問題に強い思い入れがあるようだと、ダーシー卿は思った。もちろん、免許を持った治療師は、状況に応じてさまざまな薬草や薬を使うが、常に魔術の法則に従い、科学的な正確さで取り扱う。とはいえほとんどの場合、彼らが頼るのは治療技術の象徴である按手法だが。治療師以外に健康を委ね、教会以外で活動する者に痛みや病を取り除いてほしいと頼むのは、命を捨てるようなものだ。

「協会全体を一掃する必要があることに疑問の余地はありませんが、サー・トマス」ダーシー卿はいった。「国王陛下に攻撃の時が近いと知らせるおつもりならともかく、そうでないなら、彼らを一網打尽にするまで待っていられません。わたしはカンバートン卿を殺した人物を探しているのです」

サー・トマスは立ち上がり、両手を上着のポケットに突っ込んで、壁のタペストリーを憂鬱そうに見た。「カンバートン卿の死を知らされてから、ずっと疑問に思っていたのです」

「何を？」

「大青で染めたことです――大青だったのですよね、卿？」

「ええ」

「すると、明らかに協会を示していることになります。中枢部の中には、〝能力《タレント》〟を持つ者がいます――ろくに訓練もされていないし、誤った使い方をしていますが、まぎれもないタレントを。タレントが誤って使われるのを見るほど、嘆かわしいことはありません。それは犯罪です！」

ダーシー卿はうなずいて同意した。サー・トマスが怒る理由はわかる。理論魔術師自身は、際立ったタレントを持っていないのだ。彼は理論を立て、ほかの者たちが実験をする。彼は実験を提案し、訓練を積んだほかの魔術師がそれを実践するのだ。それでも、サー・トマスは自分で実験できることを熱心に望んでいる。自分が持っていないものを誤って使われるのは、サー・トマス・ルソーにはさぞかしつらいことに違いないと、ダーシー卿は思った。

「問題は」サー・トマスが続けた。「手がかりが何もないことです。カンバートン卿殺害計画があったことも知りません。協会が彼に死んでほしい理由もわかりません。かといって、そのような理由が存在しないといっているのではありませんが」

「では、彼は協会の活動を調査していたのではなかったのですね？」

「わたしの知る限りでは。もちろん、協会とつながりのある人物の個人的な行動を調査していた可能性はありますが」

ダーシー卿は何やら考え込むように、パイプの火皿でくすぶっている煙草を見た。「そして、その人物が協会の力を利用して、カンバートン卿に暴露されそうになった事実から身を守ったというわけですか？」彼はいった。

「可能性はあります」サー・トマスがいった。「しかしその場合、その人物は中枢部でも地位が高い者だと思われます。だとしても、個人的な理由で殺人を犯すとは思えませんが」

「個人的な理由である必要はありません。カンバートン卿が、この町にいる誰かがポーランドのスパイであることを突き止めたが、それが協会とつながりのある人物と知らなかったとしたら？」

「可能性はあります」サー・トマスはもう一度いった。彼は見ていたタペストリーから目を離し、ダーシー卿に面と向かった。「それが真相だとしたら、その人物がほかのポーランドのスパイと手を組んで、カンバートン卿を亡きものにしたのかもしれません。数カ月調査しても、協会の中枢部の人間にポーランドのスパイがいるという証拠はつかめませんでした。さらにいえば、中枢部の会員七人の中に、少なくともあと三人、正体がわからない者がいます」

「正体を隠したままでいるというのですか？」

「ある意味では。集会では、会員は修道士のように白いローブと頭巾を身につけますが、中枢部の会員は緑のローブに、目の部分に穴の開いた、頭をすっぽりと覆う頭巾を着けています。おそらく、その正体は誰も知らないでしょう。わたしは四人までは確実に正体をつかんでいて、五人目もかなりの確信があります」

「となると、少なくとも三人の正体がわからないとはどういうことです？　なぜそんなに多いのです？」

サー・トマスは笑みを浮かべた。「やつらは抜け目がないのです。集会に参加するのは必ず七人ですが、実際には七人以上いるのですよ。おそらく十二人はいるでしょう。どの集会でも、緑を着るのは七人で、あとは白を着ます。やつらは交代で緑のローブを身につけるため、中枢部以外の人々は、普通の白いローブで集会に出ているマスター・誰それは、中枢部の人間でないと思い込むというわけです」

「すると、どの集会も会員が全員出席しているわけではないのですね」ダーシー卿はいった。

「そうでなければ、消去法で結局はすべてのからくりがばれてしまうでしょう」

「おっしゃる通りです。会員は日時と場所を知らされるだけです」

「集会は普段、どこで開かれるのですか？」

「森の中です。この近くにはいくつか小さな森があります。完全に安全です。集会では周囲に見張りが置かれ、憲兵隊が来れば警報を発します。それに、一般人がそこへ近づいたり、そのことを国王の法執行官に訴えたりすることはありません。彼らは協会を死ぬほど恐れていますからね」

「常に七人といいましたね。なぜ七人なのです？」

サー・トマスは馬鹿にしたように笑った。「これも迷信ですよ、卿。神秘的な数字と考えられているのです。見習い魔術師でも、宇宙の象徴的な重要性を持つ数字は五だけだというはずですが」

「わたしもそう理解しています」ダーシー卿はいった。「無生物の特性は、五を避ける傾向があります」

「その通りです、卿。五面体の水晶はありません。十二の五角形からなる十二面体でさえ、自然に生じることはありません。難解な数学であなたを退屈させる気はありませんが、わたしが最近発見した定理が正しければ、物質界の〝基本構造体〟は、どのようなものであれ、五の集合体ではあり得ません。このような集合体でできた宇宙は、あっという間にばらばらになってしまうでしょう」彼はほほえんだ。「もちろん、そのような〝基本構造体〟が存在するとしても、永遠に仮説のままということになるでしょう。小さすぎて、どんなに強力な顕微鏡でも見えないからです。数学的な線の上に数学的な点を見るようなものです。これらは象徴的な抽象概念で、研究するのはいいが、物質的に存在するかどうかははなはだ疑わしいものです」

「なるほど。ですが、生物は――？」

「生物は五を示しています。ヒトデ。多くの花。人間の手足の指。五はきわめて強力な数字です。多くの魔術の流派で、ペンタクルやペンタグラムと呼ばれる五芒星が用いられているのはご存じの通りです。六も同様です。〝魔力《ヘックス》〟という言葉は、ソロモンの封印に見られる〝六角《ヘキサ》形《ゴン》〟から来ています。しかしそれは、生物、無生物を問わず、六角形が自然界に蔓延しているからです。雪の結晶やハチの巣などですね。五の持つ力はありませんが、役には立ちます。しかし、七となるとほとんど価値はありません。その有用性はほぼゼロといっていいでしょう。『ヨハネの黙示録』で使われたのは、言語的な記号であって――」彼は不意に言葉を切り、苦笑いした。「お許しください、卿。気をつけないと、つい衒学的になってしまいまして」

「構いませんよ。興味深いお話です」ダーシー卿はいった。「しかし、わたしが疑問に思っているのはこういうことです。カンバートン卿が、何らかの奇怪な生贄の儀式の犠牲となった可能性はあるのでしょうか？」

「さあ……わかりません」サー・トマスは考え込むようにゆっくりといった。しばらく黙って考えたあと、こういった。「可能性はあると思います。しかしそうなると、カンバートン卿本人が、中枢部の一員ということになります」

「なぜです？」

「生贄は進んで命を落とさなければならないからです。さもなければ生贄の効果は無駄になってしまいます。確かに最近――ポーランドのスパイに触発されて――国王の場合は例外を設けようという試みがありました。しかし、それは強く支持されませんでした。彼らのほとんどは、誤った方向へ導かれた狂信者にすぎず――本来はきわめて誠実な人々なのです。このような教義を変えるのは、カジミェシュ九世が考えているほど簡単ではありません。花嫁が銃を突きつけられ、意に反して結婚を承諾することが真に神聖な儀式なのだとポーランド王が聞けば、そのようなことを信じる人間がいるのかとショックを受けるでしょう。なのに彼は、ドルイド教の信者に非ドルイド的なことをたやすく信じ込ませることができると考えているようです。ポーランド王は愚かではありませんが、それなりの欠点があるのです」

「では」ダーシー卿が訊いた。「カンバートン卿が中枢部の一員であるという可能性はありますか？」

「わたしはそうは思いませんが、もちろん可能性はあります。わたしが書いた報告書をお読みになれば、役に立つと思われます。大司教が写しをすべてお持ちです」

「名案ですね、サー・トマス」ダーシー卿はそういって、席を立った。「わかっている会員のリストと、疑いのある会員のリストをください」彼は腕時計を見た。ケント公の遺族と約束した時間まで、まだ二時間半あった。それだけあれば十分だろう。

「こちらです、卿。ご家族とサー・アンドルーが、すぐにお目にかかります」お仕着せを着た従僕がいった。ダーシー卿は長い廊下を案内され、亡き公爵の家族が待つ部屋へ向かった。

ダーシー卿は公爵夫妻とその息子には、社交の場で会ったことがあった。娘のレディ・アンと、公爵夫人の兄サー・アンドルー・キャンベル＝マクドナルドに会うのは初めてだった。

ケント公本人は親切だったが生真面目で、どちらかといえば面白みのない男だった。道徳には厳しかったが、粗暴だったり、無慈悲だったりすることはない。帝国全体、特に公爵領では、尊敬され、敬愛されていた。

ケント公爵夫人マーガレットは、夫よりも二十歳ほど年若かった。公爵とは一九四四年、二十二歳で結婚した。故サー・オースティン・キャンベル＝マクドナルドの第二子で、ひとり娘である。陽気で、機知に富み、聡明で、知性があり、今もたいそう美しい。彼女は二十年間、物静かで控えめな夫の前で、活発で生き生きとした生活を送ってきた。賑やかなパーティや上質のワイン、美味しい食べ物を好み、ダンスや乗馬を楽しんだ。ロンドンの有名な賭博クラブである〈ザ・ウォーデンズ〉の、数少ない女性会員のひとりだった。

それでも、彼女はスキャンダルをまったく寄せつけなかった。自分自身や家族に、不道徳なふるまいや悪事といった疑惑をもたらしかねない状況は、注意深く避けてきた。

夫婦の間には、ふたりの子供があった。十九歳のクウェンティン卿は息子で跡継ぎである。十六歳のレディ・アンはまだ学生だったが、ダーシー卿が聞いたところでは、すでに美しい娘になっているということだった。子供たちはふたりとも母親の陽気さを受け継いでいたが、非常に行儀がよいという。

ケント公爵夫人の兄サー・アンドルーは、世間の評判ではおおらかで、魅力的で、機知に富んだ人物で、二十五年近くを新世界の北の大陸ニューイングランドで過ごし、イングランドに来て五年ほどが経った今では六十歳近かった。

公爵夫人は、紋織物の椅子に腰かけていた。堂々たる女性で、円熟した体つきだが太りすぎてはおらず、赤褐色の髪に白いものは少しもなかった。表情からは緊張していることがうかがわれたが、目は澄んでいた。

息子のクウェンティン卿が、背筋を伸ばし、沈痛な面持ちで、その傍らに立っていた。ケント公爵位の法廷推定相続人である彼は、すでに〝閣下〟や〝公爵〟といった敬称で呼ばれることを許されていたが、国王によってその地位が認められるまで、所領を治めることはできなかった。

うやうやしく、やや離れたところに立っているのは、サー・アンドルー・キャンベル＝マクドナルドだった。

ダーシー卿はお辞儀をした。「奥方様、サー・アンドルー、このような形でお会いしなくてはならないことを残念に思います。ご存じのように、わたしは亡くなられた公爵を長いことお慕いしていました」

「ありがとう、卿」公爵夫人がいった。

「さらに残念なのは」ダーシー卿は続けた。「ここへ来たのは故人に哀悼の意を表するという私的な目的だけでなく、公的な仕事のためでもあるということです」

若きクウェンティン卿が、かすかに咳払いした。「謝罪には及びません、卿。あなたの義務は理解しています」

「ありがとうございます。では最初に、カンバートン卿が生きているのを最後に見たのはいつだったかお聞かせください」

「三週間ほど前でした」クウェンティン卿がいった。「四月の終わりです。彼は休暇でスコットランドへ向かうところでした」

公爵夫人もうなずいた。「土曜日でしたから、二十五日でしょう」

「そうです」若き公爵も同意した。「四月二十五日でした。それ以来、誰も彼を見ていません。つまり、生きている彼を。憲兵隊長に頼まれて、死体の身元を確認しましたから」

「わかりました。誰かがカンバートン卿を亡きものにしようと考える理由について、どなたか心当たりがありませんか?」

クウェンティン卿は目をしばたたいた。彼が答える前に、母親がいった。「まったくありません。カンバートン卿は立派な、素晴らしい人でした」

クウェンティン卿の顔が明るくなった。「そうですとも。彼の命を奪おうとする理由がわかりません」

「いわせていただければ」サー・アンドルーがいった。「カンバートン卿は、数多くの悪人を王立裁判所に引き渡してきたはずです。彼の尽力によって刑務所行きを宣告された者たちから、一度ならず暴力の脅しを受けていたと聞いています。そうした人物が、脅しを実行に移した可能性はないでしょうか?」

「大いにあり得ることです」ダーシー卿は同意した。彼はすでに、この線についてバートラム隊長と話をしていた。国王の法執行官の死を捜査するときの、お決まりの手順だ。「それは非常に説得力があります。しかし当然ながら、あらゆる可能性を検討しなければなりません」

「あなたがほのめかしているのは」公爵夫人が冷たくいった。「ケント家の誰かが、この恐ろしい犯罪に関与しているということではないでしょうね?」

「何もほのめかしてはおりません、奥方様」ダーシー卿は返した。「わたしは何かをほのめかす立場にはありません。事実を見つけるのが、わたしの仕事です。すべての事実が明るみに出れば、ほのめかしたり、当てこすったりする必要はなくなるでしょう。どのようなものであろうと、真実は常に正しい方向を指すものです」

「そうでしたね」公爵夫人は静かにいった。「お許しください、卿。ひどく疲れているものですから」

「妹をお許しください」サー・アンドルーが流れるようにいった。「神経が参っているのです」

「自分のことは自分で話せます、アンドルー」公爵夫人はそういって、しばらく目を閉じた。

「けれども、兄のいう通りです、ダーシー卿」彼女はさらに続けた。「ここのところ、体調がすぐれなくて」

「こちらこそお許しください、奥方様」ダーシー卿は礼儀正しくいった。「このようなつらいときに、お心を乱すつもりはありません。質問はこれくらいにいたしましょう。公的な義務は、ひとまず終わりとお考えください。個人として、何かお力になれることはありますか?」

彼女はまた目を閉じた。「今のところは結構です、卿。お気遣いいただきありがとうございます。クウェンティン、あなたは?」

「今のところは結構です」クウェンティン卿も同じことをいった。「力をお借りしたいときにはお知らせします」

「では、これで失礼させていただきます。重ねてお詫び申し上げます」

執事の案内で、ダーシー卿が広い玄関へ通じる廊下を歩いているとき、突然、近くのドアが開き、目の前に若い娘が立ちはだかった。それが誰かはすぐにわかった。母親にとてもよく似ている。

「ダーシー卿？」彼女は澄んだ若々しい声で尋ねた。「レディ・アンです」と、手を差し出す。ダーシー卿は少しだけほほえみ、お辞儀をした。若い女性の手にキスをするのは、いささか古めかしく思えたが、十六歳のレディ・アンはすっかり大人になった気で、それを見せつけたいのだろう。

だが、手を取ったとき、理由はほかにあることがわかった。ダーシー卿は彼女の手の甲にくちづけした。「お目にかかれて光栄です、マイ・レディ」彼は、相手が持っていた畳んだ紙片を、器用にてのひらに隠しながらいった。

「ご挨拶できず失礼しました」彼女は落ち着いていった。「具合があまりよくないもので。ひどい頭痛がするのです」

「少しも構いません、マイ・レディ。すぐによくなることでしょう」

「ありがとう、卿。では、いずれまた――」彼女はそういって、通り過ぎて行った。ダーシー卿は振り返らず歩を進めたが、部屋に残してきた三人のうちひとりがドアを開け、彼とレディ・アンとのやり取りを見ていたのはわかっていた。

公爵の宮殿の正門を出たところで、彼は紙片を見た。

そこにはこう書かれていた。

〝お話があります。大聖堂の聖トマス廟で、六時に。お願いです！〟

そこには〝ケント家のアン〟と署名されていた。

五時半、ダーシー卿は大司教館の自室で椅子に座り、マスター・ショーンの報告に耳を傾けていた。

「マスター・ティモシーと一緒に、ご指示通り、家具職人の仕事場のドアと窓の錠を確認しました。強力な呪文がかけられていました。確実で有能な仕事です。もちろん、わたしにはどれも開けられますが、仕事を心得ている魔術師でなければ無理でしょう。普通の泥棒やアマチュア魔術師には無理です」

「それで、どのような状態だった？」ダーシー卿が訊いた。

「マスター・ティモシーとわたしにいえる範囲では、破られた呪文はありませんでした。もちろん、だからといって細工されなかったとはいえませんが。腕のいい錠前師なら痕跡を残さず鍵を開け、もう一度かけることもできるでしょう。同様に、腕のいい魔術師なら、痕跡を残さず呪文を解き、またかけることができます。しかし、それができるのは超一流の魔術師だけです」

「なるほど」ダーシー卿は考え込んでいる様子だった。「ギルドの名簿は確認したか、ショーン？」

マスター・ショーンはほほえんだ。「真っ先にやりましたよ、卿。魔術師ギルドの名簿によれば、カンタベリーでそれをやってのける技術があるのはただひとりです――わたしを別にすれば」

「きみはいつでも別格だよ、ショーン」ダーシー卿は笑みを浮かべた。「ただひとり？　となると、明らかに――」

「そうです、卿。マスター・ティモシーその人です」

ダーシー卿は満足げにうなずき、パイプ煙草の燃えかすを叩いて落とした。「素晴らしい。またあとで会おう、マスター・ショーン。もう少し調べなければならないことがある。もっと事実が必要だ」

「どこで見つけるというのです、卿？」

「教会だよ、マスター・ショーン。教会だ」

卿が立ち去るのを、マスター・ショーンは戸惑いとともに見送った。どういう意味だろう？

「ひょっとして」マスター・ショーンは、冗談半分にひとりごちた。「神に祈って、犯人を教えてもらうつもりなのかもしれないな」

大聖堂にはほとんど人けがなかった。ふたりの女性が、宝石で飾り立てられた聖トマス・ベケット廟で祈りを捧げていた。別の廟にも数人がいた。夕日が射しているにもかかわらず、古い教会の中は薄暗かった。日の光はステンドグラスの窓からほぼ水平に射し込み、壁を照らしていたが、床のほうは暗かった。

廟に近づいたダーシー卿は、ひざまずいている女性のひとりがレディ・アンであることに気づいた。数ヤード離れたところで足を止め、待つ。祈りを終えて立ち上がった彼女はあたりを見回し、ダーシー卿に目を止めると、まっすぐに近づいてきた。

「来てくださってありがとうございます、卿」彼女は低い声でいった。「こんなふうにお会いすることをお許しください。家族は、わたしがあなたと話さないほうがいいと考えているのです。英雄崇拝の愚かな娘だと思っているから。でも、本当は違います――もっとも、あなたは素晴らしい方だと思いますが」彼女は大きな灰色の瞳で、卿を見上げた。「あなたのことは何でも知っています、卿。レディ・イヴォンヌは学友なのです。あなたは帝国一の捜査官だと聞きました」

「そうなろうと努力しています、マイ・レディ」ダーシー卿はいった。ルーアン侯爵の娘イヴォンヌとはほんの数語しか交わしたことがなかったが、女学生らしい恋心にとらわれてしまったようだ――そして、レディ・アンのまなざしを見たところでは、その病は伝染するらしい。

「あなたがカンバートン卿の殺人事件を早く解決できれば、誰にとってもいいことでしょう?」レディ・アンは尋ねた。「あなたにご加護があるよう、聖トマスに祈っていたのです。殺人のことなら、彼がご存じではないかしら?」

「そうですね、マイ・レディ」ダーシー卿は同意した。「この問題を解決するのに、聖トマスの特別な仲介が必要だと思われますか?」

レディ・アンは驚いて目をしばたたいた――それから、長身の男の鋼色の目が、面白そうに光っているのに気づいた。彼女は笑みを返した。「そうは思いません、卿。でも、何事も当然と思ってはいけないでしょう。それに聖トマスは、本当に必要なときしか助けてくださらないはずよ」

「赤面の至りです、マイ・レディ」ダーシー卿は赤面もせずにいった。「聖トマスとわたしとの間に、職業的嫉妬がないことは請け合いますよ。正義のために働いているのですから、天の介入はしばしば助けになります。わたしが求めても、求めなくてもね」

急に真面目な顔になって、彼女はいった。「天があなたの仕事を邪魔することはないの？　神のお慈悲のために？」

「ときにはあるでしょう」ダーシー卿はおごそかに答えた。「しかし、それは〝邪魔〟とはいえません。それよりも〝憐れみの啓示〟と呼びましょう――わたしのいいたいことはおわかりですね」

彼女はうなずいた。「わかると思います。ええ、わかると思うわ。それを聞けて嬉しく思います、卿」

ダーシー卿の頭に、ふと考えが浮かんだ。レディ・アンは誰かを疑っているのだ――罰してほしくない誰かを。だが、そういいきれるだろうか？　彼女が慈悲深いだけのことではないか？

様子を見よう。ダーシー卿は自分をいましめた。様子を見るのだ。

「あなたとお話ししたかったのは」レディ・アンが低い声でいった。「手がかりを見つけた気がするからです」

ダーシー卿は〝手がかり〟という言葉が強調されているのに気づいた。「本当ですか？　話を聞かせてください」

「実は、ふたつの手がかりを」彼女は共謀者のように、さらに声を落とした。「ひとつ目は、わたしが見たものです。わたし、カンバートン卿が先週の月曜日、十一日の夜に、スコットランドから帰って来たのを見ました」

「何と、それはありがたい！」ダーシー卿は勢い込んでささやいた。「いつ、どこでですか？」

「お城で。つまり、わたしの家で。夜もかなり遅くて――十二時近かったわ。直後に鐘の音が聞こえましたから。眠れなかったのです。父の具合がとても悪くて、わたし――」彼女は言葉を切って唾を飲み込み、涙をこらえた。「心配で眠れませんでした。窓の外を見ると――部屋は三階なのですが――あの方が脇の入口から入ってくるのが見えました。ガス灯が一晩じゅうついているので、顔ははっきりと見えました」

「彼が中に入ってから、何をしていたかわかりますか？」

「わかりません。大したことではないと思っていましたから。わたしはそのまま部屋にいて、やがて眠ってしまいました」

「その後、生きているカンバートン卿に会ったことは？」

「いいえ、卿。それをいったら、亡くなったカンバートン卿にも。本当に青く染まっていたのですか？」

「ええ、本当です」彼は少し間を置いた。「もうひとつの手がかりというのは？」

「それが、何か意味があるのかどうかわからないのです。判断はお任せします。先週の月曜日の夜、カンバートン卿が家に来たとき、緑のマントを抱えていました。特にそれが気になったのは、彼は紺のマントを着ていて、なぜ二着もマントが必要なのだろうと思ったからです」

ダーシー卿は、ほんのわずかに目を細めた。「それで――？」

「それで、昨日……わたしの気分がすぐれなかったことは、わかっていただけますわね。父とはとても仲がよかったので――」またしても彼女は言葉を切り、涙をこらえた。「とにかく、廊下を歩いているときのことでした。しばらくひとりになりたかったのです。わたしは西翼にいました。お客様があるときしか使われず、今はお客様もいません。煙のにおいがしました――木や石炭を燃やしたのではない、妙なにおいでした。そのにおいを追って、客間のひとつに入りました。誰かが暖炉で火をおこしていたようです。奇妙なことでした。昨日は今日と同じように、穏やかでお天気のよい日でしたから。灰は完全にかき回されていましたが、まだ煙が立ち上っていました。服を燃やしたようなにおいで、これもまた、とても奇妙に思えました。そこで、火かき棒で少し探ってみたら――これが見つかったんです！」大げさなしぐさで、彼女はベルトにつけたバッグから何かを出し、親指と人差し指でつまんでダーシー卿の前に突き出した。

「城の使用人の誰かが、カンバートン卿の殺人について何か知っているはずです！」

彼女が持っていたのは、縁が焼け焦げた小さな緑の布切れだった。

マスター・ショーン・オロックリンは、大きな箱を抱え、アイルランド人らしい丸顔に笑みをたたえて、ダーシー卿の部屋へ入ってきた。「見つけましたよ、卿！」勝ち誇ったようにいう。「生地屋にたんまりありました。ほとんど同じ色です」

「それでうまくいくかな？」ダーシー卿が訊いた。

「ええ、卿」彼は近くのテーブルに箱を置いた。「いささか骨が折れますが、お望みの結果が得られるでしょう。ついでに修道院の病院へ寄って、亡き公爵の検死を担当した治療師と話をしてきました。治療師である神父と、助手の外科医は、ふたりとも同じ意見でした。公爵は自然死だということです。毒殺の形跡はありませんでした」

「素晴らしい！　自然死のほうが、巧妙な殺人よりもずっと、わたしの仮説に合致する」彼はマスター・ショーンがテーブルの上に置いた箱を指した。「その糸くずを見てみようじゃないか」

マスター・ショーンはすぐさま箱を開けた。中には、数ポンド分の細い緑の糸くずが、縁までぎっしり詰まっていた。「これがその糸くずです、卿。あの布のもととなるような、細かく刻んだリンネルです。ただの糸くずにすぎませんが、われわれの目的にかなうのはこれしかありません」あたりを見回した彼は、探していた装置を見つけた。「おお！　回転樽を用意してくださったのですね」

「ああ。大司教が親切にも、われわれのために樽職人に作らせたのだ」

その装置は十二ガロンほどの容量の小さな樽で、片側にクランクがついており、それを回すと樽が回転するように枠に据えられていた。樽の反対側には、蓋がきっちりとはまっている。

マスター・ショーンはクローゼットへ向かい、シンボルをちりばめた大きな旅行鞄を引っぱり出した。それをテーブルに置き、さまざまな品を取り出す。「さて、長い手続きになりますぞ。決して簡単な仕事ではありません。マスター・ティモシー・ヴィドーは、織目がわからなくなるまで細かく布を刻むのを手伝ってくれ、そのことで得意になっていますが、そんなのは、これに比べればただの手品です。関連性の法則を利用すればいいだけのことですからね。裂かれた布の両端は互いに強い関連性を持っていますから、それを断ち切ればいいのです。

しかし、この糸くずは、元の衣服と直接関連がありません。こんなときは、代喩の法則を使わねばなりません。一部が全体を表すというものです――あるいはその逆もあります。さてと、見てみましょう。すべて乾いていますか?」

話しながら、彼は手を動かした。これからかける呪文に必要な道具と材料を取り出す。

マスター・ショーンの仕事ぶりを眺め、彼がそれぞれの段階を詳しく説明するのを聞くのを、ダーシー卿はいつも楽しみにしていた。これまで数えきれないほど耳を傾けてきたが、その都度、必ず新しいことを学んだ。彼はそれを記憶にとどめ、将来参照できるようにしていた。もちろん、ダーシー卿が直接それを利用できるわけではない。彼にはタレントも、その徴候すらなかった。だが、彼の職業では、関連する情報は何であれ役に立つのだ。

「ご存じと思いますが、卿」マスター・ショーンが続けた。「琥珀で羊毛をこすると、糸くずや紙きれがくっつきます。ガラス管で絹をこすっても同じです。これも基本的には、ほとんど同じ手続きなのですが、力加減と集中が必要です。ここが難しいところなのです。さて、しばらくはいっさい音を立てないでくださいよ、卿」

マスター・ショーンが装置全体を納得のいくように準備するまで、一時間近くかかった。彼は糸くずと焦げた服の切れ端に粉を振り、呪文を唱え、杖で宙にシンボルを描いた。その間ずっと、ダーシー卿は黙って座っていた。魔術師の仕事の邪魔をするのは危険なことなのだ。

とうとう、マスター・ショーンが箱の中身のふわふわした糸くずを樽に空け、緑の布切れも一緒に入れた。蓋を固定し、さらに杖で宙をなぞりながら、低い声で呪文をつぶやく。

やがて彼はいった。「ここからが退屈な部分です、卿。こいつは非常に細かい糸くずですが、樽は少なくとも一時間半は回し続けなければなりません。これは蓋然性の問題なのです。衣服の切れ端は、以前そこについていた繊維と最もよく似た糸くずを見つけようとします。するとその糸くずが、次に最もよく似たものを見つけるといった調子で続くのです。さて、ものが細かく分けられるほど、同一の物質に近くなるのは常識です。たとえば塩のような純粋な物質が、究極の粒子にまで還元されれば、どれも同じものになるという学説が立てられています。気体の中では――いや、ここでは関係ないでしょう。大事なのは、長さ半インチの緑の糸を使えば、何トンもの材料を、何日も回転させなくてはならないということです。数字を並べて退屈させるつもりはありません。とにかく、これには時間がかかるので――」

ダーシー卿はほほえんで手を上げた。「忍耐だ、ショーン。先手を打っておいた」彼は前日に国王が同じことをしたのを思い出した。呼び鈴の紐を引く。

ドアにノックの音がした。ダーシー卿が「入れ」というと、修練士のローブを身に着けた若者が、おどおどしながら入ってきた。

「ブラザー・ダニエルだね？」卿はいった。

「は――はい、卿」

「ブラザー・ダニエル、こちらはマスター・ショーンだ。マスター・ショーン、修練士監督者から聞いたが、ブラザー・ダニエルは修道会の規則に軽微な違反をしたそうだ。その罰は、二時間の単純労働だ。きみには免許を持った魔術師としての特権があるから、この修練士にその気があれば、きみの罰を受け入れてもらうのは法に触れるものではないだろう。どうだね、ブラザー・ダニエル？」

「おおせのままに」若者は謙虚にいった。

「よろしい。ブラザー・ダニエルはきみに任せる、マスター・ショーン。わたしは二時間後に戻る。それだけあれば十分かな？」

「十分です、卿。さあ、この椅子に座ってくれたまえ、ブラザー。やるのはクランクを回すことだけだ――ゆっくりと、優しく、だが途切れずに。こんなふうにね。そうだ。いいぞ。さて、おしゃべりは終わりだ。あとでお目にかかりましょう、卿」

戻ってきたダーシー卿は、サー・トマス・ルソーを連れていた。ブラザー・ダニエルは礼をいわれ、労働から解放された。

「準備はできたかな、マスター・ショーン？」ダーシー卿が訊いた。

「できております、卿。見てみましょうか？」

ダーシー卿とサー・トマスは興味深そうに、マスター・ショーンが樽の蓋を開けるのを見た。ずんぐりとした小柄な魔術師は、薄い革手袋をはめた。「濡らしてはいけないのです」彼は木の樽の端から手を入れながらいった。「金属に触れさせてもいけません。そうすれば、ばらばらになってしまいます。さあ、出てこい……そっと……そうっと……ああ！」

引っぱり出している間にも、蜘蛛の巣のような繊細な織物から小さな糸くずが舞い落ちた。彼が手にしているのは、もはやばらばらの糸くずの塊ではなかった。そこには質感と形があった。ややけば立った緑のリンネルでできた長いローブで、頭巾がついている。頭巾には目の部分に穴が開いていて、頭を覆っても前が見えるようになっていた。

丸々とした小柄なアイルランド人魔術師は、復元されたローブを慎重にテーブルに置いた。ダーシー卿とサー・トマスは、手を触れずにそれを見た。

「間違いありません」しばらくして、サー・トマスがいった。「元の布切れは、アルビオン協会の七人のうち誰かが着ていたものの一部だったのでしょう」彼は魔術師を見た。「見事な腕前です、魔術師殿。これほど素晴らしい復元は見たことがない。ほとんどは、持ち上げようとしたときに壊れてしまいます。どれほどの強度がありますか？」

「柔らかいティッシュペーパーほどでしょう。幸い、ここ最近は乾燥した天気が続いていましたからね。湿気があると——」彼はにやりとした。「——そう、濡れたティッシュペーパーに近くなるでしょう」

「うまいことをいいますね、マスター・ショーン」サー・トマスは笑顔でいった。

「恐れ入ります、サー・トマス」マスター・ショーンは巻き尺を取り出し、復元された服を注意深く測って、ノートに数字を書き込んだ。それが終わると、ダーシー卿を見た。「こんなところです、卿。まだこれが必要ですか？」

「必要はないだろう。これ自体、証拠にはならない。それに、法廷へ持ち込む頃にはとうに溶けているだろう」

「その通りです」彼は左肩の部分に当たる元の布切れをつまんで、繊細な服を持ち上げ、糸くずの入っていた箱に頭巾付きのローブの大部分をしまった。続いて、手袋をはめた親指と人差し指で元の布の部分を持ったまま、ローブの本体に銀の杖で触れた。驚くほどあっけなく布地は崩れ、形を持たない糸くずに戻り、元の布切れがマスター・ショーンの指の中に残った。

「これは保管しておきましょう」彼はいった。


三日後の二十二日金曜日、ダーシー卿は苛立っていた。最終的に国王に送る報告書の草稿を書き足し、すでに書いたものを見直した。気に入らない。新しい事実は何も出てきていなかった。新しい手がかりも、情報も、何もない。今も彼は、エジンバラのサー・アンガス・マクレディの報告を待ちながら、それが事態をはっきりさせてくれることを願っていた。今のところは何もわかっていなかった。

故ケント公爵は木曜日に埋葬され、大司教が鎮魂ミサを執り行った。帝国の貴族の半分が、国王陛下とともに参列した。ダーシー卿は大司教を説得し、聖所の聖歌隊席に座ることを許された。来た者たちの顔を見るためだ。その顔からは、何もわからなかった。

サー・トマス・ルソーは、カンバートン卿本人かサー・アンドルー・キャンベル＝マクドナルドのいずれか、あるいは両方が、アルビオン協会の会員である可能性がきわめて高いことを示す情報をつかんでいた。しかし、それでは何も証明できない。公爵自身が、ふたりのどちらか、あるいは両方をスパイとして送り込んだというのは、きわめてあり得ることだからだ。

「問題は、ショーン」木曜日の午後、彼はずんぐりした小柄なアイルランド人魔術師にいった。「月曜日から変わっていない。誰が、なぜカンバートン卿を殺したか？　データは数多く手に入れたが、今のところ説明のつかないデータばかりだ。なぜカンバートン卿は公爵の棺に入っていたのか？　彼はいつ殺されたのか？　殺されたときから発見されるまでの間、死体はどこにあったのか？

なぜカンバートン卿は緑の服を持っていたのか？　それは月曜に燃やされたのと同じものなのか？　だとすれば、それを燃やした者は、なぜ月曜の午後まで処分を待ったのか？　緑の服は、カンバートン卿とサー・アンドルーどちらの体にも合うものだった。ふたりとも長身だ。ケント公爵家の人たちのものでないのは間違いない。一番背が高いクウェンティン卿でも、あの服の裾につまずかずにいるには、ゆうに六インチ足りない。

わたしは強い疑惑を持っているんだ、ショーン。証拠が指し示している先が気に入らない」

「どういうことかわかりませんが、卿」マスター・ショーンはいった。

「よく考えてみたまえ。きみは街にいた。人々の噂を聞いているはずだ。『カンタベリー・ヘラルド』の社説を目にしているはずだ。人々は、カンバートン卿がアルビオン協会に殺されたと確信している。大青という手がかりは、普通の男のために浪費されたわけではない。

その結果は？　協会の会員は、死ぬほど怯えていることだろう。ほとんどは、長い目で見れば無害な人たちばかりだ。非合法な組織に属することで、小さな子供がリンゴを盗むときのような、悪ぶった気になっているにすぎない。だが、今やキリスト教共同体は武器を取って立ち上がり、何らかの手を打つことを求めている。ここだけではなく、イングランド、スコットランド、ウェールズ全体でだ。

カンバートン卿は、進んでかどうかはともかく、生贄として殺されたわけではない。それなら別のところに遺体が置かれただろう——一番ありそうなのは、森の中に埋められることだ。

彼はカンタベリー城内のどこかで殺され、それは殺人だった——生贄ではなく。となると、なぜ大青が使われた？」

「防腐の呪文としてでしょう、卿」マスター・ショーンがいった。「古代ブリトン人は象徴学に通じ、大青の矢じりの形の葉が、防御に利用できることを知っていました。彼らは戦いのときに大青で体を染めました。もちろん、彼らは防御の呪文がそのように作用しないことは知りませんでした。彼らは――」

「きみは大青を防腐の呪文に使うことがあるか？　遺体の腐敗を防ぐために？」ダーシー卿が口を挟んだ。

「いいえ……使いません。ご存じの通り、もっといい呪文がありますから。大青の呪文には非常に長い時間がかかり、全身をすっかり染めなくてはなりません。それに、この呪文にはあまり効果がないのです」

「では、なぜそれが使われた？」

「ああ！　おっしゃりたいことがわかりました！」マスター・ショーンの、アイルランド人らしい幅広の顔に、満面の笑みが浮かんだ。「そうです！　遺体は発見されなくてはならなかったのです！　大青は古代アルビオン聖協会に罪をなすりつけ、別の者から疑いをそらすためのものだった。あるいは、殺人の目的そのものが、協会を苦境に陥れるためだったとか？」

「どちらの仮説も、それぞれいいところを突いている、マスター・ショーン。だが、まだデータが足りない。事実が必要だ、ショーン。事実が！」


それから二十四時間近くが経った今も、新しい事実は出てこなかった。ダーシー卿はインク壺にペンを浸し、残念な事実を書きつけた。

ドアが開き、マスター・ショーンが入ってきた。すぐ後ろから、若い修練士がついてくる。手にしたトレイには、卿に頼まれた軽い昼食が載っていた。ダーシー卿は書類を片側へどかし、トレイの置き場所を示した。マスター・ショーンが封筒を差し出した。「特別配達です、卿。エジンバラのサー・アンガス・マクレディから」

ダーシー卿は勢い込んで封筒に手を伸ばした。

その後に起こったことは、実際には誰のせいでもなかった。三人がいっせいに、何かをしようとテーブルに群がったのだ。トレイを置こうとしていた修練士は、マスター・ショーンがダーシー卿に封筒を手渡したので、それをよけなくてはならなくなった。トレイの角がインク壺の首に当たり、小さな壺はすぐさま倒れて、ダーシー卿が書いていた草稿の上に中身が勢いよくこぼれた。

一瞬、驚きに打たれたような沈黙が流れたあと、修練士の過剰なまでの謝罪でそれが破られた。ダーシー卿はゆっくりと息を吸ってから、何でもないと若者に冷静に告げた。彼のせいではないし、自分は少しも怒っていないと。若者はトレイを持ってきた礼をいわれ、解放された。

「それに、汚れのことは心配ない、ブラザー」マスター・ショーンがいった。「わたしがきれいにしておこう」

修練士が下がったあと、ダーシー卿は悲しげにインクのしみがついた書類を見て、それからマスター・ショーンに手渡された封筒を見た。「ショーン」彼は静かにいった。「きみも知っての通り、わたしは神経質でもないし、かっとなりやすいたちでもない。だが、この封筒の中に、よい知らせや有益な情報が入っていなかったら、わたしは怒りの発作とともに床に身を投げ出して、絨毯を嚙み破ってやる」

「無理もありません、卿」マスター・ショーンはそういったが、相手がそのようなことをしないのはよくわかっていた。「安楽椅子におかけください。このちょっとした惨状を何とかしますから」

ダーシー卿は窓際の大きな椅子に腰を下ろした。マスター・ショーンはトレイを持ってきて、卿のそばにある小テーブルに置いた。ダーシー卿はサンドウィッチを食べ、カフェを飲みながら、エジンバラからの報告に目を通した。

スコットランドでのカンバートン卿の行動は、ひどく大っぴらなものではなかったにせよ、決して人目を忍ぶものではなかった。彼はいくつかの場所へ行き、いくつかの質問をし、いくつかの記録を見ていた。サー・アンガスはその足取りを追い、カンバートン卿が仕入れた情報を突き止めた。とはいえ、亡くなった卿がその情報で何をしようとしていたのか、それを調べてどのような仮説を立てたのか、あるいは手に入れた情報が本人にとって意味があったのかどうかさえわからないと、彼は認めている。

カンバートン卿が訪れた場所の中に、公文書館と教会の結婚登録所があった。彼は、現在のケント公爵夫人マーガレット・キャンベル＝マクドナルドのことを調べていた。

一九四一年、まだ十九歳のときに、彼女はチェスター・ローウェルという、ひどくいかがわしい素性の男と結婚していた。彼の父親は横領罪でしばらく投獄され、最後には謎めいた状況で溺死していた。チェスターの弟イアンは、無免許で魔術を行ったとして二度逮捕され、裁判にかけられたが、いずれも〝証拠不十分〟の判決で釈放された。その後、違法な魔術がらみの信用詐欺で六年間服役し、一九五九年に釈放された。チェスター・ローウェル本人は、最悪の部類の賭博師で、カードやサイコロに細工をして私腹を肥やしていた。

結婚してわずか三週間で、マーガレットはチェスター・ローウェルと別れ、家に戻ってきた。明らかに、ローウェルは妻を失っても何ともないようだった。彼女を連れ戻そうともしなかった。六カ月後、彼はある嫌疑をかけられたまま、スペインへ渡った。スコットランド当局は、グラスゴーの銀行から六千ソブリンが消えたことに彼が関与していると考えていた。しかし、アラゴン王の庇護から身柄引き渡しを要求できるほど強力な証拠はなかった。一九四二年、アラゴン当局は、〝英国人《イングレス》〟チェスター・ローウェルが、サラゴサでカードゲーム中の口論の末、射殺されたと報告した。スコットランド当局は、ローウェルを知る捜査官を送って遺体の身元を確認し、彼に関する捜査は〝打ち切り〟となった。

そうだったのか！　ダーシー卿は思った。ケント公爵夫人マーガレットは、二度夫に先立たれたというわけか！

ローウェルとの短い結婚生活で、子供はできなかった。一九四四年、八カ月の求愛期間を経て、マーガレットはケント公爵夫人となった。公爵が彼女の結婚歴を知っていたのか、あるいは、最後まで知ることがなかったのか、サー・アンガス・マクレディにはわからなかった。

サー・アンドルー・キャンベル＝マクドナルドもまた、カンバートン卿に経歴を調べられていた。彼の過去に、後ろ暗いところがないのは間違いない。スコットランドでの評判は高かった。一九三九年、彼はニューイングランドへ渡り、一時は帝国軍に属していた。赤い肌の先住民との三度の戦いで名誉ある働きをし、大尉の地位と立派な軍歴とともに除隊した。一九五七年、彼が住んでいた小さな村が先住民の奇襲を受け、大虐殺のあとで焼き払われた。しばらくは、サー・アンドルーは奇襲で命を落としたと考えられていた。彼は一九五九年に、ほぼ無一文の状態でイングランドにやってきた。かなりあった財産は、奇襲による破壊行為で失われていた。彼はケント公爵からささやかな地位と年金を与えられ、五年前から妹と義弟と暮らしていた。

ダーシー卿は手紙を脇へやり、考えにふけりながらカフェを飲み終えた。絨毯を嚙むような怒りの発作を起こそうとしているようには見えなかった。

「足りないのは魔術師だけだ」彼はひとりごとをいった。「この件のどこに魔術師がかかわっている？　というより、それは誰なのだ？　はっきりと目に見える魔術師はマスター・ティモシー・ヴィドーだけだが、彼はカンバートン卿とも、公爵家とも近いつながりはなさそうだ。サー・トマスは、サー・アンドルーがアルビオン協会の一員ではないかと疑っているが、だからといって魔術について何らかの知識があるとは限らない」

それに、サー・アンドルーが中枢部の一員だとすれば、そのような露骨なやり方で協会に注意を引いたりしないと、ダーシー卿は確信していた。

「報告書ですよ、卿」マスター・ショーンがいった。

われに返ったダーシー卿は、マスター・ショーンが紙の束を持ってそばに立っているのに気づいた。ずんぐりした小柄なアイルランド人魔術師が部屋の向こう側で働いているのを、ぼんやり意識していたが、何をしていたのかがはっきりした。ほんのわずかな湿り気を除けば、書類にこぼれたインクの跡はすっかり消え、ダーシー卿のきちんとした筆跡の文字だけが、変わらずにはっきりと残されていた。意図による差異化の問題であることは、ダーシー卿にはわかっていた。手書き文字は意図的になされたもので、インクは偶然そこにこぼれた。したがって、除去呪文でそれを区別することが可能なのだ。

「ありがとう、ショーン。いつもながら、迅速かつ正確な仕事ぶりだ」

「あなたが新型の消えないインクを使っていなければ、もっと早くできたのですがね」マスター・ショーンは謙遜したようにいった。

「ほう?」ダーシー卿は手にした書類を見ながら、上の空でいった。

「ええ。インク自体に、消えない呪文がかけられているのです。変更したくない文書や銀行記録などに使うにはいいですが、こぼしたあとで消すのは非常に骨が折れるのです。マスター・ティモシーは二週間ほど前、公爵の書斎の絨毯についたしみを消すのに、たっぷり二時間かかったといっていました」

「なるほど」ダーシー卿はやはり報告書を読みながらいった。突然、彼は一瞬凍りついたようになった。しばらくして、ゆっくりと振り返り、マスター・ショーンを見上げる。「マスター・ティモシーは、それが正確にいつのことかいっていたか?」

「いいえ……聞いていません」

ダーシー卿は報告書を脇へやり、立ち上がった。「来てくれ、マスター・ショーン。マスター・ティモシー・ヴィドーに大事な質問をしなくてはならない——とても大事な質問を」

「インクのことですか、卿？」マスター・ショーンは戸惑いながら訊いた。

「ああ、インクのことだ。それと、彼がカンタベリーでたったひとりの人物に売った、きわめて高価なものについてだ」彼はクローゼットから青いマントを出し、肩にはおった。「来てくれ、マスター・ショーン」


「さて」それから四十五分ほど経った後、ダーシー卿はいった。彼とマスター・ショーンは、カンタベリー城の外壁の大門をくぐったところだった。「それが行われたのは五月十二日の午後のことだった。あとひとつかふたつ、小さな証拠があれば、わたしの仮説の欠落は埋められるだろう」

ふたりはまっすぐに、マスター・ウォルター・ゴトベッドの仕事場へ向かった。

マスター・ウォルターは不在だと、熟練工のヘンリー・ラヴェンダーがいった。トム・ウィルダースピンと、ラバが引く荷車で、街の紳士にテーブルを届けに行っているという。

「まったく構わないよ、ヘンリー」ダーシー卿はいった。「きみが相談に乗ってくれるだろう。ここにはゼブラウッドはあるかな？」

「ゼブラウッドですか？　少しはあると思いますが。あまり需要がないのです。非常に貴重なものなので」

「お手数だが、手元にどれくらいあるか調べてくれないだろうか、ヘンリー？　ぜひとも知りたいのだ」

「もちろんです、卿。承知しました」指物師は、仕事場の奥の大きな部屋へ引っ込んだ。

彼の姿が見えなくなるとすぐに、ダーシー卿は仕事場の裏口へ向かった。単純な打掛錠で戸締まりされている。外から開けるすべはない。ダーシー卿は、足元のおがくずやかんなくず、木片に目をやった。探していたものが見つかった。彼は木片をつまみ上げ、ドアの錠を上げて、木片を楔のように差し込んだ。ドアを閉めたときに、錠がふたつの錠受にはまらないように。続いて、ポケットから長い糸を出し、木片に巻きつけた。ドアを開け、外に出て、糸の両端をドアの下から引き出す。そしてドアを閉めた。

室内では、マスター・ショーンがそれをじっと見ていた。糸はダーシー卿に外から引っぱられ、ぴんと張った。不意に、木片が錠とドアの間から落ちた。支えを失った錠が、鈍い音を立てて落ちる。ドアの戸締まりが完成した。

すぐさまマスター・ショーンがふたたび錠を上げ、ダーシー卿を入らせた。ふたりとも何もいわなかったが、どちらの顔にも満足げな笑みが浮かんでいた。

熟練工のヘンリーは、数分後に戻ってきた。どうやら、錠が下りたくぐもった音は聞こえていないようだ。「ゼブラウッドはほとんどありませんでした」彼は残念そうにいった。「ほんの切れ端です。長さ三フィート、幅六インチ、厚さ八分の三インチの木切れが二枚。マスター・ウォルターが数年前に手がけた作品の端材です。ロンドンかリヴァプールから取り寄せなくてはなりません」彼は二枚の板を近くの作業台に置いた。未加工の状態でも、濃淡の縞模様は際立っていた。

「ああ、これだけあれば十分だ」ダーシー卿はいった。「煙草入れがほしいと思ってね。実用的な――簡素だが上品なものを。彫刻はいらない。木の美しさを見せてほしいのだ」

ヘンリー・ラヴェンダーは目を輝かせた。「そうですとも、卿！　おっしゃる通りです！特にお考えになっているデザインはありますか？」

「それはきみとマスター・ウォルターに任せよう。二ポンドほど入ればいい」

しばらくして、彼らは値段と納期を決めた。「ああ、ところで、ヘンリー……火曜日に質問したとき、何かいい忘れていたことがあっただろう」

「えっ？」熟練工のヘンリーは、驚き、戸惑い、少し怯えたようだった。

「土曜日の夜、八時半にしっかり戸締まりをしたといったね。そのときにひとりではなかったことをいわなかっただろう。つまり、戸締まりをする直前、ひとりの紳士が来たことを。彼はきみに、何か取ってきてほしいと頼んだ。そして、きみが正面のドアに鍵をかけている間、すぐそばにいた。そうではなかったか、ヘンリー？」

「おっしゃる通りです」指物師は畏敬の念に打たれたようにいった。「どうしてそれをご存じなのです、卿？」

「なぜなら、そうとしか考えられないからだ」

「まさしくそうでした。その場にいたのはクウェンティン卿です。今は新しい公爵ですが、当時はクウェンティン卿で。文鎮に使うチーク材がほしいとおっしゃいました。磨いたチーク材があるのをご存じで、買いたいとおっしゃるので、お売りしました。しかし、悪いことだとは思わなかったのです！」

「悪いことは何もしていない、ヘンリー——その出来事をわたしにいわなかったのを別にしてね。大したことではないが、それでももっと前に報告すべきだった」

「申し訳ありません、卿。しかし、本当に何でもないことだと思ったのです」

「そうだろうとも。だが今後、国王の法執行官の質問を受けたときには、必ず細かいところまで思い出すのだ。次にはもっと重要なことになるかもしれないからな」

「肝に銘じます、卿」

「よろしい。ご苦労だった、ヘンリー。煙草入れを見るのを楽しみにしているぞ」

仕事場を出たふたりは賑やかな中庭を横切り、大門へ向かった。マスター・ショーンがいった。「ゼブラウッドがなかったらどうしたのです、卿？　どうやって仕事場から追い払ったのです？」

「チークを探させたかもしれないね」ダーシー卿はそっけなくいった。「さて、スコットランドにテレスンをかけよう。二十四時間以内には、最終報告書を出せると思う」

部屋には六人の人間がいた。ケント公爵夫人マーガレットは、青ざめ、こわばった顔をしていたが、それでも堂々とした様子で、自分の客間を支配していた。ケント公爵領の跡継ぎであるクウェンティン卿は、暖炉のそばに沈痛な面持ちで立ち、まぶたを半ば伏せた目は油断なかった。サー・アンドルー・キャンベル＝マクドナルドは、厳粛な態度で窓際に立ち、背広の上着のポケットに両手を入れ、両脚をやや開いていた。レディ・アンは、サー・アンドルーのそばの背もたれのまっすぐな小さな椅子に座っていた。ダーシー卿とマスター・ショーンは、彼らと向き合っていた。

「今回もまた、このような形で服喪の邪魔をすることを、お詫び申し上げます」ダーシー卿はいった。「しかし、国王の捜査官として、はっきりさせなくてはならないことがあります。殺人に関することです。去る五月十一日、カンバートン卿はきわめて興味深い情報をつかみ、スコットランドから戻ってきました——見方によっては、それ自体が容易に脅迫になり得る情報を。カンバートン卿は、自身が見つけたもののために殺されたのです。死体は先週土曜日の夜、あるいは日曜日の早朝まで隠されていました。それから、亡き公爵のために作られた棺に入れられたのです。

その情報は、醜聞では済まないものでした。うまく使えば、公爵家を破滅させることもできたでしょう。公爵夫人の前夫が生きているという証拠を誰かが出せば、彼女はその称号を失い、エジンバラのマーガレット・ローウェルに戻ることになります——子供は非嫡出子となり、したがってケント公爵の領地や統治権の相続を主張できなくなります」

彼が話している間、公爵夫人はそばの椅子に近づき、静かに座った。その顔はやはり無表情だった。

クウェンティン卿は身じろぎもしなかった。

レディ・アンは、誰かに頬を引っぱたかれたような表情をしていた。

サー・アンドルーは、わずかに姿勢を変えただけだった。

「先へ進む前に、わたしの同僚に会っていただきたいと思います。通してくれ、マスター・ショーン」

ずんぐりした小柄なアイルランド人魔術師がドアを開けると、鋭い顔つきの、薄茶色の髪の男が入ってきた。

「皆さん」ダーシー卿はいった。「私服憲兵隊長、アレクサンダー・グレンキャノンをご紹介します」

マスター・アレクサンダーは、黙ったままの四人に向かってお辞儀をした。「奥方様、クウェンティン卿、レディ・アン。お目にかかれて光栄です」続いて、彼はサー・アンドルーをまっすぐに見た。「おはよう、ローウェル」

サー・アンドルーと名乗っていた男は、にやりとしただけだった。「おはよう、グレンキャノン。すると、わたしは罠にかけられたのかな?」

「きみがそういいたいのなら、ローウェル」

「いいや、そうはいかない」これまで〝サー・アンドルー〟と名乗っていたローウェルが突然動き、レディ・アンの椅子の後ろに回った。上着のポケットに突っ込んだままの片手を、彼女の脇腹に当てる。「国王陛下の捜査官がふたりもいる前で撃ちたくはないが、面倒なことになれば、この娘は死ぬ。何人殺しても同じだからな」その声には、絶望的な状況を切り抜けるのに慣れた冷静さがあった。

「レディ・アン」ダーシー卿は落ち着いた声でいった。「彼のいう通りにしてください。わかりましたね？　残りの皆さんもです」ローウェルの行動を予想していなかった自分に腹が立ったが、彼は素早く考えを巡らせなければならなかった。ローウェルがポケットの中に銃を忍ばせているかどうかもはっきりしなかったが、銃はそこにあるものと思わなくてはならなかった。そうでないと仮定することはできない。

「感謝するよ、卿」ローウェルは歪んだ笑みとともにいった。「彼の助言に耳を貸さない馬鹿はいないと信じている」

「これからどうするつもりだ？」ダーシー卿が訊いた。

「レディ・アンとわたしはここから立ち去る。玄関を出て、中庭を横切り、門をくぐる。二十四時間は、誰もここを離れるな。それだけあれば安全だろう。そうなったら、レディ・アンは家に帰してやる――危害は加えずにな。追手の呼び声などが聞こえたら……まあ、それはないだろうな？」歪んだ笑みがさらに広がった。「さあ、ドアから離れてもらおう。来るんだ、アン――大好きなおじさんと、しばらく出かけよう」

レディ・アンは立ち上がり、ローウェルとともに部屋を出た。彼は全員から目を離さなかった。そして、ドアを閉めた。「わたしがいなくなるまで、ドアが開く音は聞きたくないものだな」ドアの向こう側から彼がいった。続いて、廊下を去って行く足音が聞こえた。

部屋にはもうひとつドアがあった。ダーシー卿はそちらへ向かった。

クウェンティン卿と公爵夫人が同時にいった。

「駄目！　そのまま行かせて！」

「アンが殺される！」

ダーシー卿はそれを無視した。「マスター・ショーン！　マスター・アレクサンダー！　おふたりを静かにさせて、わたしが戻るまで部屋から出さないように！」そういって、彼はドアを出た。

ダーシー卿はカンタベリー城の隅々まで知り尽くしていた。帝国にある大きな城の図面には、すべて目を通すのが習慣になっていたからだ。彼は廊下を走り、石段を二段ずつ駆け上がった。何階分もの階段を上りつづけ、巨大な石造りの建物のてっぺんにある狭間胸壁《はざまきょうへき》を目指す。屋上で、彼は立ち止まって息を整えた。胸壁から下を見る。六十フィート下に、ローウェルとレディ・アンが中庭を歩いているのが見えた――人々の注意を引かないように、ゆっくりと。やっと四分の一ほどまで来たところだった。

ダーシー卿は低い幕壁へ急いだ。

壁の幅は六フィートほどしかなかった。大きな幕壁の上の通路は、両側を銃眼付きの壁に守られ、下から見えないようになっている。かがんだ姿勢で、彼は正面の大門の上にそびえる塔へ向かった。誰も止める者はいなかった。この狭間胸壁を歩いている兵士はいない。城はもう何世紀も攻撃を受けていなかった。

門塔の中には、大きな落とし門があった。巨大な鉄の格子は、攻撃時にはすみやかに下ろすことができるようになっている。今は所定の位置に固定され、門の下の深い井戸に下ろした重い平衡錘によって引き上げられていた。

ダーシー卿は、壁の外を見て獲物が今どこにいるのかを確かめようとしなかった。彼らに先回りしているかもしれず、もしそうなら、ローウェルが目を上げて彼を見ることが——ひょっとしたら——あるかもしれなかった。危険を冒すわけにはいかない。

彼は階段を使わなかった。落とし門と平衡錘をつなぐ巨大な鎖を伝って、縦穴を下りて行った。手で次々と鎖をつかみながら、六十フィート下の敷石へと向かう。

下の詰所には、昼間は衛兵はいない。ダーシー卿は心からありがたいと思った。質問に答えたり、詮索好きな衛兵を黙らせたりする時間はない。

何度か、レディ・アンの命でなく自分の命が今日で終わるのではないかと思うときがあった。何世紀にもわたり平和が続いていても、鎖にはきちんと油が塗られ、準備ができていた。それが昔からの規則であり、習慣だったからだ。鎖に脚を巻きつけ、しっかりと手で握っていても、何度か滑って手のひらと腿、ふくらはぎを火傷しそうになった。八インチの巨大な輪をつないだ鎖は、鉄の棒のように頑丈で、下の平衡錘のためにぴんと張っていた。

鎖の先は、錘が下がっている井戸に通じる、直径一フィートの穴に消えていた。ダーシー卿は両足を大きく広げ、床の敷石に軽やかに飛び降りた。

それから慎重に、重いオーク材のドアをほんの少し開けた。

ローウェルと娘はすでに通り過ぎただろうか?

巨大な落とし門を支えるふたつの鎖のうち、ダーシー卿が使ったのは、ローウェルから見て門の左側に当たるほうだった。ローウェルは右手に銃を握っていた――。

ふたりがドアの前を通り過ぎた。レディ・アンが先に、ローウェルがすぐあとに。ダーシー卿はドアをぱっと開け、その間に割って入った。

彼はローウェルに体当たりして跳ね飛ばし、娘の体から銃口をそらした。直後に、轟音とともに銃が発砲した。

ふたりの男は舗道の上で揉み合いになり、人々が散り散りに逃げて行く中、転がりながら互いに火器を奪おうとした。

衛兵が詰所から飛び出し、争っている男たちのところへ駆けつけた。

だが、遅かった。銃がふたたび火を噴いた。

しばらく、ふたりの男はどちらも動かなかった。

やがて、ゆっくりとダーシー卿が立ち上がった。手には銃を持っている。

ローウェルにはまだ意識があったが、左の脇腹に赤いしみが広がっていた。「きさまを殺してやる、ダーシー」しわがれた声で彼はいった。「こっちがくたばる前に、必ず殺してやる」

ダーシー卿は耳を貸さず、集まってきた衛兵に向かっていった。「わたしはダーシー卿。騎士団最高法院の特命を受けた捜査官です。この男を殺人の容疑で逮捕しました。身柄を拘束し、すぐに治療師を呼んでください」

ダーシー卿がレディ・アンを連れて宮殿へ戻ってきたとき、公爵夫人とクウェンティン卿はまだ待っていた。

娘は公爵夫人の腕に飛び込んだ。「ああ、ママ！　ママ！　ダーシー卿が命を助けてくれたの！　素晴らしかったわ！　ママに見せたかった！」

公爵夫人はダーシー卿を見た。「感謝します、卿。娘の命を救ってくれました。でも、あなたは破滅ももたらした。わたしたち全員の破滅を。

いいえ、聞いてください」何かいいかけたダーシー卿に、彼女はいった。「もう明るみに出てしまったのですから、お話ししたほうがよいでしょう。

ええ、最初の夫は死んだと思っていました。五年前に彼がふたたび姿を現したとき、わたしがどんな気持ちになったかおわかりでしょう。わたしに何ができるでしょう？　選択の余地はありませんでした。彼はわたしの死んだ兄、アンドルーになりすましました。ここにいる誰も、ふたりを見たことがなかったので、事は簡単でした。夫である公爵すらも知りませんでした。打ち明けることはできなかったのです。

チェスターはそれほど高望みはしませんでした。ほとんどの脅迫者がするように、とことんまで搾り取ったりはしなかった。夫に与えられたささやかな地位と年金で満足し、礼儀正しくふるまっていました。彼は――」公爵夫人は不意に言葉を切り、青ざめている息子を見た。

「ご……ごめんなさい、クウェンティン」彼女は小声でいった。「心から申し訳ないと思っているわ。あなたの気持ちはわかります。でも――」

クウェンティン卿はすぐさま遮った。「つまり、アンドルー……あの男が、母上を脅していたということですか？」

「ええ、そうよ」

「そして、父上は知らなかった？　父上は誰にも脅されていなかったのですね？」

「もちろんよ！　どうしてそんなことが？　誰が――？」

「たぶん」ダーシー卿が静かにいった。「五月十一日の夜に何があったか、あなたが考えたことをお母様に伝えるのが一番でしょう」

「口論するのが聞こえたのです」クウェンティン卿は、呆然とした様子でいった。「父上の書斎で。取っ組み合っているようでした。ドア越しにはよく聞こえませんでした。ノックしましたが、そのときには静かになっていました。ぼくはドアを開けて中へ入りました。父上が気を失って倒れていました。カンバートン卿は近くの床で――死んでいました。父上のデスクにあったペーパーナイフが胸に刺さっていました」

「そしてカンバートン卿の手に、家族の秘密を暴いた書類が握られていたのを見つけた」

「ええ」

「しかも格闘の最中、消えないインクの瓶が転がり、カンバートン卿の体に中身が飛び散っていた」

「ええ、そうです。顔じゅうに。でも、どうしてわかったのです？」

「こうしたことを調べるのがわたしの仕事なのです」ダーシー卿はいった。「残りを説明しましょう。あなたはすぐに、カンバートン卿が自分の見つけた証拠によって、お父様を脅そうとしていたと思ったのでしょう」

「ええ。ドア越しに〝脅迫〟という言葉が聞こえましたから」

「そこで、お父様がペーパーナイフでカンバートン卿を刺したあと、体が弱っていたために、気絶して床に倒れたと考えたのですね。そして、家族の名誉を守り、お父様を絞首刑から救うために、何か手を打たなくてはならないと考えた。

あなたは死体を処分しなければならなかった。でも、どこへ？ そのとき、自分が買った保存装置のことを思い出したのです」

クウェンティン卿はうなずいた。「ええ。父上が費用を出してくれました。母上への贈りものだったのです。母上は日中、軽食をとるのが好きなものですから、部屋に保存装置を置いて食べ物を詰め込んでおけば、いちいち厨房に声をかけずに済むので便利だと思ったのです」

「ごもっともです」ダーシー卿はいった。「そこで、あなたはカンバートン卿の遺体をその中に入れました。マスター・ティモシー・ヴィドーの説明では、木の箱にかけられた呪文によって、扉が閉まっている間は中に入れたものすべてに防腐呪文の効果があるとか。カンバートン卿はスコットランドへ行っているものと思われていたので、いないことを不審に思う者はいませんでした。そしてお父様は、あの夜から意識を完全に取り戻すことはなく、何も話すことはできませんでした。

実際には、お父様は何も知らなかったのでしょう。おそらく、調査目的でお父様にスコットランドへ送られていたカンバートン卿が、恐ろしい脅迫の事実を裏づけたときに倒れられたのだと思います。ローウェルは公爵に呼ばれ、その場にいたのでしょう。公爵が倒れたとき、カンバートン卿の注意が一瞬それました。ローウェルはペーパーナイフをつかみ、彼を刺した。公爵が口をつぐむのはわかっていましたが、国王の法執行官の誓いを立てたカンバートン卿は、ローウェルを逮捕しなくてはならないからです。

ちなみにローウェルは、古代アルビオン聖協会の会員でした。カンバートンはそれも突き止めていました。ローウェルはおそらく、街のどこかに別の名前で仮住まいを構え、そこに身の回りの品を置いていたのでしょう。カンバートンはそれを知り、証拠としてローウェルが所持していた緑の衣装を持ってきたのです。ローウェルが話せるようになれば、秘密の隠れ家がどこかもわかるでしょう。

ローウェルは床に倒れた公爵とカンバートン卿を残し、緑のローブを持って部屋を出ました。あなたのノックが聞こえたかどうかはわかりません、クウェンティン卿。聞こえたとは思いませんが、それは大した問題ではありません。部屋をきれいにするのにどれくらいの時間がかかりましたか、卿？」

「ぼくは……まず父上をベッドに寝かせました。それから、床の血を拭きました。しかし、こぼれたインクを消し去ることはできませんでした。それからカンバートン卿を地下室へ運び、保存装置へ入れました。母上の誕生日まで、そこに置いておく予定だったのです――誕生日は来週なので。驚かせるつもりでした。それは――」彼は言葉を切った。

「正確には、どれくらいの時間その部屋にいたのです?」ダーシー卿がもう一度訊いた。

「二十分ほどだったと思います」

「その二十分間に、ローウェルが何をしていたかはわかりません。戻ってきて、部屋から死体がなくなり、片づいているのを見たときには驚いたことでしょう」

「ええ」クウェンティン卿がいった。「ぼくはサー・バートラムと執事、治療師のジョセフ神父を呼びました。みなで部屋にいるときに……あの男が……戻ってきたのです。もちろん、驚いている様子でした。しかし、父上の病状を見てショックを受けたのだと思っていたのです」

「わかります」ダーシー卿はいった。「一方で、あなたはカンバートン卿の遺体をどうするか考えなくてはなりませんでした。いつまでも保存装置に入れっぱなしにするわけにはいきませんからね」

「ええ。城の外へ持ち出そうと思いました。遠く離れたところで見つけさせれば、何の関係もないと思われるでしょうから」

「しかし、青いインクのしみの問題があった」ダーシー卿はいった。「それを拭き取ることはできなかった。絨毯のしみを取るには、魔術師のマスター・ティモシーに頼まなければならないのはわかっていましたが、あとになって同じようなしみが遺体から見つかれば、マスター・ティモシーは疑いを抱くでしょう。そこで隠蔽することにしたのです。文字通りね。あなたは大青で遺体を染めました」

「ええ。そうすればアルビオン協会に疑いがかかり、ぼくたちから注意がそれると思ったのです」

「まさしく。そして、それはあと一歩で成功するところでした。保存装置や大青を使うのは、いかにも魔術師の仕業に見えますからね。

ところが、月曜日が近づいてきました。それはカンタベリーの祝日で、十六世紀に公爵の命が救われたことを祝う日です。祝賀行事のひとつに、城の捜索をする儀式があります。カンバートン卿の遺体は見つかってしまうでしょう」

「遺体を持ち出す手立てが思い浮かばなかったのです」クウェンティン卿はいった。「そうしたことには疎いもので。だんだん不安になってきましたが、人に見られずに中庭から運び出すことはできませんでした」

「しかし、その日は遺体を隠しておかなければならなかった。そこで、土曜日の夜にマスター・ウォルターの仕事場に戸締まりができないようにして、遺体を棺に入れたのです。儀式が終わるまでその中に安置しておいて、そのあとで保存装置に戻そうと考えたのでしょう。

いろいろな意味で残念なことに、お父様は月曜日の早朝に息を引き取った。そしてカンバートン卿の遺体が発見されました」

「その通りです、卿」

「発見された遺体が大青に染まっていたと聞いて、ローウェルはパニックを起こしかけたことでしょう。自分が関係していると思われるのがわかっていたからです——特に、協会の会員であることが知られれば。そこで、その日の午後、彼は暖炉で緑のローブを焼いたのです。協会とつながりのある証拠を消そうとして。しかし、燃え尽きてはいなかった」

公爵夫人がまた口を開いた。「ダーシー卿、あなたは殺人者を見つけました。そして、息子がこの家の名誉を守るためにどんなことをしたかを突き止めました。しかし、それも結局は無駄です。最初の夫のチェスター・ローウェルは生きています。子供たちは非嫡出子となり、わたしたちは無一文になります」

私服憲兵隊長のアレクサンダー・グレンキャノンが、小さく咳払いした。「僭越《せんえつ》ながら、公爵夫人、それは違うと申し上げましょう。盗人のローウェル一家のことはずっと前から知っています。四二年にサラゴサへ行き、チェスター・ローウェルの身元を確認したのはわたしなのです。ミサのときに見ましたが、まさしく彼でした。サー・アンドルーになりすましていたのは、よく似てはいますが、一九五九年に釈放された弟のイアン・ローウェルです。やつもまた、兄のチェスターと同じようにいかさまトランプ師で、同じように悪い男でした」

公爵夫人は息をのむばかりだった。

「それは難しいことではなかったでしょう、奥方様」ダーシー卿はいった。「チェスターは間違いなく、イアンにあなたとの結婚生活のことをすべて話していました——おそらく親密なことまでも事細かに。あなたがチェスターを知っていたのは、わずか二カ月のことでした。弟は彼によく似ていました。ほぼ四半世紀が経って、違いに気づけるはずがあるでしょうか？　特にあなたは、弟のイアンの存在すら知らなかったのですから」
「本当なの？　本当に？　ああ、神に感謝します！」
「本当です、奥方様。何から何まで」ダーシー卿はいった。「神に感謝しなくてはなりません。イアン・ローウェルは、あなたがいうように、とことん搾り取る必要はなかったのです。そんなことをすれば、あなたは自暴自棄になるかもしれず――事によると殺されるかもしれないと彼は考えました。金を受け取って、あなたの手の届かないところへ逃げることもできましたが、彼の望みはそれではなかったのです。

彼がほしかったのは金ではありません、奥方様。身の安全がほしかったのです。このような目立つ場所で、誰も探しにくるはずのない隠れ場所が。彼は隠れ蓑がほしかったのです。カモフラージュがね。

実のところ、彼は古代アルビオン聖協会で、比較的高い地位にいました――金になる地位です。協会の指導者たちには、会員が払った金の使い道を説明する義務がないからです。さらに、彼はポーランド王カジミエシュに雇われていたと考えられる根拠があります――とはいえ、これは偽りの協力関係だったと思われます。信仰を腐敗させるのはカジミエシュ王が考えているほど簡単なことではないと、彼は知っていたに違いありませんから。それでもイアン・ローウェルは、ポーランドの金を平然と受け取り、カジミエシュ王にふんだんに脚色を施した報告書を送っていたのでしょう。

それに、サー・アンドルー・キャンベル＝マクドナルドを疑う者がいるでしょうか？　名誉ある戦士で、立派な紳士でもあるという経歴の人物が、ポーランドのスパイで、迷信的なアルビオン協会の指導者だと？

もちろん、結局は彼を疑う者が出てきました。亡くなった公爵とカンバートン卿が、どうして彼を疑うようになったかはわかりません。いずれローウェルから聞き出せるでしょう。しかし、彼らの疑惑はついにローウェルを破滅に追い込みました。それと引き換えに、ふたりの命が失われることになってしまいましたが」

ドアにノックの音がした。ダーシー卿が開ける。立っていたのは、ベネディクト会の衣をまとった司祭だった。「神父様、どうしました？」ダーシー卿はいった。

「ジョセフ神父と申します。ダーシー卿ですね？」

「ええ、神父様」

「わたしは衛兵に呼ばれ、犯人を診た治療師です。残念ながら、手の施しようがなかったといわねばなりません。銃創を受けた数分後には、息を引き取っていました」

ダーシー卿は振り返って公爵一家を見た。なにもかも終わったのだ。もはや、スキャンダルが表沙汰になることはない。元々なかったものを、明るみに出す必要があるだろうか？

サー・トマス・ルソーはまもなく使命を果たすだろう。指導者たちがいっせいに捕えられ、帝国最高法廷に引き出されれば、アルビオン協会はたちまち骨抜きになるに違いない。すべて丸く収まる。

「ご遺族とお話ししたいのですが」ジョセフ神父がいった。

「もう少しお待ちください、神父様」公爵夫人がよく通る声でいった。「これから懺悔したいことがあります。外でお待ちいただけますか?」

司祭はどこか妙な雰囲気に気づいたようだ。「わかりました。お待ちしています」彼はドアを閉めた。

公爵夫人はすべてを打ち明けるつもりなのだと、ダーシー卿は思った。だが、懺悔の内容が外に出ることはないので、心配はない。

彼らの気持ちを代弁したのは、クウエンティン卿だった。

「このたびの葬儀は」彼は冷静にいった。「心から楽しめるものになるでしょう。ありがとうございます、ダーシー卿」

「どういたしまして、閣下。さあ行こう、マスター・ショーン。海峡を渡る船が待っている」

（白須清美訳）

短編ミステリの二百年

小森 収

本稿で言及されている短編のうち、**太字（ゴシック体）**のものは本書および『短編ミステリの二百年』既巻収録短編、右上に「*」がついたものは編者のおすすめ短編である。

（編集部）

第九章　再び雑誌の時代に（承前）

6　ジェラルド・カーシュ補遺

スリックマガジンからのエドガーの初受賞は、第四巻で読み返したジェラルド・カーシュの「壜の中の手記」*（「壜の中の謎の手記」）でした。ただし、その本邦初訳が一九七六年だったことからも分かるとおり、ジェラルド・カーシュは長らく日本での紹介は散発的なものに留まり、一部の好事家にのみ読まれる作家でした。短編集も出ていましたが、それほど読まれた形跡はありません。それが広く知られるようになったのは、二〇〇二年に晶文社ミステリとして『壜の中の手記』が出版され、その好評から『廃墟の歌声』が続いたことによります。

「壜の中の手記」に触れたときに、その構成を、イギリスの怪奇小説にはよくある形と書きましたが、実は、ジェラルド・カーシュの小説の多くが、そういう形を取っています。たいていの場合、書き手が一人称で存在し、それがカーシュという作家である場合も珍しくありません。そして、他人の体験や言ったことを伝えていく。カーシュには、カームジンという東ヨーロッパの大ボラ吹きというか詐欺師を主人公にしたシリーズがありますが、それさえも、この形式であり、カームジンにしてみれば、自分の手柄話でカーシュは食っているということになるようです。そういう意味では、書き方そのものは、少し古めかしい。十九世紀の書き方と言っていいかもしれません。

また、カームジンというシリーズキャラクターの他にも、どうやらレヴァント人らしき酔いどれ新聞記者のボヘムンド・レイモンドが出てくるシリーズもあります。のべつ酔っぱらっていながら、タイプライターを打ちまくり、予言のような記事を書き上げてしまう。日本語版EQMMに「呪われたタイプライター」「ピンクの象事件」のふたつが訳されています。東方のエキゾチシズムを奇異なキャラクターの拠り所としている点は、カームジンと共通しています。この二作では、ホラのスケールがより大きく、タイプライターに細工をするというアイデアが愉快な「呪われたタイプライター」が読ませます。

カーシュのキャリアは三〇年代にまで遡り、第二次大戦中に軍の仕事で渡米したことがきっかけになって、アメリカの出版界とのつながりが出来——エラリイ・クイーンの知遇も得たと言います——て、活動の拠点をアメリカに移します。

「盤上の悪魔」は、三〇年代の初期作品ですが、伝聞の形はとらないものの、ピーオ・ブストのアパートという貧民窟の一歩手前のようなアパートで、覗き見をしている男の目撃譚という形式です。身の回りのものの中で、チェスに関わるものだけが破壊されていくという、チェスプレイヤーにとっては悪夢のような話でした。

「壜の中の手記」以上にホラすれすれの騙りなのが*「クックー伍長の身の上話」です。カーシュという従軍記者が、渡米する船で知り合ったクックー伍長は、四百三十八歳不死身の男と称します。伍長は自分がなぜ不死身となったのかを話してくれますが、その錬金術的幸運が、どれほど天文学的な確率の偶然だったかというくだりが、最高に愉快です。彼を見失ってしまって、カーシュが探しているという設定も効いていました。

*「時計収集家の王」は、ポメル伯爵という男の語りを伝える形です。伯爵であるにもかかわらず、時計職人という職業を持つポメルは、師匠のディカーにつき従って、ある王国に招かれる。王様の趣味である時計のコレクションの修理と新たな大時計を作ることになります。その王国は共和派が策動するキナ臭い状態ですが、王様はそれゆえにか、趣味のからくり細工に執心している。そこには、ディカーとポメルの作るからくり部分とは別の装飾部分のために、もうひとり有名な職人が呼ばれている。暇なおりの手慰みに、彼は蠟細工でディカーの像を作ると、これが良く似た出来で、王様は面白がって自分のものも作ってみよと命じます。どうせならと、時計仕掛けで本物そっくりに動くからくりにしようと、ポメルはその職人と図ります。そして実際に国王そっくりの像が出来る。そこから、あれよあれよという間に、ポメルの状況は一変していき、その大波に乗るようにして、ポメルは伯爵に成り上がるのでした。

同じ成り上がりの物語でも「死こそわが同志」*のサーレクは、偶然の盗み聞きで得たチャンスから、革命家に武器を売りつけることで、武器商人の道を歩き始めます。一九三八年の作品（第二次大戦の前です）とは思えない予見する力で、戦闘の両軍に武器を売ることで成功していく武器商人を描いていきます。上記二編にもあてはまりますが、こういう語り手による小説というのは、話に調子の良さがつきまとうものですが、この作品では、その調子の良ささえ、コトの不気味さ重大さを際立たせることになりました。カーシュ作品の中でも苦い味わいでした。

　もっとも、カーシュの本領は、もう少し幻想的というか怪奇小説に近いものにあるのかもしれません。どこだか分からない不気味な「悪い土地」目指して主人公が進む「廃墟の歌声」の、彼が生きる場所の不気味なディテイルに、それは代表されるでしょう。この小説のオチは、ひとつのクリシェでもあって、「骨のない人間」（「骨なし族」）も同様でした。謎の刺青で覆われた怪人が海から見つかる「ブライトンの怪物」の、怪力を発揮する謎のレスラーは、題名どおりの怪物でした。

　そうした現実とは手を切った怪奇譚として出色なのが「豚の島の女王」*でしょう。難破した船から生き残った四人組――小人の二人組と、怪力男と、両手両足がない、しかし頭脳明晰な女――が、流れ着いた島で生き延びるために、槍を作り、島で繁殖している豚を狩ります。しかし、そうして得た力のために、四人の関係は瓦解していく。この作品も、口にくわえた筆で、絵も文章も達者にこなす、両手両足のない女の手記に残された話という設定でした。

ジェラルド・カーシュの日本での最初のまとまった紹介は、旧・奇想天外七四年九月号のカーシュ特集になるでしょう。しかし、それ以前にも、たとえばミステリマガジン七一年九月号の例のショートショート特集――難解な作品が並んだことで、中学生だった私を圧倒しました――の中にもカーシュの「胸のうち」があって、カーシュもひとつはそういう作品を書いていたのでした。以後、ショートショートはいくつか訳され、また奇想天外の特集も、ショートショートが混じっていました。「恐怖の人形」は腹話術師と人形というひとつの定型を拡張させたものでしたが、アイデアとしては、それよりも平凡だけれど「たましい交換」の方が、結末に余韻というものがありました。さらにさらにアイデアとしては平凡な作品ながら「肝臓色の猫はいりませんか」の、捨てても捨てても帰ってくる猫のしつこさの方が、小説として非凡なことは、留意した方が良いかもしれません。カーシュのショートショートの中で、私がひとつ選ぶなら「わかるかい?」*になるでしょう。女にはジョークが分からないという、語り手の独断から話は始まります。同じ汽車に乗り合わせた、黒髪の美女は、心配事でもあるのか、神経質そうにしている。男は話しかけ、やがて、その日執行された死刑囚の話題になります。冒頭で語り手があげた、女にはジョークが分からないという例が、男の身勝手なものであったように、同じような男のひとりよがりが、行きずりにすれ違った彼と彼女の間に、波を立てる。ユーモアというものの持つエゴイスティックな側面を切り取ってみせた、いかにもショートショートという一編でした。

異色作家短篇集の二十一世紀版のアンソロジー第十九巻『棄ててきた女』に採られたのが「水よりも濃し」です。遺産をたてに、暴君のようにふるまう伯父とその甥というのは、イギリス小説の定番と言ってもいい設定ですが、どこかの誰かの話ではなく、甥自身の語りになっているところが、むしろカーシュらしからずと感じます。植物的で覇気に欠ける甥（恋人からはへなちょこと言われる）に、男らしさや自己主張、果ては自分への反逆をさえ期待する伯父さんが、自分の顔色ばかりうかがう甥の態度に対して、いちいち援助の年額を増減させるのが面白く、甥が自分のことは棚に上げて、愛人のダンサーに、芸術のためには自ら要求し主張しろと焚きつけるのが、また、よろしい。前半ははなはだ快調です。ただし、後半のクライムストーリイになってからは、アイデアに魅力を欠き、しかもいつものホラ話めいたところがない分、リアリズムに接近した筆が、逆に説得力を失わせていました。似たようなことは「狂える花」にも言えて、こうした疑似科学的な装いのアイデアは、カーシュには向かないのではないでしょうか？

カーシュの本領は「黄金の河」のような、誰ともしれない人間が、どこともつかない異郷で、なんとも言いようのない経験をする話を、また聞きのまた聞きのようなナレーションで語ってみせるところにあります。「壜の中の手記」は、そういうカーシュの特徴が良く出た一編であると同時に、誰ともしれない人間にアンブローズ・ビアスを持ってくるという、一度かぎりのハッタリめいたアイデアを付加することで、MWA賞を射止め、カーシュの代表作――少なくとも、もっとも著名な作品、カーシュの名があがるときに引き合いに出される作品――となりました。同時に、それはカーシュがイギリス流の奇譚の末裔であり、その血が現代のクライムストーリイにも流れていることを示してもいたのです。

7　屹立する作家の肖像ACT2

さて、ここで、**「決断の時」**以後の、スタンリイ・エリンの足取りについて、見ておきましょう。

「決断の時」の翌五六年に「専用列車」という、エリンにしては平凡なクライムストーリイをひとつ書いたのち、同じ年の「ブレッシントン計画」は二度目のMWA賞をエリンにもたらしました。第二短編集の表題作となった（邦訳は『九時から五時までの男』となっていますが）、エリンの代表作のひとつです。殺人組織から殺しの勧誘の話が来るというのは、ひとつのパターンとなっているでしょうが、組織が近代的なビルにオフィスとファイルキャビネットを構えている――そのことに、主人公が少々驚く――というのが、ほぼ同時期の『第八の地獄』にも共通する、同時代のアメリカを観察するエリンの眼が光るところです。ビリイ・ワイルダーの映画「アパートの鍵貸します」のオフィスのようなイメージでしょうか。胡散臭い探偵稼業も、秘密結社めいた殺人組織も、企業化されるという認識が、そこにはあります。主人公を勧誘する男が、自分たちすべての存在が機械だと言いきってしまうところも、そして、そのことに主人公が異を唱えられないことも、ヴェトナム戦争直前のアメリカ社会を映しているように思えます。話そのものは、先にも書いたように、ひとつのパターンかもしれませんが、不安定な心理状態のままに置かれた主人公が、自分だけはあてはまらないと信じることだけに慰安を求める。そこまでの射程を持つのが、エリンならではでした。

続く五七年の「神様の思し召し」*と五八年の「いつまでもねんねえじゃいられない」*は、宗教による治療と、犯罪被害者が被害者であるがゆえの二次被害に苦しむ（しかも、事件解決という大義名分の下に、被害者自身も自らを責める）という、現在でも通じるモチーフをあつかっています。前者が宗教ビジネスとしての企業化——またしても——を視野に入れているのは当然ですが、信仰もあり治癒の経験もあるがゆえに、宗教による治癒を一片も疑っていない主人公の一人称で書いたところがミソでしょう。これは意外に珍しいことなのですが、スタンリイ・エリンは、キャリアの初期から一人称と三人称の使い分けが出来たのみならず、かなり巧みに使い分けています。後者は、いささか警察の捜査が強引な気がしますが、当時のスタンダードはこういうものかもしれません。しかし、真犯人の在りようは、この形がいいのかどうか疑問なしとしません。ただし、眼鏡のエピソード——主人公と現実を隔てる小道具になっている——は短編巧者の面目躍如で、したがって、ラストはこうなります。

「神様の思し召し」に始まる、特異な個性の語り手という手法は、「蚤をたずねて」*では、まだ珍しい職業（蚤のサーカス）に憑かれた男といった程度ですが、「倅の質問」*になると、親の代からの死刑執行人——本人いわく電気椅子係——が、息子に跡を継がせようとして……という話。死刑執行人のどこが悪い、有罪を決定する陪審員や死刑を決める判事と、電気椅子のスイッチを入れる人間の間に、差はあるのかと、読者に迫る語り口は迫力があります。瀬戸川猛資は、この短編をエリンのベストと評価しています。私はユーモアに欠けるのが残念で、かつ、この結末はこの短編を活かしていないように思い、佳作ではあるものの、瀬戸川猛資ほど買う気にはなれません。

異色といっていいのは五九年の「運命の日」*です。小市民と言っていい主人公の「私」は、その朝、抗争の果てに殺されたギャングの記事を新聞に見つけます。写真の中の死体は、三十五年前——十二歳のときを最後に二度と会うことのなかった幼なじみのものでした。ふたりはブルックリンで育ち、主人公がマンハッタンに引っ越すことで疎遠になったのですが、その引っ越しの前日に、事件が起きていたのです。近所にパッカードを乗り回す派手な男がいて、これはギャングと読者には分かりますが、一度、車に近づこうとして怒鳴られたという伏線がある。その日、ふたりは、その男が諍いから別の男に暴力をふるうのを目撃してしまう。主人公はさっさと家に帰りたいのですが、幼なじみは警察に行くといってききません。仕方なくふたりで警察に行くと、ろくに取り合われませんが、男の名前を出すと、巡査部長の態度が変わって——ここ、巡査部長が問題のギャングとつるんでいると暗示させるのが巧みです——問題のギャング本人と、幼なじみの父親のふたりが呼び出される。告発した男の子は孤立し（ギャングからは車のことでかつて怒られた腹いせだと言われる）、父親も味方になってはくれません。無邪気な子ども時代の終わりの一日を、ブルックリンの細かな描写（エリンの実体験が反映しているのでしょう）いっぱいに描いて、暴力沙汰を警察に告発した少年が、それゆえに三十五年後にギャングとなって抗争の果てに死ぬという道筋を歩き始めるに到る。記憶の中のブルックリンは思いのほか遠く、前年ドジャースは西海岸に移っていました。その直球のほろ苦さは、意外とエリンには珍しいものですが、今回読み返して、第二短編集の中で、もっとも心に残ったのは、この一編でした。

「*ロバート」は初出がEQMMではなく、そのせいか邦訳も遅れました。五八年は「いつまでもねんねえじゃいられない」「不当な疑惑」とこれの三作を発表していて、エリンにしては多作の年ですが、執筆年がこの年なのかは微妙なところです。アンファン・テリブルものの逸品で、定年まであと二年という女教師を、巧みに挑発するのが、見事です。授業中に注意散漫になっていたロバートに「何を考えていたの」と尋ねると「先生が死ねばいい」と思っていたという不穏な答え。ところが、これが校長先生の前では、彼女に「あなたの考えていることはちゃんとわかっていますよ。わたしが死ねばいい、わたしを殺してやりたいと思っているんでしょう？」と言われたと、正反対の証言をするのです。彼女の言動はことごとく逆用され、教師の妄想の被害者ロバートが完成し、結末で、さらにその恐ろしさに奥行きが与えられます。

「不当な疑惑」「七つの大徳」は、軽妙に書かれていて、私は落語を連想しましたが、エリンの手にしては物足りなさが残ります。「不当な疑惑」は兄弟が共謀して、遺産目当てに富豪の伯父を殺すというもの。一方がまず逮捕され、その裁判の中で、他方が犯行を自供する。次に、自供した方の裁判で、今度は最初に逮捕された方が自供する。まあ平凡なアイデア（ビーストンだったかフレッチャーだったかの、同趣向の作品を読んだ記憶があります）ですが、やられてみると、法律的にどう咎めるかは難しい。ということを利用して、サゲが愉快な一編に仕立て上げていました。「七つの大徳」は、ある大企業の幹部候補生が、入社にあたって、七つの大罪こそは奨励されるべき徳だという経営方針を聞かされます。思わず頰もゆるむホラ話ですが、軽快に運んで、これまたサゲの面白さで勝負していました。

「九時から五時までの男」*は、これが日本語版の表題作に選ばれたのも納得できるという、いかにもエリンらしい短編です。物品販売業を営むキースラー氏の一日の仕事ぶりが描かれるだけの話ですが、その仕事というのが……。前半の何気ない、妻とのやりとり——彼の妻は人が好くて、親戚につけこまれ、どうやら仕事のない甥を雇ってくれと頼まれているらしく、それに対して、物品販売業なんて「生活費を稼ぐだけで精一ぱい」と愚痴る——や、洋服屋から背広を取ってきてと頼まれるエピソードが、効果抜群です。「ブレッシントン計画」ほど大がかりではなく、またアメリカ社会を直に反映しているわけではありませんが、「九時から五時までの男」も、アメリカの社会で生きていく主人公の細心のあがき——目立たぬようにという努力の涙ぐましさ！——を微細に描いて、その集中のほどを伝えるのが、背広を受け取り忘れることだったという見事な結末でした。

『特別料理』に収められた作品に比べて『九時から五時までの男』の諸作品は、語り口に多様性が出てきており、また、ときに軽妙さを前面に押し出すこともありました。「運命の日」「七つの大徳」「倅の質問」といった作品は、ミステリから離れていっているようにも見えます。ところが、「倅の質問」――ここまでが第二短編集に収録されました――の翌六三年、エリンは一転して「エゼキエレ・コーエンの犯罪」を書きます。アメリカ人のユダヤ人警官が、休暇で訪れたローマ（エリンの短編で、小説の舞台がアメリカを離れたのは初めてでした）で、ドイツ占領下の第二次大戦中に起きたゲットーでの事件の真相を解明するという、なんとパズルストーリイなのでした。主人公がローマにやって来たのには、警官という職業についての個人的な事情が関係していて、それがために過去の事件に向かわせたのでした。このあたり、ポストＥＱＭＭコンテストと思わせますが、解決に魅力が乏しいので、作品としては成功しているとは言えないでしょう。

またまた一転して、翌年の「拳銃よりも強い武器」*は、陽光の下でのクライムストーリイの秀作でした。息子の博打三昧のために、夫が遺した莫大な財産も、屋敷を残すのみ（生活のために、どの家具を売ろうかと考えている）となった老嬢のところに、屋敷を買い取ろうと弁護士らしき男がやって来ます。息子は借金未払いの末にギャングに殺されているという過去があり、屋敷だけは絶対に手放さないという意地が、彼女にはある。しかも、やって来た男はなうてのギャングの合法部門で、のみならず、たったひとりの孫娘に言い寄っていて、娘もその気になっている。追い詰められたヒロインは、男を相手に道楽のクリベッジ（欧米の小説にはブリッジなみに頻出するカードゲームです）の大勝負を挑みます。ユーモラスなギャンブル小説――の勘どころとしては、ヒロインの震えるところが見事です――の愛すべき一編ですが、同時に、エピソード（孫娘の取り巻きが、ハムレットのローゼンクランツとギルデンスターンなみに愉快）のひとつひとつと、いくつもの伏線が、巧みに構築されていることで、技巧家エリンの実力が読み取りやすい一編でした。六五年の「127番地の雪どけ」も明るい筆致のクライムストーリイです。人名・地名の固有名詞を排除した、これまた技巧的な書き方で、会話を中心に話が進むため、いよいよ落語に近くなっている。この二編あたりになると『特別料理』のクライムストーリイとは一変していることが明らかです。

そして六七年の「12番目の彫像」で、エリンは再び、ローマを舞台にしたパズルストーリイを書きます。題名からして、トリックの肝はここですよと教えていて（しかし、ミスディレクションを効かせてもいる）、謎解きとしては、アイデア一発で勝負しているように思えます。エリンの作品の中でも長いものですが、パズルストーリイは得手ではないようでした。「ブレッシントン計画」以降のスタンリイ・エリンの十年は、第一短編集で完成されたかに見えた、クライムストーリイの名手としてのスタイルを、一度手放した上で、様々な試みを重ねているように見えます。それは一か所に安住しない野心と誠実さの表われだと、いまにして思い当たります。しかし、そうした試行錯誤は、エリンにとって不幸な結果を、少なくとも日本では招いたかもしれません。第二短編集はポケミスで刊行されましたが、ダールの『あなたに似た人』とは対照的に、セールスは悪かったのでしょう。見過ごされたようなあつかいで、三十年以上経って文庫化されたときも、評判になりませんでした。第三短編集に到っては、アメリカで増補版が出たのちも延々と放置され、二〇〇五年に――エリンの死後二十年近く経とうとしていました――ようやく短編集として出版されたときには、コンプリートしたわけでもないのに「独自の最終短篇集」などというタワゴトを吐く人間が、中の一編を改訳しただけで、訳者代表となり解説を書きました。
六〇年代後半にエドガー賞の短編賞が先鋭化し、それ以降発展したクライムストーリイの盛衰と歩みをともにした、スタンリイ・エリンという作家の姿は、のちにもう一度ふり返ることにします。

第十章　短編ミステリ黄金時代の諸侯

1　正体不明の技巧派――スティーヴン・バー

一九五〇年代に、アメリカではミステリ雑誌が出揃い、六〇年代のエドガー賞が主導する洗練の時代を迎えます。この章では、そのころのミステリ雑誌を支えた作家を読みかえしてみましょう。

スティーヴン・バーは、『37の短篇』に収録された「最後で最高の密室」*が、飛びぬけて有名です。というより、この一作で、日本では記憶されているように思います。実際には、それだけで済ませられるような凡庸な作家ではないのですが、そもそも、この作家の経歴その他が分かっていない。『37の短篇』の著者紹介は、小鷹信光が担当しましたが、スティーヴン・バーに関しては、実質的なことは、何も書かれていません。**「ある囚人の回想」**が、EQMMコンテストの処女作特別賞を受賞したことも、つきとめられていませんでした。同作が翻訳されたのは、『37の短篇』の二年後なので、仕方ありませんけれど。私にしても、つい最近まで、シリーズキャラクターを持たないなどと書いていました。誤りもいいところです。「最後で最高の密室」の探偵役である、リージェント・クラブの最古参会員シルヴァン・ムーア博士は、数少ないバーの邦訳作品の中でも、いくつかで活躍しています。

「最後で最高の密室」は、他のシルヴァン・ムーア博士のシリーズと同様に、クラブでの雑談の場で、ムーアがそのときの話題に異を唱えて、その実例として、自分の探偵談を話すという構成になっています。この作品では、論理学者による密室ミステリ談義――密室ミステリの多くは、実際には犯人が犯行現場から出て行ったにもかかわらず、フェアでない叙述のために出て行ったように見えないというだけの話――に、ムーアが割って入り（きみは、いつかわたしが犯したのとおなじ誤りを犯しているんだよ）、犯行現場から犯人が消え失せてしまった事件を語り始めます。冒頭に、こうしたやりとりを加えることで、そういう解決――そうは見えなかっただけで、実は出て行った――にはならないと宣言しているわけです。シンプルで極端な解決を与えて、「最後で最高の密室」は、密室ものの短編でベストテンを編むとなった場合、選ぶ人がしばしば現われる作品となりました。

　このほかに、邦訳されたムーア博士の登場する短編には「A^{n+1}の信頼」「時はゆるやかに走る」[*]があります。前者は、「最後で最高の密室」がそうであったように、アイデアの骨子は、ハウダニットの思いつきにあります。殺人事件の現場に残された銃に容疑者の指紋がついている。彼が触れることのないはずの拳銃でした。容疑者の妻は夫を信頼していて、その信頼はかぎりないほど（つまりn乗なほど、と英語では言うんですね）でした。このハウダニットのアイデアは、「最後で最高の密室」ほど、破天荒なものではないので、その分印象は薄くなるのですが、冒頭のリージェント・クラブでの問答を、そちらの話題にせずに、容疑者の妻の信頼の表現にしたのが、この作家のセンスの良さでしょう。

「時はゆるやかに走る」は、ミステリマガジン一九七二年四月号に、本格探偵小説特集の中のひとつとして翻訳されました。各編に付されたサブカテゴリーは〈逆説〉となっていました。リージェント・クラブでの話題は、ある賭け事についてでした。一昨日バーミンガムにいたメンバーが、BBCの天気予報で、翌日には低気圧が近づき、午後の三時ごろロンドンは雨に見舞われると告げられます。ロンドンの北西にあるバーミンガムは、それよりも早く低気圧の襲来を受け、雨になることが予想されます。それでひとりが早めに——午前十一時ごろ——発つことを提案します。そこでもうひとりが、その予想よりも早くバーミンガムが雨になる方に一ポンド賭けると言い出します。賭けは、その男の勝ちとなり、得意顔でクラブでも話していたのですが「とにかくそいつはビルが予想していたよりも速く進んだ、そしてその結果——」と言った瞬間、ムーア博士の挑戦を受けます。「どうもあなたは根本的に思いちがいをなさってる」と。彼は、低気圧が「思ったよりも速く移動しなかった——それよりもずっ、と、お、そ、く、移動した」と言うのです。

事件そのものも、クイズのような設定です。容疑者のふたりは、それぞれ自転車と自動車で通勤している。両者の家（同じ町です）と職場の中間に被害者である上司の家があり、ふたりが時間をおいて訪ねてきたことが判明しているが、どちらが先に来たかは分かっていない（いかにも作った状況設定ですね）。警察は、早くは動けない自転車では、犯行後遅刻せずに出社することは不可能だが、早く移動できる自動車ならそれは可能だと判断します。しかして、その解決は？　ムーア博士は、のろのろしているものの方が早く着くことを証明してみせるのです。エラリイ・クイーンが冒頭につけた文章で、得心がいかない読者には「よろこんでその疑問を著者におつたえします」が「わたしたちにはそれをご説明する気はもうとうございません！」と断ってみせた、綱渡りのようなロジックで、スティーヴン・バーは解決をつけます。アキレスが亀を追い越せないという、有名な詭弁を連想させる、推理問題でしたが、それは確かにチャーミングな推理問題でもありました。

　ムーア博士のシリーズ以外の作品では、「恋がたき」が革命以前のフランスを舞台にして、イギリス貴族やイタリアの喜劇役者を配した三角関係の末の殺人事件を描いています。喜劇女優をはさんで、英仏両国の貴族が決闘に到るという状況で、若いフランス貴族が殺される。ハウダニットの解決そのものは、さして魅力がない上に、謎の提出も平凡ですが、舞台と人物設定の面白さはありました。

　初出が五八年のプレイボーイだという「信じられない話」は、ある貴族のところへ見知らぬ男がやって来ます。願いを叶えてやるかわりに、あるものが欲しいと、これは誰が見ても悪魔の取り引きという話。この悪魔、サーヴィスが良くて、第一の願いは見返りなしで叶えると言います。ところが、叶ってみると、いいことばかりではない。「猿の手」*みたいになるのかなと思っていると、あれよあれよというまに、ユーモラスな展開のうちに、パターンからずれていきました。

SFアドベンチャー八二年一月号に訳されている「悪魔の分け前」というのは、「信じられない話」と同作品です。なお、これは「ぼくのなんでも箱」という題名で、浅倉久志が、SFを中心とした短編を邦訳紹介していく連載の中の一回でした。そのため、目次から見つけにくい。しかし、「イギリス生まれの作家で、十八歳のときにアメリカに移住した（中略）長年コマーシャル・アーティストとして活躍したが、やがて創作に転向した。ハーパース、ヴォーグ、プレイボーイといったスリック雑誌から、ミステリやSFの専門誌にまで幅広く作品を書きわける」と、バーについてのプロフィールが、もっとも詳しく書いてあります。さすがは浅倉久志でした。

この二作品は、ユーモラスな筆致が共通していますが、旧・奇想天外に掲載された「目撃」*は、うってかわってシリアスで悲劇的なトーンです。冒頭から、突然の夫の暴力に妻がショックを受けています。夫はバードウォッチングが趣味ですが、妻は植物の方に関心がある。ふたりで山道を歩いていても、互いの興味は少しずれていたのです。夫はすぐにあやまりますが、草花に気をとられている妻を置いてけぼりにして、鳥のいそうなところへ歩いていく。妻が急いで追いつくと、見晴らしの良い場所から戻ってきた夫は、何かを見たらしく、表情が一変しています。けれども、妻がいくら尋ねても、何も見なかった、何もなかったとしか答えません。そして、それを機に、夫は妻を遠ざけるようになり、彼女が生活の心配のないように処置したうえながら、行方をくらましてしまいます。不可解なままの長い年月が過ぎ、彼女はようやく、名前を変えて隠棲している夫を見つけ、会いにいき、そこで彼がかつて見たものを知ります。ミステリと言えるかどうかも怪しいながら、主人公の女性の陥った状況は、サスペンス満点です。彼女の一生のほとんどをかけて描いたサスペンス小説とも言えて、ようやく、彼女は、夫の見たものを知る。その長い時間を落ち着いた筆で描いた好短編ですが、ここでも光っていたのは、夫が何を見たのかという、謎の投げかけ方の巧みさでした。

「翼を拡げてさようなら」*は、語り手が大不況のただ中のニューヨークを回想する話です。〈牧師〉と呼ばれる、人懐こい浮浪者からダイムをねだられます。この男には、催眠術師めいた魅力があって、声をかけられた人はみんな、相場を上回る小銭を、つい恵んでしまう。時折交えるラテン語（だから〈牧師〉という通称がついたらしい）も、初等教育以上のものを思わせる。語り手ともども読者も、街じゅうにあふれる浮浪者の世界を、この男に案内されて——たいていの浮浪者は危険ではないが、その中でどんな男が危険なのか——いきます。語り手が〈牧師〉とともに体験した出来事から、警官が捜査すらしそうにない浮浪者殺し——殺されたのは、危険なはずの男でした——が起きますが、暗示に留められながらも、語り手と読者には、どのような事件が起きたかは明らかでした。同じニューヨークでありながら、誰にでも起こりうる転落の果てに待っている闇の世界を、クライムストーリイを通して垣間見せながら、その闇の深さを知ったそのときには、語り手の立場も異なっていたという苦さが秀逸でした。

そして**「ある囚人の回想」**です。これは、とても処女作とは思えない、巧妙なパスティーシュでした。ある新聞記者が、年老いて刑務所の病棟に入院したきりになっている職業犯罪者に話を聞くという設定です。男は、世紀末のロンドンでヴィクトリア女王の即位記念祭の騒ぎの中、宝石泥棒を企んだのでした。金持ちの集まる一角に居を構え、主人と従者を巧妙な変装の一人二役でこなす。近所のパブで金持ちの使用人を見つけては、家の様子を探ってカモにしようという魂胆です。ところが、最初に知り合った、痩せて背の高い男には、屋敷の使用人にしては妙なところがある。しかも、どこかに疑いを持ったのか、自分のことを監視しているように見える。

このあたりで、すれっからしの読者はニヤニヤし始めるのでしょうが、もちろん、その通りなのです。別のカモを見つけたものの、痩せた男は大切なところで邪魔するように現われる。一計を案じて、痩せた男を罠にかけ、その間に一仕事を狙うのですが……。巧妙と呼ぶのは、後半の一気呵成の展開のうちに、ミステリ史上有名な問題を扱っているのです。それも、真正面から描かずに、裏側からクライムストーリイとして。最後のオチも、これまた上品にキマっていて、終始ニヤニヤしっぱなしでした。もっとも、初読時高校生の私は、これを充分に楽しめるほどには、ミステリの病にかかっていなかったらしく、今回読んで、スティーヴン・バーはミステリマニアあがりの作家——それも腕前の達者な——だったのだなと、あらためて気づいた一編でした。それほど、この処女短編において、心憎いまでに、巧みにミステリのテクニックを使いこなしていたのです。誰しもがパズルストーリイのそれとして考えるであろう、公認されたアイデアを、クライムストーリイに仕立てることで、はなれわざのようなパスティーシュを完成してみせました。「目撃」のように、ミステリから離れたかのような一編でさえ、目立つのはミステリのテクニックの巧さであり、それがあってこそ、ミステリとしても読みうるものになったのでした。

ムーア博士のシリーズはもちろん、他の作品でも多く見られる、語り手の回想という形式と、そこから必然となる過去の事件——謎解きミステリの黄金期を追慕しているかのような——を描くというスタンスは、スティーヴン・バーの技巧的な短編作りを、良い意味で活かしているように、私には思えます。もしも、スティーヴン・バーの短編集を編むことが出来るならば、アタマとトリに「最後で最高の密室」と**「ある囚人の回想」**という、ミステリファンに対しては鉄板と思える二編を配し、「目撃」「翼を拡げてさようなら」のように、小説としての厚みも充分な短編がそろうという、私好みの一冊になることでしょう。

2 ハードボイルド派のタレント——J・D・マクドナルド他

ジョン・D・マクドナルドの初期の短編は、一見、型どおりの話を型どおりに書いているように見えるのですが、その実、どこか箍《たが》のはずれたところがある。「悪い奴ほどよく眠る?」(「悪者は俺に任せろ」)は、EQMMが初出ですが、名刑事が手柄話を語るという、前世紀のイギリス以来、掃いて捨てるほど書かれた形式です。遠隔地にいると見せかけての妻殺しというのも、手垢がついているでしょう。書きぶりもありきたりです。ところが、全編語り終えたところで、唐突に不思議なオチがやってくる。こういうオチは、普通、なんらかの伏線を張るものでしょうが、それがなくて、突然やってくるのです。

　ブラック・マスクに書かれた「マンハッタン大活劇」は、ニューヨークじゅうを小刻みに立ち回ることで、絶対に賭けで損を出さない男が、より大がかりな仕事師の企みに巻き込まれて、拷問さながらに痛めつけられる話です。拳銃を手に復讐に出るのですが、小鷹信光が「どこかなげやりで、やぶれかぶれ」と形容する結末が訪れます。

「三度裏切れ」は、これまた、富くじ賭博を仕切るギャングのシンジケートで、主人公がのし上がっていくという、いくつも書かれたような話です。主人公は、自分の親分が、トップのボスの生命を狙っているのをかぎつける。パーティの席で決行されたその企みを、直前で阻止することで、トップに取り入り、ふたりを殺し合わせるよう仕向けます。絵に描いたようなギャングの内輪もめの物語ですが、すべてが終わったところで、ほとんどなくてもいいような結末がくっついているのです。

　このあたりの不格好さは、ある意味で、目立ってやろう、足を出してやろうというあがきなのかもしれませんが、それにしては、悪目立ちというものです。そういえば「*懐郷病《ホームシック》のビュイック」も、警察小説ふうの書き方から、突如、奇妙な探偵役が登場し、謎を解くという構成になっていました。もっとも、この作家は、時折、ありきたりなトリック小説を書くことがあって、「ほら、死んでいる」など、名前を伏せて読まされたなら、誰も、この作家の作品だとは思わないのではないでしょうか？

「奇妙な結末」は一九六三年の作品ですから、長編作家となり、キャリアもそれなりに積んだのちの短編ですが、やはり、少し破格なところがあります。植木の手入れをしていた主人公の男（老境にさしかかっています）が、口汚くののしられながら、妻からパイプを投げつけられる。我慢も限界と、荷物をまとめて出て行こうとしますが、友人の保安官に語られるのは、二十四年前に、この地へやってきたときに、出納係だった職場から十二万七千ドルを持ち逃げしたという事実でした。誰にも知られぬその秘密を打ち明け、その後、話は明後日の方向に逸れていきます。

ジョン・D・マクドナルドはデビューが一九四四年で、スピレイン旋風を横目にパルプマガジンに量産し、五〇年にペイパーバック書下ろしで長編デビューすると、すぐに売れっ子となります。それでも、しばらくはペイパーバックライターでした。そのころ、アントニー・バウチャーから、ハードカヴァーと同等に読めるという賛辞を得ます。六四年に『濃紺のさよなら』でトラヴィス・マッギーのシリーズを開始し、これが決定打となって大家への道を歩みます。こうした歩みは、第二次大戦後二十年くらいの、アメリカにおけるミステリ作家のメインストリームを、もっとも成功裡に進んだ例のように思えます。ただし、ジョン・D・マクドナルドにあっては、タフガイ私立探偵ものから警察小説へ変化していく、すなわち、スピレインの亜流からエド・マクベインの亜流へと移ろう、多くの一群とは画される個性がありました。『ケープ・フィアー』や『夜の終り』といった、クライムストーリイの長編が高い評価を得たのです。

そのジョン・D・マクドナルドには二冊の邦訳短編集があります。『死のクロスワード・パズル』と『牝豹の仕掛けた罠』で、一九八七年にサンケイ文庫から出ました。原著は八二年刊行の一冊本で、四〇年代後半から五〇年にかけてのパルプマガジンライター時代のもの（二編だけ五二年初出が入っています）を、フランシス・M・ネヴィンズJr.が発掘したものでした。ジョン・Dの短編集で邦訳があるのは、これだけですが、それは、あまり幸福なことではない。ありていに言えば、商業的に成功した作家の習作時代のパルプ短編を、大成したのちに落穂ひろいしたものでした。そもそも、著者がまえがきで「思っていた以上によくできており」などと書くものは、中身が危ぶまれても当然でしょう。


七〇年代のミステリマガジンにも、いくつかジョン・Dの短編が載りました。

「ジョウ・リーの伝説」は、夜な夜な改造車を無灯火で暴走させるカップル——ジョウ・リーとそのガールフレンド——がいて、警察が取り締まりにやっきになっています。その夜、直線道路に入ったところで両端を封鎖してしまい、お縄にしようと網を張っている。新聞記者も張りついて取材しています。道路周辺には、暴走仲間なのか、改造車らしき一群が集まってきている。企みどおりに車が道路に入ったところで囲い込みますが、反対端まで追尾すると車が消えてしまっています。途中でコースアウトしたらしい。後日、運河の中に突っ込んだ自動車の中から、ジョウ・リーと連れの少女の死体が発見されます。このあと、話は突然ファンタステイックな展開を見せ、そういう意味では、やはり途中から逸脱していく一編でした。そのため か、この一編はSFのアンソロジーにも採られたようです。

「最終コーナー」も、やはり、自動車をモチーフにしていて、こちらの主人公はヴェテランの域にさしかかろうかという、プロレーサーです。主人公は、インディ500に何度も参戦している歴戦のドライヴァーですが、成績はそれほど誇らしいものではありません。おそらくは最後のチャンスになるだろう次のインディ500でも、乗る車を決められずにいます。万策尽きて、周囲の反対を押し切って、大金持ちではあるが、レーサーに対して冷淡で、露骨に道具あつかいすることで有名なオーナーのもとへ、自分を売り込みに行きます。ところが、そこでは若手レーサーがすでにドライヴァーに決まっています。しかし、主人公が来たのを幸いと、オーナーはふたりを天秤にかけ、競うようにけしかける。あげく、余興のストックカー・レース(作中の正確な年代が分かりませんが、このころは、改造市販車によるレースのようです)に、ふたりを参加させ、勝った方にドライヴァーを任せると言い出します。

第二巻で紹介した、ホレス・マッコイの「グランドスタンド・コンプレックス」*と比較すると、分かりやすいと思いますが、ある大きなものを賭けてレースに向かう、その大きさの内実が、ジョン・D作品からは、伝わってこない。勝負の結果も、そののちの主人公の態度も、ひとつのクリシェでしかありません。パターンをわざとらしく逸脱してみせるか、ありきたりなところに落ち着かせる以外に、この作家はうまく結末をつけられないのではないかと、私には見えます。

もっとも、七〇年代の邦訳とはいえ、これらは当時から見ても旧作でしょう。一方、七八年の年刊ミステリ傑作選である『最後のチャンス』に収録された「アン・ファーリを捜せ」など、盗品回収専門の主人公が、ダイヤを従業員に横領された宝石商の保険調査をするという、目新しさですが、話をもってまわっただけの代物で、パルプマガジンの昔に戻ったとしか思えぬ出来栄えです。年刊傑作選に採ったホックもどうかしていますが、珍しい媒体に発表され見過ごされていたというだけで選んだのかもしれません。

　これらの短編群に比べると、それ以前の六四年十一月号の日本語版ＥＱＭＭに訳された中編「裏切られて」*は、たいへんオーソドックスに書かれたスパイスリラーでした。ヒロインはワシントンの政府機関に速記事務官として勤務していましたが、朝鮮戦争に従軍していた夫が戦死したため、夫との思い出の残るワシントンから離れた勤務を希望し、とある研究機関に決まります。そこは要撃ロケットの起爆装置を開発する研究所で、研究内容は機密あつかい、対外的には測候所ということになっていたのでした。三班に分かれた研究の結果を速記に取るのが彼女の仕事なのです。休日のある日、近所の湖で彼女は若い夫婦と知り合います。交際を続け親しくなったところで、その夫婦は仮面を脱ぎます。ヒロインの夫は生きていて、捕虜となったものの病気にかかっていると言って、夫が彼女宛に書いたという手紙を見せます。夫の筆跡であるその手紙には、彼と彼女しか知らないはずのディテイルが書かれていました。若夫婦はソヴィエトのスパイで、彼女が研究所で取る速記のコピーを横流しすることで、捕虜となった夫は治療が受けられ、やがては解放されるよう約束できると言うのです。

スパイスリラーの出だしとしては平凡かもしれませんが、このあと、一度はコピーを隠し持つものの、所内の事務方の男に気配を察知され、スパイを強要されたことを告白するまでの段取りが、説得力があって、その後にアメリカ側のカウンタースパイがやってきてからの展開が、これまた巧みです。手紙の筆跡には偽造の疑いがあること、ふたりしか知らないはずの事柄は、戦争中にやりとりした手紙からコラージュできることをつきとめるあたり、出色の面白さです。それでも、偽造の可能性があるという宙づりの状態に保つのが上手いところでしょう。そして、スパイ夫婦との会話にはさむ夫との過去の出来事に、偽の情報を混ぜて、その上で、さらに夫からの手紙を要求する――偽の情報が手紙に書かれれば、偽造と分かる――という罠をかけるのです。この中盤の攻防が、地味ではあっても面白くて、最後のアクションとハッピーエンドで、また平凡なルーティンに戻るものの、白黒時代のヒッチコックが一時間半の映画にするのに最適、というような一編でした。

　ミステリマガジンの通巻四百号は、「短篇ミステリ・ベスト40」という歴代掲載作の記念アンソロジーになっていました。そこで選ばれたのが「二日酔い」でした。最初に訳されたのは七〇年一月号ですが、五六年の作品で初出はコスモポリタンだそうです。題名どおり、二日酔い明けに苦しむ男の一人称で始まり、妻が心配するアルコール中毒の惧《おそ》れを一蹴しながら、前夜の愚行を回想していきます。それは頭の回転が速く、人好きのする彼ならではの愚行でした。そして、その果てに……という五〇年代のショートストーリイらしいオチがついていました。自分はアルコール中毒ではないとくり返し自己弁護するという、背後にコンプレックスを潜ませた構成は、この作品が、アイデア一発の短編ではないことを示しています。にもかかわらず、このころ書かれたアイデアストーリイの多くの中に、埋没してしまうような出来だったのは、それが小説の細部にまで反映されていないからではないでしょうか。

平凡な設定と地味な展開の「裏切られて」が、いまも面白く、構成書き方ともに工夫を凝らした「二日酔い」がそれほどの印象を与えない。このあたりにストーリイテリングに長けた通俗長編作家という、ジョン・D・マクドナルドの個性が出ているように思います。

ウェイド・ミラーはアメリカの二人組の合作作家ですが、スピレイン旋風のころにキャリアを開始し、その後警察小説ブームにも、ついていった書き手です。ホイット・マスタスン名義の『ハンマーを持つ人狼』が、日本では広く読まれた方でしょうか。

EQMMへの初登場は「事故への招待」のようですが、これは第十回コンテストの第二席作品でもありました。サンディエゴの旧家の末裔である主人公が、幼なじみである女性――離婚後再婚している――の家に招かれます。最初の夫はダメ男のようですが、それでも再婚相手によそ者を選ぶくらいなら、ダメ男まだしもと主人公は感じている。彼女の方も再婚に退屈さを覚えていて、別れた夫と一、二度会っている。訪ねたその日、彼女の身に事故が降りかかり、危うく生命を落としそうになります。主人公は、それを妻の不貞に気づいた再婚相手の仕業で、自分は事故の目撃証人として招かれたと見抜き、ふたりで釣りに行こうと誘われたのに乗じて、対決を試みますが……。主人公には、いささかドン・キホーテ的な部分があって、それゆえに危機に陥るというサスペンスストーリイですが、そこが説得力をもっては描かれていない上に、それがために、オチも主人公の愚かしさを出すまでには到っていませんでした。そうは言っても、凡庸な精神科医ものとしか言いようのない「追憶の時」に比べれば、「事故への招待」は、まだ、ましな方でしょう。

「厄日のドライヴ」は、自動車を運転していた男が、車に何かがぶつかったと感じて、停車するところから、始まります。見ると女性が死んでいて、そこへパトカーが通りかかる。パルプマガジンあたりのサスペンスミステリなら、殺人を疑われるのでしょうが、ブレーキをかけていないのは気づいていなかった証拠といった、捜査側の判断が描かれるのが、警察小説ならではです。男は心中穏やかではありませんが、警察は逆に生垣から被害者のバッグを見つけることで、別の車が一度轢いたものではないかと疑います。ただし、そうした手堅い警察小説が、最後に到って突拍子もないものに化けてしまうのを、面白いととるか唖然とするかは、評価の分かれるところでしょう。私は、あまり感心しません。

これらに比べれば、ホイット・マスタスン（雑誌掲載時はマスタースンまたはウィット・マスタースンの表記もあります）名義の中編は、まともな作りです。

「ギルモア・ガールズ」は、高名な挿絵画家のギルモアが、ピストル自殺を遂げますが、彼に近しい三人の女（愛娘、イラストのモデルとなった女性、再婚予定の婚約者）は、どうしても彼が自殺したとは信じられない。直前に、サンフランシスコに行っていることや、死の間際の手がかりから、娘がサンフランシスコに、モデルがシカゴに飛びます。フィアンセは自殺した家で手がかりを探す。サスペンス小説というよりは、シャーロット・アームストロングあたりの長編に近い、ディテクション風味の冒険小説です。この手の小説は、しろうとが探偵役を務めるため、構成に細心の注意を払わないと、都合よく見えてしまうものです。「ギルモア・ガールズ」も、その気配なきにしもあらずで、とくに、サンフランシスコの警官は、ウールリッチなみの好都合な警官でしょう。

「白昼の闇」*は、出だしの謎めいた状況の作り方は一級品です。主人公は航空機会社の若き契約部長ですが、ある日、会社で脅迫状を受け取る。おまえの正体は知っている、生命が狙われているぞ、金を出さなければ、おまえの居場所をやつらに教えるぞ。そういう内容です。しかし、主人公に心当たりはなく、家にいる妻に電話をかけて相談します。ところが、その電話が、たまたま、業務上の保安のため、無作為に行われる盗聴（！）の対象だったことから、副社長の知るところとなり、警察に通報することを社命で止められてしまう。折りしも、ライヴァル会社の部長が、それとは知らず近所づきあいをしていた、ラスヴェガスから来たギャンブラーが殺されて、新聞に連日社名つきで名前が出ています。会社としては、同じ轍は踏めないというのです。場面が変わると、主人公の行きつけのクラブのマネージャーが、主人公のことを、ラスヴェガスのギャングに密告しています。賭博の負けをごまかして姿を消した男が身分を変えてここにいると。さっそく、殺し屋がやって来て、ターゲットの元の妻を呼び寄せ、面通しの手配をします。

身に覚えのない脅迫に戸惑う主人公と、彼を始末すべき相手と確信しているギャングたち。

どちらが正しいのか分からない上に、副社長の動きも怪しげで、彼の命で保安課員が主人公を尾行している。申し分のないサスペンスです。転職の予定がある部長仲間――会社の電話が盗聴されていることを知って、使わないようにしようとする――といった脇役の楽しさもあります。主人公が反撃に転じてからの展開も良く（ここでも、招集された部長たちが、巧く使われています）、殺し屋が主人公をターゲットと確信する理由も、巧妙でした。マスタスンで読める出来栄えなのは、この作品でしょうか。

「ティモシーはどこに」は六六年にアーゴシーに発表されたものが、ＥＱＭＭに発掘されたそうです。二十年前に西海岸の富豪の、七歳になる息子が行方不明になっている。暴君の父親、愛情に欠けた母親、自分が無視されていることから兄を憎んでいたらしい妹。さらに使用人や保安官、事件を追った新聞記者など、関係者がみんな不幸になっている。ひょんなことから妙齢の女性となった妹と知り合って、互いに愛し合うようになった青年が、彼女のトラウマとなっている事件を掘り返します。丁寧には作っているものの、事件は予想されるように展開し、予想される結末を迎えます。解明に向かうプロットの単純さもさることながら、事件の関係者ではなく、傍観者であるはずの私立探偵を媒介としたロス・マクドナルドが、いかに賢明であったかが、逆に分かろうというものでした。

ウェイド・ミラー＝ホイット・マスタスンは、ハードボイルドから警察小説に転身したと、従来解説されることが多かったようですが、こうして中短編をチェックしていくと、その時々のニーズに応じて、職人的に仕事を仕上げていった作家のように思います。

ＥＱＭＭがブラック・マスクのハードボイルドを評価し、多くの作品を再録したのは有名ですが、日本語版ＥＱＭＭも、何度かハードボイルドの特集を組んでいます。最初は一九五九年の八月号ですから、創刊二年目のことでした。二度目が六〇年四月号ですが、この号の前説には「本来のハードボイルド小説、つまりは、内に人間的な哀しみを秘めたハードボイルド小説」という一文があって、小泉太郎（生島治郎）の筆だと思いますが、このあたりで形成されたハードボイルド観が、良かれ悪しかれ、日本においては、その後長らく主流を占めたように思います。権田萬治の一連の評論の力も大きかったかもしれません。その後、八〇年代にロバート・Ｂ・パーカーがネオ・ハードボイルドの代表格として読まれ遇されたあたりで、またイメージが少し変わった――斎藤美奈子のハードボイルド＝男のハーレクインロマンス説は、そのあたりを想定しての発言ではないでしょうか？――ように思います。

もっとも、雑誌マンハントのところで指摘したとおり、正統派ハードボイルドと通俗ハードボイルドという区分は、すでにあって、それとは別次元の区分として、ディテクションの小説とクライムストーリイが（分かりやすく言えば、チャンドラーとＪ・Ｍ・ケインが）混在し、ディテクションの小説は、私立探偵（しかし、かぎりなく犯罪者に近かったりします）が主人公のタフガイノヴェルが、現実味を意識するにつれて、警察小説へと傾斜していく。そうしたものをひっくるめて、ハードボイルドと呼ばれていました。日本語版ＥＱＭＭ六〇年四月号には、そうした混乱が反映されています。

エミリイ・ジャクスンの「誤算」は、ある射殺事件の有力容疑者（証拠がつかめず、警察はやっきになっている）を、被害者の妻が脅迫しようとしているという異様なシチュエーションを、捜査当局者が見張っているという、凝った設定ですが、ハードボイルドというよりは、プロットのひねりを重視したミステリです。もっとも、たいしたツイストではありませんが。アルバート・ジョンストンの「ルイズヴィル・ブルース」は、貨物列車に無賃乗車するホーボー（「北国の帝王」という映画がありましたね）の男が死ぬまでを描いた、短かいクライムストーリイです。それなりに不気味な描写があって、読ませはしますが、たとえばハワード・ショーンフェルドの*「神の子らはみな靴を持つ」と比べると、小説としての厚みと射程が段違いに劣って見えます。ローレン・グッドの*「かくて砂漠に花咲かん」は、誰も訪れ手のない砂漠で暮らす老人ふたり組の、奇妙なクライムストーリイです。こういう小説は、被害者の側から描いて、サスペンス小説にするのが通常ですが、そこを逆に行っている。それだけに意外性はありませんが、ぬけぬけとしたところが面白く、ひねったクライムストーリイにはなっていました。しかし、これをハードボイルドと呼ぶ必要があるものやら。

六四年三月号は、ハメットの*「夜陰」が掲載されています。対照的なのがフランク・ケーンの「血まみれのハレルヤ」です。冒頭から女の死体が転がっているという、通俗ハードボイルドの典型的な始まり方。舞台はニューオリンズで、バトン・ルージュから出てきたという女は自殺らしいのですが、父親はその理由を知りたくて、私立探偵のジョニー・リデルを雇ったのでした。被害者の交友関係から始めて、関係者へ次々と会っていく。ハードボイルドの常套《じょうとう》的な展開のうちに、アクションとセクシャルなディテイルを盛り込んで、あっという間に読み終わるという、これが通俗ハードボイルドだ！　という一編でした。ピーター・チェイニイの「遅すぎた行動」は、私立探偵オディのところに、依頼人が現われるという、これまたハードボイルドの典型的な冒頭です。依頼人の妻は高名な作家ですが、彼女が親しくしている男がいて、その男のことを詳しく調べてほしいというのです。離婚問題はあつかわないオディですが、そこへ男の妻から電話がかかってくる。自分の夫が訪ねてきているだろうが、自分はもう、夫も親しくしていた男も、なにもかも嫌になったので、これから家を出て行く。ついては、そのことを夫に伝えて、わたしのことは放っておいてほしいと言うのです。依頼人は大慌てで帰宅しますが、そこには妻が死体となって待っていた。ハメットの「スペイドという男」*がそうであったように、あるいは、それに輪をかけたような、シャーロック・ホームズのライヴァル（に一歩及ばず）のトリック小説でした。

特集の他にも、比較的ヴォリュームのある中編作品が載ること——もっとも、それはハードボイルドにかぎらず、パズルストーリイやサスペンスミステリにもあったことですが——もあって、いくつか、それらの作品にも目をやっておくことにしましょう。

トマス・B・デューイの「肉体の莿」は中編というよりも、短かい長編といった長さで、『世界ミステリ作家事典［ハードボイルド・警察小説・サスペンス篇］』のデューイの項でも、森英俊が好意的に紹介しています。初出はコスモポリタン五三年一月号ですが、同年に発表さ

れた長編 *Every Bet's a Sure Thing* のコンデンス版のようです。シカゴの私立探偵マックの今回の任務は、シカゴでは中位ながら全米に事務所を持つ探偵社からの下請け仕事です。列車でロサンジェルスに向かう、子どもふたり——兄と妹——を連れた女性を尾行するというもの。途中下車したら、やはり尾行を継続するよう、千ドルと一等の切符を渡されます。小説の冒頭では、サンタ・モニカの崖っぷちで、知的障碍を抱えた息子を連れた白い背広の男と、マックが出会う場面が描かれていて、その場面の意味が、読者には小説半ばまで分からないという趣向です。ひょんなことから、マックは尾行対象の上の子どもと仲良くなったと思いきや、途中で謎の男が乗り込んできて、銃をつきつけ、マックを列車から突き落とす。ここで足を負傷するのが、最後までマックのハンデとなりますが、それに屈することなく、飛行機をチャーターしてロサンジェルスに先回りをします。

舞台が大きく動くというのは、ハードボイルドにしては珍しい部類です。ロサンジェルスに着いてからは、尾行の任務の受け渡しをするのですが、そこにやって来る西海岸の探偵が、わずかな描写ながら腕利きであることを伝え、それに比べて、そこのボスは胡散くさい。マックの恩人であるレギュラーキャラクターのドノヴァンも、休暇がてらにロサンジェルスに現れます。事件そのものとそのからくりに、目新しいところはありませんが、知的障碍の子ども（といっても青年くらいでしょうか）も含めて、子どもを持つ人々が子どもを持つことで自ずと滲み出てしまう労苦が、事件の背後に影絵のように浮かんでいるのが、平凡な追跡型のディテクションの小説に留まるのを救っていました。

デイ・キーンの「口紅のように冷やかに」の語り手である主人公は、街を牛耳るギャングのアルツーロの覚えめでたく、チンピラの域を脱しようとしています。コニーという妻だか彼女だかが、感化院から出所してきたところです。どうやら、彼女が補導されるのを傍観していたらしく、それでも、暴力とセックスを組み合わせることで、馬鹿な女は手なずけられると信じている。折から、新任の地方検事のフィリップスが市の浄化に乗り出していて、その件でアルツーロから招集がかかっています。コニーは感化院で、そのフィリップスに諭されて、好意を持っているらしいのでした。アルツーロには参謀格に悪知恵のはたらく男がいて、これがコニーに目をつける。更生したふりをしてフィリップスの行きつけのレストランで働かせ、夜学に行きたいと相談させる。周囲の目がふたりの仲を認めたところで、コニーの家にフィリップスを呼び寄せて、主人公に撃ち殺させようという算段なのでした。

一人称でチンピラギャングの破滅を描くのは、どうしても『明日に別れの接吻を』あたりと比べられてしまうもので、主人公の陰影、屈託といったものが、キーンには欠けています。それを補うのが、中盤以降の、罠を逆手にとって、フィリップスとアルツーロを一挙に片づけてしまおうという展開です。もっとも、ここでも、主人公にそれを焚きつけるコニーの変化が上手く描けていない（スペルミスがなくなっていく手紙で描いているのかもしれませんが、それなら翻訳に反映させるべきでしょう）。罠全体へのフィリップスの関与のほども、この主人公の一人称であるかぎりは、直接には書き込めないので、そこを描くのにも技量が必要でした。

チェイニイの「遅すぎた行動」がパズルストーリイ（不出来ですが）だったように、そしてキーンの「口紅のように冷やかに」がクライムストーリイであったように、警察小説だったのが、フランク・ウォードの「轢き逃げ」でした。この作品は紹介時にハードボイルドと銘打たれてはいませんが、警察小説とも呼びにくい。ハードボイルドとくっておくのが無難といった作品でした。主人公は語り手でもある警部ですが、上司である署長が意気消沈している。起きたばかりの轢き逃げ事件の被害者は、十一歳になる彼の愛娘だったのでした。主人公と部下の刑事が捜査を進め、被害者を轢いた自動車が、署長自身のもので、盗難にあっていたことをつきとめる。見逃されやすいところに残っていた指紋に気づいて、自動車泥棒の青年を逮捕し、彼は自動車泥棒は認めますが、少女を轢いたことは否認したまま、裁判で二十年の刑が下ります。しかし、主人公には青年が犯人ではないのではないかと思うところがあって、再び事件を調べ始めます。

捜査とそのプロセスを通して、主人公の警官の人間的な側面を描く。そういう意味では、警察小説と言えるのでしょうが、主人公ひとりに焦点があたっているところが、チームプレイを描くことの多い警察小説と、一線を画しているように見える所以でしょう。事件とその捜査を通して、探偵役個人の人間的な面を描くという意味で、ハードボイルドと呼んだ方が適切だとも言えそうです。もっとも、被害者の父親である署長も警察官ですからね。そこが、この小説の個性とも特徴とも言えます。小説は、教会の牧師が登場するあたりから、シリアスながらありきたりな展開になっていき、結末はむしろ凡庸でしょう。なにより、凶器となった自動車が被害者の家のものだった点を、当初なおざりにする説得力のなさが、最後までつきまといました。

3　デイヴィッド・イーリイの全貌

デイヴィッド・イーリイの華々しい登場については、本書第四巻で触れました。

しかし、では短編作家としてのイーリイが日本で厚遇されたかというと、実は怪しい。長編こそ『憲兵トロットの汚名』『蒸発』『観光旅行』と、順調に邦訳が出ましたが、次に訳された短編は「大尉のいのしし狩り」で、ミステリマガジン一九七〇年十二月号のことでした。*「ヨットクラブ」から六年が経っていました。「大尉のいのしし狩り」は、二〇〇三年に第一短編集の『ヨットクラブ』（のち原題どおりの『タイムアウト』として文庫化）を全訳単行本化した晶文社が、その成功を受けて、二冊目の邦訳短編集を出したときに、表題作としたものでした。猟師や樵夫《きこり》として自然の中で生死を賭すのが当たり前の四人の男たちは、戦場においても、とりたてて生活態度を改める必要がない。そんなところに軍紀に厳しい大尉がやって来る。軍紀は平時の人間を戦時に適合させるための規律でしょうが、所詮は人間が机上で作ったものでしかありません。厳密には齟齬が生じることもある。にもかかわらず、強引に軍紀を優先した結果、四人組のひとりが自殺に追い込まれる。彼らには、軍紀よりも優先すべき、生死を賭けた場所でのルールがあったのです。彼らが大尉に対して、何を企むかは、読者の眼には明らかであり、その明らかな行く先へ向かう不穏さに満ちた中盤が、抜群のサスペンスです。最後の最後まで、そのサスペンスが持ちこたえていたらと思えてなりません。

　このときのミステリマガジンの編集長は太田博（各務三郎）で、氏は「ヨットクラブ」を買っていました（『ミステリ散歩』参照）。以後*「ぐずぐずしてはいられない」（七二年五月号。奇しくもリチャード・マシスン特集の号でした）を紹介し、さらに編集長が変わってから**「隣人たち」**（七四年五月号）を始めとする一九七〇年代後半の一連の翻訳があって、短編作家としてのイーリイの姿が明らかとなっていきました。私がイーリイに夢中になったのも、それらの作品を読んでのことでした。

　このころミステリマガジンに訳出された作品群は、秀作ぞろいで、大半はのちに『タイムアウト』と『大尉のいのしし狩り』に収められることになります。「ぐずぐずしてはいられない」は、高度な医療を求めて、メキシコで行方をくらますかのような行動をとる、大金持ちの話です。ブラック・ジャックを求めているわけです。イーリイの筆は、終盤、医療施設を支える貧しいメキシコ人の描写一発で、富める人間の心臓病に何が必要なのかを暗示する巧みさ――瞬間的にミスディレクションの働きもします――ですが、その結果は……という話でした。*「草を憎んだ男」は、いかにもというような、粗野で金にあかせたアメリカ人という手垢のついたキャラクターの暴君ぶりで、平凡な結末の話なのですが、最後の妻の台詞には余韻があります。同様なことは*「日曜の礼拝がすんでから」にもあてはまります。*「夜の客」と*「別荘の灯」は、ともにモダン・ホラーですが、前者はニューロティックスリラーふうでもあり、ひねった作りなのに比べて、後者の方がストレイトな仕上がりでした。「別荘の灯」はＭＷＡ賞の候補にもなっています。

このころミステリマガジンに載った作品中、とくに推奨したいものが二作あります。

まず**「隣人たち」**です。平凡な街に越してきた夫婦と幼い子どもの三人家族は、少々迷惑かもしれない好奇心から来る近所づきあいを、かたくなに拒んでいます。このご近所の関心が、正当なものなのか迷惑なものなのか分からないという匙加減が、まことに巧みで、そのバランスがこの短編の命でもあります。プライヴァシーへ踏み込むかのような言動と、にもかかわらず、夫婦の怪しさと、双方あるために、本当に子どもはいるのか？ 伝染病にでもかかっていたら？ といった疑心が進むのが止められません。結末のつけ方も、大方の読者をはぐらかすに違いない巧妙さで、異色作家短篇集の中に入っても上位に来るであろう一編です。

もう一作は「スターリングの仲間たち」*で、うってかわって、ある意味陽気でユーモラスな、しかし苦い話です。ロンドンに巣食う売れない芸術家たちの中で、口だけは達者なスターリングは、それゆえ、仲間から煙たがられている。救いは、誰がどう見ても、彼の絵が下手なことですが、しかし、いつ彼の絵が主流となるかもしれないという、一抹の不安を抱えている。本人の前で死刑宣告ごっこをしているといった、黒いユーモアの果てに、もしかしたら、それまでに語られたことは、スターリングの側からは、まったく異なって見えていたのかもしれないと、読者に疑わせる結末まで、売れない芸術家たちの鬱屈ぶりが見事でした。

今世紀に入るまで、日本でのイーリイの評価は「ヨットクラブ」の作者というものでしかなかったと、私には思われます。それが全体的な評価につながったのは、晶文社から二冊の短編集としてまとめられたためでしょう。『ヨットクラブ』が出ると知ったときに、私は「ジェラルド・カーシュ、ヘレン・マクロイ、シオドア・スタージョンときて、イーリイなのだから、晶文社も本気なのだ」と書きました。正しくは、晶文社ではなく、企画編集した藤原編集室でしょう。ともあれ、晶文社ミステリと、その後の河出書房新社による短編集の連続企画は、一九九〇年代に、クリスチアナ・ブランド、シャーロット・アームストロング、シーリア・フレムリンといった作家の短編集を出した創元推理文庫と並んで、忘れられることなく高く評価されるべき企画であったと考えます。

晶文社の短編集で新しく訳されたものの中では、「いつもお家に」[*]が出色の出来です。本国での第二短編集の表題作なんですね。夫以外に近所に知り合いのいない妻というのは、アメリカのミステリに時折見かけます。子どももいない。夫は留守がちで不用心なので〈いつもお家に〉装置が備えつけてある。「電子システムによって、屋内にあたかも人がいるような気配を創りだす」のです。誰ともしれぬ会話が流れ、確かにパーティでもしているように聞こえる。留守中に流して、戸外の人間に聞かせることで空き巣などを抑止するものなのですが、実際は、ひとりの淋しさをまぎらわせるために、残された妻が、のべつ流しっぱなしにしているのでした。それがために、夜どおし人が喋っている変な家だと思われて、近所づきあいに支障をきたし、ますます孤立するというのが、巧い展開です。やがて、この声は、実際にこの部屋にいた前の住人の声の盗聴録音と分かり、やがて、越してきた彼女たちの声が録音された部分が流れ始めます。このあたりから、異常さと面白さが加速し、流れている人声が、録音されたものなのか、自分や夫の声なのかが分からなくなり、ヒロインはどんどん混乱していくのです。

七〇年代に入って、イーリイの作品は、アメリカ社会に潜む異常性を浮き彫りにしたもの一辺倒ではなくなります。しかし、小野田寛郎さん発見にあやかってニセの生き残り軍人で一山当てようという「最後の生き残り」のような、軽い冗談のような作品（ずいぶん、小野田さんをナメたアメ公どもの悪だくみですが、あのころは日本人も小野田さんをナメてましたしね）でも、期せずして、アメリカ人ぶりを発揮——その結末！——することになりました。

ミステリマガジンが四百号を記念して、一冊まるごとアンソロジーを組んだとき、選ばれたイーリイは*「そこだけの小世界」でした。『タイムアウト』では「理想の学校」という題名になっています。教育の美名のもとに、社会に適応しない子どもを一生飼い殺す。親は金を払うことで、あとは目をつぶる。そんなグロテスクな不気味さを抑制された筆致で描いた、イーリイの代表作のひとつです。しかし、今回読み返して、現実の日本と引き比べるとき、イーリイの筆さえ及ばない荒廃が、すでに目の前にあるように思えて、私は素直に感心できませんでした。イーリイは、ミもフタもない本音として姥捨て山のような学校を経営する人間を描きました。しかし、現実の日本は、社会の外側の姥捨て山ではなく、社会の内側で同じ問題を同じように抱え込んではいないでしょうか。それも、自覚することもないまま、見ぬふりをすることで。

あるいは、奇想天外な中編の*「タイムアウト」です。核の誤射でイギリスが一瞬にして消滅したらしい世界で、その失敗を隠した米ソ両国（冷戦期ですから）は、極秘裏に、消滅したイギリスを消滅した期間の歴史ごと、再生しようとします。途方もない労力をかけて。しかし、半世紀経って、国家が、歴史をそのように大切にあつかうとは、とても思えなくなっています。為政者の過《あやま》ちは、徹底的に隠し糊塗するのではなく、いい加減にやりすごしてしまえば、それで済む。

これからの世界で、デイヴィッド・イーリイの小説は生き残れるのでしょうか？

4　ロバート・トゥーイ1969

前節でも指摘しましたが、晶文社と河出書房新社の二社より、精力的にミステリ（とSF）の短編集を出し続けた、藤原編集室の功績は大きいと、私は考えていますが、それにしても、ロバート・トゥーイの『物しか書けなかった物書き』が、二〇〇七年に河出書房新社から出たときには驚きました。編者に法月綸太郎を迎えることで、商業的な説得材料を持つことが出来たにせよ、よくも、まあ、こんな地味な作家の短編集を出したものだと感心しました。

ロバート・トゥーイは、第十二回EQMMコンテスト——アヴラム・デイヴィッドスンの「物は証言できない」*が第一席を獲得し、第三巻で読んだミリアム・アレン・ディフォードが傑作**「ひとり歩き」**で臨んだ回でした——で、「死を呼ぶトラブル」が処女作特別賞を得ました。もっとも、この年は、コンテストもその使命を終えようとしていて、処女作特別賞は二十二編という大盤振舞い。調べたかぎり、邦訳があるのは、そのうち三作だけですが、トゥーイは、その中のひとりでした。

「死を呼ぶトラブル」の主人公は、フロイド・ウィーバーという、警察沙汰すれすれが生業の男です。彼の悪事の証人となる男に、大陪審からの召喚状が来ているのですが、この男が姿を消している。そいつを一万ドルで消してやるという電話が来るところから、始まります。電話が切られると、一転して、電話をかけた主ルー・ビーズが、問題の証人ジャック・ハイドを偶然に見つけた経緯が語られます。そして、自分の正体を知られているとは思っていないハイドをビーズは殺し、かくして、請負殺人は完了したかに見えますが……。ふたりの登場人物双方に意外性を用意するのが、新人作家自慢のアイデアかもしれませんが、意外性の質は、作為の手つきが目立つもので、水準作といったところでした。

トゥーイの作品の多くを、まず日本に紹介したのは、太田博時代のミステリマガジンで、法月綸太郎が『物しか書けなかった物書き』の解説で、日本でトゥーイを愛好した先達として、小鷹信光、森英俊と並べて各務三郎（太田博）を挙げたのは、そのことを踏まえているのかもしれません。ただし、そのころの作品から短編集に採ったのは、表題作くらいのものでした。確かに、あまり芳しい作品はありません。「トランク」は、シカゴからサンフランシスコにやって来た老婦人が、家を借りています。彼女はシカゴで夫殺しの嫌疑をかけられていますが、実際に手をくだしていて、しかも、そのことで甥に強請《ゆす》られていたのでした。借りた家には、死体を隠すにはおあつらえ向きのトランクがあって、そこへシカゴから甥が追跡して来る。彼女は甥を殺して、トランクに詰め込みます。平均的に意外なオチは、ある意味で「死を呼ぶトラブル」と似たパターンでした。それに比べると「*ギンガム犬とキャラコ猫」は、やや見どころがあります。主人公の弁護士は、隣家の夫婦喧嘩がうるさく不愉快なことに、妻ともども悩まされています。一度、それとなく苦情を言うと亭主から逆ねじをくらい、ますます不愉快です。日曜の午後、例によって、喧嘩が始まりますが、今回は十分ほどで静かになる。不思議に思っていると、当の家から電話です。妻を殺してしまった、高名な顧問弁護士はたまたま不在なので、かわりに来てほしいと。かつて苦情を言ったときと同じ尊大な隣人の態度——しかも、自分はかわりの弁護士です——に、殺意が生じて……という話。オチはあっと驚くほどうかつなものですが、このあたりからトゥーイらしさが出てきているとも言えるでしょう。

『物しか書けなかった物書き』に選ばれている、同時期の作品にしても「おきまりの捜査」や「階段はこわい」は、さして買えるものではありません。前者は、死体があると通報を受けてやって来た巡査が遭遇する、不条理な出来事です。死体というのはパジャマを着た骸骨で、しかも、妻も姪も、それを死んだばかりのロイド氏だと言っている。思いつきとしてかなり楽しいのは確かなのですが、そのアイデアが膨らまない、あるいは深まらないままに終わっていました。「階段はこわい」は、すでに何人もの妻が様々な状況で落ちて死んでいる男がいて、しかし、彼はあくまでも、それを恐ろしい偶然だと主張している。のみならず、それを怪しむ刑事に、自分はそういう悲劇的な偶然を引き寄せる人間なのだと嘯《うそぶ》くのでした。そして、彼は次の偶然の犠牲者を見つけ、結婚します。オチは「死を呼ぶトラブル」「トランク」を思い出させる、トゥーイお得意のパターンでした。

　こう書くと、六〇年代のトゥーイの短編には、めぼしいものがないかのように思われるかもしれませんが、そうではないのです。

　短編集『物しか書けなかった物書き』の中の白眉は「そこは空気も澄んで」*という一編でしょう。この一本が、圧倒的にずばぬけているというのが、私の考えです。

「ベンはタクシーに乗りこんだ。おじのアルがベンのあとから体をおしこみ、運転手に『ブロックフォード・タワーズだ』と唸るように告げた」という文章で、小説は始まります。奇をてらったところのない、簡潔な描写です。ベンは有力者のところに連れていかれるところで、彼は取り立てられ、未来が拓けようとしているのだと、徐々に分かっていきます。引き合わされる相手は、ミスター・コスト。ビルの十七階に居を構える彼は、ベンの父親のことを憶えていて（おまえの親父さんは、虎だった）、入会の儀式のときから、ベンに気がついていたというあたりで、それまで予感にすぎなかった、これはマフィアのような組織の話だと、読者は気づきます。ベンの父親とは異なり、おじのアルは虎ではなかったために、引き立てられなかったのでした。小説は、この三人の会談の場のみで成り立っているようなものですが、巧みな会話のやりとりから、おじのアルの立場が浮かび上がり、ミスター・コストは具体的な説明をすることなく、ベンに「この事態を解決しろと命じた」と言います。ベンは説明を求め、はっきりした指示を求め、食い下がります――もちろん、自分が何を求められているのかは、端から分かっているのです——が、ミスター・コストは明快な指示を出しません。それがなくても、事を成すことが出来なければ、組織で生き残っていけないのです。会談は終わり、下界へ降りて行きながら、アルは甥の未来の成功を信じて疑いません。しかし、ベンには「下に行くと空気がどんどん悪くなる」ように感じられるのでした。ラストの一行は、ベンが決断したことを暗示して終わりますが、一連の会話の陰に隠された人間関係と、それがもたらす悲劇の様相が導く緊張が、その間、一瞬たりともゆるみません。とぼけたとかオフビートといった評価をされることの多いトゥーイですが、ここにあるのは、そんな変化球投手の姿ではありません。洗練を極めたかのような、クライムストーリイの書き手が、そこにはいました。

この秀作が一九六九年の作ですが、同年に書かれた短編（掲載はＥＱＭＭ七〇年二月号）で、太田博時代のミステリマガジンに掲載されたのが**「さよなら、フランシー」**というクライムストーリイです。私が最初に読んだトゥーイですが、これも秀作の名に恥じません。クイーンのつけたリードには「〈あいもかわらぬ三角関係〉を、〈異なる〉視点から描く」と書かれていました。フランシーは、ジョン・ウェンデルの粋なあごひげをはやした写真を気に入って、と小説は始まり、続いてすぐに、ジョンが妻のレオーナに「あごひげを生やそうと思ってるんだ」と言っています。あっという間に、三角関係と妻への愛が冷めている夫の在りようを描いて、その間五行です。ジョンは過去に一本だけ台本を書いたことのある劇作家（兼俳優）ですが、いまは、夫はお芝居を書いているんですと、妻が自慢げに紹介できるという一点で、妻の金が自由になる身なのでした。小説はジョンの二重生活を描いていきますが、フランシーとの愛の巣に借りた部屋では、ご近所の彼に対する評判は良いものの、夫婦でないことがバレバレで、ひげを生やすはずのジョンは、舞台の仕事で知り合った店からつけひげを買ったりして、微妙に辻褄があわない。そうするうちに、ジョンの妻殺しの企みが徐々に露になっていきます。

クイーンが「〈異なる〉視点」と書いたのは、凡庸な作家なら、フーダニットやハウダニットとして仕上げるであろう犯人のトリックを、クライムストーリイに仕立てることで、新鮮でなおかつ読者に驚きを与えるものにしたことを示しているのでしょう。実際、誰がやったのかとか、どのようにしてやったのかという、手垢のついた謎とは異なり、ジョンの行動の謎めいた違和感で、読者の興味をつないでいく巧みさは一級品の腕前でしたし、それゆえに、そこだけを取り出せばインパクトに欠けるオチも、洒落たものになっていました。

ミステリマガジン初出の訳で、唯一短編集に採られたのが、表題作である「物しか書けなかった物書き」*でした。七四年作品で、同年二か月後の翻訳という素早さです。訳者は小鷹信光。この作品の美点は、ひとえに、落ち目になりつつある作家が、一心不乱にタイプを叩くと、その物が実際に現われ、そして彼は「物しか書けない」という着想にあります。実現させた「物」を換金して成り上がっていくというのが、とてつもなくユーモラスな上に、その生活の変化が妻への殺意を育み、クライムストーリイへ雪崩れ込むという展開も見事でした。ファンタスティックな設定を持ち込んだクライムストーリイという行き方は、トゥーイのお家芸となりますが、その代表がこの作品になるだろうことは、誰の眼にも明らかでしょう。

先に、トゥーイの作品を、最初に積極的に紹介したのは、太田博時代のミステリマガジンだと書きました。ただ、奇しくも、その時期は、トゥーイがフルタイムの作家からタクシー運転手兼業に戻っていた時期に重なっているらしく、そこから復帰したトゥーイの翻訳掲載の場となったのは、早川書房から光文社にＥＱＭＭの契約が移ったのちのＥＱでした。同時に、それはアメリカの短編ミステリの栄光が翳りを見せ始めたころでもあり、まもなく、ＥＱＭＭの下で、戦後アメリカの短編ミステリの発展をリードしたフレデリック・ダネイが亡くなります（八二年）。

『物しか書けなかった物書き』は、フルタイム復帰後の七〇年代後半から八〇年代前半にかけての短編を、多く集めています。ヴァラエティに富み、オフビートな感覚を前面に出した作品群という意味で、トゥーイらしい短編を集めたとは言えるでしょう。

「拳銃つかい」は腕利きの殺し屋が、仕事に行ってみると、相手は早撃ちの名手で、逆に撃ち殺されるという話。トゥーイお得意の表向きのストーリイとは反対側にも殺意があったというパターン（すでに、あげた作品のいくつもに該当します）ですが、話のサゲをそこにせずに、そもそもの動機となった主要人物の呼称を使って、別のところに持っていったのが、オフビートなところでしょう。

「支払い期日が過ぎて」「家の中の馬」のジャック・モアマンを主人公とする二編は、警察を罠にはめることが生きがいであるモアマンの、周到でしつこいいたずらを描いたものですが、愉快な反面、警察もここまで愚かで素直なのだろうかと考えないではありません。

「墓場から出て」*「予定変更」は、この世の者とは思えない登場人物を出すという、ファンタスティックな設定で、クライムストーリイを書くという意味で、「物しか書けなかった物書き」を、ホラー寄りに展開させたと見ることも可能でしょう。「いやしい街を…」の、小説のキャラクターが、小説世界を飛び出して、酔っぱらってしまっている作家と対決するという着想も、ファンタスティックなものでした。この三作の中では、まともに死者を蘇らせてみせた「墓場から出て」を、私は推します。

突然、主演映画の話が消滅した俳優に、危難が次から次へと襲いかかる「ハリウッド万歳」。エラリイ・クイーンが電話越しながら登場する楽屋落ちの「犯罪の傑作」。競馬の八百長でさえ、階級格差があるという、苦い認識のもとに、競馬で身を持ち崩す男を淡々と描いた「八百長」と、達者でヴァラエティは豊富ですが、ひと昔前にトゥーイが持っていた鋭さは、もはや感じられません。「今回は収録を見送った」という「エレガント・ホテル」は、見送られるだけの作品でしかありませんでした。巻末の「オーハイで朝食を」は、MWA賞の短編賞候補だったこともあって、法月綸太郎も「力作」と評していますが、どうでしょう？　主人公が巻き込まれた謎の夫婦による奇妙な接待の果てに待っていたものは……という話ですが、事件のからくりを主人公に説明する警官が、なぜ、その解決に到ったのか、さっぱり分かりません。ここには、巧みに小説を組み上げることで、真相を語らずに伝えてしまった「そこは空気も澄んで」の文章力も、主人公が与える違和感を巧妙に読者に提出した**「さよなら、フランシー」**の構成力も、影を潜めています。この作品がMWA賞を獲れなかったことを、ローレンス・ブロックという相手が悪かったと、法月綸太郎は書いていますが、ブロックの受賞作そのものが、すでに往年のMWA賞のレベルを下回っていたのではないでしょうか？

奇妙な発想によるクライムストーリイをいくつも書くことで、ロバート・トゥーイはオフビートなミステリ短編作家としての定位置を、確保したのかもしれません。しかし、一九六九年に発表され書かれた二本の短編で見せた輝かしさは、そのこととは秤にかけることの出来ないもののように、私には思えてなりません。

5　ミステリマガジン・ライター――ジェイムズ・ホールディング

ジェイムズ・ホールディングは、一九六〇年代から八〇年代にかけて、AHMMとEQMMでおもに活躍した、短編専門の作家です。ヒッチコックマガジンの作家を読んだときに「密輪品」*という佳作があることを紹介しましたが、ここではEQMM発表の作品を中心に、改めて見ていくことにしましょう。

ホールディングの名を憶えている人が、まず思い起こすのは、ルロイ・キングという合作のミステリ作家（エラリイ・クイーンがモデルなのは明らかですね）、つまりマーティン・ルロイとキング・ダンフォースのふたりが探偵役を務めるシリーズでしょう。ふたりとその細君の四人が、世界周遊をしている客船ヴァルハラ号で各地をめぐり、そこで事件に遭遇するのです。

シリーズの第一作は The African Fish Mystery で、これは未訳ですが、題名が地名＋名詞＋Mystery となっていて、全編そのように統一されています。エラリイ・クイーンの初期の長編を踏襲しているのです。最初の邦訳は「香港宝石の謎」でした。ふたりの細君の宝石が盗まれるという発端で、犯行可能なのは停泊中の船体を塗り直していた、塗装工のクーリイたちだけです。すぐに気づいたので、彼らが岸壁を出るところで身体検査が実施されます。ところが、宝石が出てこない。身体検査が始まったので、とっさに隠したに違いない。その方法は？　というもの。

暗号解読が主たる興味の「イタリア・タイル絵の謎」――タイルの絵から単語を連想するところが、外国人の私には恣意的に見えて買えません――は別として、シリーズはおおむねハウダニットですが、謎の設《しつら》え方も解決も、さして面白いものはありません。ハウダニットからは少々はずれた「おしろい箱の謎」の、高級なおしろいを二箱もなぜ海にまいたのかというのは、なかなか巧みな謎の出し方ですが、解決は感心しません――というより、腰砕けでしょう、これは。毎回出てくる作家夫妻でさえ、とても描写されているとは言えず、軽く書かれたシリーズものの域を出ません。読んだ中では、カードマジックの方法を当てる「日本カードの謎」*が、巧妙なコンゲームと見せて実は、というハートウォームな解決が微笑ましい出来ですが、鍵となる日本人女性の名に、もう少しリアリティがあればと思わせます。もっとも、『世界ミステリ作家事典［本格派篇］』で、森英俊が出来がいいとしているのは、未訳の二編なので、そういうことなのかもしれません。

ホールディングのもうひとつのシリーズは、趣味的でおおらかな国名シリーズとはうってかわって、フォトグラファーと呼ばれる殺し屋(訳は抹殺者、写真屋、カメラマンなど様々ですが)を主人公としたクライムストーリイです。主人公のマニュエル・アンドラダスは、ブラジルのリオ・デ・ジャネイロでカメラマンを生業とするかたわら、金のために組織からの指示で殺人を請け負う殺し屋です。警察から組織への依頼で、未解決の猟奇的な連続殺人犯を見つけ出して殺す「カメラマンと殺人鬼」、本命馬に騎乗する騎手を、競馬の開催日までに殺せという――フォトグラファーはカメラマンの仕事として、その騎手を撮影したことがあったので、堂々と会いに行くのです――「抹殺者とジョッキー」*、国策会社ふうの大企業ケミカル・ブラジル社の支配人として迎えられているアメリカ人が標的の「抹殺者マニュエル」といった具合に、一作一作工夫が凝らされていて、こちらの方が、国名シリーズよりも楽しめる仕上がりになっています。

私が推薦するのは「写真屋と葬儀屋」*という一編です。標的の葬儀屋を下見に行って帰宅すると、いつのまにか当の相手が、自分のスタジオの前でこちらを見ている。その刹那、相手が同業者で、自分が標的だと察知するという話。組織が殺し合いをさせるという不条理な展開が不気味な上に、単純に相手を先に殺せばいいというものでもありません。その切り抜け方が巧みで、黒いユーモアをともなったサゲも見事でした。「抹殺者とジョッキー」も、ぬけぬけと標的に面会して、殺しの前に依頼の背景を調べてしまう展開が面白い。この二編が積極的に推奨に値します。

ジェイムズ・ホールディングには、安易に流れることが、往々にしてあって、思いつきをあまり深く検討していないのではないかと思わせることがあります。「カメラマンと殺人鬼」の殺人鬼の正体を見抜く冒頭などが、そうです。フォトグラファーと組織との関係にしても、末端の一殺し屋が、こんなに主導権を握れるものかと思うこともしばしばです。「写真屋と葬儀屋」のサゲは、組織全体ではなく、組織の末端には、それなりに使えないヤツもいるという結末なので、成立したものでした。

ではノン・シリーズのクライムストーリイに目を転じてみましょう。

いかにもヒッチコックマガジン流というのが「爪楊枝」という、ショートショートふうの短編です。主人公が自分の犯した殺人について喋りたいという衝動にかられたというのが、まず、いかにもな冒頭です。妻が開いたパーティで、彼女に言い寄った男を死に到らしめるのですが、それは陰湿な方法でした。爪楊枝で相手のネクタイに染みをつけ、ホステス役の妻が当然やるであろう行為が、結果的に、その男に死をもたらす。そのことを妻に打ち明けたいという欲求が、冒頭の衝動――この衝動の中身が薄いので、話を作る段取りにしか見えないのが苦しいところです――なのでした。医学的というか薬学的なアイデアで、ひとつ書きましたという姿勢が露骨で、アイデアストーリイという言葉が、否定的な意味で用いられるのは、こういう場合なのですが、それでも結末のつけ方まで、ヒッチコックマガジン流ではありました。

「脱獄お世話します」は日本語版ＥＱＭＭの掲載ですが、ヒッチコックマガジンに載ってもおかしくありません。主人公の囚人が、看守から脱獄用の三点セットを買わないかと持ちかけられます。足音を消すためのゴム（靴の裏に貼る）と刑務所内の地図（脱出経路の矢印付き）、そして独房の鍵です。これで、単に脱獄できましたでは、お話にならないだろうと思って読み進めていると、さして魅力的ではないオチを迎えます。「爪楊枝」のように、医学的なアイデア一発で書かれたのが「奇妙な被告」です。誘拐犯が、人質を連れて逃亡中に居眠りをして捕まってしまうという事件で、どんなに重大な局面でも、意に反して眠り込んでしまうことがあるという知見で、ひとつ書いたのでしょうが、「爪楊枝」に輪をかけて、アイデア頼みが露骨な上に、精神疾患による無罪獲得について、どうみても無茶な理解しかしていないようです。

「スワップ・ショップ」は、故買屋とそこにブツを持ち込んだ男（ソニーのテレビというのが時代色ですね）のやりとりで、あれよあれよという展開を狙ったのでしょうが、そこに、この作家の甘さというか手軽さがあるように思えます。たとえば、ロバート・シェクリイのショートショート「では、ここで懐かしい原型を……」を、とりわけ、その中の「変装したスパイ」*を思い出してみてください。ジェイムズ・ホールディングの温《ぬる》さかったるさが、分かろうというものです。同じことは、ファンタスティックかつ少々脱力もののオチを持つ「最後の決め手」にも、あてはまります。

「再発見」は、MWAが年刊傑作選として出していた短編集の一九七七年版『今月のペテン師』に収められましたが、後半の意外性を求めたオチのつけ方が、とってつけたようなもので、むしろ不要に見える。贋作をあつかった「適正価格」にしても、美術詐欺の話として驚きがない。

様々な寄港地を舞台にしたルロイ・キングの国名シリーズはもちろん、フォトグラファーのシリーズも舞台はリオ・デ・ジャネイロと、この作家は外国を舞台にすることを好みます。しかし、かの地の描写は通り一遍であることが多く、最後まで、六〇年代のアメリカ人の海外理解の限界を出ないように見えます。たとえば「モンバサへの客」です。元ハンターで、独立運動後もアフリカに残って警察官となっている白人の主人公が、豹が町を徘徊していると通報を受ける。経験を生かして、見事に豹を発見します。そこまではなかなか面白い。ところが、後半になって呪術師についての密告者が現われ、クライムストーリイふうになると、途端にアイデアを消化するのに手いっぱいになります。アヴラム・デイヴィッドスンとまでは言いません。ジョー・ゴアズの海外ものと比べても、かの地が書割にすぎないのです。「密輸船長フォン」に登場する台湾人船長など、明らかに、この作家の手にあまっています。それでも「パチャカマックの財宝」は、インカ帝国考古学の権威である教授が、悪漢ふたりと財宝のありかをめぐって対決し、一通り読ませる冒険小説になっていました。思い返せば「密輸品」も、半ば出来心で密輸の片棒をかついだ観光客の不安が描けていたのが、サスペンス小説特有の美点となっていました。そういう物語をしっかり作る姿勢が、いかに大切かということです。

七〇年代に入って、ジェイムズ・ホールディングは新しいシリーズを始めます。図書館付きの警察官という、珍しい職業で、いまでこそビブリオ・ミステリという言葉で包摂できますが、そんな言葉など耳にしない時代でした。

未訳の The Library Fuzz がシリーズ第一作と思われますが、同年の「たかが小説本」が、本国版掲載から、あまり間をおかずに邦訳されました。主人公の「ぼく」ことハル・ジョンソンは、公立図書館付きの警察官（というのが、本当にいるんですかね）で、貸出超過になっている本を回収し罰金を徴収するのが、おもな業務です。官と民の違い、本と自動車の違いはあっても、職掌はジョー・ゴアズのダン・カーニー探偵事務所に近いのでしょうか。ちょっと前までは殺人課の刑事で、そのときの上司がランドール警部。きなくさい事件に遭遇すると、そちらに通報し協力するのです。

「たかが小説本」はシリーズも初めの作品だけあって、ケチな故買犯罪と思ったものが実は……という、このシリーズらしいアイデアとオチを持っていて、書き方もいきなり主人公が灰皿を投げつけられるところから始めると、工夫しています。それが、七五年の「警官魂」になると、ランドール警部（この訳ではランダル）から図書館の本について照会がくるという冒頭から、本の中に麻薬事件の重要な証拠となる写真のネガが見つかるという展開です。ただ、このお話の作り方は、相当に雑で、主人公を無理やり事件に関係させている作者の手つきが目立ちます。そして、最後にはランドール警部から「おまえはそれでも巡査なんだ」と言われます（原題は Still a Cop）。この部分には、意外に大きな意味があります。七八年の「沈黙の蜂の巣」はハルが図書の回収に行って、死体となった相手を発見します。事件は恐喝事件に発展し、図書館の本を使った現金受け渡しの方法が見つかる。そういう意味で、図書館刑事の関わり方は、もっとも自然です。ただし、毎回主人公が死体の発見者になるのは無理でしょう。これが同じ七八年の「『戦争と平和』を借りた男」になると、貸し出した本の書き込みから放火事件を発見するという、やや苦しい展開になります。八〇年の「セクシーなご褒美」に到っては、ランドール警部が手間を惜しんで、ハルに図書館の貸出情報を尋ねてくるというきっかけから、かなり強引に空き巣事件の果ての殺人を手繰り寄せます。

もともと、重犯罪とは無縁な図書館付きの警官を、読者の興味をひくような犯罪に関係させるのは、かなり無理がある。〈日常の謎〉というような流儀を知っていたら、また話は別かもしれませんが。ともあれ、職務上主人公が接することの出来る図書館の個人情報は、ランドール警部という警察権力にだだ漏れです。ひどいときには、それで昼飯にありついたりします。おそらくはミステリとしての作話の都合という、それだけの事情で。ここには法月綸太郎が同名のシリーズキャラクターの短編作品をめぐって、実際に司書をしている読者からの投書をきっかけに、個人情報に対する警察の介入という重大な問題とその実際について再考を促されたという真摯《しんし》さは、かけらもありません。この作家の安易さというのは、つまり、そういうことなのでしょう。

6　ウェストレイクは光り輝く

一九六〇年代の後半から七〇年代初頭にかけて、ドナルド・E・ウェストレイクという作家は、キラキラしていました。ただし、日本では、微妙な空白があって、六〇年代末の部分が、まとめて七〇年代に入ってから輝いて見えたところはあります。

六〇年に『やとわれた男』で長編デビューし、次の『殺しあい』と合わせて、マッギヴァーンが路線変更していく空隙を埋める作家として期待されました。六二年にはリチャード・スタークの名義の悪党パーカーのシリーズが始まります。それらは、六〇年代半ばに邦訳され、日本でも同様の期待を担うことになります。このころのハードボイルドやノワールの作家は、多くが、同時代の日本では無視されるか、ひとつふたつ紹介されたきり顧みられなかったのに対し、唯一の例外となりました。世界ミステリ全集のスピレインとマッギヴァーンの巻に、三人目として入ったのは『悪党パーカー／人狩り』でした。日本での空白というのは、『憐れみはあとに』の次の『弱虫チャーリー、逃亡中』で、コミカルな作風に転換したところです。この作品の出来が、いまひとつだった上に、MWA賞を獲った『我輩はカモである』は、翻訳が遅れました。加えて、ウェストレイク自身の、クライムストーリイはもう書かないという発言が伝わりました。ハードボイルドの期待の星が、コミカルな路線に転じ、ストレイトノヴェルの作家になるというのです。『弱虫チャーリー、逃亡中』が六八年に翻訳されてから、数年のブランクが生じました。

一九七二年に『ホット・ロック』が翻訳されました。原著刊行の二年後でした。角川文庫だったので手にとりやすかった上に、その年、日本でも公開された、ピーター・イェーツ監督による映画化は、上り坂のロバート・レッドフォードが主演でした。ご存じのとおり、ジョン・ドートマンダーものの第一作です。以下、このシリーズは続けざまに翻訳され、タッカー・コウ名義のミッチ・トビンもの（刑事くずれシリーズ）もポケミスで訳されます。ハメットを継ごうかという、ノワール寄りのハードボイルド作家から、悪党パーカーとドートマンダーという対照的な――しかし、現代的な（いわゆる怪盗ではない）犯罪者という意味では共通する――シリーズキャラクターを書き分ける、才気煥発な作家への変身でした。七七年には、満を持してという感じで『我輩はカモである』（マルクス兄弟の映画の邦題と同じで、私は変えた方がよいと思っています。原題はGod Save the Mark）が翻訳されます。確かに、このころのウェストレイクはキラキラしていました。

しかし、これらのキャリアは、すべて長編小説によって築きあげられたものでした。確かに、ヒッチコックマガジンには、いくつもウェストレイクの短編が訳されていました。けれど、あまり評判にはなっていないし、日本語版ＥＱＭＭやミステリマガジンにも、散発的にいくつかの短編が載っただけでした。『やとわれた男』でデビューする前のウェストレイクは、自らミステリ雑誌の編集長をやりながら、その雑誌を含めて短編を書きまくる（ＳＦも書いていました）という時代がありました。けれども、それは見るからに、世に出る前の修行時代でしたし、そういう経歴があったことさえ、日本では知られてはいませんでした。

ウェストレイクの短編に、まず目を向けたのは、小鷹信光でした。本書第四巻のスレッサー再評価のところでも書いたように、『37の短篇』が編まれ、「パパイラスの舟」から「新パパイラスの舟」に移行する一九七三年は、翻訳短編ミステリの歴史を考える上で、ひとつの節目の年です。小鷹信光は、短編ミステリの未紹介部分を埋めることを始めます。スピルバーグ（まだ無名でしたが）の映像化の後押しもあって、リチャード・マシスンの「激突！」を訳し、同名の短編集を出すところにまで、こぎつけました。ウェストレイクが頻繁にミステリマガジン誌上に姿を見せるのは、七三年一月号の「慈悲の殺人」*からです。その号の「パパイラスの舟」は、ニューヨーク生まれの五人の作家を取り上げるという趣旨で、中のひとりがウェストレイクでした。ちなみに他の四人は、スタンリイ・エリン、ミッキー・スピレイン、エヴァン・ハンター、ヘンリイ・スレッサーです。いずれも、本書で紙数を割いて取り上げた作家でした。五年後の七八年、小鷹信光編による『ウェストレイクの犯罪学講座』がハヤカワ・ミステリ文庫から出版され、いまをときめくウェストレイクの、初期短編ミステリの姿が明らかになりました。

『ウェストレイクの犯罪学講座』には、小鷹信光らしい、行き届いた短編リストがついています。一九五四年に始まって、大半は一九六六年までに書かれており、六七年には長編『我輩はカモである』を書いて、これがMWA賞を獲ります。それ以降は、一時、短編をほとんど書かなくなります。ウェストレイク自身が、短編に重きを置いていなかったことが分かります。後年、「悪党どもが多すぎる」でウェストレイクがMWA賞の短編賞を獲ったとき、ドートマンダーものの短編があったことを知らなかったこと以上に、それがエドガーを獲ったことそのものに驚いたものです。

初期のリストをながめていると、マンハントよりもヒッチコックマガジンに登場することが多いのに、まず驚きます。さらに言えば、マンハントよりも、マイク・シェーンやセイントの方が多い。邦訳もヒッチコックマガジンが多いのです。キャリアの初期に出てくるミステリ・ダイジェストという雑誌は、ウェストレイクが編集長だったもので、小鷹信光も「かなりいい加減な雑誌であり、編集者だったようだ」と、編者メモランダムで評しています。五〇年代の作品では、私立探偵エド・ジョンスンのシリーズの一作目「シルヴィアが死んだ」がミステリマガジンに載りましたが、平凡な作品でした。同じシリーズから小鷹信光が短編集に採った「殺しの時」にしても、テレビシリーズ「サンセット77」とのタイアップと思われる「巨象のブルース」にしても、ディテクションの小説は、あまり得手ではないようです。むしろ、老刑事レヴィンのシリーズから選ばれた「ろくでなしの死」*の方が見どころがある。レヴィンが担当することになったのは、ある前科者が殺された事件でした。実の兄弟を含めて、誰からも犯人を見つけ出すことを望まれていない「ろくでなしの死」です。相棒の若い刑事まで「そう一所懸命になる必要はない」と言い出します。『ウェストレイクの犯罪学講座』は、各編に題名の他に講義科目名ふうの肩書がつく趣向ですが、そこには「事件が解決されない警察小説のサンプル」とありました。ここでも、事件や謎とその解決といった面白さではなく、誰も積極的に解明を望まない被害者を殺した犯人を、ひとりむきになって求めていくという、主人公のレヴィンを描くところに面白さがある。事件そのものよりも、事件に向き合う主人公の姿を描くことに力点があるのです。そういう意味で、タッカー・コウ名義の刑事くずれのシリーズの先駆と言えます。当時流行したネオ・ハードボイルドは、主人公の（多くは屈折した）個性と事件がぶつかり合うことが特徴的でしたが、その中にあって、ミッチ・トビンのシリーズは、事件そのものを置き去りにするかのような、ある種のバランスの悪さが、かえって魅力的だったことに思い到ります。

「罪人か聖人か」はウィリアム・オファレル「そのさきは――闇」（「その向こうは――闇」）やヒュー・ペンティコースト「子供たちが消えた日」と並んで、デイヴィド・クック編の『年刊推理小説・ベスト10』に収録されました。詐欺師の二人組が、ダイヤの詐取を狙って脱獄し、教会の牧師になりすます話でした。愉快でハートウォームな一席は、逆にウェストレイクらしからぬものでした。同じコミカルなクライムストーリイでも、後年の作品は、もう少し厳しい現実観の上に立っているように、私は思います。「慈悲の殺人」は安楽死請負という、深刻なテーマで、セールスマンが勧誘にやって来る冒頭は、エリンの「ブレッシントン計画」もかくやとばかり。勧誘を受ける段取りが細かいなと思っていると、プロット重視のアイデアストーリイというより、ヒロインの心の動きを描く一編だと分かります。佳品と言えるでしょう。

ヒッチコックマガジンが主戦場だったにもかかわらず、ウェストレイクはアイデアストーリイも、それほど得意ではないように思います。「死への船旅」「最後の幽霊」「未必の故意」「錠をかけろ」といった作品を読めば、それが了解されるのではないでしょうか。話のオチとか解決のためのアイデアといったところに重点を置いた作風ではないように思えるのです。以前ヒッチコックマガジンのところで読んだ「さようなら　おやすみなさい」*は、数時間前に録画されたものを、生中継ふうに流している、自分のテレビショウを自室で見ている主人公が、オンエアされるとほぼ同時に襲撃され、撃たれているという設定でした。かぎられた容疑者がいて、死に瀕した主人公は犯人をつきとめますが、そんなことよりも、おそらくは、まもなく死ぬであろう主人公の前で、まだ撃たれていない自分が、常に元気に喋っているという不思議な感覚が魅力的でした。それはおかしな状況設定ではあっても、それがストーリイを駆動したり、話にオチをつけるといったものではありませんでした。

ウェストレイクの短編ミステリの中で、これはと思うものは、状況設定の奇妙さに、主人公が翻弄されるところに共通点があります。

「悪ふざけ」は主人公が妻を殺したばかりのところから始まります。自分がシャワーを浴びていたら、妻が冗談でナイフをかざして襲ってきた（前日に何の映画を観たかお分かりですね）のを、誤って逆に殺してしまったというシナリオです。日ごろそんな冗談をする女ではないので、なおのこと事故が起きたというのが、巧妙です。警察は話を信じ、コトは順調に運ぶかに見えましたが……。主人公にはスレッサーふうの皮肉な結末が待ち受けていますが、その皮肉は、主人公が運命のいたずらとでも言うべきシチュエーションに巻き込まれるものでした。それは、いささか脱力ものでもありましたが、苦笑を誘うといった態で、そう悪いものではありません。もっとも、この一編は、まだ、アイデアストーリイと言えなくもありません。

しかし、これが「殺人の条件」*になると違います。浪費家の妻を殺害するために、周到にアリバイを準備して（シカゴにいることになっている）、自宅に犯行のため戻ります。無事犯行を成就させたと思いきや、そこへ次から次へと人がやって来る。セールスマンやら、ご近所の人やら、あげく電話までかかってくるのです。出なきゃいいものではあるのですが、初めに、つい一度対応してしまったことから、歯車が狂っていく様がユーモラスでした。

あるいは、脅迫をあつかった二編を比べてみましょう。「手紙」は、それほど親しくもなかった大学の同級生から、主人公が手紙を預かります。どうも険呑な内容のようで、時がきても取りに戻らなかったら、警視総監に送るよう頼まれる。しかも、その友人は惨殺されてしまいます。アイデアストーリイというほどのアイデアでもないものが話のオチとなっている凡作です。一方「不運な恐喝者」*は、自分の雇い主である弁護士が、ゆすりをやっていることに気づきます。時間をかけて、そのネタのコピーをとり、他方、郵便局に暴露雑誌から局留め郵便が自分宛に毎週来ているよう偽装する。五日経っても自分が受け取りに来なければ差出人の暴露雑誌に手紙は返送される。それを利用して、恐喝のネタを自分が受け取りに行けない状態になったとき、書類のコピーが暴露雑誌に届くという寸法です。ところが、上司の前に出ると、脅迫の文言を口に出来ないという展開が、まず、ズッコケていておかしい。しかも、口に出来ないまま風邪をひいて高熱を発し、郵便局に行けなくなる。さらに、これがデッドラインという日は大雨で、高熱の主人公はなおさら外出できません。郵便局に行く行かないといった、事情を知らない主人公以外の人々には些末なことで、周囲を巻き込んだ大騒ぎになってしまう。ふたつの短編のうち、後者の方が面白いのは明らかでした。

そして、とりわけ重視したいのが、次の二編です。

「すこし太ったな」の、ムショ帰りの主人公が戻ってきたのは、浄化が進んでしまい、かつてのアウトロー仲間がいなくなった町（相棒はタクシーの運転手になり妻子までいます）でした。少し慣れたら犯罪の世界に復帰しようとしていた主人公は肩透かしをくらって……という話。あるいは「最悪の日」です。悪党パーカーばりに慎重に銀行強盗の計画を練った主人公のもとに、相棒が一日延期を告げに来る。ご当地出身の宇宙飛行士が、凱旋パレードをするというのです。街じゅう大騒ぎの上に、肝心の銀行は閉まってしまう。一日延期はやむをえません。翌日、秒刻みの計画どおりにホールドアップを敢行し、逃走用の車に乗り換え、街を周回するハイウェイに飛び込み、空港を目指します。ところが、空港出口のランプが見つからない。そして、見つからないままに、周回ハイウェイをぐるぐる回ることになる。「不運な恐喝者」同様、主人公の犯罪者は、状況に喜劇的に翻弄されます。

「すこし太ったな」は、出所したばかりの主人公が、様変わりした街に感じる違和感（題名のリフレインが効果的）と、その解消の仕方が見事でした。「最悪の日」の、喜劇的な設定の巧みさは、読み取りやすいでしょう。どちらもともに、推奨に値する、ユニークなクライムストーリイの佳品ですが、このふたつをブレンドすると、ジョン・ドートマンダーのシリーズ第一作『ホット・ロック』に行きつくであろうことは、一目瞭然です。

　刑事レヴィンがミッチ・トビンを連想させたように、ウェストレイクの六〇年代の短編からは、のちの大成したウェストレイクの芽を見出すことが出来ます。そのいくつかは、確かに面白く、いま読んでも色あせてはいません。にもかかわらず、キラキラしていたのは、長編のクライムストーリイで、それが次から次へとユニークな作品を産み出していったドナルド・E・ウェストレイクという作家なのでした。

7　ロバート・L・フィッシュのふたつの顔

　ロバート・L・フィッシュのシュロック・ホームズのシリーズは、あまたあるシャーロック・ホームズのパロディやパスティーシュの中でも、もっとも有名で評価の高いものでしょう。それは、日本においても同様です。シュロック・ホームズの第一作「アスコット・タイ事件」は、一九六〇年に書かれましたが、邦訳は三年後の六三年。日本語版ＥＱＭＭが、この作品を含めたシリーズ五編を一挙掲載するというものでした。短編集『シュロック・ホームズの冒険』としてまとめられたのは六六年ですが、やはり三年後の六九年にポケミスに入っています。

シュロック・ホームズにはるかに先行しながら、散発的に訳されたことしかなく、七九年にようやく邦訳短編集が一冊出た、オーガスト・ダーレスのソーラー・ポンズものと比べて、その厚遇ぶりは歴然としています。

シュロック・ホームズは、シャーロック・ホームズのパロディで、原典を笑いのめしている点で一貫しています。アントニー・バウチャーは『シュロック・ホームズの冒険』に寄せた序文を「軽い揶揄というものは、愛情の確かなしるしである」と書き始めました。ここで「軽い」というのは、言葉の綾、ないしは、パロディ愛好家の間の基準ではということであって、怒り出す人がいても普通はおかしくない。むしろ、そのくらいの毒があって初めて、パロディの名に値するというものです。

本書第一巻のシャーロック・ホームズのところで書いたように、私はさして熱心なホームズの読者ではありません。したがって「聖典」についての知識など、ほとんどありません。そのため、シュロック・ホームズを読んだときにも、原典をもじったギャグについては、ピンと来ないことが多い。それに、翻訳ではうまくそれが生きていないのだろうなと、感じることも少なくありません。むしろ、そういうホームズ通に向けた部分以外の、よりナンセンスなギャグを面白がる方が多いのです。

その典型が「アダム爆弾の怪*」です。E=MC²を、暗号として解読するというおかしさとともに、明らかに無理な推理が、問答無用で展開され、あげく地図と坑道図を重ね合わせて、ホームズが幻の陰謀を推理してみせる。そうして「ノーサンバーランド州ぜんたいが消えちまったらしいんだ」という台詞が来たところで、それまで積み重ねられた微笑が、一気に哄笑に変わる。サゲの台詞が、さらに見事で、一席の落語を聴く思いです。

もちろん、シュロックは自分が正しい推理を行っていると信じて疑っていません。けれど、この場合、実作上の真の困難は、当然ながら、彼同様に書き手のワトニイも、それに気づいていないことにあるのです。それでも、書き手がそれと気づかずというのは、まだいいのですが、そのことで、展開がわざとらしくならないようにしなければならないところに、難しさがあります。「ダブルおばけの秘密」「罠におちたドラマー」は、ともに、「アダム爆弾の怪」同様、手がかりとなる文章を間違って解釈するというパターンですが、手がかりそのものの翻訳が困難な上に（「罠におちたドラマー」の苦労のあとを見よ）、これを間違うのは、いかにも、わざとらしい。逆に、翻訳でそれを回避しようとして、真の犯罪の姿がかすんでしまった例が「奇妙な手紙」でしょう。

「アダム爆弾の怪」を集中一とするのは、そのあたりのバランスが絶妙なためです。もう一編*「消えたチェイン＝ストローク」も、秀作の名に値します。というのも、真相のほのめかし方が抜群で、ふと被害者がもらす一行の台詞があるだけで、シュロックの間違った推理でワトニイの手記は終始していながら、ことの真相が読者に分かる。逆に言えば、この一行がなければ、読者には真相を確信する手立てがない。巧妙な考えオチでした。「黒眼鏡の楽団」は、珍しくフィッシュの計算違いで、シュロックの間違った推理の方が正しくも面白いと思わせて、これは、もじって返り討ちの失敗例でしょう。*「赤毛組合」がいかに偉大かということでもあります。

シュロック・ホームズに出てくる年号は、西暦下二けたであることが多く、十九世紀なのか二十世紀なのか、簡単には判然としません。四けたで出る場合は一八××なので、十九世紀なのでしょうが、それは四〇年代にドイツと戦争し、核兵器も共産圏もピカソの多くの絵も存在する、同時に馬車が主要な交通機関で、アメリカが植民地のままである十九世紀でした。まともな考証を寄せつけないでもなく、ちゃらんぽらんに無視するでもなく、考察の結果、微笑とともに撞着に陥る。こうしたところにも、このシリーズの手の込みぐあいが現われています。

先に、シュロックの明らかに無理な推理というものの、記述の難しさを指摘しましたが、その無理な推理ということ自体、依頼人についての推理がはずれるという、ルーティーンのギャグともども、短編集にまとまったときには、くり返しが単調に感じることも事実です。そこは痛し痒しというものでしょう。第二短編集『シュロック・ホームズの回想』収録作になると、それは顕著で、地口掛詞のアイデアで、失敗談を一編書き上げるという手口が、露骨になっていきます。このあたり、のちに触れますが、シリーズキャラクター全盛の時代の弊害を、このシリーズも被っているように思えてなりません。

先にこのシリーズの日本での厚遇ぶりを指摘しました。パロディというものが受け入れられるには、相応の成熟が必要なものです。六〇年代後半が、そういうタイミングだったのは確かかもしれません。加えて、ときのミステリマガジンを仕切っていたのが太田博という、ホームズの熱心な読者だったこと、そして、翻訳家をやがてはホームズ全訳を担当することになる深町眞理子（自身「シャーシー・トゥームズの悪夢」というパスティーシュを書いている）のひとりに絞ったこと、この二点が、日本におけるシュロック・ホームズの普及、ひいてはホームズのパロディ／パスティーシュの受容を開拓するにあたって、大きな要因となった。ふり返って、そのように感じます。

フィッシュにはロバート・L・パイクの別名で、クランシー警部補を主人公にした、ニューヨーク五十二分署ものの警察小説のシリーズがあります。長編作品もあって、映画「ブリット」の原作となったことで有名ですが、短編も六一年から六三年にかけて四編書かれていて、「クランシーと飛びこみ自殺者」（「飛びこみ」）「クランシーと数字の鍵」「靴みがきの少年」「猫の目」とすべて訳されています。原題はすべてClancy and〜の形をとっていますが、邦題では必ずしもそれが踏襲されてはいません。また「猫の目」は日本語版ＥＱＭＭ六四年五月号に掲載されましたし、多くの資料にそう記載されていますが、当該誌の目次に載っていません。実際には五十一ページから掲載されていますから、注意を要します。このころのミステリマガジンには、こういうミスはけっこうあって、ラニアンの「ブッチの子守歌」なんかも、同じ目にあっています。

「クランシーと飛びこみ自殺者」は五十二分署に異動して早々のクランシーのもとに、地下鉄への飛び込みの報が入ります。急行すると、死んだのは警察が恐喝犯とマークしていたタクシーの運転手と分かります。パラグラフの冒頭に時刻を表記し、クランシーが部下の刑事たちをてきぱきと差配する。きびきびとした警察小説ではありますが、すでに六〇年代に入っています。新味はありません。同じことは六三年に書かれた「猫の目」にも言えて、自分の車で人を轢いてしまったという通報が入ります。長さが短かいこともあって、刑事たちの動きを追うだけで話が終わってしまいます。

それに比べれば「クランシーと数字の鍵」は、喧嘩の仲裁に入った刑事が、逆にその三人組に襲われ、拳銃を奪われたものの、そのうちのひとりを捕まえて帰署したところという、派手な冒頭です。捕らえられた男は完全黙秘のうえに、所持品から衣類に到るまで、身元を示す手がかりがことごとく消されている。どうやらプロの犯罪者らしいのです。所持金と一緒に持っていた紙片の数字に、クランシーは着目し、彼らの犯行を未然に防ぎますが、数字の鍵のアイデア一発といえば、それまでの話でした。結局、四話の中で一番読ませるのは「靴みがきの少年」でしたが、長さがあって、ふたつ（つまり複数の）事件を盛り込むという警察小説の王道だったことと、上手な人情噺に仕上がったことが大きいように思います。

六〇年代のフィッシュには、もうひとりシリーズ・キャラクターがいます。密輸のプロフェッショナル、ケック・ハウゲンスです。おもにスリックマガジンに掲載された、短かい作品から成るもので、短編集にまとめられ、日本でも『密輸人ケックの華麗な手口』の題名で訳書が出ています。ただし、フィッシュはシュロック・ホームズの作者として、まず認められたため、長編の『亡命者』こそ、比較的早く訳出されましたが、その他の部分では紹介が遅れたことは否めなくて、ケック・ハウゲンスも、ほぼ十年遅れの翻訳となりました。オットー・ペンズラーが一冊にまとめるまで、気づかなかったのかもしれません。

ケック・ハウゲンスは、ポーランドに生まれ、オランダ人の名前とアメリカ合衆国のパスポートを持つという、気がいいけれど、多分に胡散臭い、経済的にも浮沈の激しい男として描かれています。なじみの記者が聞き出す手柄話という形式は、ジェラルド・カーシュのカームジンを思わせないでもありません。カームジンほどエキセントリックではありませんが、それでも、「欧州情勢は複雑怪奇」を個人が体現したようなところがあります。

密輸や詐欺に関するワンアイデアで書かれたものが大半で、それも自身の語りですから、ハウダニットというよりは、アイデアストーリイに近い印象を与えます。外貨持ち出し（第二次大戦直後の規制の多い時代が背景です）の陰謀が、連鎖反応を起こしていく一作目の「ふりだしに戻る」、賭けを表向きにした密輸の依頼をうまくサゲに使った「二万対一の賭け」、そしてケックの出自が事件に大きく関わる「ホフマンの細密画」といった作品が愉快でした。ただし、どれも作品の軽さは否定できません。

ロバート・L・フィッシュは「月下の庭師」で、MWA賞の短編賞を得ました。ひねりの効いたクライムストーリイで、シュロック・ホームズの作家だと思っていたため、こういう短編を書いたこと自体が、意外ではありました。『亡命者』は読んでいたので、間口の広さは知っていたつもりですけれど。「月下の庭師」は佳作ではありますが、六〇年代後半の受賞作や、相前後して訳された、やはりMWA賞受賞作のジョイス・ハリントン「紫色の屍衣」に比べれば、アイデアストーリイの上出来なものにすぎないという感想を、十代の私は持っていました。

もっとも、シュロック・ホームズの陰に隠れて、フィッシュのクライムストーリイは、あまり人の口の端にのぼりませんが、そう捨てたものでもありません。

「地下室の死体」は、ミステリマガジンの二十周年記念号に掲載されました。死体を埋めているらしいという意味では「月下の庭師」と一対を成す発想といえるかもしれません。しかし、プロットは別物です。どうやら作業中であるらしい主人公のアンジーに、招かざる客がやって来ます。昔のムショ仲間なのですが、追い返したいけれど、彼は居座ろうとする。どうも、匿ってほしいようなのです。そもそも、口やかましい妻にはかつての経歴を隠していて（刑務所ではなくヴェトナムに行っていたことになっているらしい）、客人がそのことに気づくとともに、読者にもそのことが知られていき、客人の要求は脅しまがいのものになる。肩透かしの展開からユーモラスなサゲが決まりました。

「複式簿記」は、殺し屋の話ですが、標的が女だということで、主人公は難色を示している。標的は有名な女優で、かつ、いかがわしいホテルに泊まっているところで決められた時間にと指定されている。本業のかたわらのサイドビジネスながら、主人公の殺し屋としての腕前は一流ですが、その時間にその場所にいるには、職場や妻に口実が要るというのが、フィッシュらしいユーモアでしょう。

ユーモアという点が、さらに前面に出ているのが「ラッキー・ナンバー」です。見るからに怪しげな占いともつかない予言をする老婆がいて、ときに当たりを予言することもあるらしい。

まあ、たいていの人はまぐれ当たりと済ませているようですが、主人公は、それを本気にしている少数派です。彼は、じきに失業保険の切れる煉瓦職人で、職にありつける目途もたたない。藁にもすがる思いで、その老婆に相談すると「おまえさんとこのおっかさんだけど、いくつになったい?」と問われます。彼は義母と同居していて、彼女は七十四歳になるのでした。それだけの会話から、唆されるように、眠っている義母の顔にクッションを押し当てて殺してしまう。そこから始まるのが、主人公の苦難の道のりで、やることなすこと金にならない(義母殺しは露見しないのに!)。有り金残らず工面して博打につぎこめば(賭場はホテルの七十四号室)、スってしまう。しまいにはナンバーズ賭博の七-四-〇(七十四歳で殺してゼロになったから!)につぎこむのですが、そこで待っていたものは……という話。ここでもサゲが、少少脱力もののユーモアでした。

ユーモラスな展開が眼目の「ラッキー・ナンバー」は例外でしょうが、フィッシュのクライムストーリイの多くは、結末のアイデアに向けて仕組まれ、その骨格が露なものが多いのも事実です。そうしたものに比べると少々味わいが異なるのが「ジョニーのアリバイ」*という一編です。主人公は弁護士の女性です。未成年のジョニーが起こした強盗事件の国選弁護人として知り合ったのですが、当時三十代半ばの彼女はジョニーと関係を持ったばかりか、その関係を続けてしまったのでした。その後、彼女の弁護もむなしく、銀行強盗で三年の刑期をつとめたジョニーには、若い「売春婦かなんかみたいな女」が出来ていて、保護観察官にそのことを知らされるところから、小説は始まります。彼女のもとへやって来たジョニーは、アリバイの偽証を彼女に求めます。次の犯罪を計画中なのでした。断ると、未成年だった彼を誘惑し関係を迫ったと暴露するというのです。

ディレンマに陥った彼女のところへ、刑事が彼のアリバイの確認にやって来る。その時間には自分の事務所に、ジョニーはやって来たというしか、選択肢はないように思えます。そして、もちろん、そこには一編の結末に値するオチが用意されています。しかし、それは単なる意外性というだけではない、彼女の不安定で破滅的な将来を暗示するようなものでした。二十歳近く年下の犯罪常習者によって身体の喜びを知った女性の哀しさといじらしさを、それはこの上なく示してもいました。私には「月下の庭師」よりも「ジョニーのアリバイ」の方が、秀れているように思えます。

8　ジョー・ゴアズとＤＫＡファイル

ジョー・ゴアズのＤＫＡファイルのシリーズは、ありそうでないタイプのミステリです。様様な職業を経たのち、探偵事務所暮らしが長かったゴアズは、その職業ゆえにミステリ作家の集まりで行った講演をきっかけに、アントニー・バウチャーからミステリを書くよう勧められ、ＤＫＡものの第一作をＥＱＭＭに発表します。英語版ウィキペディアでも、ＤＫＡのシリーズと『ハメット』が代表作となっていて、実際の私立探偵だったというキャリアもあって、ハメットの影響を受けたハードボイルド作家という位置づけでした。六〇年代以降のいわゆるネオ・ハードボイルドの中にあって、ハメット流と目される作家は、そういませんから、その意味でも珍しい。

DKAはダニエル・カーニー・アソシエイツの頭文字で、新潮文庫でまとめられた短編集の題名は『ダン・カーニー探偵事務所』でした。ミステリマガジンに散発的に翻訳されたときから、すでに各編にはファイル#〜とナンバーが振ってあって、DKAファイルシリーズとも呼ばれていました。長編にもシリーズ作品があります。所長のダン・カーニー以下、幾人もの調査員と内勤を抱え、サンフランシスコの本部のほかに州内に支部もある。主たる業務は「詐欺、使いこみ、横領罪などの調査——および、それに関わる動産や金を回収すること」とあります。依頼主は銀行が多く、つまりは債権取り立て。中でも圧倒的に多いのは、ローンが払えなくなった自動車の回収です。関連書類や指示書はファイルにまとめられて、調査員に与えられ、カーニーの命令があれば、ファイルを持参して報告をする。ひとつの事案には、必ずひとつファイルが作られているのです。

専門に特化し、組織だった業務内容を持つ探偵事務所というのは、盲点というかなかなか類例のないものです。シリーズが進むにつれて成長していく若手調査員あり、アイルランド系の酔いどれ調査員（しかし腕利きのヴェテラン）あり、ボクサー出身の黒人あり、大学在学中からアルバイトで勤め始めた超美人の事務担当（のちに調査員になる）ありと、八七分署以降、警察小説ではおなじみの多様なレギュラー陣を、探偵事務所の中で動かしてみせました。しかも、各編でメインになるのは、自動車の回収です。差し押さえのお墨付きがなければ、やっているのは自動車泥棒と同じこと。一切の斟酌《しんしやく》無用で、自動車回収第一を命じるダン・カーニーの態度は、まさにハードボイルドというものでしょう。

第一作「メイフィールド事件簿」で、新入りのラリー・バラードの公私混同——悪い男につかまって、払えぬローンをかぶった女性に好意を抱くのです——ぶりを描いて、シリーズは始まりました。目先は変わっていて、きびきびした書きぶりは好感が持てますが、話そのものは平凡でした。一九六七年のことです。以下、ほぼ年に一作のペースで、七三年までにまず八編が書かれます。奇しくも、このころからEQMMを中心とするミステリマガジンと、その常連作家は、多くのシリーズキャラクターを持ち始めますが、DKAファイルシリーズが、それと同列にならないのは、この悠然とした執筆ペースと、それが可能にした、一編一編に工夫を凝らす姿勢のためでした。

第二作の「ページ通りの張りこみ」では、バラードは元ボクサーの黒人バートン・ヘスリップと組みます。連携した警官ふたり組の片方が、あからさまな黒人差別者でした。続く「ペドレッティ事件」は、ダンとともに事務所を始めた赤毛の酔いどれアイリッシュ、パトリック・オバノンが活躍しますが、イタリア系家族の特殊性が事件の根本にありました。「ジプシーの呪い」で、ヒッピーとLSDを作中に取り入れ、「影を探せ」*では、のちに『ハメット』を書く作家ならではの、マニアックなパスティーシュ（あまりにマニアックなので、著者の解説が必要でした）をシリーズ中でやってみせました。「オバノン・ブラーニーの事件簿」は、オバノンとバラードのコンビが、酒浸りになりながら次々と自動車を回収していく、モジュラー型のコメディでした。このころの作品では、バートン・ヘスリップが活躍する「黒く名もなき吟遊詩人」*が、黒人対黒人の対決を描いて、推奨できる佳作ですが、そのためには、ダン・カーニーは強面を引っ込めて、大衆小説のツボを押さえた役どころにまわる必要がありました。

ジョー・ゴアズには、海外を舞台にした短編がいくつかあります。発表媒体はアーゴシーであることが多いようですが、なかなかの佳作がそろっています。

「パフア」は、タヒチにほど近いボラボラ島が舞台です。第二次大戦中はアメリカ軍の要塞があったことで知られています。フェアロはタヒチ人の相棒とガイドをやっていますが、今回の客は海洋動物学教授のジェニングズです。彼には美貌の妻がくっついてきていて、若いダイバーが関心を持っているらしい。ある日、現地の少年が、海が沸騰するのを見たといい、その翌日死体となって発見されます。教授の妻が主人公に言い寄ってきたり、若いダイバーが怪しかったりと、事件そのものはありきたりですが、「おれは証拠なんかいらない。彼らだって同じだ」と対決した犯人に告げるのが、一編の眼目です。彼らというのは、被害者の少年の復讐に燃える現地の人々なのでした。

「白い峰」*の主人公は、ケニヤに住む元ハンターで現在は公園監視官です。自分を捨てて逃げた女からの仕事で、映画のロケをセットし、危険な登頂場面ではスタントもこなしたのでした。主役の俳優は、かつての自分の妻が走った当の相手ですが、妙なプライドがあって、新聞記者を連れて、危険な登頂を試みようとします。主人公が危険な場面のスタントをしたことを、自分の妻に暴露したと思い込んでいて、ふたりが一度だけよりを戻したこと（もバレている）もあって、どうあっても、高峰を征服したヒーローという新聞記事を書かせたいのです。「きみたちは二人とも、本当の岩登りが出来るほどのアルピニストじゃない」と主人公は止めますが、振り切って登ったふたりは、案の定遭難し、主人公は救助に向かいます。新聞記者は墜落して瀕死の重傷を負い、俳優もこのままでは助からないという状況で、主人公はふたりが生き延びる手立てを講じて、もう一度助けを求めて下山します。戻ってくると、記者は死に、俳優ひとりが生きていました。自分が生き延びるために、身動きできない新聞記者から毛布と寝袋を取り上げ、さらにそれ以上のことをしたのも明らかでした。

　しかし、「白い峰」の主人公は、復讐することも告発することもしません。極限状況にあった俳優に対して「非難することはできない、しかしまた、同じような事件を起して、別なもう一人が死ぬようなことだけは、さけなくてはならない」と考えるのです。そして、その俳優に向かって告げます。「おれはただ、おれが知っているということをきみに確認しておきたかっただけだ」と。小説としては、このあと、三角関係に新たな綾をつけて、結末を迎えますが、そこでも、主人公は彼女に「責めていたんじゃない。おれの知ってることを話しただけさ。これ以上は何もしやしないよ」と肩をすくめてみせるのです。

　この二編に見られるのは、法や道徳、ましてや常識といったものとは一線を画した価値観によって、主人公が動いていることです。証明できない犯罪、責任を追及できない悪意。そういったものに向かい合う主人公の姿——しかも法に頼らない姿——が、そこにはありました。そんな人物像の極北が*「オーデンダール」の語り手でしょう。

「オーデンダール」も、やはりケニヤが舞台です。主人公である語り手は、一九二〇年代に父親がケニヤに入植した白人ですが、広大な土地を継ぐのに消極的だったために、第二次大戦後、気持ちを固めて戻ってきたときには、一足違いで、亡くなった母がオーデンダールという男に売り払っていました。オーデンダールは第二次大戦後に南アフリカから入ってきたボーア人（オランダ系の南ア入植者）でした。当然ながら、主人公の彼に対する感情は、よろしくない。しかし、状況が一変します。独立運動から反乱を経て、ケニヤはイギリスから独立を果たすのです。その間の戦争で国連軍に参加した主人公は、オーデンダールと再会します。彼は砂漠戦の経験があったのです。独立後は、国外退去の可能性がある移民のオーデンダールは、主人公の下で働き、農場を大きくします。そんなある日、オーデンダールに警告の手紙らしきものが届き、やがて、彼を殺すためにヨーロッパからふたりの男がやって来ます。オーデンダールはボーア人ではなく、砂漠戦の経験というのは、ロンメル将軍の下で戦ったもので、その後、強制収容所に転属していたのでした。オーデンダールは砂漠で追手を迎えることにします。主人公は同道を申し出ますが、オーデンダールは主人公を殴り倒すことで、それに答えます。

三人の追手のうち、生き残ったひとりが、オーデンダールの死の証拠を持って主人公を訪れます。その結末で主人公は言います。「おれはそれを埋めるつもりだ。オーデンダールは友だちだったんだ」と。「それを愛する者にとってさえ、苛酷な女王」と主人公が語るアフリカでの体験は、彼をして西欧人共通の敵と見なされるオーデンダールの側につかせたのでした。こうした反逆的な価値観を、なりふり構わず守る主人公の姿が、もっとも効果的に描き出されたのが*「さらば故郷」であることは、もうお分かりでしょう。それゆえ、「さらば故郷」は、エドガーを獲得し、ゴアズの代表作となりました。「オーデンダール」に関して言えば、「それを愛する者」というときに、「そこに元から住む人」が入っているとは思えないところに、私はこの小説の弱点を見ますが、それでも「オーデンダール」は一読に値する佳作だと考えます。

先に書いた、講演をきっかけにバウチャーが云々というエピソードは有名なものですが、それが、創作の始まりと誤解されているところはあります。実際には六〇年代の前半に、マンハントにいくつか書いたものが、翻訳もされています。「欲望の代償」みたいに、締まりのない通俗ハードボイルドを絵に描いたようなものもありますが、*「優しい復讐」のような、奇妙なクライムストーリイもある。「優しい復讐」の主人公は大学教授です。ある事件の目撃者となった自分の妻が、口封じのため、犯人である四人組の不良グループによってレイプされ、そのために自殺します。警察は証拠が見つからないと動かない。そこで復讐に乗り出すのです。こう書けば、ゴアズの読者はMWA賞新人賞を得た『野獣の血』を思い出すでしょう。「優しい復讐」は、その原型なのでした。「優しい復讐」の主人公は、『野獣の血』の主人公よりも、タフなところのない常識人のままという設定になっていました。

七三年のアンソロジー（ハンス・S・サンテッスン編）に、ジョーゼフ・N・ゴアズの本名で書き下ろされた「油断は禁物」は、左翼過激派の中でも現実的（つまり犯罪の実行に自覚的ということです）な語り手――「カナダから公費でやってくるノンポリ学生たちのように、サトウキビを切ったりして自分のキューバ滞在を無駄にはしなかった」と言って、手刀で相手の意識を奪う技を披露します――が、新入りが爆弾を誤爆させた事件の処理にあたるという、短かい話です。DKAのシリーズでも、ゴアズは六〇年代のフラワームーヴメントには皮肉な態度を見せていましたが、ここでも似た感覚がある一方で、短かい中で幾重にも罠を張りめぐらせる感覚が、スパイ小説ふうクライムストーリイに仕上げていました。

ジョー・ゴアズは、六〇年代から七〇年代を通じて、タフなハードボイルドないしはクライムストーリイの作家として地位を守る一方、「からかってるんじゃない？」のようなアイデアストーリイや、「サン・クエンティンでキック」のようなシリアスな短編（ただし、そうたいしたものではありません）を書き、あるいは、「悲しくも血ぬられた時」「裏切りの縄」といった歴史小説をアンソロジーに提供しました。前者は一五九三年のロンドン（ペスト禍のただ中です）を舞台に、劇作家クリストファー・マーロウの死（酒場での喧嘩の末殺された）が、ウォルシンガム卿の陰謀ではないかという話で、ゴアズの教養のほどはともかく、平凡な話でした。語り手の正体は、誰もが考えそうな趣向ですから、読まなくても分かりますね。後者も、中東の民族支配に抗するスパイ小説ないしは謀略小説（ふうの書き方なのです）と見せかけて……という一編。

こうして、作家として幅の広いところを見せたゴアズは、八三年に「フル・ムーン・マッドネス」で、DKAシリーズの短編に戻って来ました。十年ぶりのことでした。

「フル・ムーン・マッドネス」よりのちのDKAファイルシリーズの短編は、初期の作品と比べて、DKAのターゲットとなる敵役のキャラクターに工夫が凝らされ、その相手をいかに攻略するかに力点が置かれた、一種の作戦ものの様相を呈するようになりました。そのことは、アメリカに先駆けて編まれた新潮文庫版に収録された三作「フル・ムーン・マッドネス」「不具者と貧者」「真紅の消防車」からも読み取れますが、その後に書かれた二編は、さらにそれが顕著です。

「ヤワは禁物」は、内勤の要だったジゼルが自動車回収にまわった最初の事件ですが、ターゲットは、なんと、貧困老人用の集合住宅建設で、大手開発業者と対決している尼さんなのでした。自動車回収そのものが、その開発業者（DKAの有力クライアントでもある）の陰謀でもあるのですが、回収第一の命令に背いて、尼さんたちに味方するジゼルに対するダン・カーニーの態度は、「黒く名もなき吟遊詩人」のときどころではない甘さでした。

結果的に最後のDKAファイルの短編となった「デトロイトから来た殺し屋」は、メンバーが一致団結して（しかし、ダン・カーニーには内緒で。実際、ダン・カーニーは出て来ないのです）、北京食料品店を営む顔見知りの中国人を助けるため、彼の殺害を依頼されたデトロイトの殺し屋を罠にはめる話でした。利用する二人組の警官の名が、ローゼンクランツとギルデンスターン（であるなら、ふたりは区別がつかないという方が良かったのでは？）という具合で、冗談すれすれのコミカルなクライムストーリイでした。

無論、暗いトーンの短編もあって、たとえば「死者の舞踏」は一九九一年の作品ですが、サンフランシスコの再開発の一環として、ヒスパニックの画家グループによる壁画が描かれようとしています。その中心となる画家が殺されて、私立探偵のファーゴが、あとを継いで絵を完成できる画家を探すように依頼を受けますが、見つけた画家が、次々と殺されていきます。「夜霧のサンフランシスコ」は二〇〇一年の発表ですが、尾行対象の素性どころか名前すら知らされないという、奇妙な依頼を受けた古参の探偵ロマンス――コンピュータの時代に生き残った、卑しい街を歩いてきた男――が、尾行相手を見た瞬間、かつて自分が手掛けた事件を思い出し、その事件が回想されます。どちらも、依頼そのものに罠が仕掛けられたという意味で、私立探偵小説にしては凝ったプロットですが、それ以上に陰惨な事件であることが目をひくものでした。

しかしながら、長編を含めて、ジョー・ゴアズの作風は、後年に到るほど、コミカルな要素を増しているのは事実です。彼が敬愛するドナルド・E・ウェストレイク――それぞれのレギュラー登場人物が交差する場面を、互いの長編の中で描くといった遊びをする仲でもありました――をトレースするかのようでした。その作風の変化を、見事なまでに忠実に反映したという意味でも、DKAのシリーズは、彼の代表作と言えるでしょう。

第十一章　007狂騒曲

1　007登場前夜

一九六〇年代は、MWA賞の受賞作を中心に、短編ミステリが驚異的な洗練を遂げた時代でした。しかし、ミステリ全体を見まわしたときには、より大きなマグニチュードのムーヴメントが世界的規模で起きていました。スパイ小説の大流行です。それは小説のみならず、映画やテレビをも巻き込んだものでした。というよりも、映画が火をつけたと言った方がいい。ブームの引き金となったのは、ショーン・コネリーを主演に戴いた007のシリーズだったからです。

イアン・フレミングの007シリーズ第一作『カジノ・ロワイヤル』が世に出たのは、一九五三年のことでした。日本で最初に邦訳が出たのは、原著五四年刊の第二作目『死ぬのは奴らだ』で、五七年のこと。都筑道夫が、たぶん売れないだろうと思いながらポケミスに入れたことは有名です。実際、このころまでは、評判は悪くなかったようですが、大ヒットと呼べるものではなく、世界的なヒットとなるのは、ジョン・F・ケネディ大統領が愛読書としてあげ、一九六三年の映画「ロシアより愛をこめて」が当たったことによります。ちなみに、原作となった小説の邦題は『ロシアから愛をこめて』と、少々まぎらわしい。そもそも、この映画の日本初公開時の題名は「007危機一発」——一髪ではありません——でした。

スパイは売春と並んで、世界最古の職業と言われていますが、スパイ小説は二十世紀に入ってから登場しました。という書き方は、スパイ小説の解説の定番ですが、その出所は、エリック・アンブラーがスパイ小説のアンソロジー『スパイを捕えろ』を、一九六四年に編んだときに付した序文「ごく短いスパイ小説史」です。この文章はミステリマガジン一九七七年九月号のスパイ小説の特集号で、まず翻訳され、八一年に『スパイを捕えろ』が荒地出版社から出たときにも、当然付けられています。しかし、それ以前に、これをアンチョコにしたであろう解説を、いくつか読んだ気がします。そのくらい有名で、かつ、他に適当な文章がないのでしょう。

アンブラーは、一九〇三年にアイルランドのアースキン・チルダースが書いた『砂洲の謎』を最初のスパイ小説としています。わずかに遅れて、ジョゼフ・コンラッドの『密偵』(〇七年)と『西欧人の眼に』(一一年)が続きます。ただし、帝国主義を背景にしたナショナリズムの高揚が、冒険小説と結びついたところに生まれたのが、スパイ小説とするならば、コンラッドの小説は、いささか趣が異なる。実際、スパイ小説と呼ばれず、政治小説と呼ばれることも多いのです。むしろ、ウィリアム・ル・キュー、エドワード・オッペンハイムといった作家が、そういう意味での、スパイ小説のプロトタイプを、まず作った。こうした小説——さらに、その後継者である、ジョン・バカンも含めて——の多くは、ドイツを敵役としており、それに対して、コンラッドや、あるいはチェスタトンの『木曜の男』が描くのが、アナーキストであるという違いもあります。そして、いずれも、長編小説を中心にして書かれ、発達してきたという経緯があります。『スパイを捕えろ』というアンソロジーを編んだアンブラーその人が、序文で「スパイ小説でいい短篇というのは驚くほど少ない」と書く始末です。

第一次大戦とその前夜は、スパイ小説の恰好の舞台でしたが、戦争が終わったのちに、スパイ小説に転機をもたらした一冊が書かれます。サマセット・モームの『アシェンデン』(『秘密諜報部員』)です。一九二八年のことでした。この小説が、モームの実体験をもとに書かれたことは有名ですが、諜報活動を淡々とこなしていくアシェンデンには、ナショナリズムの匂いがしません。脈絡がなく、あるときは行きあたりばったりにさえ見える、その行動と、それを綴っていく構成も、スパイ小説として破格でした。『アシェンデン』を連作短編と読むことは可能でしょうが、私がどうしても、それをしたくないのは、連作短編と見まがうばかりの脈絡のなさ、エピソード間の関連のゆるさ、締まりのなさといったものが、すべて、この小説が、リアリスティックな長編スパイ小説であるために必要だったと思うからです。とはいえ、スパイ小説のアンソロジーを編めば、『アシェンデン』からひとつ選ばれるのは、ほぼ必然。アンブラーが「踊り子ジューリア・ラッツァーリ」を選び、丸谷才一が「売国奴」を選んだ(『世界スパイ小説傑作選1』)のも、また事実なのです。

一九三〇年代に入って、グレアム・グリーン、エリック・アンブラーが出て、リアリスティックなスパイ小説が、本格的に書かれ始めることになります。各務三郎が言うところの「冒険小説の持っていた波乱万丈・荒唐無稽《こうとうむけい》な活劇譚の楽しみを読者から奪い去る悪業をなしつつ、恐怖小説への転生というあざやかな離れわざをなしとげ」たのでした。

六〇年代のスパイ小説ブームに入る前に、ざっと、黎明期のスパイ小説に目を通しておきましょう。丸谷才一編の『世界スパイ小説傑作選』全三巻は、まんべんなく集めていて、概観するには便利なアンソロジーです。第一巻では、エドガー・ウォーレスの「コード・ナンバー2」が「秘密情報部がみずからを秘密情報部などと、メロドラマがかった呼び方をすることはない」と始まりますが、中身はドイツ大物スパイを炙り出すという、ディテイルの雑な大メロドラマでした。デニス・ホイートリイの「エスピオナージ」は、フランスでたまたま列車に乗り合わせたノルウェー人が、行方をくらましていたドイツのスパイだと気づくという、偶然から始まって、これまた、都合のいい展開の話です。このあたりの作品を読むと、アンブラーやグリーンならずとも、もう少しまともなものが書けやしないかと思いそうですね。

同じようなことは第二巻の、オッペンハイム「セルビアの女」にも言えて、外交官の弟が首相に渡すはずの、暗号を解読した書類を盗まれたと、その姉が、ピーター・ラフを訪ねてきます。怪しげな容疑者の中から犯人探しをするという、ミステリに接近した話ですが、それにしては推理の面白味に欠けます。これに比べれば、アンブラーのアンソロジーに入っているジョン・バカンの「いやな相手」は、読ませます。第一次大戦中に、ドイツの暗号文解読にあたっていた主人公たちを悩ませていた、解読不能の暗号がある。あまりに難攻不落なので、いつしか、その暗号を作ったのが、どんな人間なのか、勝手に思い描くようになっていく。戦争も末期、それまで完全だった、件の暗号の使用者が、わずかなミスをしたために、主人公たちは、それにつけこんで一気に解読してしまいます。戦争が終わり、健康を害した主人公たちは療養のためにドイツを訪れて、かの地で彼らの治療にあたったのが……という話。安易な偶然の利用と言えばそれまでですが、因果噺となっていました。『矢の家』でミステリファンにはおなじみのA・E・W・メースン「パイファ」は、ジブラルタルを舞台に、ドイツのスパイ将校パイファが、こちら側に寝返るという話を持ちかけます。しかし、ジブラルタルで行方をくらました六時間の間に、何をしたのか、何もしなかったのか?

同じ大衆的な作風でも、これらの作家より、一枚上手と感じさせる作家もいます。本書第一巻で**「霧の中」**を紹介した、リチャード・ハーディング・デイヴィスの「『フランスのどこかで』」*は、フランスに潜入したドイツのスパイを主人公にしたという点で、異色の作品となっています。その女スパイ・マリーは、愛国心からというよりも、陰謀そのものが好きな女という設定で、これは敵国ドイツのスパイだから、可能になったものかもしれませんが、結果として現代的なスパイ像となりました。フランスの軍人ドーリャック伯爵の夫人になりすまして、戦線を越えてフランス領内に入り、暗号無線で情報を送るという任務につきますが、いざという時は、無線係の部下をスパイとして売ることで、自分の身の安全を図るように、作戦がたてられている。しかも、本物のドーリャック伯爵がパリにいて、そこにお連れするように頼まれたと、伯爵の友人が登場し、危機を迎える。話の仕組み具合も、サスペンスもあって、読みごたえのある一編でした。

J・S・クラウストンの「封筒」は、第一次大戦中の、スコットランドの軍事区域に向かう列車に乗り合わせた、六人の男たちの話で、英軍将校もいればオーストラリア軍も、イギリスの民間人である官吏もいる。その中の将軍が下車したのちに、コンパートメントから封筒が見つかります。ケルンの住所とドイツ人らしき人名の語尾が書いてある。中身は空です。誰が落としたものか分からないが、敵国ドイツとの連絡の痕跡は、いかにも怪しい。五人はそれぞれ異なる行き先ながら、同じ駅で降りて、官憲に知らせることにします。やや偶然に頼った気味はありますが、疑心暗鬼になった男たちの室内劇を描いて快調でした。

もっとも、これらの短編に比べれば、ジョゼフ・コンラッドの「密告者」*（「諜報員」）は、小説の構え方が、そもそも違います。「私」は知人から紹介された左翼系の物書きであるX氏の話を聞いている。彼が話すのは、アナーキストのアジトが、さる政府高官の姉弟の持ち物だったという暴露でした。そのアジトはプロパガンダの文書の印刷所でもあったのです。しかし、どういうわけか、そこでの活動は肝心なところで失敗に終わる。どうも官憲のスパイがいるらしい。X氏たちはスパイに罠を仕掛けるために、警察の手入れを偽装するという作戦をたてます。その謀略工作がもたらすサスペンスもありはしますが、一番の美点は、政府高官の娘であるアナーキストの女性を描く巧みさです。X氏が著作で儲けることが出来たその読者は、彼女同様飽食したブルジョアで、自身も高級料理店で食事をするというアイロニーは、さすがです。

コンラッドには「無政府主義者」という短編もあります。アナーキストが解放を目指しているはずの労働者が、逆に彼らによって生きる術を失くし、孤島――そこは搾取の主たる加工食品の産地でもある――に流され、彼らを憎むに到る過程を描いて、これまた皮肉な一編です。そこには、社会の矛盾を下層階級に押しつけることも、それに反旗を翻し、改革を叫ぶのも、ともに、富裕層の掌上のことだという、苦い観察があるのです。

丸谷才一のアンソロジーの第二巻には、パール・バックの「敵は家のなかに」という珍しい作品も収められています。パール・バックの書いたスパイ小説というだけで、身を乗り出すに充分です。これまでの作品と比べて、時代はやや下ります。日中戦争のさなかに、中国人の主人公がアメリカ留学から帰国してみると、北京の我が家には、日本兵の一群が出入りしている。父親は漢奸となっていたのでした。開戦前とはいえ、すでに日米両国関係は緊張しつつありますから、日本が敵役となるのは珍しくないにしても、アメリカ人が出て来ないのが、パール・バックならではです。父親に幻滅した主人公は、妹とともに、どうやら共産軍らしい抗日戦線に身を投じるため、北京を出て西に向かいます。

この作品をスパイ小説と呼ぶのは、少し強引な気もしますが、スパイ小説のアンソロジーにパール・バックの名前が並ぶなら、目をつぶるくらいの強引さではあります。以前エラリイ・クイーン編の『犯罪文学傑作選』に、パール・バックの「身代金」*が選ばれたときにも、同じようなことを書きましたが、彼女はミステリやスパイ小説を書くつもりはなかったのでしょうが、同時代のホットな題材を誠実に描くことで、ミステリに近づき、ミステリの手法やそれに近いものを、自身の小説に持ち込んだというのが、実際のところでしょう。

スパイ小説の発生の背景には、十九世紀末のドレフュス事件の影響を指摘する声があります（ただし、アンブラーは、ことはそう単純ではないと言っている）。フランス革命から百年が経過し、政治も軍事も一般庶民の関心事にまで降りてこようとしていました。それを後押ししたのが、新聞を中心とするジャーナリズムです。国民的盛り上がりなしには、帝国主義とナショナリズムの隆盛はありえません。その空気が冒険小説と結びつくことで、スパイ小説は生まれました。一方で、ヨーロッパ以外の地を舞台にした小説は、現在冒険小説と呼ばれているか否かにかかわらず、ロバート・ルイス・スティーヴンスン、ライダー・ハガード、ラドヤード・キプリング、ジョゼフ・コンラッドなど大繁盛です。

通俗的なスパイ小説に見られる、冒険小説とナショナリズムとの結びつきは、安易かついささかファナティックでさえあったため、『アシェンデン』以降のスパイ小説の変革――各務三郎の言う「恐怖小説への転生」――が起きたように、私には見えます。では、ナショナリズムと結びつかなかった冒険小説はなかったのか。その多くは、リアリズムを放棄することで、生き延びたように思えます。代表例が、スパイ小説の変革と入れ替わるように登場した、エドガー・ライス・バローズでしょう。以後、ヒロイック・ファンタジーやスペース・オペラも含めて、冒険小説はリアリズムと手を切っていきます。それ以前にアンソニー・ホープの『ゼンダ城の虜』の舞台であるルリタニアさえ、神話的雰囲気を漂わせていました。

そんな時代にあって、珍しい例外をひとつ紹介しておきましょう。カール・スティヴンスンの「黒い絨毯」*という一九三八年の短編です。南米の農場主が主人公ですが、彼のもとへ、蟻の大群が押し寄せてくる。数を頼みに、あらゆる動物を食い尽くしながら進んでくるのです。主人公は自分の農場を守るために、堀を作り、守りを固めます。一切の状況説明もなく、蟻の襲来から始まり、人間対蟻の戦いの一部始終が描かれるだけの小説です。パニック小説と呼ばれることもあるようですが、五四年にチャールトン・ヘストン主演で映画化されたものが知られたためでしょう。しかし、冒険小説の古典として、この作品があげられることもあり、私も、その意見に賛同します。先進諸国の国際利害関係とは無縁の、しかし、ファンタスティックな世界ではない舞台が用意された、手に汗握る冒険小説が、ここにはありました。けれども、それは例外的なことであり、また、実際の戦争が二度、世界を巻き込みました。二度目の戦争が終わったとき、ドイツは敵国たる力を失っていましたが、新しい社会が、これまた、恰好のスパイ小説の舞台を提供することになりました。東西冷戦の始まりです。

2　短編におけるジェイムズ・ボンド

サマセット・モームの『アシェンデン』を継いで、エリック・アンブラーとグレアム・グリーンのふたりが、そのリアリスティックな筆致によって、ファナティックな冒険小説と化したスパイ小説から脱して、「恐怖小説への転生」（各務三郎）を果たします。アンブラーの『恐怖の背景』『ディミトリオスの棺』『あるスパイへの墓碑銘』、グリーンの『密使』『恐怖省』――スパイ小説からははずれますが、いつ戦争に突入するか分からないという時代背景を全面的に生かした『拳銃売ります』――といった作品が、その成果です。ここで注意が必要なのは、これらの作品は、戦間期か第二次大戦中に書かれていて、東西冷戦を背景にしてはいないことです。連合国対枢軸国という決定的な対立と、その対決の結果が、第二次世界大戦でした。戦争は国力をあげて行う総力戦となり、市民はいつ兵隊にとられるか分からない一方で、戦闘員と非戦闘員の区別が厳格化される。ソヴィエトの成立からスペイン内戦を経て、一九四八年のベルリン封鎖を、東西冷戦の始まりにするとして、実は、このふたりの作家は、それ以後の状況にすぐに反応できたわけではありませんでした。アンブラーは四〇年代を通じて沈黙を守り、『デルチェフ裁判』で復帰したのちも、冷戦構造下のスパイ小説を書くことを、当初、慎重に回避しているかのようでした。グリーンは映画「第三の男」の脚本で、冷戦前夜におけるスパイ＝フリーランスの政治的犯罪者を、ウィーンの下水道に葬ってみせましたが、その後は『ハバナの男』の喜劇的なタッチや、ジャーナリスティックな取材力を発揮した『おとなしいアメリカ人』といった作品が並びます。イアン・フレミングが『カジノ・ロワイヤル』を書いたのは、そんなときでした。

かつては『007号の冒険』という書名だったと思いますが、現在は『007／薔薇と拳銃』となっている短編集は、石上三登志が解説を寄せていて、好事家が注目する作家だったフレミングが大ブームとなる過程の、当時の感覚を伝える文章となっています。その中でも『ドクター・ノオ』の映画化で、竜が火を吹くのが「キチンと描かれるのか?」を問題にするところが、この筆者らしく、騎士の竜退治という神話まで遡って意識して書かれた冒険小説としてのフレミング評価なのでした。石上三登志流の評価より多かったのが、ハードボイルド（ハメット、チャンドラーのみならず、スピレインも加えて）の影響を見る人たちでしたが、いずれにしても、冒険小説としてのスパイ小説の復権、紙芝居《ジョン・バカン》を現代的に（大人の鑑賞に耐える）洗練させたものとして、読まれたのです。もちろん、それは、『カジノ・ロワイヤル』に始まる長編小説と、その映画化に対しての評価でした。

では、短編ミステリにおけるイアン・フレミングとは、何だったのか?　その『007／薔薇と拳銃』を読んでみましょう。

巻頭の表題作「薔薇と拳銃」は、英国通信隊の伝書使の制服姿の男が、早朝のパリを疾走するところから始まります。すぐに、男は、本物の伝書使を射殺する。ボンドは上司のMにこの事件の解決を命じられるのです。犯行の描写を始めに置いて、主人公がその解決に乗り込む。倒叙の形ですが、倒叙ミステリを読んでいる気にならないのは、前半の犯行描写に解決の伏線がないためでしょう。真相は微笑ましいほど冗談すれすれです（電撃フリントが似たような発想を実際に画面で見せていました）が、それを「まるでお伽話のなかの景色だった」とぬけぬけと書いてみせます。それに続く「読後焼却すべし」は、フォー・ユア・アイズ・オンリーと原題名がカタカナのルビで付いています。冒頭でジャマイカ（が007に頻出するのは、むろん英領のためですね）に住む老夫婦虐殺を描き、この犯人たち――実行犯とそれを指示した黒幕（実はキューバのバチスタ政権に寄生するドイツ人スパイ）――をボンドが暗殺する話です。カナダ国境近くのアメリカの別荘に住むターゲットのところへ、米カ両国の情報機関の協力のもと、ボンドが潜入すると、老夫婦の娘もボウガンを手に復讐に来ているという趣向です。

倒叙ふうの対敵探索と、非合法の潜入暗殺作戦。形式的にはディテクションの小説とクライムストーリイということになるのでしょう。『007／薔薇と拳銃』の各編は、大ヒットの途上かブーム到来ののちに書かれたものと思われますが、ボンドを主人公にしさえすれば、あとは、ミステリのパターンやヴァリエーションを存分に使うことで、一編を成立させてしまう。それはシャーロック・ホームズの行き方を連想させます。おかげで、ボンドは様々な事件に首を突っ込むことになり、Mは本来の仕事（諜報活動）以外に部下を使われることを嘆くに到ります。捜査関係者ではないしろうと探偵が事件に首を突っ込む不自然さを、このころのミステリは世界的に廃していきますが、唯一例外となったのはスパイでした。

三番目の「危険」は、イタリアを舞台に、麻薬輸入ルートの黒幕を探るために、情報を売ろうとしている（つまりスパイになろうとしている）男に、ボンドが接触します。もっともスパイ小説らしいこの話が、しかし、肝心の部分でもっとも甘いというのが、フレミングの通俗性を示しています。「珍魚ヒルデブランド」でのボンドは、休暇中にアルバイト的に雇われた船乗りにすぎません。アメリカの富豪が税金逃れのために、研究目的の財団を作るという、裏話暴露（ちょっとアーサー・ヘイリーっぽいですか）があって、ヒルデブランドという幻の魚を捕獲するという話です。任務のためには殺人も辞さないボンドが、税金逃れのために魚を大量に殺すことには躊躇を感じるというのが、ミソでしょうか。最後の「ナッソーの夜」に到っては、ボンドは話の聞き役にすぎません。当時から、「ナッソーの夜」は、フレミングがストレイトノヴェルに色目を使っただとか、これが書けるのは、ジェイムズ・ボンドが絵空事なのをフレミングが承知しているからだとか、賛否あったようです。私には、そのどちらでもない、平凡な因果噺――モームの南海ものと比べてください――の聞き手が、たまたまボンドであっただけのように思えます。

もう一冊の短編集『オクトパシー』には、イアン・フレミングが功成り名を遂げたのちに書かれた三編が収録されています。

「ベルリン脱出」は、射撃場で試射をしているボンドの姿から始まります。東ベルリンに潜入しているスパイが、西ベルリンに逃げてくる。情報漏れがあって、逃走計画が敵の知るところとなっています。逃げてくるスパイを射殺するであろう、相手のスナイパーを、逆に狙撃するというのが、ボンドに与えられた指令なのでした。少々安直に作った感のある設定ですし、現地でボンドが照準越しに見つける女性に関心を持つのも、その後の展開を予想させやすくしていて、型どおりに話が進んでいくのは否めません。そういう意味で平凡な作品ではあるのですが、結末で、ボンドが相手に与えたダメージを測るところに、リアリスティックで現代的なスパイ戦の冷徹さが出ているように思います。

「所有者はある女性」（「００７号の商略」）も、「ベルリン脱出」同様、シンプルな問題の状況を設定し、その一点に物語の焦点を集中しています。情報部にソヴィエトから送り込まれたスパイの女性がいます。ところが、初めから、彼女がスパイであることがイギリス側には分かっていて、わざと暗号情報を入手できる部署につけて、そこからニセの情報をつかませることで、敵のスパイ活動をコントロールしていたのです。その彼女に長年の活動に対する報酬が、ソヴィエトから支払われることになる。高価な美術品を相続したことにして、彼女に送り、ロンドンで競売にかけるのです。その落札価格が彼女への報酬となる。有名なコレクションのひとつなので、落札者はほぼ予想できる。あとは、競り合うことで値を吊り上げて、彼女への充分な報酬にするのですが、ということは、競合者でありながら落札直前で降りた者はソヴィエトのスパイだと分かる。ボンドはコレクションの落札予定者に接触し、会場にいるであろう、値を吊り上げるための参加者の特定を試みます。競売の実際（商品の説明文なんて出てくる）を取材したであろうこと明白な一編です。

「オクトパシー」は、ミステリマガジンに掲載された際には「００７号の追求」という題名でした（正しくは追及でしょうが）。これなど、ボンドはほとんど登場しないようなものです。第二次大戦中の軍の情報部にいた男が、職務の途中でドイツ軍の隠した金塊を発見し、私してしまう。それを資産に、戦後は悠々自適の生活ですが、妻に先立たれ、自らも二度の心臓発作を経験したところで、過去の犯罪を追及にやって来たのが、ボンドなのでした。

こうして読んでいくと、一応はスパイ小説としての形を成している「ベルリン脱出」「所有者はある女性」で描かれる事件そのものよりも、「オクトパシー」でボンドが追う、老いた犯罪者の在りよう、それも、カサゴの毒と、タコがそれでもなお、カサゴを食べるかに関心を持っているという、退役したジェントルマンの在りようにこそ、フレミングの筆が発揮されていることに気づきます。

3　スパイが多すぎる

スパイ小説について考えるときに、エリック・アンブラーとグレアム・グリーンを抜きにすることは、まず不可能です。グリーンについては、スパイ小説にかぎらず、秀れた短編小説の書き手として、のちにまとめて読むことにします。それに、自らのアンソロジー『スパイを捕えろ』に「I Spy」*（「アイ・スパイ」）を選んだアンブラーは、グリーンが書いたスパイ短編は、これひとつしかないと断言していますからね。

そのアンブラー自身、短編ではスパイ小説を書いていないからと、『ディミトリオスの棺』の一章を、短編として収録するという挙に出ています。もっとも、アンブラーには、それらしき短編が、ふたつあります。丸谷才一のアンソロジーに採られた「影の軍団」*と、ミステリマガジンの二十周年記念号に掲載された「血の協定」です。

「影の軍団」は丸谷才一がいたく感心してみせた（「終り方が大切」）一編です。語り手は作家らしいのですが、妻の親戚である友人の外科医が、一年前にベルグラードへ国際会議に行った折に奇妙な体験をして、それを小説ふうに書いたものを読むという体裁です。ベルグラードからの帰り道、スイスのドイツ国境付近の雪の中で、運転する自動車がエンストしてしまう。助けを求めて見つけた山小屋が、実は反ナチスの地下組織のアジトで、そこで宣伝用のパンフレットを印刷していたのです。パンフレットは危険を冒してドイツ国内に運び、まいていたものです。知られたからには帰せないと、イギリス人医師には不穏な展開となりますが、そこに、ドイツへ入っていた仲間が撃たれて負傷しながらも生還してくる。

一切の説明抜きに――また、説明は不要ですが――雪の山中での事件を描いて、終始します。医者の経験した事件と、その手記を作家が読むまでの、タイムラグが一年。その間に英独開戦がはさまるのを、そうとは書かずに示してみせた佳品でした。もっとも、丸谷才一が「終り方が大切」と称賛した結末のニュアンスは、この訳では生きていない気がしますが。

「血の協定」は、南米の架空の国のクーデターを描いています。独裁的な左翼政権の大統領に反して、軍部が中心となってクーデターを起こします。気配を悟っていた大統領の誤算は、クーデターが自分がアメリカに行っている留守ではなく、国内にいるときに起きたことでした。クーデターの段取り――どこを占拠するのか――の筆致が細かいのは、さすがです。海外のプレスを引き連れて、クーデターを率いる将軍は、大統領に権限移譲のサインを求めます。そこで、大統領のとった反撃とは……という話。スパイ小説というよりは、のちの『ドクター・フリゴの決断』あたりを想起させる政治小説ですが、大統領の策略の細部に、呑み込めないところが残ります。
エリック・アンブラーの二編は、それなりに楽しめますが、それでも、アンブラーの長編ほどの魅力はありませんでした。

グリーン、アンブラーといった人たちにかぎらず、スパイ小説は、歴史的に長編が主導してきました。それでも、007が大ブームになれば、フレミングにはボンドを主人公にした短編を求める声が聞こえたことでしょう。まして、ブームに乗ろうとする作家が出るのは当然で、エドワード・D・ホックのシリーズキャラクターにさえ、スパイは存在するのです。あるいは、パット・マガーにも。セレナ・ミードという才媛の女スパイのシリーズを、マガーは長編を含めて、多数書いているそうですが、節目の作品は邦訳があります。

まずシリーズ第一作の「危険の遺産」は、ブームのさなか一九六三年に書かれました。イギリス保安部Q課の部員である夫サイモンの死から始まります。突然の死は他殺ですが、Q課によって事故死に見せかけられ、そう発表されます。一方で、死の原因をつきとめるため、妻のセレナは夫の死の直前の様子を思い出そうとします。
「危険の遺産」は凡庸な短編でしたが、このシリーズの本邦初紹介の「旅の終り」は、一九六八年に開催された、EQMMのMWAコンテスト第一席作品として、ミステリマガジンに掲載されました。EQMMが六〇年代後半に行ったCWAとMWAに作品をつのったコンテストは、のちにまとめてふり返ります。とくにCWAコンテストは、クリスチアナ・ブランドの活躍が無視できません。それはともかく、マガーの「旅の終り」は、「危険の遺産」で死んだサイモンとのなれそめを書いたものでした。ヴァッサー大学卒業を目前にしたセレナが、西ドイツの空港で、東側の人間らしい見知らぬ男からマッチ箱を渡されます。彼女が選ばれたのは、目についた最初のアメリカ人だったからでした。マッチ箱の中にはマイクロフィルムがあり、イギリス人を装っていた怪しげな男が近づいてくる。これぞ恐怖小説に転生したスパイ小説ならではの展開です。「旅の終り」は、ご存じセレナと彼女が女スパイとなるきっかけを作った亡夫との出会いの一編として読まれるべきものなのでしょうが、如何せん、本邦においては、これが初紹介でした。窮地に陥ったセレナが、わずかに交わしたサイモンとの会話から、手がかりを得ていくサスペンスに面白さはありますが、ロマンスの甘さがスパイ事件に巻き込まれる怖さを相殺しているのも事実でした。

さらに一九七六年の「ロシア式隠れ鬼」では、病床にあるかつてのヴァッサー大の同級生——帰化ロシア人二世——の頼みから、モスクワ旅行を敢行し、共産主義国家の偉大な詩人である祖父の晩年の詩を持ち帰ることになります。いかにも危険な匂いのする、このプライヴェートな旅行は、再婚相手（そもそもサイモンの連絡係だった）に内緒なのです。ツアー旅行とはいえ、共産圏への潜入を果たし、合言葉を待つというサスペンスを見せる一方で、それを使ってきた相手はQ課だったのでした。

「旅の終り」のセレナは確かにスパイとしてアマチュアの女性ですが、ふたり目のQ課員の夫を持ち、自身もその仕事をしながら、「ロシア式隠れ鬼」でのふるまいは、さすがに少女探偵そこのけの甘さでしょう。ある傾向のミステリがブームになれば、そのブームに乗ってナンシー・ドルーが書かれる。そのスパイ小説での例でした。八〇年代から九〇年代に女性探偵がブームになったとき、スー・グラフトンを読んで、同じように感じたことが、私にはあります。日本では叙述に凝った長編ミステリで、その名が知られるパット・マガーですが、こういう流行に乗る一面もあったのでした。

4　007ブーム下の職人作家——マイケル・ギルバートを例に

マイケル・ギルバートは、イギリスの中堅作家ですが、おそらく短編のスパイ小説がもっとも多く邦訳された作家でしょう。この作家は、私が二十代のころ、たまたま入手できたので読んだ『ひらけ胡麻!』が面白かった記憶があるのですが、その十年後くらいに再読したときに失望した記憶もあります。日本で一番読まれている彼の作品は『捕虜収容所の死』でしょう。マニング・コールズやヘレン・マッキネスといった作家同様、スパイ小説を書く作家として、名前があがることも珍しくはありません。

マイケル・ギルバートのスパイ小説には、シリーズキャラクターが登場します。表向きはロンドン・アンド・ホームズ銀行ウェストミンスター支店支配人であるフォーテスキュー氏、実は統合情報活動委員会外事部長で、007ならMにあたる管理職です。ぶっそうな仕事を主として受け持つのが、コールダーという男で、丘の上に居を構え（その日常的な警戒ぶりは「招かれざる客」に描かれています）、頭の良いディアハウンド犬のラッセラスを飼っています。丘の麓には親友のベーレンズが、何も知らない伯母と暮らしています。彼もスパイ活動に従事していますが、コールダーが任務で家をあけるときには、ラッセラスの面倒を見るのです。

もっとも読みやすく、口当たりのよい仕上がりになっているのが、エリック・アンブラーがアンソロジーに採った「殺しが丘」でしょう。それが証拠に「一石二鳥」「狙った女」と異なった題名で、二度もミステリマガジンに掲載されました。ふたりの趣味であるバックギャモンをやるために、ベーレンズがコールダーを訪ねて丘の上までやって来ています。読者から見れば他愛ない世間話にしか見えないものが、いつのまにか、情報部に入り込んだ女スパイを排除する話になっています。そして、コールダーが実際の任務に入る。ところが、現場で標的をとらえたところに、軍人らしき若者が現われる。どうやらウサギを撃ちにきたようです。躊躇する暇もあらばこそ、若者がウサギを撃つのとほぼ同時のタイミングで狙撃してしまう。ウサギ狩りにきて、誤って人を撃ったと思わせ、後始末を押しつけたのでした。その後のサゲは頰をゆるませるものがありますが、終わってみれば、いとも簡単に敵のスパイを排除したというだけの話でした。

「殺しが丘」でディテイルとして触れられているのが「プロメシュース計画」（「殺しが丘」では「プロメテウス作戦」となっていて、こちらの方が適当でしょう）です。フォーテスキューが、ベーレンズに向かって、近ごろコールダー（キャルダーと訳されていますが）の様子がおかしい、精神に異常をきたしたのではないかと相談します。コールダーが現在関わっているのは、三派に揺れる東欧のアルバニアに介入しようとする計画です。三派というのは、スターリニスト（親ソ）、チトー派（親ユーゴ）、ギリシア派の三つで、当然ながらギリシア側につけておきたい。かの地の言語はもちろん、風俗習慣にも通じているコールダーが、アルバニアに潜入して、内通者に連絡をつけるのです。ところが、計画のプレッシャーからか、言動に異常が見られるようになった。ベーレンズがコールダーのところへ行くと、一足早く失踪しています。作戦に関与している三人目の男ハーコート海軍中佐とともに、コールダーを探し、目撃情報と飼い犬ラッセラスの活躍で、どうにかコールダーは見つかりますが、とても任務は果たせそうにない。戦時中アドリア海の潜水艦作戦で名をあげたハーコートが、コールダーの代役を務めることになります。

出だしこそ快調ですが、ミッションの細部が、大雑把なので、作戦そのものに、読者を引きつける魅力のないのが、困ったところです。内通者に会えればミッション成功というだけでは、ゲームの設定の域を出ません。この部分がゆるくては、グリーン、アンブラーを読んだ目には、古めかしいスパイ小説に見えるのも仕方ありません。

同じようなことは「触媒間諜」にも言えて、思想と行動の関係、結びつきというのは、こんなに単純な問題ではないでしょう。「テロリスト」にしても、彼らの工作は、あまりに一方的で、これほど簡単に片づくなら、こんな手の込んだ真似は要らないのではないかという疑問が浮かびます。

マイケル・ギルバートのスパイ小説のゆるさは、この作家の考えるスパイ活動が、第二次大戦中のそれを基準にしているためではないでしょうか。そのことは、第二次大戦中にドイツのヒットラー暗殺グループに接触するベーレンズを描いた「神々の黄昏」や、かつてコールダーが拷問にかけた——おそらくは戦争中に——男が、彼を殺しにやって来る「招かれざる客」といった作品に、顕著でしょう。

マイケル・ギルバートのスパイ小説以外のものも、少し読んでおくことにしましょう。

マイケル・ギルバートにはヘイズルリッグ、ペトレラという、ふたりの警察官が、シリーズキャラクターとして活躍しますが、このふたりの登場する、わりと短かい推理パズルふうの作品が、まず、日本語版EQMMで紹介されました。

「手口がわかれば」は、通勤列車で同乗する三人の中のひとりが死んでしまうという事件ですが、題名どおりのハウダニットで、専門的な職業を利用して詐術を仕掛けるというカラクリを、ヘイズルリッグが解き明かします。「見えざる掠奪者」は、ペトレラが故買の巧妙な隠れ蓑を見破る話でした。この手の長さの推理パズルのような短編は、マイケル・イネスやエドマンド・クリスピンのところでも出て来ました。雑誌に比べて新聞初出が多い、イギリスのミステリ事情の反映でしょうか。どちらも、ハウダニットでしたが、そういうふうにやりましたという以上の、何か感銘を与えてくれることはありませんでした。

マイケル・ギルバートがパズルストーリイ作家としての力を、遺憾なく発揮してみせたのは

「五年後に帰る」でしょう。*偽札づくりの犯人を追うペトレラは、逮捕に向けて包囲網をしきますが、その目の前で男は「五年後に帰る」という張り紙を玄関扉に残したまま、消え失せてしまいます。ちょっとの間留守にするときの張り紙に使われる文面「五分後に帰る」のもじりです。消えた男の行方がつかめぬまま五年目を迎えようとするとき、その隣人が、夜中に奇妙な音が隣家からするとペトレラに訴えてきます。律儀な職人でもあった犯人は、その律儀さゆえにぴったり五年経ったら戻ってくるのではないか？　そんな、ありそうにもない可能性が頭に浮かぶのを、ペトレラも読者も、どうすることも出来ません。じりじり五年間、捜査の進まなさを感じさせるのは、ある意味警察小説のひとつの手法ですが、「五年後に帰る」という言葉が、暗示となっているので、サスペンスも高まります。このサスペンスは、パズルストーリイならではのサスペンスで、ちょっとしたものだぞと思っていると、虚をつくかのように、犯人消失の謎をペトレラが解き明かすのです。やはり、ハウダニットなのですが、手がかりとその解決にスマートさがあって、面白いパズルストーリイになっていました。ただし、犯人がなぜ「五年後に帰る」と書いたのか不明なのが、瑕瑾《かきん》でした。

もう一編、ペトレラもので、パズルストーリイの渋い佳作なのが「第二の皮膚」です。独り暮らしの女性が殺され、物取りを見つかっての犯行と見られます。現場に残されたコートから、牡蠣の殻の粉砕した粉や特殊な油が検出され、犯行の手口から、過去の犯罪者のリストが洗われるといった展開は、警察小説作家ギルバートの面目躍如です。

同じペトレラが登場するといっても、警察小説ないしは、スリラー色が濃いものも、書かれています。

「ロンドン・マンハント」は、窃盗事件から派生して警官殺しが起こります。こちらは、アクション中心の捜査小説で、スリラー寄りの警察小説に、主人公のロマンスという風味を添えてと、通俗的な興味を盛り込んでいます。この行き方を、さらに推し進めたのが、中編の「C12銀行強盗特別捜査班」です。小説の冒頭で銀行強盗の現場を描写し、一転、題名にもなっている特別捜査班が作られ、ペトレラが班長となります。大がかりな銀行強盗事件が続発し、それに対処するための組織なのでした。対照的で特徴的な班のメンバーに加え、タイピストの女性がやって来ますが、本人は積極的に捜査に加わり、危機に陥る。一九六四年の作品のようですが、架空の組織といい、リアリティというものを蹴飛ばしたかのようなスリラーを伸び伸びと書いているところといい、当時のスパイアクション小説の警察版です。マイケル・ギルバートの書くスパイ小説よりも、六〇年代のスパイ小説やスパイ映画・テレビドラマに近いと言えるかもしれません。当然のように、ペトレラは、この女性と結ばれて終わります。

シリーズキャラクターの登場しない作品にも、目を向けてみましょう。

奇妙な小品なのが、「月曜日の手紙」です。脅迫や恐喝をしているわけではないけれど、不気味で不快な手紙を月曜日ごとに受け取ると、男性が相談に現われます。探偵役のボーアンは、被害者の各年代にわたっている手紙の内容を、ひとりの人間が知りうるかを絞り込んでいき、解決に到ります。もっとも、犯人がなぜそんなことをしたのか「理由は、訊かないでほしい」というのですから、読者のフラストレーションは残ります。ただし、マイケル・ギルバートが、人間の心の内の闇の部分への関心を時折見せることがある——その一例だということは憶えておきましょう。

「五年後に帰る」が、張り紙の奇妙な台詞というアイデアからサスペンスを発酵させたように、暖炉用のコークスの山が減っていくという、単純な出来事から、サスペンスを醸し出したのが「コークスの山の下に」です。主人公たち夫婦の越してきた部屋数の多い家——古い牧師館なのです——の、その前の住人が去った経緯が、少々思わせぶりです。辺鄙で不便な家を嫌った奥さんの主張で、引っ越したのですが、先に奥さんがいなくなって、夫がひとりで家の始末をしたまま、奥さんを見た人がいないというのです。冬を迎えて、大量四トンのコークスを奥さんが買い込んで、地下室はそれでいっぱいです。毎日毎日コークスをすくっては運ぶのが、旦那さんの日課となります。やがて、減っていくコークスを見ながら、これがなくなったときに、何が出てくるのだろうかと考えるようになる。オチの部分よりも、シンプルで些細な出来事ひとつで、サスペンスを出すところに感心しました。

「スクイズ・プレイ」は、コントラクトブリッジにちなんだクライムストーリイでした。大金持ちの宝石商と、その娘に近づいて心を奪ってしまった金目当ての男の対決です。スクイズというのは、囲碁でいう「見合い」のような状態を作って、ふたつのスーツ（たとえばスペードとハート）の両方を、ひとりの人間が守らなければならない状況に追い込み、一方の守備を放棄せざるをえなくなったところで、そちらのスーツを攻めて、最後の一勝を搾り取る（だからスクイズです。野球のスクイズも一点をバントで搾り取りますね）プレイテクニックです。確かに、スクイズにちなんだ展開と描写は出て来ますが、いささか、こじつけめく上に、犯行としての面白味もなく、思いつきに溺れた気配が濃厚でした。「スナップ・ショット」も、カメラが銃に改造できるというアイデアを、なんとか形にしただけという短編で、こうした作品を読むと、量産作家につきものの当たりはずれを感じます。

「隠しポケット」は、完全犯罪を描いたクライムストーリイでした。それも、してやられた訴追側の人間が、ふり返るという形です。悪徳弁護士が、悪事をゆすられていた相手を殺すのですが、一度逮捕されて裁判にかけられ、その過程で、アリバイの立証できる証拠が、被害者の持っていた特殊な財布——戦争中にスパイが使っていたもの——の隠しポケットから見つかるのです。それだけの話で、スパイ財布という小道具から思いついたであろう、平凡な作品で終わるところでした。しかし、手口は分かったものの、犯人がほくそ笑むのを指をくわえて見ているしかない語り手たちには、もうひとつ危惧していることがあったのでした。こちらの危惧は、暗示的なオチとなって一編を締めくくりますが、そのオチのつけ方に鋭さが欠けるのと、つけ足した感じが否めないのとで、いささか不発気味です。しかし「月曜日の手紙」のところで示しておいた、この作家の持つ、人間の持つ不可解さ不気味さへの関心が、前面に出た一編ではありました。

こうして読んでいくと、マイケル・ギルバートは、警察・法律関係の専門的な知識やリアリティを背景に、様々な傾向のミステリを、達者に多作していった作家と分かります。

そんなギルバートの短編の中から推奨するとしたら、傾向の異なるふたつの作品をあげることになるでしょう。

ひとつは、ロバート・Ｌ・フィッシュがアンソロジーに採った「ポートウェイ氏の商売」*です。語り手がマイケル・ギルバートという名の事務弁護士というのが、まず愉快なのですが、国税庁の法務局に職を得て、ＩＢＡという、マルサのような仕事に就いています。この事件のターゲットは同業者、つまり、事務弁護士です。どう見ても、片手間で儲かっていそうにないのに、ワイン道楽で、優雅に生活している。潜入捜査よろしく、その弁護士の経理担当者として雇われます。実際に帳簿をつけてみる（！）と、赤字かせいぜいトントンで、個人の小切手で補塡することもしばしばです。では、その金はどこから来るのか？　偽札でも作っているのかという疑問さえ出て来ます（そんな高度な印刷技術が、事務弁護士にあるはずがないのです）。というわけで、ハウダニットのコンゲームなのでした。アイデア一発といえば、それまでですが、着想そのものは、なかなか人をくっています（ただ、日本の事例で考えると、けっこう難しいような気もしますが、イギリスはそうではないのかもしれません）。なにより、事件の顚末を語ったあげくのオチが愉快で、語り手がマイケル・ギルバートというのが、効いていました。

もう一編はペトレラものですが、ペトレラはあまり表に出て来ません。主役のキャラクターが脇にまわるというのは、警察小説では時折あるパターンで、そういうところにも、警察小説がヴァリエーションを持ちやすい理由があるのです。「とてもよい子」*という一編です。

グラント家は設計事務所に勤める父親が裕福で、ひとり息子のティモシーは教会の聖歌隊で歌う、真面目な子でした。父親は近隣の住人が「朝の五時には仕事に出かけ、晩はパブですごすがさつな連中」なので、転居を考えているのでした。そのティモシーが、二人組の同級生にカツアゲをくいます。とっさに、小遣いをもらうのが明日なので、明日だったらよかったのにと答え、かわりにゲームセンターのスロットマシーンがそろわないように調整されているのを逆手にとることで、逆に儲かるかもしれないと教えます。そして三人でゲームセンターに行くと、見事に儲けてしまうのでした。これがきっかけとなって、「とてもよい子」のティモシーが、父親が「がさつな連中」と考える家の子とつるんで、まず自動車泥棒を覚え(ティモシーは手先が器用なのでした)、あげくは、ギャングの使い走りのような仕事にも手を染めるようになるのです。

「ほんとうの友人というものを持ったことのなかった」少年は、ふたりの友だちとのつきあいに「忙しい日々が続」くことになります。ふたりの少年の夢はオートバイを買うことで、それを知っているがために、ティモシーは、悪事で得た取り分をもらおうとしません。彼らの夢を早く実現させてやりたいのでした。一方で、ティモシーは聖歌隊を休むこともありません。忙しいわけです。

一直線の不良少年の物語は、およそ、ありきたりな結末にたどり着きます。ペトレラが出てくるのは、ほとんど悲劇的な結果を両親に伝えるという役割のためだけでした。よい子のままに不良少年となり、よい子のままに不良少年として死んだ男の子を描くことで、簡潔な中に、よい子と不良少年との両立を描いて、見事な短編小説でした。

5 狂乱ブームの残したもの

第二次大戦の存在は、それを契機に冷戦構造が作られたことが、スパイ小説を読み語る上で、従来、重視されてきました。私もそうしたひとりです。しかし、第二次大戦そのものが、スパイ小説が書かれ読まれる上で、重大な画期となったのではないか。今回、スパイ小説の短編を読んで、そんなことを考えました。

先に書きましたが、グリーン、アンブラーのふたりは、戦中を描くことはありませんでした。唯一の例外はグリーンの『恐怖省』でしょうが、そこで描かれたのは、空襲下のロンドンであって、最前線ではありませんでした。『密使』は、戦争当事国から密命を帯びて、平時のロンドンにやってきた工作員の話でした。この小説など、スパイは戦地にはいないと主張しているようにさえ、私には見えました。すなわち、戦時中の、あるいは戦地でのスパイ活動は、戦時の作戦行動と変わらないものに見えるのです。そして、戦争というものを描くという観点からは、それらの小説は、どうしてお気楽なものに見えてしまう。

『世界スパイ小説傑作選3』に収められた作品に目を向けてみましょう。テレンス・ロバーツの「ブラック・ミステリー」やトマス・ウォルシュの「敵のスパイ」といった、第二次大戦下の作品には、どうしても、お話を作る手つきの安直さが、透けて見えます。もちろん、冷戦下の物語であっても、ロバート・ロジャースの「ワルシャワの恋」のように、話の底の浅いものはあります。しかし、ロナルド・サーコームの「裏切り者」のような平凡なスパイ小説でさえ、事件当事者の緊張感は伝わるだけの企みと展開を見せるのです。異色作として推奨したいのが、ジョセフ・ホワイトヒルの*「アカデミー同窓生」です。ちょっと、ニューヨーカーふうの題名ですが、かつて美術学校で、ひとりの生徒の挑発から、主人公は両腕の自由を失います（絵筆もとれません）。長じて、ふたりともが、相対する諜報機関に所属するというのは、作家の都合が見える展開かもしれませんが、その美術学校で対峙することになる。〈人間性への不信〉が流れるはずのスパイ小説に、奇妙な友情めいたもの（を含んだ複雑な感情）を持ち込みながら、なお、スパイ小説でありえていました。

　冒険小説とスパイ小説を弁別するものとして「前者は〈人間性への信頼感〉が物語の底に流れるのに反し、後者は〈人間性への不信〉がある」と各務三郎は指摘しました（『推理小説の整理学』）。ファナティックな冒険小説と化した冒険小説としてのスパイ小説が、息を吹き返すには、冷徹な現実の戦争を経験し、その上でなお、「人間性への信頼」を持ちうるかという問題意識のもとに書かれる必要がありました。アリステア・マクリーンの処女作が『女王陛下のユリシーズ号』であったのは、偶然ではないと、私は考えます。戦争とは同胞を死地に赴かせることにほかならない。処女作に色濃く現われていたこの認識なくして、『ナヴァロンの要塞』以下の作品が生まれるわけがありません。そして、そこに気づかないままの、スパイ冒険小説がぬるま湯めいたものになるのは、当然のことでしょう。

　名前をあげるだけに留めますが、マクリーンにやや先行してハモンド・イネス、あるいはそれ以後の、ギャビン・ライアル、ディック・フランシス、デズモンド・バグリイといった作家が出ることで、冒険小説は隆盛を見せます。いずれも、グリーン、アンブラー以前のスパイ冒険小説が持っていたお気楽さとは、無縁の作家たちです。そして、それらの作家と比較しても、イアン・フレミングがユニークだったのは、冒険とは快楽でもありうるという、実際の戦争の悲惨さゆえに、見過ごされていた側面を、前面に押し出したためではないでしょうか。美酒、美食、美しい女性、贅沢なリゾート。そういったものと、ボンドの冒険は並列されたのでした。そして、そこに必要だったのは、現実にはありえないようなフィクショナルな――火を吹く竜のような――悪役でした。

　映画によって増幅された007ブームのありようは、小林信彦が『世界の喜劇人』で簡潔に描いています。「それが忠実に映画化されるほど、本質的に連続大活劇になり、現代人の感覚では〈ナンセンス〉としか受けとめられなくなる。すると、今度は、〈ナンセンス〉を初めから意図して、ボンド物よりはるかにロウ・コストでつくる――となれば、内容は連続漫画《コミック・ストリップ》にならざるをえない」

　ミステリマガジンは半世紀を超えるその歴史の中で、四回増刊号を出しました。そのうちのふたつは「007特集」と「ナポレオン・ソロ特集」でした。

現在、スパイ小説家をひとりと言われたら、たいていの人が、ジョン・ル・カレの名をあげることでしょう。名実ともに、二十世紀後半を代表するスパイ小説家であることに、間違いはありません。しかしながら、そのル・カレにしてからが、スパイ小説の短編というものは、紹介されていません。以前、最盛期のＭＷＡ賞のところで、候補作となった短編「ベンツに乗った商人」を読みました。東西に分断されたドイツを舞台に、東側にいる家族を西側に迎え入れるハメになった主人公を描いた、好短編でしたが、スパイが登場する小説ではありませんでした。もっとも、スパイを職業とする人間――フリーランサーであれ公務員であれ。この違いは案外大事なんですよ――が出ないからといって、スパイ小説ではないと判断するのは早計というもので、やむにやまれぬ事情から、冷戦下の国境を不法に越える主人公をサスペンスフルに描くのは、実質的にはスパイ小説の魅力と言えるでしょう。

小説でスパイが描かれるときに、どういうところが魅力的なのか？　そんなことを考えさせてくれるのが、ミステリマガジン二〇一四年二月号のジョン・ル・カレ特集に掲載された「ジ*ョージ・スマイリーの帰宅」という短かいドラマシナリオです。スマイリーが洗濯屋に受け取りに来ている。妻が家を出た日なので洗濯物を出した日を憶えているというのは、小説書きなら盗んでおきたいテクニックです。そして、このドラマのキモは、帰宅したスマイリーが見せる一瞬の切り返しにあります。洗濯物を受け取りに出るという日常――つまり平時ですね――のただ中に、不審のタネを見つけて、手筋一閃！　たった一言で相手を欺き、背後を取ってしまう。執拗で細かいディテイルだけでは退屈さに陥るところを、こういう機智が救うのでした。

ミステリマガジンで邦訳された「水の上のパン」という小説は、スパイ小説でもなんでもありません。奨学金の給費生（成績優秀なのです）ながら、サンスクリット語と禅を専攻するという、浮世ばなれした男が、パン屋の女店員に思いを寄せるも、言い出せないと、主人公に相談に来ます。主人公の指南する手段は、単に毎日店に通うだけ（だったのです。優等生くんがやったのは）でなく、相手に印象づけ、かつ落ちぶれていくように見せていくという巧妙な手段でした。ル・カレとしては、指南した方法が実を結んだのち明かされる、隠されていた人間関係と、その後の変化を書きたかったのでしょう。しかし、主人公が授ける計画は、まるで『寒い国から帰ってきたスパイ』の雛形でした。ツケでものを買うところまで同じですからね。ル・カレのこの二編は、人を欺くために企むという、スパイ小説のエッセンスを読み取りやすく示してみせたという意味で、参考になるものと思います。

ル・カレと並んで、六〇年代のスパイ小説を牽引したのが、レン・デイトンでした。彼も短編のスパイ小説が見当たりません。ただし、一時期デイトンは戦争小説に傾いていたことがあって、そのころの短編が『宣戦布告』として一冊にまとめられています。さすがに、先ほど批判的に読んだ、戦時スパイ小説のゆるさはありませんが、戦争小説として、とくに目をひくものではありません。ロアルド・ダールの『飛行士たちの話』の方が、よほど読ませます。それでも、南米にセールス旅行にやって来たイギリス人セールスマンが、内戦に遭遇するという、スパイ小説めいた話と思いきや、そのセールスマンの売っていたものが……という「セールスマンにはボーナスを」*という愉快な一編がありました。

こうして五〇〜六〇年代のスパイ小説ブームをふり返るとき、短編ミステリには収穫がなかったことに気づきます。そんな中で光っているのが、アンソロジーで一度訳されただけなので、あまり知られていない、アヴラム・デイヴィッドスンの**「臣民の自由」**です。

主人公はロンドンに政治亡命者を僭称《せんしょう》して逃げて来ている外国人――つまり単なる犯罪者――です。この設定が、まず奇妙で、身を乗り出させるのに充分です。しかも、タッチは当時流行のスパイ小説とは異なり、むしろ、ジョゼフ・コンラッドあたりを連想させる。コンラッドよりユーモアが色濃いですが。ロンドンでの生活は金がいるので、主人公は、スパイまがいのことをやっています。警官に外国人のことを無政府主義者だと密告し金を得ようとしますが、留守中の家宅捜索をほのめかすと、「臣民の自由の侵害にあたる」と却下され、金にならない。これだから植民地がその手からこぼれ落ちていくのも当然だと、主人公がつぶやくのが笑わせます。スパイ小説のパロディなのです。時は一九五二年。イギリスの国王陛下が崩御します。国王の死は、外国人の彼から見れば体制転覆のチャンス到来なのですが、臣民の国では王の死を本気で悼んでいて、クーデターの影もありません。街頭で哀悼の意を表する臣民たちの輪の中にいた彼は、スパイ行為が露見しそうになるのを防ぐために行ったことのおかげで、スリと間違われてしまいます。それが身の破滅になろうとは……というお話。

ここには「物は証言できない」の生真面目さも、「ラホール駐屯地での出来事」*の眩惑的な叙述の仕掛けもありません。しかし、英国人以上に英国的なユーモアで英国を斬ってみせる、洒落た短編の書き手がそこにはいます。大英帝国の斜陽を側面から描いたという点では「ラホール駐屯地での出来事」と一対と呼べるかもしれません。デイヴィッドスンの作品中でも、かなり高位にくるこの一編が、007狂騒曲のただ中で書かれた短編スパイ小説の唯一の収穫ではないでしょうか。

第十二章　大西洋の向こう側で

1　ロード・ダンセイニのミステリ短編集

ここでイギリスに目を向けてみましょう。

アメリカで短編ミステリが黄金時代を迎えようとしていた時に、大西洋の向こう側では、どのような短編が書かれていたのでしょうか。

ロード・ダンセイニの「二壜のソース」*は、短編ミステリの古典のひとつに数えられる名編として、確固たる地位を占めています。日本では乱歩の言う「奇妙な味」の典型的な例としても知られています。この小説が、探偵が謎を解く、ディテクションの小説であることは、第一巻でも指摘しましたが、探偵のリンリーはもちろん、語り手のスミザーズともども、シリーズを構成するキャラクターであったことは、二〇〇九年に『二壜の調味料』として短編集が訳されるまで、私は知りませんでした。短編集の原題は *The Little Tales of Smethers and Other Stories*、巻頭の九編が、リンリーとスミザーズのシリーズでした。

「二壜の調味料」(「二壜のソース」)はこのシリーズの一作目で、次の「スラッガー巡査の射殺」を読むと、少し驚きます。作品そのものは、平凡なハウダニットですが、前作の犯人のスティーガーが、やはり前作で捜査にあたった巡査を殺したという話なのでした。そこにダンセイニの書くパズルストーリイの遊戯性が、端的に現われて、ないしは表わされています。続く三作目の「スコットランド・ヤードの敵」で、予告された警官殺しという事件を描いた（語り手のスミザーズが活躍します）のち、「第二戦線」では、またもスティーガーが、今度はスパイ事件の犯人として登場し、その陰謀をリンリーが阻止する話になります。なお、この「第二戦線」は第六回ＥＱＭＭ年次コンテストに応募されたもので、『短編ミステリの二百年』第三巻のリストでは、別題のみの表記となっていましたが、ご指摘を受けて再版以降訂正していきます。つまり、この作品以降は戦後の作品で、スミザーズとリンリーが同居していた戦前を懐かしむという設定になっているのです。そして、シリーズの最終話「一度でたくさん」で四たびスティーガーの企みと相対し、ついに逮捕に到ります。

ダンセイニの試みたことは、ホームズとワトスンとモリアーティーだけでミステリを書こうとしたことでした。少なくともシリーズ九編のうち四編をそうしたのです。これは一見、登場人物を役割のみに徹したものとする遊戯性の現われ、ないしは、そういう試みに見えます。しかし、短編集の最初の三編が第二次大戦前に書かれ、戦後になっても、過去を舞台にして、シリーズは書き進められました。そして、同じ犯人の犯行を同じ探偵が暴く話が書き継がれるうちに、別の面が浮かび上がってきました。リンリーとスミザーズの属する階級の違いが、終始強調されているように、安定的な階級社会であった（と信じられ、信頼されていた）過去のイギリスを（郷愁とサタイアを併せ持ちながら）描き出す術であるかのように見えるのです。そこでは、紳士と平民が画然と分かれているように、探偵と犯罪者も分かれている。「戦前はおかしな世の中でした。いや、今がおかしいのかもしれません。とにかく、同じ世の中とは思えません」と、シリーズの最終話は始まったのでした。

しかし、そうした試みが、必ずしも成功していると思えないのは、「二壜の調味料」以外の作品が、平凡な解決であったり、チェスタトンのような風変わりだけれど有無を言わせない推論の魅力が必要なのに、それに乏しかったりするためでしょう。良かれ悪しかれ「二壜の調味料」が傑作すぎました。そのバランスの悪さは如何ともしがたかったようです。

後半の諸編も、謎解きのアイデアを核にしたものが大半ですが、そんな中で、模型の船で海賊行為（魚雷で他船を撃沈する！）を働くという、異色のクライムストーリイ「ラウンド・ポンドの海賊」*が目をひき、もっとも秀れているのは、パズルストーリイのふりしてファンタジーを書いてみせた「アテーナーの楯」*でしょう。それらにしても「二壜の調味料」の域に届くのは難しかったようです。

2　ミステリにもっとも近いストレイトノヴェリスト――グレアム・グリーン

グレアム・グリーンには『二十一の短篇』『現実的感覚』『旦那さまを拝借』『最後の言葉』

の四つの短編集があり、それぞれ邦訳もありますが、二〇〇五年にそれらに加えて、未収録作を増補した*Complete Short Stories*がペンギンブックスから出て、日本では三冊本としてハヤカワepi文庫に新訳で入りました。二〇一三年のことです。正確には、二〇〇五年に『二十一の短篇』を新訳で文庫化していたので、それ以外を二分冊で加えました。『見えない日本の紳士たち』と『国境の向こう側』です。

　グリーンの短編集は、比較的翻訳が早かったせいか『二十一の短篇』が圧倒的に有名でしょう。二〇年代の若書きと言えそうなものから、戦後の作品までも収めていた上に、よく人の口の端にのぼったり、アンソロジーに採られたりする作品（「地下室」*や「アイ・スパイ」）も含んでいたので、なおさらです。しかし、原著刊行年でいえば、次の『現実的感覚』とそれほど差があるわけではありません。コンスタントに短編集がまとめられてきたのは、さすがの実力というものでしょう。

　『二十一の短篇』の文庫版は、収録順が年代の新しいものから遡っていく構成になっています。どうして、そうしたのかは分かりませんが、これ幸いと、逆に古いものから順に読んでいくことにしました。

　巻末の「パーティの終わり」は二九年の作品。『内なる私』を書いたこの年、グリーン二十五歳です。毎年新年にヘンファルコン夫人が子どもたちを集めて開くパーティに、ピーターとフランシスの兄弟は、とりわけ弟のフランシスは、あまり行きたくなさそうです。暗闇のかくれんぼという遊びがフランシスは怖くて、おまけに年上の女の子たち（たぶん怖がっているのがバレている）には、笑われてしまうからです。しかも、当日の朝、フランシスは自分が死ぬ夢をみてしまう。いやいや参加したパーティでは、避けようもなく、暗闇のかくれんぼが始まってしまいます。子ども時代の体験と恐怖の感情というグリーンの重要なモチーフが出てくる一編ですが、主人公を兄弟にしたことで、死への恐怖が重層的になっているのが巧みでした。

　初期のグリーンの短編には、一場面を切り取ることで成立させた作品が、いくつかありますが、「たしかな証拠」「一日の得」にしても、あまり成功しているとは言えないでしょう。その行き方で見事なのは、やはり「アイ・スパイ」ということになります。アンブラーがグリーンの書いた唯一の短編スパイ小説と評したものですが、実は題名がこうでなければ、スパイ小説と言ってしまえるかどうか、にわかには分からない。しかし、母親がドイツ人嫌い（もしかして夫を売ったのか？）とか、主人公の息子は暗闇に隠れて見ている（父親はとても彼に似ている）といった短かく触れられるディテイルが強烈で、読み終わってみれば、スパイ事件がもっともスパイ事件らしいのはどの瞬間なのかを、すっぱりと切り取ってみせて、秀作の名に恥じません。ここでも、子どもの体験というモチーフが生きていました。「アイ・スパイ」という言葉が、日本語では、かくれんぼの「みつけた」に相当することは、みなさんご存じですね。

「*即位二十五年記念祭」は、年老いて落ちぶれた結婚詐欺師というか、ご婦人相手のたかり（訳者は男娼としていますが）の話です。ジョージ五世即位二十五年式典の賑わいに、外出を控えているのは、式典のために田舎から出てきた知人に出くわしでもしたら、家に招かざるをえなくなってしまい、それを避けたいからでした。それでも、その日外に出たのは、かろうじてメイフェア住まいに見えている外見を保つ気力が、これ以上引きこもっていると、失われそうだったからです。ストーリイ自体は、詐欺師の失敗談としてルーティンに近いものですが、そういう見栄をはるためのディテイルを、意地悪で洒落た筆致で描いてみせるのが笑いっぱなし。酒場での最初の一杯は必ず自分で払うことになるので、それは所得税申告の際に経費につけるというのが、たまらなくおかしい。ジョージ五世在位の二十五年が、若さに任せていたであろう主人公の人生と重なるのは明らかでした。

「地下室」は中編といった長さで、のちに「堕ちた偶像」という映画になり、題名も改題されて知られることになります。先に示した子ども時代の体験というモチーフが、もっとも効果的な一編です。「育児係の谷間」にいる少年は、執事のベインズとその妻に面倒を見られています。ところが、ベインズには妻に隠れて逢っている「姪」がいて、夫婦間の秘密を共有する立場に立たされてしまう。ベインズとベインズ夫人の板ばさみとなりますが、そこらの子どもが、大人に嘘をつき通せるはずもありません。それでなくても、ベインズ夫人は「姪」の存在に気づいています。関係は破局を迎えて終わりますが、少年の人生に影を落としたのが何だったのかが判明する結末は、未知のままであることが、どれだけ強く長く人の脳裏に刻まれるかを示して、どこにでもありそうな話を、他のどこにもないような読後感で締めくくっていました。

「たしかな証拠」「エッジウェア通り」「弁護側の言い分」「ばかしあい」といった比較的短かい作品は、イギリス人が面白い話を書いたときに、ミステリに接近してしまう。あるいは「能なしのメイリング」のようなナンセンスになってしまうという実例ですが、どれも一読楽しめるものの、とりたてて称揚するほどではありません。

『二十一の短篇』の最高作は巻頭の（従来は最後に置かれていた）**「破壊者たち」**（「破壊者」「廃物破壊者たち」）でしょう。ワームズリー・コモン団という少年たちのグループ（ジェット団とかオスムス団とか、そういう類のものです）が、たまり場である空地に隣り合う家を、家の主である老人の留守を狙って、内側からそっくり壊してしまうという、それだけの話です。家の内部がどんどん壊され、外側だけになって（映画のセットみたいなものでしょうか）しまい、最後には冗談のようにその外側が倒壊する。そのプロセスだけが描かれていくのは、サイレント喜劇を観るようでもあり、不条理劇を観るようでもあります。しかし、その筆致は、まったくのリアリズムで、少年たちの間のリーダーのありようや、「これじゃ仕事みたいだぜ」と、メンバーのひとりがグチるほどの、少年たちの熱心で勤勉なことの示すチグハグさ。そういったものが、この小説を暗喩に満ちたものにしました。実際、三十歳前後での初読時には、国家の転覆とか革命といったものは、こういうことではないのかと考えながら、私は読み進めたものでした。散文以外の何物でもない、非常に明快なストーリイライン——通俗的とさえ言ってもいい——を持った、リアリスティックな話の背後に、かかる厚みを築いていく。それは、長編をも含めてグリーンに特徴的な美点でした。

『現実的感覚』は、その表題に反して、「森で見つけたもの」「庭の下」といった、分量としては中編の、ファンタスティックな作品が目立ちます。このふたつでは、少年のころの逃避の記憶を、老いてから辿り直して、主人公が手記をしたためる「庭の下」が、グリーンらしいモチーフを、グリーンらしいとは言えない幻想譚に活かして、奇妙な読後感を与えます。「モランとの夜」は、カトリック作家グリーンの面が出た一編ですが、この短編集でエンターテインメントと呼べそうなのは「見知らぬ地の夢」でしょう。らい病の正式名称がハンセン病に変わって五年後、なお、一般的には不治の伝染病と信じられているころ、その病名を告げられた患者が、主人公の医者にコトを内密にするようお願いしている。法律上、それは無理なことでした。治る病気だからと説得する医者に、患者は、周囲の人間はそうは思わないと訴えます。シリアスで地味な話と思っていると、一転して、著名な将軍の誕生日のためのびっくりパーティに、主人公の屋敷を一夜だけカジノにしてしまうという、冗談そこのけの話になっていく。

「旦那さまを拝借」*は次の短編集の表題作（ｅｐｉ文庫版では「ご主人を拝借」）となりました。季節はずれの南仏の保養地で、語り手の主人公と、どうやら同性愛者らしい二人組の男と、新婚ほやほやのカップルが織りなす、コミカルな不倫の話でした。グリーン版のスクリューボールコメディ——そして、そのオリジンがヨーロッパにあることを示した——とでも呼ぶべきもので、最初から手の内を明かすことで不穏さを演出し、笑いが次第に重層的になっていくのが見事でした。ケラリーノ・サンドロヴィッチが舞台にしないかな。

「悔恨の三断章」や「見えない日本の紳士たち」は、グリーンの分身ふうの作家の一人称によるスケッチですが、唐突な日本人グループの利用といった技においても、人間観察のユニークさにおいても、後者が一枚上手でした。

表題作がスクリューボールコメディふうだったほかにも、「旅行カバン」*「ショッキングな事故」といった作品で、ユーモアがより前面に出てきているのが、この第三短編集の特徴でしょう。「旅行カバン」は不条理劇を思わせる、異常が正常になった状態で終始するユーモアが不気味なのに対し、「ショッキングな事故」は、落下してきた豚のために首を折って死んだという、どうしても、まともに聞いてもらえない父親の死因を抱えた主人公の、苦労のほどが笑いの種でした。ひとつの異常な状況が徹底することで、笑いを生んでいくのは、ルーティンともいえる手法ですが、その粒の立て方はさすがのもので、結末に、この形のハッピーエンドを持ってきたのも、口当たりのよい仕上がりになった一因でしょう。

しかし、第三短編集で表題作と双璧となるコメディは「諸悪の根源」*です。父から聞いた、その父の話という枠組みで語られる、前世紀ドイツでの騒動です。些細な問題を手ばやく解決するために、ちっぽけな隠し事を図ったところ、その企みの歯車が、少しずつ狂っていき、大騒ぎになってしまう。ソフィスティケイトされた「ご主人を拝借」が、エルンスト・ルビッチとするなら、こちらはスピーディで豪快なハワード・ホークスでしょうか。にもかかわらず、作品の背後——そしてサゲにも——プロテスタントへの皮肉な眼差しという、達者なコメディとは別のグリーン印が刻印されていました。

『最後の言葉』は、もともと、グリーンの落穂ひろい〉の趣があったので、*Complete Short Stories* に初収録の作品と、区別する必要はあまり感じられません。

先に、アンブラーはグリーンが書いた短編スパイ小説をひとつだけとしたことに触れましたが、実際はそうでもありません。「英語放送」（「英語のニュース」）は第二次大戦中の一九四〇年に書かれました。開戦直前に渡独した数学教師が、捕らえられ、英語の対英プロパガンダ放送を強要されている。イギリスで放送を聞いている人々からは非国民あつかいです（東京ローズですね）。その中には、彼の母親や妻もいました。やがて、彼の妻は気づきます。ふたりだけの約束事である暗号を使って、夫が何かを告げようとしていると。荒唐無稽さはないものの、やっていることはジョン・バカンとそう差があるわけではない。うっかりすると、当時のハリウッドのスタジオでさえ通りかねない巧みなメロドラマでした。もうひとつ*「秘密情報機関の一部局」（「情報局の一部署」）は、ミシュランのようなレストラン評価ガイドの調査員を装ったスパイの話という、まあ『ハバナの男』に近いファースです。イギリスの片田舎にパラシュート降下して、あっという間に村を占領したドイツ軍を、ひとりだけ捕まりそこなった（ウサギを密猟するために隠れていたのです）老人が、かつて参戦したボーア戦争の続きと思い込んで、ひとりで全滅させてしまうのが*「中尉が最後に死んだ――一九四〇年の勝利」です。スパイ小説というわけではありませんが、戦争冒険小説のファースでした。のちに書かれる『鷲は舞い降りた』の先取りのパロディの趣もあります。それだけ、ドイツ軍が舞い降りることがリアリティを持って恐れられていたということでしょう。

「エッフェル塔を盗んだ男」は「私にとって、エッフェル塔を盗み出すこと自体は、さほどの難事業でもなかった。誰にも気づかれずに元に戻す方がよほど大変だった」という冒頭の文章が、すべてを語っているような、ナンセンスなホラ話でした。同じホラでも『〈新パパイラスの舟〉と21の短篇』にも採られた「拝啓ファルケンハイム博士」は、その死を信じることで存在を疑えなくなるという、グリーンらしい苦さがまぎれようもなく貼りついていました。独立直前のケニヤを舞台にした「戦う教会」にも、苦いユーモアがありますが、こちらは、イーヴリン・ウォーの『黒いいたずら』や「アザニア島事件」に近いものがありました。

「最後の言葉」は、近未来を舞台にした、最後のキリスト教徒となった最後の教皇が、幽閉を解かれ、将軍と相まみえるという話でした。人が宗教を必要としなくなった、未来のありえない世界を淡々と描き、それでも、このオチになるところが、グリーンでした。この作品といい「ある老人の記憶」のエッセイスタイルの嘘八百といい、グリーンがミステリの技巧を含めた、様々な手練手管を用いてストレイトノヴェルを書いていたことを、ことさら意識させるのが、彼の短編の特徴でしょう。そして、それは短編だから読み取りやすいだけのことで、長編においても、実は同じことが起きているというのが、私の考えです。

3　ブリティッシュ・クライムストーリイの先駆

一九五〇年代のある時期、日本では、アンドリュウ・ガーヴやジュリアン・シモンズを「新本格」と呼んでいたことがあって、そのことが、小さくはない混乱をもたらしたように、私には思えます。謎解きミステリを多く書いたニコラス・ブレイクを一まとめにすることもあって、なおのこと混乱に拍車をかけた感がありました。実際は、そのころイギリスで活躍の目だったミステリ作家という以外には、作風として共通する点はなく、ガーヴの長編の多くは、瀬戸川猛資が呼んだように「軟派の冒険小説」という言葉がぴったりですし、シモンズはクライムストーリイを提唱しました。

もっとも、日本語版EQMM時代に翻訳されたジュリアン・シモンズの短編は、大半がフランシス・クォールズを探偵役とするパズルストーリイでした。短かいものが多く、エドマンド・クリスピンやマイケル・イネスのところでも出てきた、犯人当て問題と紙一重のシンプルな謎解き掌編です。「神かくし」「讃うべし、シェークスピア」「XX―2事件」「サンタクロース・クラブ」（これはやや長い）といったものが、それにあたり、「隠れた手がかり」はミステリマガジン九六年十二月号掲載（この号のショートショート傑作集は、この他に、アリンガム、クリスピン、クロフツ、イネスと、イギリス産の名探偵による短かい犯人当てが並びました）ですから、いつの時代でも、雑誌としては使い勝手が良いのでしょう。しかし、目を見張らせるようなものはありません。

クォールズを主人公とする作品には、「ウィンブルドン・テニスの謎」や「グランド・ナショナル・レースの殺人」といった、比較的長めのものもあります。前者は中編と言ってもいいでしょう。テニスと競馬というイギリス人に人気の競技を背景にした謎解きミステリで、「ウィンブルドン……」は、それに加えて、流行のスパイ小説風味もあるという、いかにも商業的な趣向に満ちています。しかしながら、一通り読ませるという域は出ません。

やはり、シモンズはクライムストーリイに目を向けるべきなのでしょう。

「お茶と唇のあいだ」「殺人への八分間」は計画犯罪の遂行を、サスペンスフルに描くという点で共通していて、混じりっ気なしのクライムストーリイという感があります。前者は宝石強奪、後者は、仲間を裏切る証言をする法廷が開催されるまで、イギリスに逃げてきているアメリカのギャングを、追いかけて殺すという話です。ともに、些細なことから計画が狂っていき、最後には失敗に終わります。気の利いたサゲが用意してある前者より、計画の歯車が狂っていく過程そのものを描くのに専念した後者の方が、仕上がりは見事でした。これが「ドーヴァー街道で拾った男」になると、意外性を仕組んでやろうという手つきが見え透いて、あまり買えません。シモンズの短編を読んで感じるのは、少し複雑な綾になると、筆が及ばないことです。奇妙で不可解な人間関係は思いつけても、その奇妙さ不可解さを描き伝えるだけの巧みさには欠ける。

「街の野獣」は、一時期シモンズが得意としていた青少年ものです。大人をものともしないヨタ者の少年たち、リベラルなところのある主人公、「目には目を」で強く出ないとつけあがると自警組織を提案する脇役と、型どおりながらもそれぞれの立場と、そこに生じた事件が、各人の言動に綾をもたらす。ここでも、それぞれの人物造形が、ありきたり以上のものにならないもどかしさがあります。同じようなことは、男女間に生じた機微を描くときにも言えます。

「情事の終りに」は、ふとしたことから浮気癖のついた人妻が、漫然と浮気を重ねていくうちに、本当の恋人と呼べる男に出会って……という話ですが、彼女の親友ジェーンならずとも、彼女の行く末は見通せるばかりか、ついでに親友の正体も見通せそうです。むしろ、「モイラ─車を愛した女」の、夫への不満の象徴として自動車を持ってきたところに新鮮さを感じますが、やはり、型どおりの結末が待っていました。

人間関係が炙り出す綾の凄味という点で、注目に値するのが「餌食」という一編でしょう。子どものころの過失から、妹を一生車椅子生活に追いやったヒロインは、自分の結婚などあきらめ、妹の面倒を死ぬまで見る覚悟でいます。ところが、文通から男性と知り合えると焚きつけるおせっかいな人がいて、内緒で試みてみると……という話。シャーロック・ホームズの中の一編の陰惨な変奏とでもいうべき作品で、確かに佳作ではあります。しかし、この結末は、かえってヒロインの悲劇性を薄めているでしょう。シモンズには小説に綾をつけるという点において、何か大切なものが欠けているように思います。

シーリア・フレムリンは、MWA賞の長編賞を獲った一九五八年の処女作『夜明け前の時』が、早い時期に翻訳されたものの、後続の紹介がなく、『夜明け前の時』も文庫化がずいぶん遅れた(三十年後でした)ので、日本では不遇の作家だと言っていいでしょう。『夜明け前の時』を日本で評価していたのは、各務三郎ひとりだと思いますが、短編の翻訳についても、ミステリマガジンに太田博が関わるようになってから始まりました。『夜明け前の時』はニューロティックなドメスティックサスペンスの秀作と評価が定まっていますが、短編に関しては、さらに幻想小説・怪奇小説寄りにシフトしたものが訳されました。

ミステリマガジン初登場は六七年十月号の「揺籃」です。しろうと作家の同人発表会に突然参加した奇妙な男に、周囲が戸惑いながら、奇怪な状況に陥る話でした。「階上の部屋」は、二階の物音という単純な設定を活かした（ヒロインの読みかけの小説の一文の使い方が巧みです）サスペンス小説ですが、結末に到ってリアリズムから逸れてみせる。「翼の音が……」や「千の太陽の冷たさ」に到っては、幻想小説以外の何物でもないでしょう。むしろ七一年八月号、恒例の〈幻想と怪奇〉特集で訳された「家のなかに何かが」が、幻想小説と見せて、実はニューロティックサスペンスで、そこがヒロインの救いになっていました。「ベビイ・シッター」は、子どもを家において外出する不安を抱えたヒロインに、追い打ちをかけるように、不信感をつのらせるような外国人（イギリスの話ですね）のベビーシッターがやって来ます。オチは二択のうちの穏やかな方でした。

ミステリマガジンで紹介されたフレムリンには、ふたつ秀作があります。「こわがらないで」*は、『夜明け前の時』以来の、子育てによるフラストレーションをモチーフにして、母娘関係の機微を巧みに描いて秀逸でした。母と娘の関係というのは、フレムリンにとって鍵となるモチーフで、重要なところで顔を出します。**「いつまでも美しく」**（「永久《とわ》に美しく」）は、ヒロインが、永遠の美を保証するという、いかにも怪しげな医者を訪れるところから始まります。夫が、若いだけが取り柄の「お馬鹿さん」に首ったけなのです。対抗するには、自分も若く美しくなればいい。にしても、この医者は見るからに怪しい。悪魔との契約のパターンかと読者は考えながら読み進み、あっという間に、意外な展開の末、思いもよらないオチ（オチそのものは、予想する人もいるかもしれませんが、そこから導かれるものが、思いもよりません）がヒロインにめぐってきました。読者は彼女と含み笑いを共有することになります。

九〇年代に入って『夜明け前の時』が創元推理文庫に入り、二〇〇〇年には短編集『死ぬためのエチケット』も翻訳されました。原著刊行は一九八四年のこの短編集は、リアリスティックなサスペンス小説やクライムストーリイから成っていて、そういう意味では、ミステリマガジンとは異なったフレムリンの貌《かお》を示すものでした。

原著の表題作となった巻頭の「死ぬにはもってこいの日」は、欧米でも十年以上、日本では二、三十年は時代を先取りした、老々介護の悲劇ですが、ここでも母娘関係の話でした。訳書の表題となった「死ぬためのエチケット」は、分不相応なパーティに夫婦で出席した女性が、席上で夫に突然倒れられて、いたたまれなくなるという話です。もともと夫には上流階級に食い込んでやろうという下心があった上に、女主人は親切にして優雅で、ますますいたたまれなくなる。渋くユーモラスなイギリス人の諷刺的な自画像と思いきや、ミステリになることで、この場合は失敗していると思います。

もっとも、ユーモアというのは、この短編集の特徴的な側面のひとつでもあります。なんの変哲もないサスペンス小説だった「逞しい肩に泣きついて」は、脱力もののオチを迎えますし、「悪魔のような強運」や「博士論文」は、それぞれ、ユーモラスな筆致のクライムストーリイとサスペンス小説でした。「すべてを備えた女」の後半は、ユーモア小説以外の何物でもありません。そうしたフレムリンの持つユーモアが生きた秀作といえるのが「夏休み」*と「ボーナス・イヤーズ」*のふたつのクライムストーリイです。とくに前者は終始笑いっぱなしの怪作です。後者は結末の在り方が、きわめて個性的で、「いつまでも美しく」やこの作品のようなオチは、人の心持ちの微細な部分への嗅覚が独特としか言いようがありません。シーリア・フレムリンの一番の特徴は、そこのところでしょう。

4　規格外のアメリカ作家――パトリシア・ハイスミス

パトリシア・ハイスミスはアメリカ人ですが、早くにヨーロッパに移住し、むしろ、かの地での評価の方が高いと指摘する人もいました。事実、ドイツ語の翻訳版が、英語版に先んじて出版されたこともあるようです。作品的に、ヨーロッパで生きるアメリカ人を描くことも多く、もともと、小説の発想や書き方もアメリカ人らしからぬところがある。

そもそも、ハイスミスは評価の難しい作家です。日本においては、まず「見知らぬ乗客」「太陽がいっぱい」といった巨匠による映画の原作者として知られ、にもかかわらず、その原作が翻訳されるのに、十年ほどの月日がかかっている（両作とも初訳は七〇年代に入ってから）。しかも、それらの邦訳が出たからといって、評価が定まったかというと、そうでもありません。相変わらず、名画の原作者という位置づけでした。日本で積極的に読まれるようになったのは、『ふくろうの叫び』の翻訳が出たあたりからではないでしょうか。アメリカにおいても、その評価には曖昧なところがありました。秀れたクライムストーリイを書き、EQMMの本国版には定期的に短編を発表していたようですが、本人がサスペンス小説と呼ばれるのを嫌っていたふしもある。

しかし、一九七〇年代をティーンエイジャーとして過ごし、当時のミステリマガジンでクライムストーリイの面白さを知った私にとって、ハイスミスは（ときにファンタジーが混じることはあっても）イーリイと並ぶ、クライムストーリイのエース作家でした。七〇年代半ばのミステリマガジンは、新作のクライムストーリイはルース・レンデルとジョイス・ハリントンが両輪で、そこにイーリイとハイスミスの旧作（ハイスミスは新作も）が加わるといった塩梅で、あとは年に一本エリンが新作を書いていました。その脇を固めるといったイメージで、マシスンやコリアの異色作家短篇集一派とラニアンやオハラの都会小説があったわけです。

ハイスミスの日本語版EQMM初登場は、六一年二月号の「趣味はスリル」でした。主人公は三十七歳の家族持ちのセールスマンですが、妙な趣味がある。面識のない女性（金持ちかプロフェッショナルな職業を持っている）の家を訪問する約束をとりつけ、会ったところで些細な盗みをするのです。シガレットケースとか指輪といったものです。その日もテレビで見た人類学者の女性にアポを取って会いに行く。ところが次の訪問予定者とかち合ってみると、それはかつて彼が盗みを働いた女性ジャーナリストなのでした。スレッサーなら、ここで終わるか、問い詰められて（彼女は彼の盗みに気づいていたのでした）手をかけてしまうところで終わるのでしょう。ハイスミスの刻印は、窮地に陥り殺人を犯した主人公のその後にこそ書くべきものがあるとしたところに、くっきりと押されていました。

「太陽がいっぱい」の原作が映画と異なり、リプリーが捕まらないままに終わることは、当初から知られていました。しかし、露見しないその在りようは、原作独特のもので、緻密さに欠け、ある意味だらしない犯行が、だらしないままにヌケヌケと見逃される。原作同様にリプリーが捕まらない再映画化「リプリー」でさえ持ちえなかった、それは、ハイスミス以外には真似ようのない個性で、乱歩の言う奇妙な味が、奇妙さを通り越して不気味さに到るかのような風情が、そこにはありました。そして、その個性は、短編にも見て取れるものでした。

「完全なアリバイ」は、恋敵を射殺する男の話ですが、相手の女性の性格の不安定さをまったく無視した都合よさに裏切られる形で、すぐに犯行が露見するものの、ありえない偶然からアリバイが成立し、さらに、ありえない偶然からそのアリバイが破綻しました。「カメラ・マニア」は、請け負った殺人の遂行直前に、旧知の女性に出会ってしまい、彼女が撮った写真に、標的と一緒に写ってしまいます。それは作ってはならない被害者との接点でした。「だれもあてにできない」は、別居中の妻を殺し、アリバイも囮の容疑者も用意したのに、死体発見の役を想定した、通いの家事手伝いの女が、流感にかかったことから、死体の発見が遅れてしまいます。以下、自分以外の誰かに、死体を発見させようと躍起になるものの「だれもあてにできない」という話でした。コミカルなタッチで、犯人の異常性は影を潜めていました。これらの作品は、犯行が意外な形で露見するという、アイデアストーリイの常道の範囲内でもありました。

「趣味はスリル」は、殺人ののち、主人公の人が変わっていくプロセスが異様ですが、それが、必ずしも説得力を持って描ききれているわけではありません。同様に、同僚に対する憎悪の塊のような郵便局員が、日記の中で次々と職場の人間を殺していく（その後、その同僚は死んでいるのだからと、いないもののようにあつかうのです）「憎悪の殺人」は、最初から主人公の異常性を提示することで、アイデアストーリイを脱しています。しかし、ひょんなことから、殺人犯となりえてしまった主人公のその後が、説明的な書き方になってしまっていて、大事なところで失速している。こうした作品は、ハイスミスらしさは見られるものの、その後、個人短編集に収録されていないのも分かる気がします。

六〇年代の作品を中心として、ハイスミスの短編を精選した感があるのが『11の物語』です。集中では「ヒロイン」が、もっとも初期の作品ということになるのでしょう。ハウスメイドから、望んでいた保母の仕事に移ることが出来たヒロインが、良くしてくれる雇い主の期待に応えようとしながら、その一心が極端な（あるいは病んでいる）ために、破局を迎えてしまうというクライムストーリイでした。「アフトン夫人の優雅な生活」（「ミセス・アフトンの嘆き」）は第十三回ＥＱＭＭコンテスト（六一年募集）の選外作でしたが、精神科の奇妙な患者という平凡な話でした。

巻頭の「かたつむり観察者」（「かたつむり」）や「クレイヴァリング教授の新発見」といった、ハイスミスのかたつむりへの偏執が、ホラーと結びついたものもあります。これはかたつむりにかぎらず、もっと広く、動物というか生き物への関心といった形で現われることがあります。「すっぽん」は「ヨットクラブ」とMWA賞短編賞を争った作品で、料理用に母親が買ってきたすっぽんに、生き物としての興味を持った男の子が、調理する母親に殺意を抱くという話でした。「からっぽの巣箱」（「からの小鳥小屋」）に到っては、正体不明の生物――最後まで不明のままです――が、夫婦の生活に闖入《ちんにゅう》します。これらの傾向は、のちに『動物好きに捧げる殺人読本』となって結実します。

『動物好きに捧げる殺人読本』は、各編それぞれに異なる動物を主人公にしているという、コンセプトを前面に押し出した短編集です。巻頭の「コーラス・ガールのさよなら公演」（象）や「ゴキブリ紳士の手記」のような、動物の一人称による小説もありますが、それは、さすがに極端な例です。しかし、多くの短編で、主人公の動物は擬人化され、言語化された意識を持つかのように描かれます。たいていは、彼らに好意的な人間と敵対的な人間が現われて敵対的な人間に反逆する。同工異曲が多くなってしまうのは仕方ないとしても、他の作品集に登場する動物たちのような得体の知れなさや恐怖はありません。それを感じさせるのは「ヴェニスでいちばん勇敢な鼠」の持つ殺伐とした風景くらいでしょう。むしろ、復讐譚としては雰囲気がのどかと言ってもいい「駱駝の復讐」が、砂漠のレースという目新しさもあって、読ませます。作品も後半に到ると、動物と相対する人間の側にも異常さや残虐さを強く感じさせるものが多くなっていますが、ここで動物と殺し合う人間は、ヒトという生き物にすぎません。それらは、単に人間の側の因果応報であって、小説としても単調です。そんな中では、そのものズバリ題名通りの「空巣狙いの猿」*が、ユーモラスなクライムストーリイの果てに、とぼけた上に残酷な結末が効いていました。『動物好きに捧げる殺人読本』には、一編だけ他とは同列に出来ない作品があります。「ハムスター対ウェブスター」*で、これだけが、愛玩用のペットを題材として、繁殖する動物をモチーフとしたことで、コミカルで残虐な物語が、結果的にブラックユーモアに手がかかるところにまで到達していたのです。この作品は、ハイスミス最晩年の短編集のところで、もう一度ふり返ります。

また、こうした動物の拡張として、ある日突然、他の人には見えないらしい（写真に撮っても、自分にだけしか写っているように見えない）、サンドバッグを突っ立てたような無様な生き物がやってきて、ヒロインとの奇妙な共同生活が始まる「〝もの〟の魅力」*といった佳作もあります。

しかし、長編にも共通するハイスミスらしさと言えるのは、奇妙で箍《たが》のはずれた人物による犯罪を描いたときでしょう。

「恋盗人」（「待ち焦がれた男」）の主人公は、ヨーロッパからの恋人の手紙を待ってい（るようですが、実は、恋人だと思っているのは、彼の方だけらしい）て、郵便受けを毎日のぞいている。ふと、隣りの郵便受けに放置されている手紙を見つけ、盗んでしまいます。しかも、その一通は、隣人からの手紙を待ち焦がれているらしい女性からの手紙です。主人公が隣人になりかわって、その見知らぬ女性に手紙を書くのは、自分と他人の境界が曖昧な、ハイスミス得意の人物像でしょう。自分が待っている手紙そっちのけで、相手に希望を与え、待ち合わせの約束までする主人公が、彼女に見たものは何だったのか？　ハイスミスには珍しく明るいラストでした。

「愛の叫び」（「復讐」）は、同居するふたりの人間の殺意を描いた一編です。かつてミステリマガジンに訳された「偕老同穴」（「しっぺがえし」）という、やはり同居する似た者同士——殺人方法まで同じものを思いつくのです——が殺し合う一編もありましたが、ともに、相手から離れられない者同士なのを巧みに感じさせて、ハイスミスは、こういう不思議な綾のつけ方が出来る作家でした。逆に「野蛮人たち」のように、日曜ごとに裏の空地でキャッチボールに興じる粗野な男たちへの嫌悪と、そのあげくの暴力沙汰を直截に描いただけのものもあります。

『11の物語』の中で、ハイスミスらしい短編となれば、*「モビールに艦隊が入港したとき」と*「もうひとつの橋」の二編ということになるでしょう。「モビールに艦隊が入港したとき」は、眠っている男にクロロフォルムをかがせて逃亡する女を、混乱気味の彼女の回想をモノローグの形で交えながら描いていきます。題名になった「モビールに艦隊が入港したとき」というのは、それが、アメリカ南部に貧しく生まれた彼女が、もっとも幸福だったときなのですが、その幸福のいじましさが痛々しい。そして痛々しいままに、その幸せを誰にも知られることなく終わっていきます。「もうひとつの橋」はヨーロッパのアメリカ人という設定が、まずハイスミス印です。妻と息子を交通事故で一度に亡くした主人公が、ショックを癒すためにイタリアを旅行中、自動車に乗っていて、飛び降り自殺を目撃します。自殺者が気になる彼は、新聞で名前を知ると、遺族に金を送り、貧しい男の子を見るとアイスクリームを与えますが、そうした自らの事故の記憶を癒すための行いが、ことごとく現実的には意味をなさないどころか、悪い結果をもたらすのでした。

『11の物語』は一九七〇年にグレアム・グリーンの序文つきで刊行されました。訳書が出たのは一九九〇年ですが、多くの作品が、日本語版ＥＱＭＭやミステリマガジンで、それ以前に紹介されていました。その後、ハイスミスは七五年に『女嫌いのための小品集』を書き下ろします。ハイスミス作品のドイツ語訳を多く出版していたスイスのディオゲネス・フェアラークから、まずドイツ語訳版が出され、英語版出版はその二年後でした。邦訳の訳者あとがきの冒頭で、原題は『女嫌いの小品集』であると、わざわざ断ったこの小品集（実際、ショートショートというべき掌編が十七編収められた薄い本です）は、のちに『世界の終わりの物語』ともども「ハイスミスがある境界線を踏み越えてしまった作品集」と、若島正が評すことになりました。

巻頭の「片手」が、まず「お嬢さんをぼくにください、と若者がいった。娘の父親は箱を一つ贈った。中に入っていたのは娘の左手だった」と始まります。ぼんやり読んでいては、なんのことやら意味不明です。お嬢さんをくださいと言ったばかりに、不条理な目にあい気がくるってしまうという、青年のありえない悲劇。それがありえるのは、女性をものか何かのように「ください」と言ってしまったことが、ミソジニーとして責められる社会だからでした。この短編集は「女嫌い」を描いただけのものではなくて、「女嫌い」を社会が内包していると同時に、では、そんな「女嫌い」を単純に罰して、それで問題解決と短絡したときの無理と矛盾を、ともに描き出したものでした。続く「陽気な原始人ウーナ」と「男たらし」は、尻軽な女とそれを利用しつつ欲望のはけ口としか見ない男たちの関係を、救いのないままに摘出します。さらに、社会がそうしたものであることを前提に、そこで安楽をむさぼる女を描くのが「天下公認の娼婦、またの名は主婦」でした。さらに、「女は最初から男を尻に敷いてい」て、ウーマン・リブを「あの連中は、いったい何のために大騒ぎをしているのだろう」と考える主婦が、リブの大会に参加する「中流の主婦」では、混乱のうちに主人公の頭に缶詰めがあたって、彼女は死んでしまうのです。

これらをもって、イーヴリン・ウォーを連想するのは、いたって自然なことで、ハイスミスが諷刺作家としての領域に入ったことは明白でした。もっとも、邦訳の出た一九九二年には、ミソジニーとカタカナで書いて通用したとは思えません。「女嫌い」と訳されても、そこまでの含みを読み取るのは、困難でしょう。とてもではありませんが、そうした読み方など、私には無理でした。これが『世界の終わりの物語』になると、対象がミソジニーだけにかぎらないので、ブラックユーモアであることが明白でした。

ハイスミス自身は『女嫌いのための小品集』を「ジョーク集みたいなもの」と言っていますが、それはそれで誤解を招くでしょう。ま、質《たち》の悪い冗談と言ってしまえば、そうなのかもしれませんが。ハイスミスの諷刺作家、ブラックユーモア作家としての弱点は、理論に無関心あるいはそもそも忌避感があるらしいことです。それでなくても、もっとも楽な現状追認と紙一重の存在な上に、その楽な側に落ち込むおそれがあるのが、ブラックユーモアというものです。この短編集で言えば「小公女」など、単なるアンファンテリブルでしかなくて、これを加えることで一冊全体の趣向が損なわれることに、おそらく気づいていないでしょう。それでも、本書でブラックユーモアの書き手として歩み始めたハイスミスは、やがて『世界の終わりの物語』で大きな毒の華を咲かせることになります。

パトリシア・ハイスミスの『風に吹かれて』は、七九年にまとめられた短編集で、七〇年代に書かれたハイスミスのクライムストーリイが中心になっています。内容的には『11の物語』の延長にあると言っていいでしょう。とはいえ、巻頭の「頭のなかで小説を書いた男」は、題名のとおり、死ぬまでに、頭の中でだけ十四冊の小説を書き上げ、出版することはもちろん、原稿としてさえ残さなかった男の、短かい話でした。それ以外にも、「池」のようなホラーや、シュールレアリスティックな幻想譚である「島へ」といった、クライムストーリイではない作品も含まれています。「木を撃たないで」は、近未来の原子力テクノロジー万能の時代に、突然、天変地異が襲いパニックが起きるSFでした。

そうした、ハイスミスの多彩な抽斗を示すものの中では「ネットワーク」*が出色の出来です。七六年の作品ですが、主人公はニューヨークに住む、五十八歳で病気療養中の会計事務員です。医療給付を受けることで、働かずに生活が出来ていますが、職場からは復帰を求められる一方、他の会社からの誘いもある。しかし、彼女は同時に、多様な職種のニューヨーカーたちから成るネットワークの世話人として、その連絡係の役割を果たしているのでした。彼らは生活や仕事の上で、互いに便宜を図り合うことで、ニューヨークでの生活を安全で——危険な街ですから——快適なものにしている、いや、それ以上に、そこで生きていく上で絶対に必要なものとしているのでした。そんなところに、あるメンバーの甥（正確には甥の息子）のグレッグが、家具のデザイナーになるためにやって来る。さっそく、メンバーのひとりが開くパーティで、みんなに引き合わせ、家具デザイナーの第一歩となる道筋へのコネを探し始め、それはすぐに見つかります。ただ、当の本人は、そういう関係にいささかうっとうしさを感じていて、自分の力だけでやれると考えているらしいのです。本書第二巻で紹介したクリストファー・ラ・ファージの**「プライドの問題」**が、第二次大戦前の東部上流階級内部のコネ社会を描いていたように、「ネットワーク」は七〇年代のニューヨークで、ホワイトカラーの中産階級として生き抜いていくために、やはり必要なものとしてのコネ社会の在りようを描き、その背景には、危険と隣り合わせの街という実態——グレッグがネットワークの軍門に下ったのは、立て続けに追いはぎと空き巣の被害にあったからでした——があります。登場人物の誰もが、自分たちのネットワークによる利便を、当然のものと考えて、最後まで微塵も疑わないことで、逆にグレッグが当初感じたはずの息苦しさにさえ慣れてしまう不気味さが出ていました。

クライムストーリイとは言っても、ハイスミスのそれが、一筋縄でいかないものなのは『11の物語』の「モビールに艦隊が入港したとき」や「もうひとつの橋」といった短編に明らかです。ホラーの「池」とともに、比較的早く邦訳が出ていたクライムストーリイは「ウッドロウ・ウィルソンのネクタイ」（「チボール蠟人形館」「大統領のネクタイ」）と「風に吹かれて」*そして「またあの夜明けがくる」*です。

「ウッドロウ・ウィルソンのネクタイ」はマダム・タッソーがモデルとおぼしき蠟人形館に通い詰めた男の話です。ある夜、こっそりと閉館後も居残り、ウッドロウ・ウィルソンの人形のネクタイを持ち帰ってしまいます。彼にとっては、血まみれの展示物の間を深夜に徘徊するのは、大きな冒険で、ネクタイはその冒険の証なのですが、それは他の人には与り知らないことにすぎないどころか、どうも、ネクタイの紛失にさえ誰も気づかないようなのです。彼がさらなる刺激を求めて計画したものというのは……。「風に吹かれて」の主人公は成功した経営コンサルタントで、半ば引退する恰好でメイン州に館を構え、一人娘はスイスの寄宿学校で学んでいます。ところが、隣人というのが代々の居住者で、土地も川の所有権も握って手放さない（おかげで釣りが出来ないのです）。おまけに、帰省した娘はそこの息子と良い仲になる。怒りが殺意に嵩じて……というクライムストーリイでした。両作ともに、犯行を隠す気がないどころか、死体を展示してしまう不気味さですが、「風に吹かれて」の方が、主人公のオブセッションが薄気味悪く、しかも、犯行に気づきながら沈黙を守る使用人が、これまた怪しくて、異様な人間による異様な犯行を粘っこく描くハイスミスらしさが出ていました。

「またあの夜明けがくる」は、両親による幼児虐待を冷酷な筆致で描いて、一級品のクライムストーリイです。一九七七年の作品ですから、ＥＱＭＭコンテストのところで読んだエリザー・リプスキイ「*慈悲の心」から四半世紀が過ぎ、事態は過酷さの度合いを増していました。ただし、この作品はウィンターズ・クライムに書き下ろされた一編でもありました。このアンソロジーのシリーズは、のちに重点的に読み返す予定なので、この作品もそこにとっておくことにします。

　これら以外の「奇妙な自殺」「ベビー・スプーン」「割れたガラス」といった作品も、犯行そのものよりも、犯行以後の展開がもたらす奇妙な人間像に焦点をあてていることで、ハイスミスらしさを見せていました。とくに推奨したいのが「*一生背負っていくもの」です。夫が留守中のある夜、押し込み強盗に遭遇した妻が、これを逆に殺してしまう。罪に問われることもなく、誰一人彼女を責める者もない。にもかかわらず、それまでの生活との違和感が、彼女が気づくところにも気づかないところにも、しこりのように残ってしまう。夫婦ふたりともに。結末の一文のほんのりと苦いこと、絶妙の一言につきました。

『ゴルフコースの人魚たち』は訳者あとがきに「純粋な意味でのミステリを集めたものではない」とあるように、クライムストーリイでさえないような短編も多く含まれています。表題作は、大統領の経済顧問の男が、狙撃された大統領をかばって負傷したことから、時の人となり、大統領からは豪邸をプレゼントされています。有卦《うけ》に入った彼は、さらに女性ジャーナリストに気をひかれている。豪邸でのパーティで彼女とのツーショットを撮られてしまい、それが妻には気に入らない……という話。最後に拳銃沙汰になるので、クライムストーリイと言えなくもありませんが、無理に言う必要はない。拳銃沙汰はあくまで結果であって、そこでの夫婦間の機微が眼目だからで、それを描くのに拳銃沙汰は必須ではありません。

「事件の起きる場所」はマスコミの寵児となったカメラマンを通して描いた、出版界と講演商売の関係の諷刺というか戯画でした。「クリス最後のパーティ」は、多くの俳優を育てた名演出家（とは明言されていませんが、たぶんそうなのでしょう）の最期を看取るために集まった、彼の弟子たちの話。ともに平凡な部類でしょう。「僕には何もできない」「残酷なひと月」「ロ*マンティック」は、対人関係をうまく築けない人々の素描という点で共通しています。三作とも、ハイスミスにしては毒がないというか、対象に同情的でさえあります。この中では、秘書の仕事先でしか男と出会う術のない若い女が、最初のチャンスで約束を反故にされ、待ちぼうけをくったことで、異様な形で自分ひとりの内に籠ってしまう「ロマンティック」が、その籠り方の異様さゆえに佳作となっていました。

「狂気の詰め物」は、ペット好きが嵩じて、死んだペットを剝製にしては庭のそこかしこに置いている妻に、主人公がうんざりしています。しかも、通信社の記者がカメラマンともども取材に来ることになる。そこで一計を案じて、かつての愛人（関係が発覚したときに妻が妊娠中だったので、泣く泣く別れたのでした）そっくりのマネキンを、剝製の中に紛れ込ませて展示します。「無からの銃声」はメキシコ旅行中の主人公（アメリカ人です）が、シエスタのさなか、町のど真ん中で少年が射殺されるのを目撃します。ところが、誰も警察に連絡を取ろうとしないばかりか、事件をないものにしたいようなのです。見かねた主人公が通報すると、警察は彼を逮捕してしまうのです。

「狂気の詰め物」の主人公が到る狂気も、「無からの銃声」の主人公が陥る異様な状況も、着眼点は不気味なのですが、ハイスミスの基準――といって、ハイスミス以外には書く人もいないのですが――で言えば、細部の説得力にやや欠ける。同じことは、この短編集全般に言えて、少々落穂ひろいの感なきにしもあらずです。

そんな中で「カチコチ、クリスマスの時計」は、裕福な主人公が貧乏な子どもに、ほどこしを与えたことから話が始まります。『風に吹かれて』の「ベビー・スプーン」に似た展開ですが、「ベビー・スプーン」の方が、ふたりの関係に綾がある。もっとも、そうした力関係のあるふたりというシチュエーションは、ウィリアム・オファレルの「その向こうは――闇」を想起させて、そうなると分が悪いのも事実でした。

クライムストーリイとして異色なのが「ボタン」*です。主人公は税理士ですが、申告の期限を目前にして、毎年多忙を極める時期です。彼の息子は知的障碍があって、意思の疎通も難しい。妻は仕事を投げうって、育児に専念しているのですが、彼にはストレスに満ちた生活です。顧客や同僚への不満やありとあらゆる生きづらさが、結局は息子の障碍のおかげと考えてしまうのを避けられない。あげく、彼は見ず知らずの人間を衝動的に殺してしまいます。そして、被害者の上着のボタンを、ポケットの中で握りしめる暮らしが始まります。犯行後の主人公の心の動きは、分かるようで分からない。少なくとも、そのおかげで障碍を持った子どもを受け入れられるというのは、無理があるというものでしょう。にもかかわらず、彼はそうかもしれないと思わせる。ハイスミスのクライムストーリイが、もっともブラックユーモアに接近した一編でした。

八〇年代以降のパトリシア・ハイスミスは、サスペンス小説やクライムストーリイという範疇には収まりきれない作品を残すことになりました。長編で言えば『扉の向こう側』がその代表だと、私は考えます。短編においては*「黒い天使の目の前で」が、それに相当するのではないでしょうか。邦訳では短編集『黒い天使の目の前で』と表題作になっていますが、原書はそうではありません。

この短編集も『ゴルフコースの人魚たち』同様、ミステリからははずれたものを多く含みます。それでも巻頭の「猫が引きずりこんだもの」は、宿泊客と四人でスクラブルをしているところに、猫が人間の指をくわえて帰ってくるという、ミステリの発端として魅力充分です。警察に届ける前に自分で調べてみようとするのが、イギリスを舞台にした効果で、はめていた指輪を手がかりに、被害者をつきとめる。過程はあっさりしすぎていますが、ディテクションの小説以外の何物でもありません。しかし、この指の持ち主（行方不明になっている）の関係者に接触したのちの展開は、どんどん通常のミステリからはずれていきます。犯行の暴露から犯人の処罰へと進まない。ミステリの常識を逆手にとって、奇妙な効果をあげていました。

「仲間外れ」は、先に触れた「ネットワーク」のグループの中に、みなから嫌われるような人間が紛れ込んだときを描いて、無邪気な残酷さに満ちています。ほとんど無意識に、ひとりをいじめ、死に到らしめるプロセスは、葬儀ののちにわずかな悔恨を各人の胸に呼び起こし、そして、そのまま元の生活に戻っていきます。これと同じことが、日本の学校でも起きているともいえるし、それが未解決のまま、よくある話になっている分、日本の現実はたちが悪いとも言えるでしょう。「わたしはおまえの人生を軽蔑する」の親子の断絶は、よりルーズな無関心で彩られた日本の現実を思うとき、対立のある分、正常であるようにさえ思えます。

「ローマにいる時は」のヒロインは、富豪の息子で官僚でもある夫がありますが、官僚夫人としての社交の役目にうんざりしながら、痴漢まがいにつきまとう男に悩まされています。シャワーを浴びるたびにのぞいてくるその男に、色目をつかうかのような挙に出てしまうのが、ハイスミスの面目躍如で、あげく夫を誘拐して身代金を要求すれば金になると吹き込むのです。「どうにでもなれ！」は、ふたりの女性とつきあいながら、秤にかけると一方に決めることの出来ない男が主人公です。ひょんなことから、郊外に安く家が手に入るチャンスを得ますが、そこに引っ越せば、ふたり掛け持ちは難しい。郊外暮らしは、ふたりとも好みそうだけれど、そうではないのかもしれない。決断できないまま、彼は最悪の手段を選んでしまう。ふたりを同時に下見に誘うのです。この二編に共通するのは、誰が考えても愚策としかいいようのない事態に、主人公が自ら飛び込んでいくところです。

　といったように、リアリスティックでありながら、異様な心理や納得いかない行動を、説得力を持って描いていくのが、晩年のハイスミスのひとつの特徴で、それが実を結んだのが「黒い天使の目の前で」です。主人公は老齢で介護施設に入っている母親の医療費に、毎年二万ドルもの金をかけています。もともと反りのあわない傍若無人な母親で、主人公は会いたくもない。実務は弁護士まかせです。しかし、ついに故郷の持ち家を売って、金を工面しなければならなくなり、シカゴからやって来たのでした。そして、そこで待っていたのは、長年にわたる裏切りでした。彼の母親はとっくに死んでいたのです。意外な事実（発覚の段取りが巧みなこと！）が判明してからの、裏切り者を裁く気がないのに、犯人たちが勝手に裁かれていく一方、それを冷ややかに見る、主人公の心の動きが出色です。結末の一文まで、巧みに語りおおせて、まずは晩年の一方の代表作でしょう。

5　イギリスのさらに周縁にて

日本でナイジェル・ニールが話題にされることは皆無と言っていいでしょう。おもに太田博時代のミステリマガジンでいくつか翻訳され、それらが入っていた短編集『トマト・ケイン』がフィーリング小説集の一冊として刊行されました。

初紹介は日本語版ＥＱＭＭ時代の「沼」（「池」）です。蛙を捕まえては剥製――しかも擬人化している。鳥獣戯画みたいな感じでしょうか――を作っている不気味な老人を描いていくうちに、さらなる怪異が老人を襲うという、怪奇小説でした。同じ怪奇小説でも「わが片隅《マイ・ヌック》」のように、ポルターガイストの描写に終始しながら、怖さ不気味さよりも明るさを感じさせるものもあります。これが「死せる笑劇のための木靴ダンス」になると、劇場が芝居をメチャメチャにするために暴れ出すという、不思議なポルターガイストもの（なんでしょうね、これも）です。日本でも何度か上演された「ノイゼズ・オフ」という、劇中の芝居が壊れていくという芝居がありましたが、あれの壊れる原因が怪奇現象ならこうなるというような、怪奇小説というよりスラップスティックコメディでした。

　ミステリに接近しているのが「ストロベリーのエッセンス」[*]と「クウォッギン叔父さんの葬儀」[*]のふたつです。前者は、三角関係の果てに、愛人に唆されて病気の妻に、果たして男が毒を盛るのかという一点で、巧みに話を運んで、最後まで緊張感が緩まない佳品でした。後者は、ヴィクトリア女王即位六十周年のその日、主人公の妻の叔父さんが死にます。幸いなことに生前覚えがめでたかった主人公は、遺言執行人に指名され、遺言状を預かっている。遺産も大半は彼の（妻の）ものです。ということは農場を分割相続のために整理する必要がない。葬儀に集まってきたクウォッギン一族に食事をふるまいます。集まった中のひとり、弁護士クウォッギン（弁護士事務所に勤めたことがあるだけですが）の挙動が不審です。案の定、遺言状が紛失しています。食事は終わりに近づき、あとは一族全員の関心事である遺言状を公開するばかり。ここで遺言状がないということになると、大勢の一族で財産は分割されてしまう。問いつめて、盗んだ遺言状を差し出す相手ではありません。そこで一計を案じた主人公の策略というのは……。主人公の意外な反撃が決まる楽しい一編でした。

『トマト・ケイン』という短編集は、おおざっぱにふたつの特徴を持つ短編群に分かれます。

ひとつは、ニールのスタイリッシュな面が出た作品です。
「『おお、鏡よ、鏡』」は、姪のジューディスを外の世界から隔絶したままに育てた（ジューディスの両親は亡くなっている）女のモノローグです。全体に童話のモチーフをちりばめて、ジューディスがすでに老いていることを暗示する、残酷童話でした。残酷な話を明るい筆致で描くのは「ジェイミーに捧げるハスの花」も同じで、四十代の知的障碍者ジェイミーが、周囲から笑顔で迎えられながら、悲惨な結末に到ります。「神様とダフニー」は、四歳のダフニーが神様の話を聞いた日の、信仰の始まりを描いたスケッチというべきショートショートですが、感覚的な象徴性を感じさせるところ、ミステリマガジン一九七一年九月号のショートショート特集を連想させて、太田博＝各務三郎好みの一編かもしれません。「風のなかのジェレミー」は、ぼくと短気なジェレミーの暴力まみれの道行ですが、ジェレミーは案山子のようでもある。ぼくと会話しますけどね。

　もうひとつは、粗野で暴力的な人々を描いたものです。それも、呵責のない冷徹な視線で。*「フロー」の老主人公の飼い犬に対する理不尽な暴力と後悔は、憎みながらも、その犬とともに生きていくしかなかった孤独と貧しさを、くっきりと描いていました。「鎖」の語り手は、廃品を再生させて安く売る商売ですが、そこで売っている鎖は、単なる貧しさを超えた語り手の過去を示すものでした。生涯を不平と憎悪を他人にぶつけることで生きてきたであろう老女の肖像を描いた「マンシーニ夫人」。*「カーフィーの子分」は、農場で働くカーフィーに隻眼で片足も傷ついたアヒルがなついてしまう。どこにでもついて来るのです。よちよち歩きのアヒルは、その愛嬌が周囲を笑わせるか、傷ついた姿が不吉な感じを与えるかです。カーフィーはアヒルを引き連れることで注目を浴びますが、彼が幸福だったのは、アヒルが彼の似姿であることに気づくまでのことでした。

これらの作品は、多くが田舎というか、イングランドでさえない、英国の中の周縁部を舞台にしていることが多い。「海ぼうず」に出てくる人々の無知と迷信に対置され、彼らからつまはじきにされる、正しい情報を持った行商人でさえ、スコットランド人でした。それが、マン島というニールの出身のせいかどうかは分かりません。同様にあさましくもいじましい人間の肖像画である「ビニとベティーン」は、どこでもありうる芸人の話でしたし、「だれ？　おれですか、閣下」は、第二次大戦敗戦直後に連合軍を迎え入れるイタリアが舞台でした。表題となった「トマト・ケイン」「遠足」その他、ニールの出身地であるマン島を舞台にしたものの中にも、ユーモラスなものやほのぼのしたものもありますから、必ずしも、無知と暴力のみの世界ではありません。しかし、ロアルド・ダールの「クロウドの犬」のところで指摘した、ダールの無邪気さをニールに感じることはありません。そういう意味では、冷徹な作家の眼を持っています。

ニールには、マン島の方言を多用した作品もあるようですが、そもそも、そうした言語そのものとはまた別の、発想の部分で異質なものを感じます。ここで、同じように思い出すのが、第四巻のエドガー賞の殿堂のところで紹介した「選ばれたもの」（「選ばれた者」）のリース・デイヴィスです。この作家もウェールズという、イングランドから見れば異国のような場所の出身でした。

「選ばれたもの」もウェールズを舞台にしていましたが、やはり、ウェールズの小さな村を舞台にしたのが**「フクシアのキャサリン、絶体絶命」**（「キャサリン・フクシアのジレンマ」）でした。「選ばれたもの」や「ロンドンでお買物」と違って、この話には分かりにくいところは微塵もありません。ウェールズの小村で教会の掃除と毛織物工場での働きで身をたてているキャサリンは、村の成功者ルイスの愛人になっていたのですが、ある日、通ってきたルイスが彼女のベッドの中で死んでしまう。キャサリンは必死にとりつくろい、自分の家の前で倒れたルイスを助けいれたところで息絶えたと、苦しい説明をでっちあげますが、村の誰もが否定できないものの、信じているとも思えない。おまけに、ルイスの遺言状が開かれると、彼女に大金が遺されている。

意地悪な人間観察――「重大な事実は弁護士事務所の中でさえ、そうそう誤魔化したりはできないものなのだ」――に裏打ちされた、意地悪な人間たちの意地悪な軽喜劇。大金が入ってきた喜びよりも先に、情事の露見が言い訳できないところにきたことに気がまわるところに、イギリス――というかウェールズというか――の小村の社会が垣間見えて、結末まで、ニヤニヤしながら読んでいる私も、まあ、意地悪な人間というカテゴリーから逃れられていないのです。

難解なもの平明なもの、どれをとっても手だれの業を見せてくれる、リース・デイヴィスの短編も、ナイジェル・ニールのように読めるようになってほしいものです。

第十三章　隣接ジャンルの研究（2）――隣りのSF

1　異色作家短篇集とSF

早川書房の異色作家短篇集については、これまでにも、何度か触れてきました。第一期のラインナップが、ダール、エリン、フィニイ、ボーモント、ブラッドベリ、コリアです。ダールはスリックマガジンの作家ですが、早くにMWA賞を受賞し、コリアに次ぐクライムストーリイの作家と目されていました。先輩のコリアは、ニューヨーカーなどで活躍し、ファンタジーからクライムストーリイまでこなす、芸域の広い作家でした。このふたりのイギリス生まれの作家の対抗馬たりうるアメリカ人作家として、（スリックマガジンではなく）EQMMに登場したのがエリンでした。日本において、この三人に共通するのは、おもにミステリの読者・編集者が見つけ、ミステリの一種として紹介してきたという点です。しかし、他の三人は少々事情が異なります。まず、フィニイはハヤカワ・ファンタジイの第一弾として『盗まれた街』が選ばれ、『レベル3』もノスタルジックなファンタジーとして評価されました。ボーモントは、このラインナップの中では新人の部類ですが、ブラッドベリに次ぐSF出身のスリックマガジれもしないSF作家なのでした。そして、ブラッドベリは『火星年代記』の邦訳がすでに出ていた、押しも押されもしないSF作家なのでした。

ハヤカワ・ファンタジイ（のちにハヤカワ・SF・シリーズに移行します）やSFマガジンの創刊が、都筑道夫と福島正実のふたりの手でなされ、より積極的であったのが、SFが専門の福島正実ではなく、都筑道夫の方だったことは、両者が書き残しています。すでに日本でのSF出版は、先行する失敗例があり、それがために、慎重に戦略を練ったことは『未踏の時代』や『推理作家の出来るまで』などに記されています。科学小説色を脱し、日本語版EQMMが開拓した、翻訳ミステリの多様性に慣れた読者を巻き込むことを想定する。そのために、あえてファンタジイと名乗り、『盗まれた街』や『火星人ゴー・ホーム』といった作品から始める。そうした戦略を併せて考えると、異色作家短篇集第一期の他の三人は、SFの側から見ても、中心からははずれた異色作家といえます。

異色作家短篇集の第二期のラインナップは、フレドリック・ブラウン、ロバート・ブロック、ジェイムズ・サーバー、リチャード・マティスン（マシスン）、ロバート・シェクリイ、マルセル・エイメです。よりSF色を強めています。ブロックは、のちにホラー作家の貌《かお》を鮮明にしていきます。マシスンにも、そうした傾向はありますが、ブロックよりも職人的であると同時に、腕前も上でした。フレドリック・ブラウンとロバート・シェクリイは、現在でもSF作家と呼ぶことに異を唱える人はいないでしょう。ブラウンと世界SF全集で巻を分け合ったのが、シオドア・スタージョンで、異色作家短篇集第三期のトップバッターを務めました。ついでに書いておけば、第三期のラインナップは、以下、ダフネ・デュ・モーリア、レイ・ラッセル、ジョルジュ・ランジュラン、シャーリイ・ジャクスン、そしてアンソロジーです。

余談ですが、異色作家短篇集は誰の企画だったのかというのは、実ははっきりしないところがあって、当時の早川書房には都筑道夫、福島正実、小泉太郎（生島治郎）、常盤新平といて、どうも、各人が寄り集まってやっていたように見えるのです。都筑道夫は第一期の刊行途中で退社しますが、『メランコリイの妙薬』は、本来都筑訳で出るはずだったもののようです。『キス・キス』の翻訳を開高健のところに持っていったのは生島治郎だと、本人が生前書き残しています。しかし、第一期のラインナップを見ると、都筑・福島が無関係とは思えない。第二期にサーバーが入ったのは、常盤新平の英断によるものと、訳者あとがきにありますし、第三期のジャクスンの担当は福島正実だったという深町眞理子の証言があります。太田博（各務三郎）は、異色作家短篇集、とりわけブラッドベリに魅せられて、こんな本を作りたいと早川書房を目指したと言います。大雑把に言って、太田博以前の編集者たちの総力によって、このシリーズは作られたと言っていいでしょう。

さて、異色作家短篇集、ハヤカワ・ファンタジイを経て、SFマガジンが創刊され、海外SFが定期的に紹介される足がかりが出来ました。それに連動する形で、日本人作家も活躍し、SFは一気に読者層を拡大していきました。私たちの一世代上くらい（具体的には亀和田武とか）からですが、翻訳ミステリファンを経ずに、直接SFの読者となる――原書を読んでファンとなった人は除外しています――層も出てきました。それは日本の読者層の中に、SFが浸透していく過程でもありました。事実、十代のころの私の世代は、ミステリファンよりもSFの読者の方が多かった気もします。しかし、それらSFのある部分は、ミステリの読者にもアピールするものであり、また、ミステリマガジンが積極的に紹介を担った作家をも含んでいました。これから、しばらく、隣接ジャンルとしてのSF短編を、ミステリの側からながめていくことにしましょう。

2　SF作家としてのレイ・ブラッドベリ

レイ・ブラッドベリの『火星年代記』が、長編として読まれているのか、連作短編として読まれているのか、正確なところを、私は知りません。私は連作短編集だと思っていますが、SFの世界での評価は、どうなのでしょう。『たんぽぽのお酒』を処女長編としている文章を読んだことがありますが、あれも短編を嵌め込んでみたり、その一部を短編として自選作品集にブラッドベリ本人が入れていたりしますから、長編と言っていいものやら。『華氏451度』でさえ、中編集あつかいらしいので、六〇年代までの作品で、確実に長編SFと考えられている――SFかファンタジーかという議論は脇に置くとして――のは、『何かが道をやってくる』くらいのものでしょう。これはSFとハードボイルドに共通する特徴ですが、パルプマガジンの連載や初出の作品が多く、そのため、長編が連載ないしは分載を意識したエピソディックな構造になることがしばしばです。アイザック・アシモフの『銀河帝国の興亡』でさえ、第一巻にはその刻印が刻まれています。逆に言うと、『火星年代記』のように特定の主人公を持たない連作という行き方は、やりやすいとも言えます。

『火星年代記』は、おそらくは独立して発表された短編群に、短編ともいえないような長さのスケッチ——場合によっては説明的な文章——を巧妙にはさみ込んで、文字どおり火星のクロニクルを書いたものでした。ひとつひとつの短編に、それほど驚くものはありません。むしろ、今回読み返してみて、火星のことを描いている気がしないのに驚きました。地球人があまりにも地球と変わりなく火星で生活しているとか、火星人と地球人の交流がテレパシーで行われるにしても、こんなに簡単にいくものだろうかと疑問を持ったりでした。たとえば「地球の人々」は、地球人と火星人のすれ違いを描いた、愉快で悲劇的な話ですが、このとおりにコトが起こるとは思えない。分かりやすくお話として通じるようにしましたという手つきが、どうしても見えてしまいます。このあたり、さすがに半世紀以上昔の作品で、その間に、他の惑星を探索することのリアリズムを、こちら側が見聞しているのが、大きいようです。

ブラッドベリの火星とは、むしろ、もう少し象徴的な意味というか、地球人の何かが露になるための装置のように見えます。火星探検隊の内紛を描いた「月は今でも明るいが」にしても、火星そのものに向かい合うというよりも、それを契機に、地球での歴史の過ちをくり返すのかという意識が前面に出ています。「空のあなたの道へ」*に到っては、南部の黒人奴隷が契約を振り切って集団で火星へ移住するという、地球側の話です。つい最近（二〇一八年四月十六日）、金明秀という社会学者が、ツイッター上で、差別を愉しむことしか出来ないのは、被差別者に寄生しているようなものだと喝破していましたが、「空のあなたの道へ」は、その寄生ぶりを見事に描き出していました。もっとも、この短編は、現在『火星年代記』からは省かれているようで、文学的成果の政治的決着としか言いようがありません。

『火星年代記』に先立つ第一短編集 *Dark Carnival* は、しばらく収録作の邦訳が出ませんでした。版元がアーカムハウスで、本国でも入手が難しかったようです。ブラッドベリが成功したのち、その中から十五編を選び改稿した上、近作を増補したものが五五年にアメリカで出版され、さらに十年後の六五年に、邦訳が出ました。『10月はたそがれの国』です。実は私が初めて読んだブラッドベリは、この短編集なのですが、まったく面白いと思わなかったものです。まあ、十代に読んだときの評価はあてになりませんが、しかし、ほとんど同じころに読んだ**「戦争ごっこ」**や「*黒い観覧車」には、たいへん感心しているのです。幻想と怪奇の小説の系譜でブラッドベリを取り上げたとき、『10月はたそがれの国』を無視して『黒いカーニバル』を重視したのは、そのときの判断をもとにしています。

ブラッドベリの短編については旧・奇想天外一九七四年八月号のレイ・ブラッドベリ特集に付された、小鷹信光（またしても！）によるリストが便利です（唯一の欠点は、邦題から引けないことでしょうか。数が膨大なので手間がかかるのです）。これによると『10月はたそがれの国』に増補されたのは、「こびと」「マチスのポーカー・チップの目」（「アンリ・マチスのポーカー・チップの目」）「熱気のうちで」「ダッドリー・ストーンのふしぎな死」（「ダドリイ・

ストーンのすばらしい死」）の四編です。「こびと」の他人のコンプレックスを覗き見する陰惨さや「熱気のうちで」の這うような暑さが人を狂わせるところ、ブラッドベリには、こういう側面があることを知る価値はあるでしょう。しかし、本音を言えば、「こびと」よりはフレドリック・ブラウンの*「笑う肉屋」、「熱気のうちで」よりもマージェリー・アリンガムの*「ボーダーライン事件」の方が、巧妙だと私には思えます。「マチスのポーカー・チップの目」や「ダッドリー・ストーンのふしぎな死」は、ともに、芸術家サタイアで、コリアの*「夜だ、青春だ、パリだ、月も照ってる」やイーリイの「スターリングの仲間たち」といった作品を——とりわけ前者を——連想させます。ただし、宇野利泰とは合わなかったようです。前者が『万華鏡』という自選短編集に入ったとき、中村融のよりくだけた訳文で読んで、そう感じました。

Dark Carnival からの収録作は、怪奇小説が多く、死をモチーフとしたものが目立つのは、ブラッドベリの一面が現われている一方で、アーカムハウスの色合いでもあるのでしょう。「つぎの番」や「小さな殺人者」のような凡作もあって、首を傾げなくもありません。総じて凝った書き方が裏目に出ていて、そうした文章が翻訳で強調されてしまっているように思います。もっとも*「みずうみ」のように、そうした書き方が成功している例もあるので、なかなか一概には言えない。けれど、平明至極な*「大鎌」が、抜群の迫力と同時に、自分の運命を甘受せざるをえない主人公の孤独な境遇を、あますところなく描いたのを読むと——ひとりの人間がセカイの破滅を担うとは、こういうことだと思いますけどね——文章家ブラッドベリという評判を、あまり意識しない方がよいのではないかと考えます。むしろ「アンクル・エナー」の、

ヴァンパイア家庭小説（同傾向の作品を書いたジャック・リッチーと比べて、一枚も二枚も上手です）とでも言うべき、肩の凝らない楽しさが際立っています。

『刺青の男』は、連作の枠組みの作り方に見られるように、まだ、ファンタジーの短編集であることが、求められていたようですが、次の『太陽の黄金《きん》の林檎』では、もはや、SFとかファンタジーとくくる必要はなくなったようです。また、ブラッドベリ自身が、それを望んでいたらしいことも、以前、書きました。それでも、日本で紹介に努めていたのは早川書房であり、SFシリーズに入ることで出版されました。後年、SF文庫ではなくNV文庫に一度は入ったのは、アメリカでの評価とのギャップを埋める試みだったのでしょう。

『メランコリイの妙薬』は異色作家短篇集に入ることで、さらに異なった生き延び方をしました。もっとも、この短編集は変幻自在な作品集といった趣で、特定のジャンルに閉じ込めることが出来ません。集中の五編は都筑道夫訳ですが、その中の「火龍」「イカルス・モンゴルフィエ・ライト」は、翻訳家都筑道夫が苦心に苦心を重ねたあとが見て取れます。ただし、その苦心が実を結んでいるかどうかは、また別の話で、私には、これは原文で読まないかぎり、魅力が分からないのだろうなと思わざるをえません。

巻頭の「穏やかな一日」*は、プレイボーイにピカソのデッサンを挿絵に掲載されたそうですが、ピカソを挿絵に使うというアイデアが先行していたのかもしれません。しかし、見事なスケッチで、この作品そのものが、名匠のデッサン画といった趣がありました。

初出がEQMMだった「誰も降りなかった町」は、大陸横断列車に乗っていた旅するセールスマンが、誰も降りるあてのないような、小さな町の駅に、気まぐれで降り立ちます。予想どおり町には何もありませんが、不思議な老人が彼を待っていたと話しかけてきて……アメリカの途方もない広さを背景にした、アメリカのどこかからは生きて帰れないことがあるという、くり返し書かれるモチーフの変奏でしたが、対決のサスペンスが見事でした。

こうしてふり返ると、そもそも、ブラッドベリはSFやファンタジーの短編が主流というわけでもないことが、改めて分かります。ですが、日本でもそのように遇されるには、『たんぽぽのお酒』が晶文社から出版された一九七一年を待たねばなりませんでした。同書は〈文学のおくりもの〉のトップバッターとして出版されたのでした。

3　フレドリック・ブラウンのSF短編集

ミステリとSFの両方に手を染めた作家のうち、その双方でともに認められた人を数え上げるとき、真っ先にあがる名前のひとつが、フレドリック・ブラウンでしょう。日本での評価は、むしろSF作家としての方が高く、長編は数が少ない上に、おびただしい数の短編が訳されていることもあって、長短どちらかに偏っての評価ではありません。とはいえ、異色作家短篇集の『さあ、気ちがいになりなさい』が、SF、ミステリ双方の秀作を集めたものだったように、ジャンルを超えて奇妙な小説を多く書いた作家というのが、ブラウンに対する評価ではないでしょうか。ちなみに『さあ、気ちがいになりなさい』収録の十二編のうち、ミステリに分類されるであろうものは「ぶっそうなやつら」[*](「危ないやつら」「危険な連中」)「町を求む」[*]「沈黙と叫び」[*](「叫べ、沈黙よ」)の三編です。もっとも、「帽子の手品」なんて、どっちに入れていいやら悩むと思いますが(『天使と宇宙船』に入っているのでSFにしておきました)。

ミステリの短編集としては『真っ白な嘘』『復讐の女神』の二冊があり、それを中心にした作品群は、本書第三巻で読みました。ここではSF短編を読んでみることにしましょう。

第一短編集の『宇宙をぼくの手の上に』を読んで、まず感じるのは、長い作品が多いということと、ミステリを思わせる論理的な展開の妙が目立つという二点です。たとえば「一九九九年」(「一九九九年の危機」)は日本語版EQMMにも掲載されたことがあります。嘘発見機が絶大な正確さを発揮し、プロの犯罪者がほぼ完全に逮捕されてしまう未来社会の、少々パロディ化されたスーパー私立探偵が主人公です。どう見ても有罪なのに、完璧なはずの嘘発見機を逃れる容疑者が続出しているというのです。結末はブラウン流の、アイロニカルなハッピーエンドでした。これなど、SFミステリと呼んで構わないでしょう。そして、この文章からも思い当たる人もいるかもしれませんが、アルフレッド・ベスターの『分解された男』と似た設定です。ただし、嘘発見機というメカニズムが人の心を素通しにするというブラウンのアイデアと、超能力者による捜査網が犯罪を完全に抑止するというベスターのアイデアの間には、越えがたい質の違いがあるように私は思います。科学の延長としての機械が社会をコントロールするという発想と、超能力という夢想の産物の下で実現した、ありえない秩序という発想の違いです。後者の方が、圧倒的にダイナミックではないでしょうか。また、このふたつの小説には、犯罪者＝悪い人間は更生させて真人間にすることが出来るという、共通した発想がありますが、その発想の持つダイナミズムも、ベスターの方が上のように私には思えます。同時に、悪い人間が犯罪を起こし、良い人間は犯罪を犯さないという二分法そのものが、現代では疑問視され、これらの作品の発想を、いささか古めかしいものにしています。しかし「一九九九年」が単なる更生であるのに対し、古めかしさを持ちつつも、いまなお『分解された男』が感動的なのは、ファンタスティックなまでに、あるいは象徴的なまでに、悪は善として再生しうると描いてみせたためではないでしょうか。『分解された男』のような、何十年に一度という傑作と比較するのは、そもそも酷かもしれませんが、ブラウン作品には、しばしば、そういう発想の軽さが見られることは否めません。

「一九九九年」ほど、直接的にミステリであるわけではありませんが、「狂った星座」（「夜空は大混乱」）もミステリの構成や発想を思い起こさせます。天空の星座が一斉に動き始めるという、とびきりの冒頭です。いったいなにごとが起きたのか？　と、これを謎ととらえて、それを解明しようとする人々を描くのですから、ミステリ、それもディクスン・カーばりの不可能興味に、かなり近い。もっとも、そうした書き方のおかげで、読む側も論理的というか現実的になってしまうところはあって、すべての星が勝手に動き始めるのは都合が良すぎるから、地球で観測する側を錯覚させるトリックがあるのだろう、といった予感が生じるのは避けられません。それでも、主人公がその発想の転換に成功するきっかけには、論理のアクロバットめいた膝を打つところがあって、解決が脱力ものなのが、ブラウン流の軽さのためと、私のように考えるか、それをユーモラスととるかは、判断が分かれるかもしれません。もうひとつ目を向けておきたいのは、全地球規模とでもいった多元描写が出てくるところです。これも、ブラウンにしばしば見られる特徴です。

『宇宙をぼくの手の上に』で衆目一致する秀作は「緑の地球」（「緑あふれる」）「ノック」*（「ノックの音が」）そして、ブラッドベリ流のスペースファンタジーをブラウンが書いたらこうなるという「星ねずみ」といったところでしょう。「シリウス・ゼロは真面目にあらず」*（「不まじめな星」）の愉快なホラを愛する人もいるかもしれません。広告や映画という、当時のアメリカの花形産業の金にあかした傍若無人さを、ＳＦの世界に投げ込んだところ、「狂った星座」と一対と言えます。

『宇宙をぼくの手の上に』には、ブラウンらしい、ユーモラスで少し箍《たが》のはずれた発想の妙が見て取れます。ですが、初期短編集におけるブラウンの特徴が、さらにはっきり分かるのは、次の『天使と宇宙船』を読んだときです。

『天使と宇宙船』は、短編の間に、書下ろしのショートショート（ブラウンはヴィニエットと呼んでいるようですが）をはさんだ構成になっています。「唯我論者」も、そのひとつです。それぞれ気が利いてはいますが、驚くようなものはないというのが私の判断です。

巻頭作の「悪魔と坊や」（「最後の決戦《ハルマゲドン》」）は、いかにもブラウンらしい作品です。奇術好きのハービー坊やは、お気に入りの水鉄砲をポケットの中で握りしめながら、今日こそは手品のタネを見破ってやろうと、舞台上のマジシャンを食い入るように見つめています。ところが、ここで魔術を披露しているのは、実は本物の悪魔で……という話。基本アイデアがブラウンらしいという他に、なおブラウンの特徴がふたつ見て取れます。ひとつは、あるひとりの人間の肩に、人類や世界や宇宙の破滅がかかってしまうというパターンであるということです。そして、語り口が、しばしば作者の一人称とでもいうべき、語り手の存在を暗示するかのような三人称になっているのです。

この短編集随一の佳作は「*ミミズ天使」（「天使ミミズ」）で、これまた衆目の一致するところでしょう。これはブラウンの短編の中でも長い方で、中編と言った方がいいかもしれません。主人公に降りかかって来る奇妙で脈絡のない出来事を、丁寧に描いていき、その脈絡のなさに脈絡を見出そうとするところ、ミッシングリンクテーマのミステリを思わせます。第一短編集のところで指摘した、ミステリふうの展開が、ここではとりわけ活きています。そして、謎めいた脈絡なさが臨界点に達したところで、破天荒な真実が現われる。この破天荒さはブラウンらしいのですが、単に破天荒だからというだけでなく、もともと、ハードウエアとして書物を見るところがブラウンにはあって、そこがブラウンらしさでもあるのです。それが、もっとも前面に出ているのが「諸行無常の物語」（「*エタオイン・シュルドゥル」）で、活版の組版を熟知していないと書けない話です。代表作「うしろを見るな」（「後ろを見るな」）にも、その影を見つけることが出来ます。書物というと、ほとんど必ず、それを人類の英知の蓄積と見る（としか見ない）ブラッドベリと好対照と言えます。

もっとも、「ミミズ天使」で露になった真相は、破天荒かもしれませんが、大山鳴動の気味もあって、やはりアイデアとしては軽い。まあ、あまり深刻にならないユーモアが特徴とも言えるでしょう。「ウァヴェリ地球を征服す」（「電獣ヴァヴェリ」「ウェイヴァリー」）も、電気が使えなくなることで起きる文明の逆行が、さして人類の負担になっているようには見えない。ユーモアと言えば「気違い星プラセット」（「狂った惑星プラセット」）の状況設定の狂いっぷりを、愛する人もいるかもしれません。私もそのひとりです。ただし、ストーリイ、描写、語り口といったレベルで、その基本アイデアが活かされてはいないところに、やや不満がありす。これだけ異様な星の出来事を描いているなら、もう少し異なった方向にも、その異様さが出てもよいように思うのです。

「不死鳥への手紙」は、ブラウンには珍しい一人称の短編ですが、時を超越したこの語り手は、普通の人間とは言いがたい。そして、ここまであからさまではないにしても、他の三人称でも、こういう話者に近い語り手がいるかのように思うことが、しばしばあります。また「不死鳥への手紙」は〈狂うこと〉についてのブラウンの特殊な妄執が、表に出ていることでも、目をひきます。ここでの「狂う」という言葉は、多分に文学的というか、ブラウンの主観的なものなのですが、これが『宇宙をぼくの手の上に』に入っていた「さあ、気ちがいに」（「さあ、気ちがいになりなさい」）になると、事が違ってくる。この作品は、精神病を真っ向から取り上げた一編でしたが、転生というものが実在すれば、精神病の意味合いが一変するという、ある意味途方もない作品です。もっとも、実際にそれが起きたときには、もうちょっと混乱がありそうに思わせる――こんなふうにすっきり割り切れるとは、とても思えません――のは、やはり、現実の複雑さの前にはアイデアの軽さ浅さが目立つ。四〇年代はニューロティックサスペンスが流行していましたが、結局のところ、病質をリアルにとらえようとしたものほど、古びてしまうのは、仕方のないことです。また、この作品を、創元推理文庫版の二十一世紀に入ってからの版で、私は読みましたが、統合失調症の訳語が使ってあって、印刷面の感じは、あとから直したように見えました。専門用語の訳語をアップデイトすることは必要でしょうが、四〇年代のお話に統合失調症という言葉が出てくるのは、私などは異様に感じます。

「スポンサーから一言」*は第三短編集の表題作ですが、奇妙な作品の多いブラウンの中でも異色の一編です。地球全域において、ある日の午後八時半に、ラジオから「スポンサーから一言」と声がして、すぐに「戦え」と、本当に一言だけメッセージが発せられるのです。その場で喧嘩になろうとしていた人たちが、逆に喧嘩をやめてしまうという、アイロニーがブラウン流ですが。世界じゅうのラジオで、その地域の時間で八時半きっかりに、このスポンサーからの一言が、流されたのです。世界規模の多元描写が、もっとも活きた一編です。物語の大半はアメリカの大統領が、各界の第一人者に、この事件について諮問する、そのやりとりだけを連続して書いていきます。いったい何が起きたのか？　誰の仕業で、なんのためか？　といった謎解きの姿勢だけで物語が駆動していく（またしてもミステリぽいですね）わけですから、明晰ではありますが、事態の不気味さは薄められています。ただし、それらの疑問に答えが与えられないまま、結局何が起きたのかという一点のみが確認されて、話は終わります。そういう意味で、ミステリとして破格でもありました。

この短編集でもショートショートが多く、短編のヴォリュームがあるものでは「鼠」（「ねずみ」）「最後の火星人」「かくて神々は笑いき」（「イヤリングの神」）といった、憑依による異星人の侵略というパターンが目立ちます。風変わりな侵略（生まれてくる子どもを女の子ばかりにして、人類を絶滅させる）パターンと、それに対抗するために、米ソのパイロットカップルが、その影響の及ばない月へハネムーンに行って子づくりをするという「地獄の蜜月旅行」（「地獄のハネムーン」）――なんか、どういう話か書いているだけで、バカバカしくも愉快な気がします――は、侵略パターンと見せかけて、大ボラ噺になっていく。私としては宇宙版のスクリューボールコメディを期待しましたが――そうなっていたら「宇宙のニノチカ」と邦題をつけたい――まあ、無理というものでしょう。

これまでにあげた、ブラウンSFの特徴を、もう一度思い出してください。

三人称であっても、語り手の存在を思わせるナレーション。世界的規模の多元描写。人類や地球といった巨大なものの運命が、ある個人の肩にかかってしまう。事件を追っていくミステリ的な展開。運命や真理といったものが、あるメカニズム（それは、場合によって、ひどく個人的だったり、単純だったりする）によって決定される。

こうした特徴の集大成として結実したのが、一九五五年の『火星人ゴー・ホーム』のように、私には思えます。

ただし、フレドリック・ブラウンのSF短編の最高傑作――それは私だけの考えではないと思うのですが――は、上記の特徴があまり見られません。人類の運命が主人公の戦いにかかっているという一点だけでしょうか。ほぼアクションの描写だけで小説は進み、ユーモアも影を潜めています。どこでもありえない謎の空間で、異星人と対決させられるという、不条理な出来事を冷静な筆致で描くことに終始したこの短編は、驚くほどの迫力で読む者を最後まで引っ張っていきます。鮮やかな青のイメージが効果的な、攻撃と反撃のシンプルな冒険小説でもある。にもかかわらず、最初のふたつの短編集には収録を見送られ、『スポンサーから一言』にようやく収められました。初出からは十年以上が経過していました。

その短編は「闘技場*」。

フレドリック・ブラウンの『未来世界から来た男』は、一九六一年にまとめられた短編集ですが、第一部SFの巻と第二部悪夢の巻の二部構成で、ショートショートが多くを占めています。以前「報復宇宙船隊」(「報復の艦隊」)を、ティーンエイジャーのころの初読時に、すでに失望したと書きました。第一部に入っていますが、読み返して苦しいと感じるのは、アイデアの中核=事態の真相を、学者の推測の形でしか書けていないところです。にもかかわらず「報復宇宙船隊」は一九五〇年の作と、比較的旧作に属していて、第一部のショートショートの中では、ましな方でした。直近二〜三年間に書かれた多くのショートショートは、落語の小噺ほどの軽さで、一編の小説として読むには、つらいものがあります。それでも、第一部の最後を締める「おしまい」(「ジ・エンド」)くらいまで徹底されると、ただ愉快なアイデアだけがそこにあるという風情が、面白い落語のまくらを聞いたときのような魅力に近く、かつ、フレドリック・ブラウンの名が残ったのは、こうしたアイデアだけ突出したショートショート群の力が与っていたことも事実でしょう。雑誌にぽつんと、こういう作品が載ると、アクセントになり、目立ちもします。しかし、同時に(とくにSFの場合は)、アイデアの目新しさ珍奇さに比して、そのアイデアを生かすための状況や人物の設定の仕方、その描き方が、どうしてもステロタイプというか単調になってしまう。それはショートショートにかぎらず、やや長い短編作品——「未来世界から来た男」「おれとロバと火星人」(「おれとフラップジャックと火星人」)「漫画家とスヌーク皇帝」(「漫画家」)といったマック・レナルズとの共作や「不死身の独裁者」(「存在の檻」)などにも、あてはまっています。

第二部の悪夢の巻は、いま読むと、その大部分が、短編ミステリの範疇に入りうるものでした。そして、率直に言って、こちらの方により秀作が多いように思いました。第一部が二十世紀発明奇譚というショートショートの連作から始まっていたように、第二部も「〜色の悪夢」という題名で統一されたショートショートの作品群から始まります。そして、ショートショートがアイデア頼みである点は変わりません。第一部の「雪女」(「雪男」)と第二部の「緑色の悪夢*」(「緑の悪夢」)は、同工異曲とまでは言わないにしても、似た発想のアイデアです。背後には「男は強い」というマチズモが当然の当時の社会と、それをひっくり返してみせるという発想があります。しかし「緑色の悪夢」には、その通念からはずれた男の存在と、さらに、もうひとつ別次元での「男は強い」を揺さぶる発想があって、それは「雪女」には欠けているものでした。

「ばあさまの誕生日」（「ばあばの誕生日」）はクライムストーリイの、「死信」（「脅迫状」）はスレッサー流のアイデアストーリイの、ともに贅肉をそぎ落としたようなショートショートでした。集中のショートショートで一番の秀作は*「熊の可能性」（「クマんにひとつの」）でしょう。ありえない設定のファンタジーであるがゆえに主人公が陥った不安は、現実的な悲劇のファンタスティックな拡張でもありました。

最後に収められた三編には、とくに触れておく必要があります。*「いとしのラム」（「愛しのラム」）は、妻の帰りを待つ画家の夕べが淡々と描かれていきますが、この画家はなにがしかの屈託を抱えているらしい。その屈託が分からないまま、その画業を彼が認めていない、しかし売れっ子の画家（その家には主人公がうらやむ、明かり取りのための天窓があるのです）が、近所に住んでいることが知らされる。彼は妻を探しに外へ出ますが、彼の行動は読者には妙に偏って見え、何か知らされていないことがあるようです。終わってみればニューロティックなクライムストーリイなのですが、その姿が徐々に露になっていくところが読ませます。「悪ふざけ」は、人を驚かせるのが好きで、そのためのグッズのセールスをしている主人公が、床屋と組んで愛人をかつごうとしたところ……という話。スレッサーの書きそうなクライムストーリイですが、プラクティカル・ジョークの悪どさが生々しい。そして最後の「人形」*（「ギーゼンスタック一家」）です。どこからともなく手に入った人形を娘に与えると、家族そっくりのその人形は、やがて、家族の近未来を予言するようになる。気味が悪くなった大人たちは娘を説き伏せ、人形を手放そうとします。不気味な人形の正体は分からないまま、そして事態の全貌も分からないまま、不気味な結末を迎え、唐突に小説は終わります。

「人形」は、この短編集に入っている理由が分からないほど、一編だけ異質な作品です。「人形」ほどではなくても「いとしのラム」も「悪ふざけ」も、この短編集の色合いからは、はずれています。それは『真っ白な嘘』のときに感じた、ある種の生々しさに近い個性を宿していました。『未来世界から来た男』の最後の五編は、五三年作の「いとしのラム」をのぞいて、四〇年代の作品でした。分かりやすいアイデアで短かく書かれたショートショートではなく、こうした異様さ生々しさを抱えた短編を軸に、フレドリック・ブラウンの短編は再評価される必要があるように、私には思えます。

4　五〇年代短編ＳＦのエース――ロバート・シェクリイ

フレドリック・ブラウンと同様に、そのアイデアを評価されることで、短編ＳＦで人気を博し、日本のＳＦに影響を与えた点ではブラウン以上と目されるのが、ロバート・シェクリイです。ユーモアと発想の奇抜さを評価される点も、ブラウンに似ています。ただし、ブラウンよりは一世代下で、活躍も五〇年代からになります。ですが、四〇年代のアメリカ作家の活動は、同時代に日本に入ってくることはなかった（戦争してましたからね）ので、ブラウンとシェクリイが日本では、ほぼ同時に受容されることになりました。このふたりの名が並んであげられることが日本で多いのは、そういう事情も与っているのでしょう。

その第一短編集『人間の手がまだ触れない』は、いかにも五〇年代SFの短編集を読んでいるという気分にさせられます。巻頭の「怪物」からして、そうです。岩山で奇妙な浮遊物体を観察しているふたり組の描写から始まりますが、すぐに、彼らに尻尾があること、女房を殺すのが当たり前のようになっていることから、これは人間ではないぞと読者に分かる。エイリアンは人間が遭遇する客体として描かれるのではなく、人間を自分には理解不能な異生物として見つける主体として描かれるのです。このように、人間とは異なった価値観で生きている宇宙人を、シェクリイは描きました。「体形」のエイリアンは、様々な形に流動的に身体を変えられますが、強烈な階級意識が規範となって、それから逸脱するような変形は認められていませんでした。「専門家*」は、それぞれが自分の専門を持ち、それに機能を特化することで、各々が宇宙船の一部分になってしまうエイリアンが登場し、事故で失われたパーツを求めて、宇宙から来たであろう異生物（は地球人であるようでもあり、そうでないようでもあり、はっきりしません）を神とあがめ、細かく規定された長い手順の歓迎の儀式――しかし、かつて一度段取りをどこかで損なったらしく、それ以来、神の訪れが減っているらしい――で迎えました。こう書くとシリアスですが、小説で描かれるのは、ジェスチュアゲームではずれをくり返す場面の連続です。水が飲みたいと訴えている神様の面前で、水だけが避け続けられるのです。

短編集の表題作は当然のように、その題名が全体を象徴しうるUntouched by Human Handsが選ばれましたが、この作品は逆に地球人が主人公で、異星人の廃墟で食料を探す、餓えたふたり組の話でした。かの地の生物の食物は、自分たちにとって、果たして食なのか毒なのか？　その一点で右往左往する地球人の話と見せかけて……というのが、シェクリイ流でした。これら一群の作品の中では、生命体が宇宙船を構成するというアイデア自体も良く、その上、地球人側の主人公の決断に理想主義の明るさを見る「専門家」を買います。

こうした特徴は、単にシェクリイの個性というだけに留まらず、五〇年代アメリカSF――そして、そこに大きな存在感を示したギャラクシーに代表される、ひとつの傾向を表わしていると考えられています。すなわち、それ以前のSFが自然科学とその発展をフィクションの内に取り込んだように、社会科学の知見と発展を作品の内に取り込んだというのです。確かに、まったく異なった価値観倫理観を持った異星人から、地球人をながめるというのは、SFの持つ相対化する力を存分に発揮しうるものかもしれません。しかし、シェクリイ作品が書かれて半世紀が経ちました。そうした相対化の視点は珍しいものではなく、文化人類学は、それを現実の異文化間に適用することで、学問・思想としての知見をもたらしました。その上でシェクリイの第一短編集に立ち返ると、そこに登場するエイリアンは、単に地球人の価値観と対立しやすいように、逆算しただけの存在に見えることも確かでした。「人間の手がまだ触れない」は、エイリアンと地球人が直接はコミュニケーションを取らないことで、かろうじて異生物に接近する危険を描くことが出来ました。その点が、比較的巧みに出来ている「専門家」さえ、後半、地球人が出てきてからは、展開がいささかご都合主義に見えます。しかも、一見いろいろなエイリアンの価値観を描いているように見えながら、そこに共通するのは種全体の繁栄・進歩のために、個の自由を放棄した文明の姿でした。それは実際に二十世紀の地球の大問題であったかもしれませんが、相対化した視点とはいいつつ、それほど自由奔放な想像力だったわけではないのでした。

『人間の手がまだ触れない』には、こうした傾向以外の作品も含まれていて、そこで無視できないのは「幸福の代償」*「七番目の犠牲」*(「七番目の犠牲者」)でしょう。このふたつについては、のちに触れることにします。

ロバート・シェクリイの第二短編集『宇宙市民』は、うってかわって、宇宙に乗り出す地球人を描く作品が多くを占めています。もっとも、その分、平凡になったことは否めません。

巻頭の「名前のない山」は、惑星開発業者が星をひとつまるまる改造している――それがビジネスになっている――という話です。地球上の乱開発の宇宙版です。宇宙を舞台にしたSFでは、植民地主義が肯定されるか、それが社会の前提になっていることが多いので、よりあからさまに描けるとも言えます。主人公は改造中に惑星でトラブルに見舞われる一方で、クライアントからは納期を守るようせっつかれている。ＳＦに当時のアメリカ社会の感覚を、そのまま持ち込んでいて、それは同時代のスレッサーのクライムストーリイの行き方を思わせないでもありません。ただ、半世紀経ってみると、それだけの話の上に、その後の現実は、さらに巧妙な上に、テクノロジーそのものが事態や支配を複雑にしたり――遺伝子組み換え作物と種子法なんて、その最たるものですね――していて、この作品の古めかしさを助長することになりました。むしろ、表題作「宇宙市民」*の方が、監視社会へのサタイア――と呼ぶには、脱力しそうになるユーモアです。この作品はSpy Storyの別題もあり、ミステリマガジンに訳されたときには「スパイ物語」という邦題でした――から、一気に爽快なホラ話になっていて、愉快に読ませます。「触るべからず」*は、地球人とエイリアン双方から交互に描いた、異星人遭遇の話ですが、相手の宇宙船を乗っ取ったものの、微妙に文化が異なるので、思うように運転できないところがシェクリイらしく、また、その点から派生するアイデアで、交互に攻防を見せるところが、活劇的かつスラップスティック的でもあって、まず、一番楽しめる作品になっていました。

「触るべからず」と対照的なのが「時間泥棒」で、ここでは宇宙ではなく、時間の果てのいつともつかない時に、主人公は到達するのですが、主人公のアクションのひとつひとつが、抽象的にすぎるために、話を進めるための単なる段取りに見えてしまっている。宇宙空間であれば、アメリカ社会という基準があるために、それに従うことも逸脱することも可能なのでしょうが、時間の果てではそうはいかない。このあたりに、シェクリイの想像力の制約はあるように思います。「会計士」や「最後の戦い」のように、現実にある制度や思想を、意表をついたところで使ってみせることは得意でも、「愚問」のような作品は手にあまるようです。

面白いことは面白いのですが、いささか問題を含むのが「無から有」です。主人公の目の前に突然「A級万能機」という物体が現われる。実際、万能で、なんでも望みが叶うのです。しかも、魔法のランプと違って、要求の数にもかぎりがない。ただ、時折、どうやら本来の持ち主らしき人物が、それを取り戻そうと、いろいろな手段を講じてくる。それをかいくぐりながら、主人公は金や豪邸や不老不死を手に入れる。ところが、この万能機の本当の正体は……。このアイデアは出色で、見事なのですが、このオチになるということは、全体が犠牲者をひっかけるための詐欺——ないしは悪魔の契約のようなもの——となっていて、それでは本当は面白くない。ちゃんとしたサーヴィス（そうなると「万能機」というネーミングが、いささかアンフェアでしょう）で、まれに、主人公のようなカモがかかるという方が、リアルで残酷なのではないでしょうか。同時に、この短編は第一短編集の「幸福の代償」を容易に連想させます。それは地球人と異星人との交差をしつこく描き続けたシェクリイの、もうひとつの顔でもありました。

実をいうと、ロバート・シェクリイの名前が出るときに、必ず出てくる短編は、シェクリイの個人短編集（少なくとも邦訳のあるそれ）では読むことが出来ません。福島正実がSFマガジン創刊号の巻頭作に選んだ短編。「危険の報酬」です。

「危険の報酬」は、SFマガジン創刊号に掲載されたのち、世界SF全集の第三十二巻『世界のSF（短篇集）現代篇』に収録されました。さらに言うと、現代篇の中でも第三部「新しい波」の中に収められました。一九六九年——ニューウェーヴの騒動の渦中のことでした。少々脱線すると、大衆文化の多くは二十世紀の中盤には、アメリカが主導することになりますが、五〇年代の終わりから六〇年代にかけて、その対抗運動としての新しい波が、ヨーロッパから起こることになります。映画とSFが、そのもっとも典型的な例——他にも、ロック・ミュージックとか演劇とか、本当に多岐にわたりますが——で、フランスのヌーヴェルバーグと、イギリスのニューウェーヴです。ハリウッドとパルプSFという、たいへん分かりやすい仮想敵があったことでも、六〇年代を通じて本家アメリカの屋台骨を揺るがすほどに猛威をふるったことでも、共通しています。同じ時期に、ミステリも、似たような、そして、マグニチュードの面ではさらに大きな体験をします。イアン・フレミングのジェイムズ・ボンドが引き金となった、スパイ小説と冒険小説の大流行——その主要な担い手の多くはイギリスの作家でした——です。これが単なるブームとしてとらえられ、映画やSFのように「新しい波」と意識されなかったのには、相応の理由があると私は思いますが、いまは、このくらいの脱線でとどめておきましょう。興味のある方は雑誌フリースタイル通巻四十五号に載った、杉江松恋との対談「短篇ミステリとは何か」に目を通してください。

『世界のSF（短篇集）現代篇』の第三部「新しい波」は、以下のような構成でした。「危険の報酬」ロバート・シェクリイ、「誰が人間にとってかわられる？」ブライアン・W・オールディス、「次元断層」*リチャード・マティスン、「アルジャーノンに花束を」ダニエル・キイス、「交通戦争」フリッツ・ライバー、「終着の浜辺」J・G・バラードです。このアンソロジー全体が、そもそも年代順の配列になっていて、そういう制約もあって、新しい波＝ニューウェーヴとは必ずしも言えないかもしれませんが、それでも、黄金時代のSFを経て、実際に月面に降り立った人類が、これからのSFを模索する方向のひとつに、シェクリイの「危険の報酬」はあったのでしょう。

「危険の報酬」は、主人公のレアダーが、殺し屋に追われているところから始まります。そして、どうやら、その模様がテレビ中継されていて、なおかつ、視聴者の中から彼が助かるための手段を与えてくれるスポンサーも現われているらしい。生命をかけた追跡がショウになっている——しかも、視聴者参加のショウになっているのでした。この短編が疑似イヴェントものとして、初期の筒井康隆に影響を与えたであろうことは、容易に分かるでしょう。殺し合いが暇つぶしのホビーになる、あるいは、なくてはならない不気味な因習として生き残る（ジャクスンの「くじ」*ですね）というのは、ひとつの発想として、短編小説において、必ずしもユニークなものではありません。シェクリイ自身を見ても『人間の手がまだ触れない』に入っていた「七番目の犠牲」という作品があります。先ほど後回しにした作品ですが、殺人衝動を抑えられない人間が一定数出ることを不可避とし、それらの人々の間で、登録制の殺し合いの場を、社会が設けるという話でした。標的役と狩人役が交互にまわってくる——標的は返り討ちも可なのですが、圧倒的に不利に思えます——。しかも、防御のための監視を請け負う会社まで出来ているのです。

シェクリイに特徴的なのは、そうした負の衝動を社会が公認し制度の下に置こうとした、そんな社会を描いたことでした。「危険の報酬」がとりわけ目をひくのは、主人公がなんの取り柄もない平凡な人間であるがゆえに、危険にさらされることで大金をつかむチャンスが与えられ、それがショウになってしまっていることに加えて、その平凡な主人公を助けるという慈悲を与えるチャンスが、視聴者の特権となっていることでしょう。慈悲というものが、とてつもない偽善であるばかりか、それが金を払ってでも得る価値のある快楽であることを描き出したところに、この作品の最大のユニークネスはありました。

とはいえ——シェクリイの「危険の報酬」の美点を認めるにもかかわらず、この短編に、私がさほど魅力を感じないのも、また確かなことです。ひとつには、人が殺し合うことの持つ、これは表沙汰には出来ないという感覚が、シェクリイには見当たりません。イーリイの「ヨットクラブ」の前半の倦怠感と、それと対照的な結末が示す解放感。あるいは、ジャクスンの「くじ」が、「石を使う」と一言で表現した野蛮さを暗示する力。そんなものはマスメディアの前では捨象されると、シェクリイは考えたのかもしれません。しかし、果たしてそれだけのことだったのでしょうか？　そんな疑問を抱きつつ、シェクリイの『無限がいっぱい』を読むことにしましょう。

『無限がいっぱい』は一九六〇年にまとめられた、シェクリイの第四短編集です。初期の短編集に比べて、ヴァラエティに富んだ内容になり、またアイデアを生かす筆力が増しているように思える作品を見つけることが出来ます。そのもっとも顕著な例が「ひる」*でしょう。日本でもいくつものアンソロジーに採られている、シェクリイの作品でも有名なものです。あらゆる物質あらゆるエネルギーを分解吸収し、自らの肉体と化していくことの出来る、おそらく宇宙から飛来したであろう「ひる」。地面に接しているというだけで、地球を食べ続けるその怪物に、どう対処するか。その顚末だけを淡々と描いていく短編です。近年の「シン・ゴジラ」にしても、「ひる」の同工異曲とも言える作品で、怪物の正体を見極め、理詰めでその脅威に対処していくプロセスだけで、サスペンスに満ちた一編となっていました。

巻頭に配されている「グレイのフラノを身につけて」は、「ロマンスというものは、大都会では手に入れることの困難な商品である」という作中の一文が、すべてを表わしています。やはり第一短編集のところで後回しにした「幸福の代償」が、そうであったように、また「危険の報酬」が、そうであったように、資本主義の異様な増殖を仮想した一編でした。また、「七番目の犠牲」が、一部の人間が殺人者となることを容認することで、犯罪としての殺人を減らすという発想を、社会全体で共有したのに対して、今度は、人が殺意を抱いたその瞬間に素早くそれを察知しうるテクノロジーを得ることで、殺人を事前に防止するためのメカニズムを作ってしまうのが「監視鳥」でした。ところが、殺意が発生した瞬間にスピーディな対応をするため、鳥の形をした、しかも、殺意の形を自動学習し互いに連絡し合う――なんと二十一世紀的なことでしょう――監視鳥は、瞬く間に、生命を奪うあらゆる行為を取り締まるようになるのです。

こうして並べ上げると分かるように、第一短編集の「幸福の代償」「七番目の犠牲」あたりに見られた発想は、ディストピアSFの形で開花することになりました。それも、資本主義やメディア社会といった、二十世紀半ばのアメリカ社会を踏まえた上で、起こりうる未来を描いたものでした。その代表として「危険の報酬」は評価されたのではなかったでしょうか。この他に「幸福の代償」の保険社会をタイムトラベルテーマにからめた「倍額保険」にも、そうした傾向を読み取ることが出来ます。

ただし、それらのアイデア・発想の妙に比して、その展開の仕方は、あっさりとしていて、アイデアを思いついた瞬間に見通せる範囲を出ることがありません。また、「監視鳥」に明らかなのは、設定の甘さで、監視鳥が暴走する以前に、もう少し手が打てそうなもの——というか、プログラムがあまりに雑でしょう。監視鳥の暴走というアイデアを生かすために、展開が安易に堕しているのです。そうしたところにシェクリイの軽さと弱点があるように、私には思えます。シェクリイはアイデアストーリイだと評されることが、しばしばありますが、それはアイデアの奇抜さに比して、それを小説として仕組み展開する部分で平凡であることを示してはいなかったでしょうか。

しかし「ひる」のように、そうした弱点を克服し、見事な一編を作り上げることもないではありません。たとえば「颶起こる」*です。強風の惑星で一年間生き延びるという任務を与えられた主人公ふたり組が登場します。そこでは、強い風（戸外を徒歩で移動することなど、一切考えられない）にさらされた、登場人物の苦難だけが執拗に描かれ、そして、その執拗さゆえに、単なるアイデアを超えたセンス・オブ・ワンダーがあったとは言えないでしょうか。そして「風起こる」を読んで考えるのは、もはや「第一次地球大気圏外侵出部隊」とか「キャレラ第一星」といった設定など、不要なのではないかということです。彼らがどこにいて、何が目的なのかはどうでもいい。とてつもなく強い風に立ち向かっているという事実と、それを執拗に描くことこそが大切だったのではないか？　フレドリック・ブラウンの「闘技場」がそうであったように。

しかしながら、ロバート・シェクリイは、アイデアの作家として評価され、読まれていったようでした。七〇年代に入り、シェクリイはＳＦの第一線から離脱していきます。その道筋は必然だったように私には見えます。

私が初めて読んだシェクリイは一九七一年の夏。ミステリマガジン九月号のショートショート特集における「では、ここで懐かしい原型を……」でした。「必死の逃亡者」「変装したスパイ」「密室殺人」という三つのショートショートから成る、典型的アイデアをわざと硬直的に用いてみせた、愉快きわまりないサタイアでした。しかし、それはある意味で、シェクリイ自身を笑っていたのかもしれません。

5　P・K・ディックとミステリマガジン

二〇二〇年代に入ったいまの三十代の人々――もしかしたら四十代でも?――にとって、七〇年代までのフィリップ・K・ディックの評価の在りようは、想像を絶するのではないでしょうか。もちろん、当時から注目すべきSF作家のひとりではありました。世界SF全集には『宇宙の眼』が選ばれ、アルフレッド・ベスターとふたりで一巻でした。しかし、初期の長編は、いくつか訳されていたものの、いまひとつはっきりした評価がないように見えました。確かに、筒井康隆が『高い城の男』を評価していました。私の育った町の図書館には、たまたま『高い城の男』とエラリイ・クイーンの『帝王死す』が所蔵してあり、おかげで、七〇年代半ばの当時は入手が難しかった、このふたつを読むことが出来ました。しかし『帝王死す』とは異なり、どうにも良さが分からない――のちに浅倉久志訳が出る前の話です。六〇年代の長編で、間をおかずに邦訳が出たのは、これと『アンドロイドは電気羊の夢を見るか?』くらい。あと『火星のタイム・スリップ』と『逆まわりの世界』でしょうか。

もっとも、ディックの短編集を編んだジョン・ブラナーによれば、イギリスでもあつかいに大差はなかったようですし、アメリカ本国でも、不遇と目されていたようではあります。日本において、評価がドラスティックに変わるのは七〇年代も後半からで、サンリオ文庫が過去の作品をつるべ打ちに紹介し、そして映画「ブレードランナー」の公開が決定打となったように思います。SFは時々つまみ食いするほどの読者でしかなかった私は、『高い城の男』の失望もあって、手を出すのが遅れたクチですが、しかし、そのディック・フィーヴァーの前、七〇年代にいくつか短編を読んでいました。それらはミステリマガジンに訳されたものでした。

*「クッキーばあさん」は、手作りのクッキーに魅かれて、老婆のところに通う男の子の話です。別に何をするでもなく、老婆は男の子に本を読んでほしいと頼む。男の子の頭の中はクッキーのことでいっぱいです。その場で食べるばかりか、ポケットにも詰め込みます。ふたりの関係は自然なようでもあり不気味なようでもある。老婆は男の子が訪れたときだけは、若さを取り戻したような感覚が得られて、それがために男の子を待ちわびている。一方で、彼の両親は老婆のところに通うのを好まない。ついには、これを最後にもう来ないと、老婆に告げるよう男の子に迫ります。そして、最後のその日、やはり男の子はクッキーをもらい、老婆には力がみなぎって……という一編。

*「地図にない町」は、切符売り場に回数券を買い求めてきた客がいます。ところが、行き先を聞くと、そんな駅は存在しない。客はこれまで毎日、回数券を使って通っていると譲らない。路線図を使って自分で調べるようにいうと、その客が突然消えてしまう。ところが、しばらくすると、またその客がやって来て、またも同じように消えてしまう。不審に思った助役は、ガールフレンドとともに、謎の客が言っていた存在しない駅について調べ始めますが、そうするうちに、あるはずのない駅に降り立つことになる。かつて開発が予定され中止された町が、あ

りえたはずの形で現実を侵食していく。ちょっとフィニイを思わせないでもありませんが、結末の異常が日常に回収されていく不安定さが、ディックの持ち味というものでしょう。

こうした、SFというよりは怪奇小説の書き手として、ディックはミステリマガジンに多く登場することになりました。あるいは「変種第二号」*のように、まっとうなSFでありながらミステリマガジンで紹介されたものもありました。この作品はのちに「スクリーマーズ」として映画化されることで有名になりましたが、敵を倒すための殺人機械を作り出したのみならず、機械自身に自己複製や自己学習させることで、殺人機械が人間のコントロールを超えてしまいます。と、こう書けば「監視鳥」との類似はすぐにお分かりでしょう。しかし、「監視鳥」の甘さはここにはありません。劣勢の戦争を挽回するために開発した殺人ロボットという設定は、平時とは異なる危険な発明に説得力を与えました。その殺人兵器が、アンドロイドとしての変種を勝手に生み出し、人だかロボットだか分からなくなり、ついには、誰が敵で誰が味方なのかも分からなくなる。まことにディックらしい混沌が、しかも、冒険小説の結構に則って展開されます。「監視鳥」と「変種第二号」を比べる——とくに、アイデアの派生のさせ方を比べる——だけで、両者の小説家としての腕前の差は一目瞭然でしょう。

改めて、日本でも不遇だったころに、ミステリマガジンに邦訳された、フィリップ・K・ディックの短編をリストアップしてみましょう。カッコ内の別題は、のちに改題されたり、新たに出た翻訳のものです。

「建造者」七〇年六月号（「あてのない船」）
「植民地*」七〇年八月号
「クッキーばあさん」七一年一月号（「クッキーおばさん」）
「レダと白鳥」七五年三月号
「地図にない町」七五年八月号
「侵入者」七七年七月号（「ルーグ」）
「開き戸の向うに」七八年十月号（「ドアの向こうで」）
「変種第二号」七八年十月号

ついでに書いておけば、この間の旧・奇想天外にも七四年六月号に「グレートC」（「偉大なる神」）と七四年九月号に「輪廻の豚」（「ウーブ身重く横たわる」）の二編が訳されています。同時期にSFマガジンでの紹介も、ないわけではありませんが、ミステリマガジンの方が数が多い。ただ、あくまで、幻想・怪奇小説としてのあつかいで、「開き戸の向うに」「変種第二号」の二編が掲載された際も「P・K・ディックのホラーランド」と銘打たれていました。

もっとも、そういう区分は、必ずしも厳密なものではないし、読む側も、それに囚われていたとは思えません。ただし、それらの短編に、ディック独特の肌触りがあったことと、それがアピールしたであろうことは、間違いないでしょう。たとえば「建造者」は、巨大な船らしきものを、男が自宅で造っている。近所の人や知人はもちろん、家族にさえ、それがいかなる用途と目的を持つのか、はっきりしない。不条理小説めいた展開と語り口は、ミステリの中にあっても、SFの中にあっても、異彩を放つものでした。むしろ、「建造者」の場合は、このオチがつくことで、悪夢から醒めてしまったかのような肩透かしを受けたものです。「クッキーばあさん」の結末を暗示する力や、「地図にない町」の異世界が侵犯してくることが受け入れられてしまう不気味さは、前者はコリアやダールを、後者はサキを、私には連想させますが、類似点よりも、それがディックの個性とでもいうべきものになっていることが、重要であるように思います。

「植民地」は「変種第二号」と並んで、まごうかたなきSF短編の秀作です。顕微鏡に突然襲われるという発端が奇想天外で、何にでも姿を変えられる異生物というアイデアは、シェクリイにも類似したものがありましたが、植民地の先遣部隊である彼らが、ひとりまたひとりと殺されていく。反撃もむなしく、ついには、この星を放棄するばかりか、このまま帰還すると、この異生物を紛れ込ませてしまうおそれがあるという展開が、リアリスティックかつ斬新で、それを防いで、全裸のまま迎えの宇宙船を待つというのが、ユーモラスで秀逸なアイデアです。その果てにくるオチも見事で、むしろ、ディックらしからぬ職人的とも言える端正な一編に仕上がっていました。

これらの作品のいくつかは、一九七七年にイギリスでジョン・ブラナーによって編まれた、ディックの傑作選と重なっていて、ディックの評価を促す際に、日英双方で好短編と目されたということでしょう。サンリオ版のディックの傑作選は、ブラナーのものをいちはやく翻訳することから始まっていますから、ディック再評価の火付け役といっても過言ではありません。現在でもハヤカワ文庫SFのディック傑作集の第一巻『パーキー・パットの日々』として、ブラナーの傑作選は残されています。

*「たそがれの朝食」(「薄明の朝食」)は、同時期にSFマガジンで紹介された作品中の白眉でしょう。平和な家族の朝食の風景に、突如戦争が乱入してくるという不条理な小説です。自分たち家族だけが、戦場の真っただ中に放り込まれたようなのです。不気味な兵士たちと、その後に登場するポリックという人物。近い未来に起きた戦争のど真ん中に、自分たちが紛れ込んだことを知った主人公一家が、帰還を賭けて選択した結果は……。結末の含みが絶妙な逸品でした。

　高報酬の代償に、自分が働いた二年間の記憶を消去された男が、しかも、その報酬のかわりに、雑多ながらくたを選んでいたという、ミステリ顔負けの冒頭の謎と、そのがらくたが活劇の小道具となっていく「報酬」は、記憶の欠落を補う主人公のアクションで小説が進んでいきます。「パーキー・パットの日々」は、核戦争後の地球で、火星からの援助物資頼みの生活を送っている人々が、パーキー・パットという人形遊びに血道をあげている。停滞した文明の中、未来のなさをいじましい娯楽でまぎらわしている。ともに、その特徴がディックらしく、また、読ませますが、秀作と呼ぶには練度に欠けていました。

「たそがれの朝食」と並ぶのは*「フォスター、おまえ、死んでるところだぞ」で、核攻撃に対する防御が、一大産業になった社会のスケッチです。いつ始まるか分からない核戦争に備えて、次々とアップデイトされる防衛設備を購入するのが、消費者の務めとなってしまっている。主人公の少年は、父親が民間防衛組織に未登録の上、防御システムの分担金を納めていないため、学校のシェルターに入れません。敵の攻撃を受けたときの穴掘りや、非常時の逃走法などが学校で訓練される（少年は、訓練中にコーチから「死んでるところだぞ」と注意される）社会では、父親は非国民あつかいに近いのです。自分のささやかな事業に金をまわすため、同じく事業にすぎないものになっている、安全への出費を拒んでいる父親が、ついに折れる日が来ます。その顚末を描いた一編は、平穏な日常――が、SFとして書かれてはいるわけですが――の中で、父親の挫折を目撃してしまう息子の姿を描くという、ニューヨーカーあたりの都会小説に近い感触がありました。

フィリップ・K・ディックの作品世界は多岐にわたり、いまでは、その全貌に近いものが、日本語で読むことが出来るようになりました。

6　スタージョンのミステリ作家としての顔

フィリップ・K・ディック同様、シオドア・スタージョンも、日本での評価は曖昧なまま時が過ぎていました。長編も短編集も、翻訳の状況はそう悪いものではなかったのですが、積極的な評価は、あまり見られませんでした。『一角獣・多角獣』の新装版解説で、北原尚彦は、旧版が異色作家短篇集の中でも、入手困難なコレクターズアイテムになっていたことを、記していますが、端的に言って、それは旧版の市場流通が少なかった、つまり売れなかったことを示しているのでしょう。熱烈なファンはいたのでしょうが、広範な支持は得られていなかったというのが、実際のところだと思われます。

スタージョンのアメリカでの再評価は、九〇年代に始まったようですが、それに呼応して、今世紀に入って、スタージョンの没後二十年近く経った二〇〇三年に、若島正の編による『海を失った男』が刊行されました。ジェラルド・カーシュ、パーシヴァル・ワイルド、ヘレン・マクロイに続く、晶文社ミステリの中の、短編集のラインナップのひとつでした。これが呼び水となって、スタージョンの短編集が集中的に出版されることになるのですが、『海を失った男』の段階では、スタージョンの短編集を出せるのも、これ一度かぎりという覚悟のようでした。編者あとがきで、若島正は、スタージョンの短編集のうち『一角獣・多角獣』をベストとした上で、その中から、原著にはあって訳書では省かれた「ミュージック」という小品と、「ビアンカの手」「シジジイじゃない」（「めぐりあい」）の三編を採っています。*

「ビアンカの手」は、自身では満足に食事をとることも出来ない白痴の娘ビアンカの、しかし、まるでそこだけがビアンカとは別の生き物であるかのような彼女の両手に、主人公の青年が恋をし、ビアンカとその母親との、三人暮らしを始めます。訪れる破局は残酷ではあるけれど、ある意味平凡なものですが、そこに到るまでのしっかりした描写のこまやかさは、なみのものではありません。

「シジジイじゃない」は、〈シジジイ〉という、スタージョンが何度か用いたアイデアが、題名に来た一編です。ある日レストランで、主人公は、自分自身と何から何まで価値観が合うばかりか、名前さえ言い当ててしまう、ファンタスティックなまでに理想の女性と突然出会います。日ごろの彼からは想像も出来ない洒落た受け応えで、ふたりの仲は、一気に進むかに見えます。にもかかわらず、彼女の背後に別の男の影が見え始める。完璧なまでに調和していたはずのふたりの間に、なぜ、他の男が入り込めたのか？

『一角獣・多角獣』には、もう一編「反対側のセックス」という、シジジイをあつかった作品があり、同時にそれは、やはりスタージョンに時折見られる、双生児のモチーフをあつかったものでした。シジジイという状態が表わす、幾人かの他者の理想的な調和という発想と、それとはちょうど正反対のように、ひとつの個が双生児という複数の生命に分裂するという発想は、スタージョンの創作の中核を成すと言えるでしょう。『一角獣・多角獣』で言えば、その奇跡的な調和の実現を、ジャズバンドのアンサンブルに見出し、逆に、その見えないけれど完璧な調和に、それを構成するメンバーが耐えられなくなって殺人に及ぶ、クライムストーリイ「死*ね、名演奏家、死ね」（「マエストロを殺せ」）が、見事な出来でした。主人公のコンプレックスを、それと一言も触れずに、真相の奥に潜ませる。表に出るはずのギターを裏に回すことでバンドのスタイルを完璧にするという、主人公を苛立たせてもいたマエストロの正体は、そっくり主人公の立場にもあてはまり、自分がそうするのではなく、自分がそうされているということが、殺意の底にはあったのでしょう。見事な作品でした。『一角獣・多角獣』の中では、これと「ビアンカの手」、そして、人間の孤独を高い純度で取り出してみせた「孤独の円盤」*の三作を、私は買います。

なお、「シジジイじゃない」は『一角獣・多角獣』では「めぐりあい」という邦題ですが、『海を失った男』の若島正の解説によると、原文と比べてかなりの脱落があるそうです。しかも、この一編のみは小笠原豊樹ではなく、川村哲郎訳なのです。新装版には、これだけ訳者が別人であることや、でなければ、改めて小笠原豊樹が新訳を作ったといった記載もありません。これは重大な不備（ある図書館で、新装版の「めぐりあい」を小笠原豊樹訳と明記していた例もあります）ではないでしょうか。

スタージョンは、いまのミステリファンの間では、エラリイ・クイーンの『盤面の敵』の代作者として、有名なのかもしれません。しかし、かつて日本語版ＥＱＭＭに、いくつかミステリが掲載されています。「強盗アラカルト」は、主人公の娘が、オーナーの留守中のレストランを任されているところに来た客が、財布を忘れたと言い出します。折りしも、その界隈では強盗事件が多発していて、警官がすぐにやって来る。娘の機智が明らかにした真相と犯人は、ありきたりなものでしたが、そうした事件そのものもともかく、警察の温《ぬる》さ頼りなさが、二〇年代、三〇年代のかつてのアメリカふうでした。

「伯母さんを殺す方法」は、題名からも分かるとおり、陰険な暴君の伯母と甥の話――ある意味で、よくある話――ですが、スタージョンは、伯母さんの側から小説を組み立てました。彼女の目から見た甥は、気に入らないことだらけですが、それでも、日常生活で甥に頼っています。というのも、自分の鼻先で情を通じていた若い女中をあっさり首にしたのはいいものの、ある夜、階段で何かに躓いた彼女は、車椅子に座ったきりになったのでした。それから十一年。なんとも、不器用な方法で、甥は彼女が毎日聞いているラジオの故障をでっちあげ、新しいラジオと取り替えます。彼女はそれを自分を殺すための手段と見抜きますが……。主人公の性格が示すとおりの、ひねくれたクライムストーリイでした。

うってかわって「死者はダイヤルを回さない」は、怪しげな動きで警察に自分をマークさせては、その裏をかいて、逆に誤認逮捕で警察に煮え湯を呑ませるという常習犯と、主人公の刑事の対決です。脅迫を受けたと訴える女性の保護に向かった主人公は、件の悪党と出くわしますが、そこで女性にかけた電話のおかげで、彼女が殺されたときの男のアリバイを成立させてしまったのでした。主人公は、通俗ハードボイルド的なタフガイ警官で、その言動は、ストーリイ展開同様、いささか荒っぽくも平凡で、ハウダニット（錯覚トリック）との組み合わせが、これまた、ありきたり（しばしばあるのです）でした。

こうした、ミステリ作品は、凡庸なものですが、どれもスタージョンの生前に訳されたもので、ありていに言えば作品の選択を誤ったということでしょう。むしろ、クライムストーリイに、スタージョン流のファンタジーをからませた「特殊技能」や「心臓」といった作品の方が面白く、前者は超能力者の子どもというスタージョン得意の一席ながら、いささか脱力もののサゲが愉快でしたし、後者は主人公のオールド・ミスのタイピストという、一種のクリシェですらある設定を、巧みに使った小品でした。

没後に翻訳されたものでは、ハインラインのアイデア提供を受けたという「ニュースの時間です」が、怪作でした。ラジオ、テレビ、新聞のニュースを欠かさず、その間は家族の言うことにも上の空という男が、ある日、突然、自分の財産を整理して失踪してしまう。この小説の白眉は、新聞から文字が抜け落ちていくという卓抜な描写で、主人公の狂った世界を描いたところで、その後の精神科医が彼を追跡する展開と結末は、アイデアが生のままむき出しになっていて惜しい気がします。「ヘリックス・ザ・キャット」「君微笑めば」は、ヒトが人間以外の存在と出会ったときの奇怪な企みを描いたファンタジーでした。どちらも、いささか状況設定に理が立ちすぎていて、「ニュースの時間です」の持つショックがありません。

一方で、音楽小説と読まれるであろう「死ね、名演奏家、死ね」は、その動機こそあやふやで奇妙な描き方――まあ、最後で暗示する、一種のオチなので、そういう描き方になりますが――でしたが、クライムストーリイ以外の何物でもなく、また秀れたクライムストーリイでした。同じように、主人公が奇妙な動機から、悪いことを企んでは失敗し、ついには殺人まで決行するに到るのが「ルウェリンの犯罪」*です。初出はマイク・シェーン・ミステリ・マガジンでした。

あまり上品ではない若い男同士が集まると、ときとして、悪さ自慢に見栄を張るといったことになりがちです。女の子をひっかけて、うまくヤったなんて手柄話で、実話かどうかも分かりゃしない。主人公のルウェリンは、そんな集まりで、自分がそういうふるまいが出来ず、したがって自慢話も出来ず、また出来ないことを負担に感じるような、真面目で小心な男です。ところが、ある晩、初めて出会った女の子と呑むうちに泥酔し、気がつくとベッドの中にいる。その娘アイヴィとは、以後、一緒に暮らすことになるのですが、とにもかくにも、初対面で結婚のけの字もないうちにヤっちまったと、内心大喜びです。これで、仲間が自慢話に興じるときも、きみたちは知らないだろうけど、俺だってと考えることで、負担を感じずに済んでいるのです。アイヴィとの生活は質素で単調ですが、ルウェリンは幸福です。そして十九年。アイヴィはずっと彼女の負担になっていたことを打ち明けます。実は、ふたりは最初の晩に、まず結婚していて、アイヴィはそのことを隠していたのでした。

「アイヴィ、ないでこんなことをしたんだ？」とルウェリンは傍点つき（原文はイタリックでしょうか）でひとりごちます。そこからルウェリンのオブセッションが始まります。なんとか悪いことをしてやろう――そうだ「スケを買ってやる」。しかし、金がありません（ふたりの財布はアイヴィが管理していました）。そこで、彼女が保管する債券を勝手に処分しようとします。以下、十九年間彼に対して秘密を持ち続けたアイヴィは、あなたは悪くないと言い続け、それを証明し続けますが、ルウェリンがやりたいのが悪いことなのだということだけが分かりません。ルウェリンの行為は、常に彼を満足させることなく、悪事のみがエスカレートしていきます。

奇妙な動機のユーモラスなクライムストーリイで、実際、終始ニヤニヤしながら、私は読み終えましたが、同時に、そのユーモアが、どんどんグルーミイになっていき、悪いことが、重大になっていくほどに、主人公の切なさが伝わるという不思議な秀作でした。

主人公の奇妙な行為に終始するという点で「ルウェリンの犯罪」以上に純度が高く、不気味でもあるのが「輝く断片」*です。女の死体とおぼしきものを、主人公が自分の部屋に抱えて来たところから始まります。女の身体と傷口を洗い、湯を沸かす。在り合わせのピンやペンチやピンセットを煮沸し、以前買っておいたサルファ剤を取り出す。女は死んではいなくて、男は傷を縫い始めます。そんなことが本当に出来るのか？　と疑問を感じつつも、微に入り細をうがった描写のしろうと手術から、読者は目を逸らすことが出来ません。動機は曖昧なまま——というより、話がこういう形で完結することで、動機が、見えてくるという作品でした。

スタージョンのクライムストーリイは、動機が平凡尋常ではなく、そこが作品の焦点となっていますが、それを解く鍵は『海を失った男』に収められた「墓読み」*という好短編にあります。口の重かった妻が、不可解なところだらけの状況で死に、墓碑銘に刻む言葉さえないまま放り出されたと感じている男の前に、墓全体から死んだ人間のすべてを読み取ることが出来るという男が現われて……という話です。主人公は墓読みに導かれて、墓を読む術を学びます。「同じことを恐れている人間がどんなに多いかを知りはじめた。疎外されること、見抜かれること、愛されないこと、望まれないこと、そして——いちばん悪いのが——必要とされないこと」だと。平凡だけれど、気づかれにくい真理を、愚直に突き詰める。スタージョンの奇妙さの源は、そんなところにあるのかもしれません。

7　世界の中心で暴力を描いた男——ハーラン・エリスン

「鞭打たれた犬たちのうめき」が、一九七三年のMWA賞を獲って、すぐにミステリマガジンに訳された（一九七四年九月号）とき、私はハーラン・エリスンという名前を知りませんでした。すでにアメリカSF界では知らぬ人はなく、日本でもSFファンの間では有名だったようですが、最初の邦訳書『世界の中心で愛を叫んだけもの』が出たのが、前年の七三年です。

この章で取り上げた作家は、フレドリック・ブラウンを例外として、いかに、ミステリの読者に親しまれようと、ミステリマガジンに頻繁に登場しようと、あるいは実際にミステリを書いていようと、SF作家であることが自他ともに認める大前提で、ミステリシーンの中で評価されたり、その歴史の中でとらえられるということはありません。しかし、ハーラン・エリスンは違います。五〇年代のミステリ雑誌の書き手であり、MWA賞の短編賞を「鞭打たれた犬たちのうめき」と「ソフト・モンキー」で二度も射止めた、まぎれもないクライムストーリイの作家なのです。

「鞭打たれた犬たちのうめき」は、ショッキングな始まり方をします。ニューヨークの高層アパートの中庭で、ひとりの女が殺される。主人公の女性は自室の窓のはるか下方で、まさに起きている殺人を目撃しますが、恐怖に声も出ません。しかも、周囲の窓には、その犯行を見下ろす人々が幾人も見えているのです。残忍な犯罪に対して周囲が無関心を決め込むことは、当時すでに社会心理学の研究対象になっていたほどで、ニューヨークの治安の悪さも、九州の田舎の高校生だった私でさえ漏れ聞いていました。それでも、警察に通報することもなく（しなくても、犯人は直後に警官に射殺されるのですが）、しかし、恐怖の体験は日常として残る。それを共通体験として、同じアパートの男と、彼女は知り合い、肉体関係を結びます。彼女はバーモントの有名女子大を出て、いまはダンスの記譜を仕事にしていますが、すぐに、彼と諍いをします。ニューヨークっ子の彼は、わずかな意見の相違にも辛辣な口をきき、彼女にあたり、アナルセックスを強要したのです。それが、ニューヨークというストレスに満ちた都市で生まれ育った結果であると、彼は強弁し、地方女子大出の彼女の頭の中が、お花畑でもあるかのように指弾します。自然、彼とは疎遠になりますが、そんなある日の留守中、彼女の部屋に強盗が侵入し、帰宅した彼女と鉢合わせします。命がけの格闘に否応なく巻き込まれた彼女は、ベランダから突き落とされそうになりながら、そこで、あるものを目撃し、彼の正しさに思い当たると同時に、ニューヨーカーの新しい神を見つけます。

初読時もそうでしたが、むき出しの暴力にさらされた都会の孤独と恐怖は、肌に迫るものがあります。ただし、十代の私が、なぜ、こういう結末になるのだろうと、訝しく思ったことは確かで、今回読み返しても、結末は釈然としません。共同幻想としても、それなら、なぜ、それがメンバーの安心と安全を保障するのかが分からない。本当に超越的な何かがあるのなら、ずいぶん安易で都合のいい超越者ではないでしょうか？　それに、冒頭の殺人を見守る人々の心の中が一様だと言われて、はいそうですかと納得するほど、もう子どもでは、私もありませんからね。

「ソフト・モンキー」は、それに比べると、はるかに単純なクライムストーリイでした。ニューヨークの街頭で眠ろうとしていた、黒人のバッグレディ（家財一式をバッグに入れて持ち歩くホームレスの女性ですね）が、殺人に遭遇します。ギャングの抗争らしい殺しで、しかも、目撃したことを見とがめられ、自分も追われます。命からがら追手から逃げきり、その事件を報じた新聞紙を身体に巻き付けた（暖かいのです）彼女は、すでに、黒人女性のホームレスがふたり殺されたことを知っています。目撃者の口止めのために、黒人女性というだけで手当たり次第に殺しているのです。やがて、彼女のところに殺しの手が伸びてくるのは、時間の問題であり、事実、殺し屋がやって来て……。

ここには、暴力と隣り合わせにニューヨークの底辺で生きる危うさが、確かに描かれてはいます。しかし「鞭打たれた犬たちのうめき」にあった、ひりひりするような恐怖はありません。そもそも、彼女の口封じを狙う男たちの行動に、いささか無理がある。殺しては、間違いだったと気づくのくり返しだったのでしょうか。だとしたら、ずいぶん愚かな話です。一歩譲って、周囲も含めて、黒人の生命などその程度と考えているとしても、この結末では、少々ほのぼのとなってしまう（そのこと自体は、必ずしも悪いとは思いません）。それでは、首尾が整わないでしょう。

SF作家としてのハーラン・エリスンは、あまたの受賞歴と多くの武勇伝的なゴシップとで、高名な存在でした。エリスンが亡くなったとき、追悼特集を組んだSFマガジンが掲載した年譜を読めば、そのことがよく分かるでしょう。そして、MWA賞受賞の二編がそうであったように、残虐な暴力を描くことが、やはり多い。

「世界の中心で愛を叫んだけもの」は、日本ではこれと題名が類似したというか、この題名をパクった小説がバカ売れしたために、エリスンの作品でもっとも名の知られるものとなりましたが、そんなこととは関係なく、おそらく世界じゅうでもっとも有名な彼の作品になっています。この一編には、エリスンの特徴が集約的に現われています。冒頭ではボルティモアのウィリアム・スタログという男の無軌道な大量殺人が語られます。以下、それぞれの関連が分からないままに、時空を超えた短かいエピソードが連なっていきます。固有名詞の説明を廃したところ、「どの頭もらんらんと目を光らせ、待ち、飢え、狂っていた」というふうに、同じ品詞を重ねる(動詞のことが多いようです)といった、スタイルの面での特徴も顕著です。とくに、後者の多用はエリスンの文体の個性と言えるでしょう。

しかしながら、私には、この小説の示すヴィジョンが、よく分からない。愛と憎悪、暴力と平和といったものは、相反しないとか、ともに在るといった程度のことで良ければ、それは問題がないのですが、それなら、そう言ってしまった方が早い。私がエリスンのSFを読んで行きつくのは、大山鳴動鼠一匹。もっとも、その大山鳴動ぶりが面白いというだけでいいのなら、問題はありません。

たとえば*「101号線の決闘」を、私は楽しく読みましたが、その対決のディテイルをスピーディに描写する疾走感が魅力ではありますが、未来の公認された決闘の話は、書かれた当時でさえ、平凡であったでしょうし、そこに新しい何かがつけ加わっているとは言いがたい。「サンタ・クロース対スパイダー」は、六〇年代に大流行したスパイアクションの愉快なパロディでしたが、それ以外の何物でもありませんでした。こうした大上段に振りかぶらない作品の中では*「プリティ・マギー・マネーアイズ」を、私は推奨します。ラスヴェガスのカジノでツキを使い果たしたような主人公の男が、ひろったコインで最後の運試しをしたところ、スロットマシーンのジャックポットを出してしまう。この二千ドルをどのようにお使いで？ と尋ねるカジノの男に、もう一度カジノに戻ることをにおわせて、逆に安心させてしまいます。戻れば、いずれ取り返せると、胴元は考えるのです。ところが、男はすぐにスロットマシーンでジャックポットを出し、のみならず、何度やってもジャックポットが出続けて……。途中で挿入される、プリティ・マギーのエピソードや謎めいた描写は最後に落ち着くところに落ち着きますが、そこのアイデアは、ありきたりでしょう。

しかしながら、エリスンを代表する作品ということになれば、それらの作品ではなく、たとえば「『悔い改めよ、ハーレクィン！』とチクタクマンはいった」とか「おれには口がない、それでもおれは叫ぶ」といったものになるのでしょう。前者の時間に遅れることで寿命が短縮されるというディストピアにしても、後者のコンピュータが人類を絶滅に追いやり、その果てに飼い殺すだけのための生かされているような登場人物たちという絶望の状況にしても、それを描くエリスンの筆は、才気を見せびらかすことに忙しくて、肝心の恐怖が伝わってきません。これは、先にあげたスタイル上の特徴、固有名詞――それも、かなり専門的な――の説明抜きの使用や、品詞の連打といった技巧が、描写に貢献せずに、見た目の華やかさだけに陥っていることも大きいと思います。状況描写に入るときに、一旦説明してから入ることがあるのも、描写を重くしている一因でしょう。ときに、文章の順番がおかしいのではないかと思うことさえあります。

「おれには口がない、それでもおれは叫ぶ」には、文中に、時折パンチングテープが挿入されていて、いまではなんのことやら通じないかもしれません。「プリティ・マギー・マネーアイズ」にも、奇をてらった表記が出て来ましたが、アルフレッド・ベスターにもっとも著しい、こういうタイポグラフィックな効果の新奇さが、いかに腐りやすいことか。これを「アルジャーノンに花束を」の日本語訳と比べてみてください。「アルジャーノンに花束を」は日本語にもっとも向いた作品ではないかと、私は考えているのですが、漢字かな交じりという特徴の持つタイポグラフィックな効果――字面そのものからチャーリイの変化が見て取れる――の前には、ベスターやエリスンの工夫は、単に本質をはずれた技巧の末路を示しているだけにしか見えません。

二〇一九年に、エリスンの非SF短編集『愛なんてセックスの書き間違い』が翻訳されました。若島正が編者となって、原著とは一部作品が異なっているようですが、おもに五〇年代のSFから離れていた時期の作品集でした。ただし、おもな発表媒体は、ミステリ誌ではなくて男性誌でした。とくに取りあげるべき作品はありませんが、たとえば「ジルチの女」のように、本来チープであることを逆手にとったユーモアが必要な作品が、そうはならないところに、この作家の生真面目にすぎるところ、余裕のなさを感じました。

ハーラン・エリスンは、そのトラブルを顧みない、しかしキャッチーな言動と、おそらくは一途なSFへの愛情とで、SFシーンの伝説となりました。ハーラン・エリスンの本質は作家ではなく、アジテーターではないのか、そして、エリスンの名は『危険なヴィジョン』の編者として残るのではないかというのが、遠目からながめただけにすぎない私の感想です。

8　カート・ヴォネガットJr.のころ

カート・ヴォネガットは、いまでもSF作家として認知されているのでしょうか？

作家というものは、経歴を通して語られるものですから、五〇年代にペイパーバックSFで活躍したヴォネガットが、その経歴を込みで人に知られるのは当然ですが、では、いまなおSF作家と考えられ続けているのか。そういう点では筒井康隆と似ています。もっとも、そんな疑問が出てくるという、それだけで、ヴォネガットや筒井康隆の在りようは、あますところなく示されているとも言えるでしょう。

一九七三年のことだったと思いますが、朝日新聞の文化面に、いまアメリカのキャンパスでもっとも人気のある作家といったふれこみで、カート・ヴォネガット・ジュニア（当時）が紹介されているのを読みました。記憶だけで書きますが、その年に原著が出た『チャンピオンたちの朝食』が、アメリカでのセールスと評価が良かったことを受けての記事でした。私はすぐにヴォネガットの長編に手を出しました。『屠殺場5号』というハヤカワノヴェルスは八百八十円で、当時の中学生には高かったでしょう。現在『スローターハウス5』と呼ばれているものです。しかし、カート・ヴォネガットの小説と出会ったのは、その二年前でした。ミステリマガジンに訳された「すべて王の馬」（「王様の馬がみんな……」）に、ショックを受けたのでした。

主人公は米軍の大佐です。家族（妻と子どもふたり）や部下と移動中の飛行機事故で、アジア某国（まあ、架空の国です）の共産軍の捕虜となる。捕虜は自分を含めて十六人。狂気をはらんだ敵の司令官ピー・インは、主人公にチェスの勝負を持ちかけます。部下や家族をそれぞれの駒に、主人公自身をキングの位置につかせ（人間将棋の要領です）、チェスに勝てば、即刻解放するが、ただし、それまでに駒を取られたら、その駒となっている捕虜は射殺する、主人公がチェックメイトされたら、無論、全員射殺するというのです。ロシア人らしい軍事顧問が、私はオブザーバーにすぎないと言いつつ立ち会う中、生命賭けのチェスが始まる。すぐに事態の異常性は際立ちます。ピー・インは、相手キングのチェックどころか、自身の防御さえ考えず、ただ相手の駒を取りに来たのです。チェスが「並みよりほんのすこしうまい」大佐は、いくつかのポーンの犠牲を出しながらも、相手の攻撃をかいくぐり、ついにチェックメイトの筋を発見しますが、そのためには、自分のナイトを捨てねばならず、そのナイトは自分の息子なのでした。

半世紀近く経って再読した「王様の馬がみんな……」は、親しい他人の生命を賭けた「もっとも危険なゲーム」というアイデアが圧倒的なことに、変わりはありませんが、不満もありました。それは、ピー・インの異常性が、アジア人の共産主義者というイメージに寄りかかっていることで、ロシア人なんか出さずに、もっと、純粋に悪魔のようなチェスプレイヤーとして描くべきではなかったでしょうか。黄禍論という俗情に結託したと言われても、否定できないものが、ここにはあります。

「王様の馬がみんな……」は異様な状況設定に、スペキュレイティヴな想像力があるとは言えるでしょうが、SFかどうかは議論が分かれるかもしれません。しかし、一九五〇年の処女短編「バーンハウス効果に関する報告書」は、現存するあらゆる兵器を破壊しうる「〝精神動力〟または〝心の力〟」というアイデアを中心にして書かれ、SF以外の何物でもないでしょう。「ハリスン・バージロン」は、知能の高い者に肉体的・精神的なハンデを日常的に与え続けることで、平等な社会が出現しているというディストピア小説でした。「モンキー・ハウスへようこそ」は、人口の爆発的増加に対応するために、下半身を常時無感覚にする薬の服用を義務づけられる一方、好きなときに自殺を幇助してもらえるホームが公認されている社会と、そこで反逆する詩人という男が、ホームのホステスを襲ってはレイプしているというのですが……。また、「未製服」は、ヒトが霊魂として肉体から抜け出し、様々に用意された肉体をレンタルして生きる両棲人が語り手ですが、両棲することを良しとしない人々との間が、戦争状態にあると分かっていきます。
これらヴォネガットの短編群は、まず*Canary in a Cat House*というペイパーバックとして六一年にまとめられ、それを増補する形で六八年に『モンキー・ハウスへようこそ』としてハードカヴァーで出版され、こちらは邦訳もあります。もっとも、こうしたSF作品が秀れているかというと、そうでもありません。私には、むしろ、ミステリとは言えないかもしれないけれど、SFとも思えない、あるいはSF味の薄いものの方が、よく出来ているように思えます。

改めて『モンキー・ハウスへようこそ』を読み返して、集中で一番楽しめたのは「となりの部屋」*という、ウェルメイドな一編でした。隣家の音が筒抜けの隣り合った二世帯があります。一方では、夫婦が映画に出かけようとしていて、ひとり男の子が留守番をすることになる。夫婦が行くのは「女の人がね、まちがえてわるい友だちを選んでしまう」という、子ども向きじゃない映画なのです。ところが、隣室からは痴話喧嘩の声が聞こえ、それがどんどん激しくなる。男の子はいたたまれなくなっていく。このあたり、まことに巧みで、ラジオのDJの声も混じって、男の子の不安と騒ぎが大きくなる。健気な男の子は一計を案じ、隣家の夫婦を仲直りさせようと、その夫の名を借りてDJに妻への音楽のプレゼントをリクエストします。まことに心温まる話と思いきや、それがこの後、あれよあれよというまに逸れていって……という、ミステリとしても逸品でした。

「こんどはだれに?」[*]は、町のしろうと劇団の話です。次回公演は「欲望という名の電車」ですが、くろうとはだしの主演男優以外は、まあ、普通の人の集まりで、おまけに若い女優がいない。しかも、この男優、演技はべらぼうに巧いけれど、およそ人づきあいをしない。役になりきっていない素の自分で、他の劇団員と接するということがないのです。語り手は演出家ですが、たまたま電話会社に数か月派遣されてきた若い女性を誘ってみます。彼女は乗り気ですが、如何せん演技は見られたものじゃない。それでも、なにしろ、若い女優というものがいない。ところが、試しに、主演男優とふたりで台詞を読ませてみると、彼にひきずられるようにして、ふたりで素晴らしい芝居をするのです(すっかりマーロン・ブランドの彼は「おれに役をよこすのか、よこさないのか?」とまんまスタンリーの口調で語り手に詰め寄る)。こうして、役になりきることで、ふたりの関係は芽生え、彼女はすっかり彼に夢中になりますが、芝居が終わり、その役から彼が離れたときに関係は終わる——と、過去の例から、周囲は承知していて、彼女にもそれを知らせるのが親切と、忠告をしますが、そこで彼女がとった行動というのが……。

もっとも、こういう、いかにも巧い短編というのは、やはり例外的で、作品数として多いのは、諷刺の効いたスケッチふうの作品です。「わが村」が典型ですが、「ハイアニス・ポート物語」は政治都市ワシントンへのあてこすりでした。「アダム」は、子どもの誕生という一事が収容所の生き残りにとって、どれほど大切であるかと同時に、それがどれほど理解されないかを切り取っていました。「新しい辞書」は辞書に関するエッセイふうの批評ですが、「ティミッドとティンブクツーのあいだ」のヴォネガットは、辞書にも一家言あったわけです。

こうしたサタイアの短編のうちで読ませるのは「構内の鹿」*と「嘘」*でしょう。前者は巨大な製造工場に宣伝担当として雇われた（双子の誕生を機に、経営する地方紙を手放して、大企業に勤めることにしたのです）主人公が、巨大な産業体の敷地の中に闖入《ちんにゅう》した鹿を、良い宣伝になるからと記事にするために追いかけてさまようという、資本主義国アメリカ版のカフカのような話です。後者は、合衆国建国と同じころレメンゼル一族の先祖が開いたエスタブリッシュメントの学校に子どもが入学するために、家族三人で向かう車中から始まります。自分のレメンゼルという姓のために、特別待遇を受けるといったことを嫌う父親と、レメンゼル姓であることの威力に興味津々の俗物的な妻にはさまれて、きちんと座ってもいられない肝心の息子は、いささか頼りない。やがて、おんぼろ車が並走します。父親の同級生で、奨学金でこの学校を出た男（新しい校歌を作詞したというエピソードで優秀だったことを示すのが巧い）が、やはり息子の入学のために学校に向かっているのでした。学校は世の移ろいにつれ、東部人どころか、アフリカからの留学生も受け入れることになっていますが、もちろん、レメンゼルの一族は、学生の合否は能力次第であり、それが正しいことと信じて疑いません。ところが、彼の足元で、ひとつの嘘がつかれていました。不合格の通知を最初に見つけた息子が握りつぶしていたのです。

「となりの部屋」や「嘘」といった作品を、この短編集の推奨作とすることに、私は躊躇しませんが、ふりかえって、思い当たるのは、この短編集の作品の初出が、スリックマガジンで、SFの専門誌ではないということです。また、「ハリスン・バージロン」や「モンキー・ハウスへようこそ」は、ブラック・ユーモア選集のアンソロジーにも採られていて、当時、一派を成したアブサード・ノヴェルの作家としての評価もあったでしょう。

9　SFと諷刺小説の狭間で――ウィリアム・テン

ミステリマガジンは六八年から七〇年にかけて、何度かブラック・ユーモアの特集を組んでいます。一種の流行があったのと、それに乗る形でブラック・ユーモア選集も刊行していましたから、その側面援助もあったでしょう。テリイ・サザーンの『怪船マジック・クリスチャン号』は、ミステリマガジン連載でした。この特集・選集から出た最大の収穫はローラン・トポールでしょうが、この他、ブルース・J・フリードマンやジョーゼフ・ヘラー、ウラジミール・ナボコフ、カート・ヴォネガットJr.といった作家の短編が、その特集や周辺で紹介されました。中央公論社の海に載っていても、おかしくない作家たちです。そして、その中に紛れ込むように、ウィリアム・テンの「おーい東へ!」が、伊藤典夫の手で翻訳されました。「おーい東へ!」は、ある意味で単純な話です。核戦争で文明社会が一変したのちという設定は、ありきたりなものですが、この短編では核戦争後に適応したインディアン（アメリカ先住民ですね）たちが、白人たちより優位に立って（白んぼ呼ばわりしていて、ひとり南部の外交官として出てくる黒人も、そう呼ばれる！）いる。主人公の若者は、アイダホ州選出の上院議員の息子であることが誇りであり、現在の相対的にはましな身分を、そのために得ているようですが、インディアンとの交渉では下手に出る以外にはありません。ストーリイには特段のアイデアはなく、ネーミングや設定の諷刺で、細かい笑いを取ろうとした作品で、サゲの余韻という点では、この作家でも随一のものでした。

「おーい東へ！」は一九七三年に創元推理文庫から『ウィリアム・テン短編集』全二巻が出たときに、「針路を東へ！」の邦題で第一巻に収録されました。訳者は中村保男です。創元推理文庫のこの二冊は、六〇年代の終わりに、アメリカでまとめられたものの邦訳で、著者が序文を寄せていますが、本国でもそれほど優遇されてきたようには見えません。さらに、自ら序文の冒頭に「本書に収めた短編の大半は社会風刺であり、SFとして薄く覆面してある」と宣言していて、SFらしさの部分での新味はなく、あくまでサタイアを成立させるための手段にすぎません。

そうした特徴が、吉と出るか凶と出るかに、この作家の成否はかかっていて、読んで印象に残るのも、その点で成功したものということになります。

「ブルックリン計画」は、題名からして、マンハッタン計画のもじりですが、タイムマシンのアイデアが、まずは笑える。ふたつの振り子の球が、ぶつかることで、一方が過去へ他方が未来へ向かい、過去に行った方からはデータ写真を撮影して送ってくる。戻ってきた球は、再度衝突し、その反動で、またも過去と未来へ旅立ちますが、今度は振れ幅が半分になっている、つまり、最初が四十億年前に行ったら、次は二十億年前というように。過去に向かった球の働きが、現在になんの影響も与えないのは、わずかな数秒の移動の実験で確認済みと、広報官は胸を張ります。そして、いよいよ、実験が始まる。広報官の解説のとおり、実験は進みますが、果たして、過去に向かっては返ってくる鉄球は、本当になんの変化も現代にもたらさなかったのでしょうか？

*

もう一編「宇宙のリスボン」は、スミスという、ありふれた名前のありふれた男が、ホテルにチェックインするなり、見知らぬ男女の訪問を受けます。これが、先に泊まっていたスミスとの人違いらしいのですが、訪問者は宇宙人が地球人に変装したスパイで、戦争状態の自分たちの星を優位に導くための工作活動を行っているらしい。主人公は変装が巧いなどと褒められるルーティンのギャグがあって、密命である鉛管工の仮装パーティに潜入することになります。ところが、何をやっていいのか分からないままに、パーティをさまよっていると、怪しい女の手にかかる（スパイ活劇の定石ですね）。これがなんと、別の宇宙人で、工作員と見破られ（る理由が楽しい）拉致された先で、自分が間違われた本物の宇宙人と出会うことになる。彼から巧みに聞き出したところによると、憶えきれないくらいの種類の宇宙人が、複雑な対立・同盟関係のうちに交戦中で、地球は中立地帯（というか、地球人はカヤの外らしい）ながら、手近にあるために、スパイたちの謀略の主戦場になっているというのです。出てくる宇宙人が、みな英語を喋っているご都合主義といい、サタイアというよりも、スペースオペラのパロディとして、最後のグロテスクなオチまで、まずは楽しい一編でした。

この短編集が、ウィリアム・テン自身が言うように、サタイアを狙った作品集であろうことは、簡単に読み取れます。しかし、サタイアにしてはユーモアに欠けるのが、この作家の弱点だと思います。もっとも、これは翻訳の難しさもある上に、中村保男との相性もあるでしょう。正直、あまり良い翻訳とは思えませんし、訳者自身あとがきで、テンの文章を硬質でアカデミックとしながら「砕いて翻訳してしまうと、それがよくわからないが」と書いています。訳文がくだかれているとは、あまり思えませんが。「宇宙のリスボン」も、本当をいうと、もうちょっと大笑いしたかった。

『SF雑誌の歴史』のマイク・アシュリーは、諷刺作家としてのウィリアム・テンは、シェクリイよりも上で、六〇年代半ばで筆を折ったことを惜しんでいます。アシュリーの教えるところによると、「アルジャーノンに花束を」の結末を、ハッピーエンドに書き換えることを求められたダニエル・キイスに、思い留まるように説得したのは、ウィリアム・テンだということです。もしかしたら、それが彼の最大の貢献だったかもしれません。

10　ミステリマガジンのSF作家たち

奇想天外は、一九七四年一月号として七三年の暮れに盛光社から創刊されました。旧・奇想天外あるいは第一期奇想天外と呼ばれるもので、同年十月号までで休刊し、一年半のブランクを経て、同じ誌名で復活します。復活後の同誌が、SF専門誌に特化したのに対して、旧・奇想天外はSFとミステリを中心に、ファンタジー、ホラー、ノンフィクションと間口を広く取っていました。その七月号の巻頭に掲載されたのが、ゼナ・ヘンダースンの「静かに！」*（「しーッ！」）でした。以後、休刊までに「おいでワゴン！」*（「おいで、ワゴン！」）と「ページをめくると」*（「ページをめくれば」）の、三つの短編が掲載されました。当時高校生だった私は、初対面のこの作家の短編がいたく気に入って、同級生の女の子に勧めたところ「ピープルシリーズの人でしょう?」とあっさり言われました。私が知らなかっただけで、SFの読者には人気のシリーズなのでした。

三編とも五〇年代の作品で、当時から見ても、ふた昔前の小説でした。「静かに！」は、喘息の男の子とベビーシッターに来ている娘のやりとりから始まります。女の子は幾何の宿題をやらねばならないのですが、男の子はうるさくしてばかりいる。そこで、その子の好きな空想遊びをして、興がのったところで、あとは自分ひとりでやりなさいと、宿題に戻ります。ところが、男の子は、ひとり遊びで本当にはないものを想像したら本当になっちゃったと言い出して、しかも、あらゆる音を吸い取る電気掃除機に似た得体のしれない何物かが現われます。

「おいでワゴン！」は、子ども嫌いを自称する語り手が、奇妙な甥の話をします。この子が手押しのワゴンに向かって「おいで」と言うと、ワゴンがひとりで動いてしまうのを、語り手が目撃し、以来、まわりの大人は誰一人気づかないうちに、この男の子は不思議な力を発揮するのでした。どちらの小説も、ファンタジーとして独創的なアイデアとは言いがたいでしょう。しかし、前者では、ユーモラスで不気味な怪物が、少しずつ、その本性が予想外に破滅的なことを示していく過程が巧みに描かれ、結末も鮮やかでした。後者はクライマックスで起きる事件で、語り手と少年の関係が抜き差しならなくなるのがよく、男の子の無邪気さ、超能力が本当にあるのかという疑惑を、巧みに用いて、一種のリドルストーリイになっていました。「ページをめくると」は、このふたつとはいささか趣が異なり、小学校の最初の先生の魔法のような授業を、主人公の女性が回想する物語です。ファンタスティックな授業を、おそらくは一生の指針にしたであろう語り手の女性が、同窓会で迎える一景に向けて、静かに小説は進んでいきます。

今回読み返してみて、「おいでワゴン！」が、もっとも良く出来ていると思いましたが、いずれも、渋い佳作で、この作家の実力は、やはり相当なものだと思いました。

ゼナ・ヘンダースンは、この章で読んできたSF作家に比べると、一般的な評価は低い——と言って言い過ぎなら、それほど重きを置かれてはいない——でしょう。しかし、わずか十か月で消えてしまったユニークな雑誌が、私に教えてくれた最高の作家が、このゼナ・ヘンダースンであったことは確かです。他とのバランスを失して、ヘンダースンのこの三編を取り上げたのは、そのことを書き留めておきたかったからです。この三つの短編は、どれも改訳され、第九回EQMMコンテストで第二席に入った「先生、知ってる？」ともども、二〇〇六年に刊行されたゼナ・ヘンダースン短編集『ページをめくれば』に収められています。

SF短編を瞥見《べっけん》する試みの最後に、ミステリマガジンに掲載されたSF作家の作品を、いくつか落穂ひろいしておくことにしましょう。

ジョン・ウィンダムの「ジズル」*は、怪しげな薬の大道商人が、飲み屋で不思議なサルを手に入れます。そっくりな似顔絵を描くのです。もっとも、サルだけに、その人に似たサルのような顔に描いてしまい、商人の奥さんなどは、バカにされたような気になってしまう。しかし、このサルが、見世物として金づるなことにかわりはありません。実際、このサルの芸は当たりますが、彼の妻はこの雌（なのです）ザルと一緒にいることを拒むようになる。このあたり、ちょっとジョン・コリアの「メアリー」*に似てますね。ところが、ある日サルが描いた絵を見て、彼は仰天します。仲間の芸人と彼の妻の人前ではさらせないようなところが絵になっていたのです。怒った彼は、仲間の芸人にサルを売り払ってしまいますが、しばらくして、サルを買い取った男がやってきて、悲劇の全貌が一気に明らかになります。艶笑部分のユーモアがゆかしい、端正な一編でした。

ミステリマガジンの七一年九月号のショートショート特集は、私が初めて読んだミステリマガジンで、難解な作品が多い中、シェクリイの「では、ここで懐かしい原型を……」が載っていたものですが、同じ号に珍しくEQMMに掲載されたR・A・ラファティの「恐るべき子供たち」というミステリが紹介されていました。老いぼれ巡査に、小さな娘（もうじき十《とお》よ）が「ナイフの血を落とすにはどうしたらいい」と尋ねるところから始まり、問題のナイフは、男の子が「ある男のひとのなかから取った」ものでした。子どもたちの導きで、どうやら刑務所を出たばかりらしい男の死体が見つかって、ご近所の人々が集められます。生意気な子どもたちと、いささかドジな刑事たちを、面白く読んだ記憶がありますが、再読すると、さすがに、ミステリはさほど上手ではないと分かります。ラファティの書いた珍品といったところでしょう。

フリッツ・ライバーには「煙のお化け」という、かつて透視能力を持っていたらしい男が、黒い煤のような何かを、見つけてしまうという、オブセッションなのか怪奇現象なのか分からないまま話が進む怪異譚がありました。しかし、それよりも、ある医学者が、自分の妻の浮気相手を実験台に、意志の力で身体に様々な病状を出現させるという「死んでいる男」が、ストレイトなマッドサイエンティストの話として面白い。事件はエスカレートし、ついには、催眠術を導入し、実験台の若者に「死ね」と命令するのです。

落穂ひろいのきわめつけは、ブライアン・W・オールディスの「不可視配給株式会社」でした。主人公は若いエンジニアというか駆け出しの整備工で、妻とそのお腹に子どもがいる。そこへ皺だらけのセールスマンがやって来ます。彼は無形物をあつかっているといい、人には人生の目的となるような、形のない何かが必要だというのです。しかし、生涯かけて何かひとつのことを目的とするなど、普通の人の意志で出来ることではありません。それでも、若い男は自分にはその意志があると譲らない。あげく、セールスマンは卓上にあるふたつの塩と胡椒のポットを置きなおします。このふたつのポットを、決して動かないように守ることが出来るかというのです。最初のうちはいいだろう。しかし、やがて、そんなつまらないことは、うっちゃってしまいたくなるに違いない。売り言葉に買い言葉。これをふたりは賭けにしてしまいます。

卓上のほこりさえ積もらないふたつのポット。主人公のコンプレックスとも、何かの象徴とも言いきれないまま、即物的な存在として、守られていく。その長い年月の物語でした。主人公の家族も周囲も職業も、移り変わっていき、皺だらけのセールスマンが、ポットが動いていないか確認にくるのも、次第に間遠になっていきます。そして、主人公の死まで卓上のポットは微動だにしません。主人公の人生においてポットがいかなる意味を持っていたのか、正確には分かりませんが、そこには何かがあり、そしてそれは形がなく、目に見えないのでしょう。さらに、もうひとつの人生にも、そのポットは働きかけていたことが明らかになる結末が見事でした。

第十四章　パズルストーリイの命脈

1　短編パズルストーリイの衰勢

一九三〇年代から四〇年代にかけて、パズルストーリイは長編で黄金時代を迎える一方、短編でも技法の進化とともに、一編に要する紙数が増えていくのと並行して、アメリカとイギリスでは異なった展開をしたことを、本書第二巻で示しておきました。アメリカでは、ハードボイルドの影響が大きく、推理の面白さよりも、謎を解くことで主人公が危機を脱するところにカタルシスを求める小説に傾斜しました。イギリスでは短編の雑誌市場が縮小したこともあって、短かい犯人当てふうのものが多く書かれましたが、おなじみの名探偵が登場する、ちょっとした推理問題に終わるという弊害が、大きかったようです。

クリスティ、クイーン、カーといったビッグネイムは、短編ミステリにおいては、一九四〇年代までに、その仕事を終えた感が強く、それに続く（おもにイギリスの）作家は、サスペンス小説やクライムストーリイの台頭と対決を迫られました。それでもEQMMコンテストには、コンスタントにパズルストーリイが応募され、「敵」や「アデスタを吹く冷たい風」[*]といった作品が、その存在自体で、パズルストーリイの可能性を示してみせました。もっとも、両方ともアメリカ作家の手になるものでしたが。四〇年代までに登場したパズルストーリイ作家で、このの
ち、唯一人、他と異なる動き方をしたのがクリスチアナ・ブランドですが、彼女については、最終巻で読み返すことになりそうです。

長編に目を向けても、クリスティは『葬儀を終えて』と『ポケットにライ麦を』が一九五三年。クイーンは四二年の『災厄の町』、四九年の『九尾の猫』を経て『ガラスの村』が一九五四年です。戦前の作品に比肩しうるのは、このあたりまででしょう。

ただし、クイーンの次の三作には眼をやっておく必要があります。一九六五年に『クイーンのフルハウス』の題名でまとめられた作品集の中の三つの中編です。五〇年代後半から六〇年代前半にかけて書かれました。「ドン・ファンの死」と「ライツヴィルの遺産」は、ともにライツヴィルものです。前者はライツヴィルの劇団に、代役として呼ばれた客演の役者が殺されるという事件です。ダイイングメッセイジを成立させるための設定（被害者が劇団内の人間の名前を知らない）に、苦心の跡が感じられます。後者は、遺産相続にまつわる大金持ちの婦人殺しですが、平凡なトリックというかちゃちな小細工というかを、見破るだけの話でした。

問題なのは「キャロル事件」*です。弁護士のジョン・キャロルは、ある理由から仕事上の金二万ドルを着服し、それが共同経営者に露見して、翌週までに穴を埋めるよう迫られます。ところが、その晩、共同経営者が殺され容疑がかかってくる。アリバイもなく逮捕されますが、大金持ちの妻は保釈金を積むことが出来たのでした。しかし、キャロルは妻の金に頼ることが

嫌いで(だから金が必要になったときに、着服することを選んだ)、ある女性を巻き込むことを避けて、曖昧にしていたアリバイを立証するため、その女性——被害者の妻でした——から、犯行時刻に一緒にいたことの供述を取ったのです。一方、事件に初めから関わったリチャード警視にくっついていたエラリイは、事件に納得のいかないものを感じていて、キャロルに詳しい話を聞きにいく。ところが、一転して、アリバイを立証した女性まで殺されてしまい、キャロルは絶体絶命の立場に立たされるのでした。

ライツヴィルを訪れたのちの探偵エラリイは、犯人への共感や共通性に敏感でした。それが作品を左右し、出来不出来はともかく、探偵として苦し気に見えることは否めません。そんなエラリイの苦闘の果ての白鳥の歌が、ニューヨークに戻ってきた、この「キャロル事件」ではなかったかと思います。

一九五六年に日本語版EQMMが創刊されたとき、編集長の都筑道夫が、ことさらにミステリ雑誌と意識しない方針を採ったことは有名ですが、それにはパズルストーリイ以外の多様な形のミステリの発展が、実際に本国版誌上にあったことが、大きかったでしょう。と、同時に、それはパズルストーリイの衰勢と裏表でした。採るべき作品がなければ、誌面は構成できません。一方で、日本の謎解きミステリは、作者の仕掛けるトリックを読者が見破れるかという物語に傾斜するという、異なった展開をしていました。

都筑道夫が、自身の謎解きミステリ観を見つめ直し、モダーン・ディテクティヴ・ストーリイという概念にたどり着いたのは、六〇年代の終わりから七〇年代の初めにかけてでした。そのころ、アメリカの短編ミステリは、すでに趨勢としてはクライムストーリイに傾き、ヴァラエティ豊かな作品群を産み出していました。日本においても、謎解きミステリは優勢とは言えませんでした。土屋隆夫、鮎川哲也といったわずかな例外——本当は、鮎川哲也の評価は、八〇年代後半からの再評価ほど高くはなかった気がしますが——を駆逐するような勢いで、のりと鋏ででっちあげたような、本格ミステリの出来損ないとでもいうべきものが跋扈していたのも事実です。しかも、アメリカと異なり、短編ミステリのヴァラエティに欠けていました。

早川書房の世界ミステリ全集第十八巻『37の短篇』の巻末座談会——かねがね思っているのですが、早川は十八巻分の座談会をなぜ一冊にしないのでしょう——を読んでみてください。石川喬司、稲葉明雄、小鷹信光によって一九七三年に行われたものですが、小鷹信光の孤立ぶりは、当時としても目立っていました。三十七編のうちパズルストーリイが十五編を数えることに「やはりまだ多いんですね」と感想を持ち——これは、奇しくも、EQMMコンステト第一席作品に、ディテクションの小説が多かったことに関する、クイーンの感慨と一致しています——自分が三十七編からベスト10を選ぶと、その十五編の中からは作品が、一〜二編しか入ってこないと言うのです。石川喬司がベスト5に入れた「**九マイルは遠すぎる**」についても「ぼくはだめです。〝頭の体操〟としては認めますが」と、にべもありません。にもかかわらず、ミステリといえば、名探偵が論理によって謎を解く小説としか解されない。それはおかしなことではないか？　小鷹信光の主張はそこにありました。それは、正しかったのか？　ミステリ正しくないいなりに耳を傾けるべきところはなかったのでしょうか？

が推論による謎解きミステリからクライムストーリイへと進む、そういう不可逆的な展開が、あるべきミステリの進歩であったのか？　正しくないとしたら、どこが正しくなく、また、正しくないいなりに耳を傾けるべきところはなかったのでしょうか？

そして、本当に、第二次大戦後、パズルストーリイは衰退したのでしょうか？

2　九マイルは遠すぎる――モダン・アームチェアディテクティヴの狼煙

一九四六年に募集された第二回EQMMコンテストにおいて、処女作特別賞が新設され、以後、R・E・ケンダル、ジャック・フィニイ、ハリイ・ケメルマンの三人に与えられたこと、以後、素晴らしい才能を処女作特別賞が輩出していったことは、第三巻で触れました。それは、EQMMという雑誌が、新人の登竜門となっていくきっかけでもありました。最初の処女作特別賞は、コンテストのところで読みましたが、ハリイ・ケメルマンだけは後回しにしておきました。というのも、ケメルマンの登場には、もうひとつの重要な意味があったからです。その受賞作「**九マイルは遠すぎる**」とは、どんな短編だったのでしょう。

のちにシリーズとなる、この連作のフォーマットは、いたって単純でした。郡検事に転身した「わたし」は、かつての同僚である英文学教授ニッキー・ウェルトと、頻繁に食事やチェスをともにする間柄です。やや年上で、しかし、それ以上に自分のことをも生徒をあつかうようにあしらうことのあるウェルトに、「わたし」は頭があがりませんが、ふとしたきっかけで事件のことを話すと、些細な手がかりから、ウェルトが謎を解きほぐしてみせるのです。いや、ニッキー・ウェルト初登場の**「九マイルは遠すぎる」**は、事件の話を始めたわけでさえなかったのでした。

どんなに小さなきっかけからでも、推論というものは可能で、しかも、たとえその推論が論理的には理屈にあっていても、真実ではないことがあると、ニッキーが主張する。つまり、推論など空理空論だと言っているのです。それを証明すべく、十語から十二語程度の短文をくれれば、そこから可能な（しかし事実とはまったく無関係な）推論を引き出してみせようと豪語します。そこで「わたし」が思いついたのが「九マイル歩くのはただごとじゃない、まして雨の中では」という文章でした。ニッキーは、さっそく、そこから推論可能な事実を引き出していきます。その話し手はうんざりしている。彼は雨が降ることを予測していなかった。彼は運動選手やアウトドア型ではない。といった分かりやすい手近な推論から始まって、やがて、九マイルという距離に着目することで、推論はどんどん具体的で限定的になっていく。この部分のわくわくする感じは、パズルストーリイのもっとも人を高揚させるところでしょう。そして、状況は驚くほど狭まり、絞り込まれ、ついには、ある犯罪を推定させるに到るのです。

一九四七年発表の**「九マイルは遠すぎる」**を皮切りに、ケメルマンは断続的にニッキー・ウェルトを主人公とする短編のパズルストーリイを八編発表します。そのうち二作目の「わらの男」が第五回コンテストの佳作、六作目の「おしゃべり湯沸かし」（「アデルフィの壺」）が第十三回コンテストの選外作に入っています。そして一九六七年に「梯子の上の男」を発表し、同年それらを一冊にまとめた短編集が編まれます。無論、クイーンの定員に選ばれました。約二十年間で八編というのは、寡作としか言いようがありませんし、もともと**「九マイルは遠すぎる」**が、最初の着想から十四年後に完成したものだと、ケメルマン本人が序文で明かしています。

シリーズ第二作の「わらの男」は、誘拐事件の脅迫状――雑誌からの切り抜き文字を貼りつけた例のヤツです――に、どういうわけか、明瞭な指紋がついている。それはなぜか？　という謎が設《しつら》えてありました。ニッキーは、まず、それが故意であることを論証していきます。そこの部分は面白いのですが、犯行の真相とその解明には、それほどの魅力がありません。「わらの男」が示したこの弱点は、この作品だけに留まらない、このシリーズの弱点であるように、私には思われます。「10時の学者」や「時計を二つ持つ男」の、犯行時に何が起きたのか？　という推論は、**「九マイルは遠すぎる」**の十一語の文章や「わらの男」の指紋のついた脅迫状から成される推論のダイナミズムに欠ける。こういう可能性の場合に、犯行はなされうるという推論は、解決のための辻褄あわせにしか見えないものです。むしろ「エンド・プレイ」の机上のチェスボードの写真から推測されることは、論理のアクロバットと言えなくもない盲点をついた推論ですが、それだけで一編を支えるのは、いささか軽い。「おしゃべり湯沸かし」の蒸気音からの推理は、強引というものでしょう。

こうしてひとつひとつ見ていくと、『九マイルは遠すぎる』の収録作品は、必ずしも推論の面白さを十全に展開しているわけではありません。むしろ「九マイルは遠すぎる」だけが、端然とした推論の物語として、他の作よりもかけはなれて秀れている。その正体は、一編の最後のサゲにあります。ニッキーは、そもそも、推論とはあらゆるものから可能ではあっても、事実とはなんら関係がないことを証明しようとしていた。このアイロニーがあってこそ、「九マイルは遠すぎる」は、パズルストーリイのひとつの本質的な側面を、作品自体が体現した端正な結晶体となったのでした。

いまでこそ、『九マイルは遠すぎる』は、アームチェアディテクティヴという形式を完成させた短編集として、ジェイムズ・ヤッフェの『ママは何でも知っている』とともに、日本でも評価が定まっているでしょう。しかし、その評価は最初からあったわけではありません。そもそも、その収録作品は「時計を二つ持つ男」を例外として、すべて、本国での短編集出版ののちに、初めて訳されました。ニッキー・ウェルトとママの両シリーズで安楽椅子探偵ものが完成したと評する都筑道夫は、しかし、その編集長在任中に、このシリーズを日本語版ＥＱＭＭに載せることはありませんでした。

謎解きミステリの魅力の核は、名探偵の展開する推論にある。エラリイ・クイーンが強く意識し、持ち込んだ、このテーゼを、分かりやすく結晶化してみせたのが「九マイルは遠すぎる」でした。それは、パズルストーリイの魅力を実例で示してみせた、モダーン・ディテクティヴ・ストーリイ宣言の狼煙でもありました。

3　アームチェアディテクティヴの完成――ブロンクスのママ

ジェイムズ・ヤッフェの初期作品については、以前に触れましたが、十代でのデビューは珍しくはあっても、作品は凡庸でした。ママ・シリーズを書くことで、ヤッフェは一流作家の仲間入りを果たします。一作目の「ママは何でも知っている」は第七回コンテストの第三席作品として――「アデスタを吹く冷たい風」の年でした――五二年に発表されました。続いて「ママの春」が第九回コンテストの第三席、**「ママは願いごとをする」**（「ママは祈る」）が第十回コンテストの第二席に入りました。

ケメルマンの短編が六〇年代後半に訳されたと書きましたが、ヤッフェのママ・シリーズの日本でのあつかいは、さらに極端です。**「ママは願いごとをする」**が二年遅れで、「ママの春」が十年後に、それぞれ日本語版ＥＱＭＭに翻訳されましたが、それ以外の作品は一九六七年の一年間に集中的にミステリマガジンで紹介され、六八年発表の「ママは憶えている」*が七二年一月号に翻訳されたのです。奇しくも、一九六七年は『九マイルは遠すぎる』の原著刊行の年でした。以後の数年で、ケメルマンのニッキー・ウェルトものは紹介されていき、ポケミスに『九マイルは遠すぎる』が入った七一年の年末発売のミステリマガジンに、「ママは憶えている」が載ったのです。これらの作品紹介の立役者が太田博（各務三郎）であったろうことは、容易に推測がつきます。そして、日本では根強いファンがついていたママ・シリーズは、本国よりも二十年先駆けて七七年に短編集としてまとめられました。日本語版ＥＱＭＭに掲載された二編も改訳され、小尾芙佐の個人全訳です。のちに長編のママ・シリーズを東京創元社が出したとき、担当編集者の松浦正人をして、短編集の改訳出版を必要なしと判断させた、不動の人気シリーズでした。唯一の瑕疵は、原著が存在しない（雑誌掲載しかテキストがない）ことからくる、デイヴィッドが自分の細君の学歴をうろ覚えなこと——けしからんですな——で、九七年になって、ようやく、シャーリイはウェルズリーで心理学と社会学を専攻し家政学の授業も取ったと確定しています。もちろん、小尾芙佐には、いささかの瑕疵もありません。『ママは何でも知っている』については、ハヤカワ文庫版の法月綸太郎の解説が行き届いていて、つけ加えることがありません。とくに、最初の二作は犯人当てに主眼が置かれているけれど、三作目以降「事件の謎解きがママの人生や家族観とオーバーラップするような仕立てになって、物語の奥行きが深くなる」という指摘は重要です。ニッキー・ウェルトのシリーズとの違いは、その点が大きく、また、それに尽きるとも言えます。ママの推理は、初期のミス・マープルに似たところがあり、知人の誰それに似ている、誰それがそうだったという言葉が、頻出します。しかし、ミス・マープルよりも、その類似点からスタートする推論の足取りがしっかりしているのが強みです。そのうえで、ママの推理が、いささか強がりなママの真の姿を浮かび上がらせる。そこらの女私立探偵ものより、よほどハメットに近いのではないかと考えることが、私にはあります。「ママが泣いた」*「**ママは願いごとをする**」「ママは憶えている」など、そういう意味で逸品というほかありません。また「ママ、アリアを唱う」*は、オペラファンという特殊な仲間うちでは通常人とは別の論理が働くという点で、のちのクローズドサークルのパズルストーリイの行き方を、先取りしていました。

四〇年代から五〇年代にかけて、ケメルマンとヤッフェが書き続けたふたつのシリーズは、ディテクションの小説はクライムストーリイにとって代わられるのではないかという不安——クイーンでさえ感じていた不安——を、わずかずつではあっても払おうとする試みでした。しかし、それが大きな潮流となることはありませんでした。寡作であることの長所も短所も、このふたつのシリーズにはあったのです。ふたりののち、たとえばシオドー・マシスンの『名探偵群像』のような、歴史上の著名人がただ一度だけ名探偵ぶりを発揮するというコンセプトだけが先行し、魅力的な謎も魅力的な推論もない、事件と解決の残骸のような、謎解きミステリのシリーズさえ現われました。同時代のヒュー・ペンティコーストのシャーロック伯父さんのシリーズは、数歩力が及ばず、しかし**「子供たちが消えた日」**という抜群の副産物ならば、産み落とすことが出来ました。

六〇年代の末、このふたつのシリーズは遠く離れた極東の地で、知己を見出し、各務三郎をして「無限に広げうる推論の楽しみ、の勝利」と絶賛させ（『ミステリ散歩』）、都筑道夫をしてモダーン・ディテクティヴ・ストーリイの実践を通して、退職刑事のシリーズへ向かわせました。しかし、それは先の話であって、両シリーズを最後に、短編のパズルストーリイの命脈は尽き、クライムストーリイへの移行は不可避であるという、小鷹信光のような考えは、説得力を持つようになっていったのでした。

4　異端の本格——ジョイス・ポーターとランドル・ギャレット

老舗のミステリファンクラブであるSRの会は、毎年、その年に出たミステリから、日本のものと翻訳ものの両方で、ベストを選出しています。第一回が一九六三年（対象作品は六二年刊）と言いますから、六十年近く続いていることになります。一九七二年に、そのベスト選出十周年を記念して、会員の投票をもとにした、六二〜七一年の十年間のベスト10が発表されました。翻訳ミステリは次の十作でした。

ロス・マクドナルド『ウィチャリー家の女』、ジョン・ル・カレ『寒い国から帰ってきたスパイ』、セバスチアン・ジャプリゾ『シンデレラの罠』、パトリシア・モイーズ『死人はスキーをしない』、ジョナサン・ラティマー『処刑6日前』、ハリー・クレッシング『料理人』、ギャビン・ライアル『深夜プラス1』、ディック・フランシス『度胸』、ジョイス・ポーター『ドーヴァー④／切断』（『切断』）、ランドル・ギャレット『魔術師が多すぎる』。

このうち、パズルストーリイはモイーズ、ポーター、ギャレットの三作です。とはいえ『死人はスキーをしない』は原著刊行が五九年ですし、モイーズの作品は上品ではあっても外連味がない。ついでに言えば、推理の面白さもあまりない。しかし、ポーターとギャレットは、そうではありません。

ランドル・ギャレットは本来SF作家であり、ダーシー卿のシリーズを書いた（発表はおおむねSF雑誌でした）ので、ここに名前が残ることになりました。ちなみに、ケメルマンの短編集『九マイルは遠すぎる』は七一年の七位（二位が『魔術師が多すぎる』、八位が『密室殺人傑作選』）で、十年間のベスト10には入りませんでした。六〇年代から七〇年代にかけての、パズルストーリイ低迷の時代に、わずかに気をはいていたのが、ジョイス・ポーターとランドル・ギャレットだったとは言えるでしょう。

私が本格的にミステリを読み始めたとき、ジョイス・ポーターは、すでに最初の四長編の翻訳が出そろっていて、破天荒なユーモアパズルストーリイとして評価が定着していました。なにしろ、探偵役がまともに捜査をする気がない。飲み食いに熱心で、容疑者をあてずっぽうで犯人呼ばわりする。登場したときの、ドーヴァーもののユニークさは、そうしたドーヴァーの無茶な言動に、犯人が勘違いしたり、神経を逆なでにされたあげく、自滅していくところにありました。ドーヴァーが謎を解くのではなく、ドーヴァーの前に、謎が勝手に解けてしまうのです。それは確かにユニークではありましたが、何度も使える手ではない。シリーズの代表作が『ドーヴァー④／切断』になることは、異論がないと思いますが、『切断』が評価されたのは、奇想天外な真相のもたらす解決の意外性と、考えオチめいた結末でしょう。また、それらのことが、ドーヴァーの個性と無関係だとは言えません。しかし、パズルストーリイとして、真にユニークで、爆笑のうちにミステリのパラダイムを壊していたのは、それ以前の長編でした。

ドーヴァーものの中短編は六〇年代の末から書かれ始めます。最初の邦訳は「急げドーヴァー!」でした。傍若無人で食い意地の張ったドーヴァーの個性と、それに耐え忍ぶマクレガーというふたりの関係は、長編と同じどころか、むしろ、おなじみのコンビといった感じで小説が始まります。いつものごとく腹をこわしたらしいドーヴァーは、事件現場に着くなりトイレに駆け込みますが、おかげで犯人を見つけました。七〇年の「どうどうドーヴァー」は、没収した容疑者の所持品の中から万年筆を失敬したために、ドーヴァーは犯行方法を看破できました。もっとも、ドーヴァーの解決は、自分だけが見つけた事実による、推理というより決めつけに近いのも事実で、犯人の自供とワンセットか、マクレガーとの間で交わされる会話どまりであることが多いのです。

やはりトイレが鍵となる「臭い名推理」や、周囲に被害者を知る人間が誰もいないという「ドーヴァー汗をかく」といった作品では、ドーヴァーの推理は、普通の名探偵に近いものになっています。それらの中では**「ここ掘れドーヴァー」**(「ドーヴァー、少し頭を使う」)が、まともな推論を積み重ねながら、なおかつ根本的なところでズッコケているという、ドーヴァーらしさが巧くパズルストーリイに溶け込んでいました。ドーヴァーが恐妻家というのも面白くて、かつ、謎解きと不可分なのが、また楽しい一編でした。

さらに、取り上げる価値があるのが「ドーヴァー森を見ず」と「ドーヴァーもみ消す」です。一大企業を所有する大金持ちがいて、遺産を相続したがっている親族が何人もいるのに、オーストラリアにいる会ったこともない青年を唯一の相続人に指定している。他の親族はあてがい扶持の飼い殺しです。そんなところに、オーストラリアから青年がやってくると、それが他の親族に輪をかけて会社を任せられそうにない（青年がパンクらしいのが時代色でしょうか）。大金持ちが男か女かという違いや、会社の営業内容の相違はあるものの、「ドーヴァーもみ消す」は「ドーヴァー森を見ず」の改作なのでした。ところが、犯人も動機も同じで、展開も大きくは変わらないにもかかわらず、この二作は、同工異曲ではありませんでした。「ドーヴァーもみ消す」では、ついに、ドーヴァーは、それまでの単に不愉快な警官から、悪徳警官への一歩を踏み出したのでした。「ドーヴァーもみ消す」は、ミステリマガジンの依頼でポーターが同誌に書き下ろしたもので、英語版が発表されているのかどうか分かりませんが、シリーズ中の異色の一編となっていました。

ポーターには、ドーヴァー警部のほかに、もうひとり、オノラブル・コンスタブル・エセル・モリソン＝バーグことホン・コンおばさんというシリーズキャラクターがいます。田舎住まいのオールド・ミスという点で、クリスティにおけるミス・マープルと対応すると見る人もいます。女版ドーヴァーともいうべき強引さと、マクレガーにあたるミス・ジョーンズ（ホン・コンはボーンズ＝骨と呼びますが）が、ついています。

働かずとも食べていけるホン・コンは、持ち前の行動力のはけ口を求めて、私立探偵の看板をあげているというので、ドーヴァーよりは積極的に（他人及び警察の迷惑も顧みず）事件に介入していきます。それだけに、ホン・コン自身が、推理し捜査するので、普通のパズルストーリイになっていて、それにしては魅力的な謎や解明に乏しいうらみがあります。その中では「気になる隣人事件」が、隣家で買い入れる牛乳が多すぎると、ホン・コンが疑い始めるのが、面白い着想で、その後の展開も動きが多いのが、功を奏しています。仮説をたてては確かめるための行動に出て、あげくは進行中の事件に闖入《ちんにゅう》してしまい、サゲがまた愉快でした。このほか、相棒のミス・ジョーンズの窮地を救う「〝瓢箪から駒〟事件」や、切手収集家の些細な紛失事件から、陰湿な企みを発見する「盗まれた切手」といった作品が、目をひきますが、ドーヴァーものに比べると、平凡なことは否めません。

ランドル・ギャレットのダーシー卿とマスター・ショーンのシリーズは、その根本アイデアによって、作品の成功は半ば約束されたと言ってもいいでしょう。つまり、歴史のある時点から現実とは別の歴史を刻んだ、パラレルワールドの現代――科学のかわりに魔術が基礎となって文明が成り立つ、プランタジネット朝の英仏帝国――を舞台にして、ミステリを書いたところに、魅力のほぼすべてがありました。とくに最初の翻訳となった唯一の長編『魔術師が多すぎる』は、魔術師の大会における密室での魔術師殺害という、魅力たっぷりの設定でした。名探偵ダーシー卿には魔術師のタレントがなく、相棒のマスター魔術師ショーンが、数々の魔法で卿をサポートしますが、そこには一定のルールがあって、出来ること出来ないことがある。それゆえに、現実とは異なった不可能興味が喚起されるという仕組みです。

原著刊行六六年の『魔術師が多すぎる』に先立って、ギャレットはこのシリーズの中編を三作書いていて、それらも追って訳されることになりました。「その眼は見た」*「シェルブールの呪い」「藍色の死体」（**「青い死体」**）です。七〇年代半ばのことで、『魔術師が多すぎる』が文庫化されたのに続いて『魔術師を探せ！』としてまとめられました。ジェイムズ・ヤッフェのママ・シリーズ同様、これもアメリカでは一冊になっていなかった、日本独自の短編集で、『魔術師が多すぎる』のインパクトがいかに強かったかを物語っていました。

『魔術師を探せ！』は、その後改訳版も出ましたが、ダーシー卿ものの特色が長所も短所も現われている作品集です。「その眼は見た」は、殺人の被害者が死の直前に見たものを、魔術で再現するという、非常に魅力的なアイデアが出てきます――しかも、その像からは簡単に目撃したものが判明しないという設定が、また巧み――が、如何せん、それを謎解きに結びつけていないのが、もったいない。「シェルブールの呪い」は、宿敵ポーランドのスパイによる陰謀が登場し、スリラーとしての面白さを発揮しています。このシリーズが、外套と短剣と魔法の国の話であることが、分かります。そして三作目の**「青い死体」**では、公爵崩御にあたって、予め丹精込めて作っておいた棺を取り出したところ、中から全身を青く染められた死体が転がり出るという、これまた魅力的な発端で、謎解きの仕上がりも見事でした。難を言えば、解決の仕方がいささかすっきりしないことで、ありていに言うと、ギャレットはミステリを書くのが、あまり上手ではない。それに、本来は長編を構成すべき内容なのかもしれません。それでも『魔術師を探せ！』は愛すべき中編集でした。

　これら三作の予行演習ののちに『魔術師が多すぎる』が書かれました。たっぷりと分量を取り、魔術の支配する世界での、密室の謎解きとスリラーの魅力を盛り込んだ秀作です。ただし、密室の謎解きはカーター・ディクスンのトリックの改良形で、解決の仕方が地味というか、もう少し外連味があっても良い内容だとは思います。

　ダーシー卿のシリーズは本国で短編集が編まれなかったことなどから、アメリカでの評価は、いまひとつなのかと私は思っていました。ただ、二十一世紀に入り、ギャレットが亡くなってみると、結局は彼の代表作となったようです。シリーズはその後も中短編が書き継がれましたが、出来はいまひとつです。中では、ショーン（が中心となります）とダーシー卿が、密命を帯び、変装して乗り込んだ大陸横断急行で殺人が起きる「*ナポリ急行」が、クリスティの『オリエント急行の殺人』を下敷きに遊んでみせて愉快です。最初からまる分かりながら、変名でショーンが描かれていくのに、まずニヤリとします。もっとも、それなら『オリエント急行』の下敷き部分を、もっと早い段階で明かした方が良かったでしょう。このあたりにも、ギャレットのミステリ下手が出ている気がします。アシモフのSFミステリのアンソロジーに採られた「イプスウィッチの瓶」は、ダーシー卿とポーランドの女スパイの対決が面白く、「苦い結末」は、なぜ被害者は毒の苦みに気づかなかったのかというホワイダニットが新鮮ですが、どちらも中編と呼ぶべき分量で、それだけの美点では、この長さは持ちません。

　ジョイス・ポーターは、破天荒で掟破りの探偵役を創造することで、パズルストーリイにショックをもたらしました。ランドル・ギャレットはSF的な発想の世界観をミステリに持ち込むことで、パズルストーリイの新しい在りようを示してみせました。しかしポーターの行き方は、あくまで例外的なものであり、真似手もなければ、真似たところで二番煎じにしかならないものでした。ギャレットのダーシー卿のシリーズは、その後、歴史ものに雪崩をうっていったイギリスミステリを予言するかのようでしたが、魔術による謎とその解明というユニークさと同等なものを、後続の歴史ミステリに発見するのは至難の業でした。

六〇年代の末に、ハリイ・ケメルマンのニッキー・ウェルトとジェイムズ・ヤッフェのママが退場し、ジョイス・ポーターとランドル・ギャレットというユニークな書き手は、そのユニークさゆえに潮流を形成するには到りませんでした。ウィリアム・ブルテンはいかにも非力であり、エドワード・D・ホックは出来に差がありすぎた上に、圧倒的に玉より石が多かった。こうして、短編のパズルストーリイの命脈は一度尽きたかに見えたのでした。

訳者紹介

猪俣美江子（いのまた・みえこ）慶應義塾大学文学部卒。英米文学翻訳家。アリンガム《キャンピオン氏の事件簿》、セイヤーズ『大忙しの蜜月旅行』、ピーターズ『雪と毒杯』、ブランド『薔薇の輪』など訳書多数。

門野集（かどの・しゅう）一九六二年生まれ。一橋大学社会学部卒。英米文学翻訳家。訳書にウールリッチ『コーネル・ウールリッチ傑作短篇集』、クイーン『青の殺人』、ノックス『閘門の足跡』、ネヴィンズＪr.『コーネル・ウールリッチの生涯』等がある。

白須清美（しらす・きよみ）一九六九年山梨県生まれ。早稲田大学第一文学部卒。英米文学翻訳家。訳書にディクスン『かくして殺人へ』、イネス『霧と雪』、クェンティン『俳優パズル』、イーリイ『タイムアウト』等がある。

直良和美（なおら・かずみ）東京生まれ。お茶の水女子大学理学部卒。英米文学翻訳家。訳書にローザン『チャイナタウン』、フレムリン『泣き声は聞こえない』、テイ『ロウソクのために一シリングを』、デ・ジョバンニ『P分署捜査班 集結』

等がある。

深町眞理子（ふかまち・まりこ）一九三一年生まれ。五一年、都立忍岡高校卒。英米文学翻訳家。ドイル『シャーロック・ホームズの冒険』、クリスティ『ABC殺人事件』、ブランド『招かれざる客たちのビュッフェ』など訳書多数。著書に『翻訳者の仕事部屋』がある。

藤村裕美（ふじむら・ひろみ）國學院大學文学部卒。英米文学翻訳家。訳書にアームストロング『始まりはギフトショップ』、ロラック『悪魔と警視庁』、リッチー『クライム・マシン』（共訳）等がある。

原題・未訳作品

映像・演劇作品

ら

り

る

れ

ろ

わ

む

め

も

や

ゆ

よ

み

へ

ほ

ま

ふ

の

は

ひ

な

に

ぬ

ね

つ

て

と

そ

た

ち

す

せ

さ

し

け

こ

く

か

き

え

お

い

う

索　　引

・小森収「短編ミステリの二百年」第9章第6節から第14章第4節で言及されたもののうち、書籍は『　』、短編や章題は「　」で表した。**太字**（ゴシック体）のものは本書および『短編ミステリの二百年』既巻収録短編、末尾に「*」がついたものは編者のおすすめ短編である。
・人名は姓→名の順で、著作者に限り記載した。
・複数題名のある作品、複数表記のある人名は最も一般的と思われる表記のところにほかの表記で記載されたページもまとめて掲載した。

あ

編者紹介　1958年福岡県生まれ。大阪大学人間科学部卒業。編集者、評論家、作家。著書・編書に『はじめて話すけど…』『本の窓から』『ミステリよりおもしろいベスト・ミステリ論18』等がある。また自らも謎解きミステリの短編集『土曜日の子ども』を書いている。

検印
廃止

短編ミステリの二百年5

2021年6月18日　初版

著　者　グリーン、ヤッフェ他
編　者　小《こ》　森《もり》　　収《おさむ》

発行所　(株)　東京創元社
代表者　渋谷健太郎

162-0814/東京都新宿区新小川町1-5
電　話　03·3268·8231-営業部
　　　　03·3268·8204-編集部
URL　http://www.tsogen.co.jp
萩原印刷・本間製本

乱丁・落丁本は、ご面倒ですが小社までご送付ください。送料小社負担にてお取替えいたします。

ISBN978-4-488-29906-4　C0197